Die Dichter Des Alten Bundes

by Heinrich Ewald

Address:
HardPress
8345 NW 66TH ST #2561
MIAMI FL 33166-2626
USA
Email: info@hardpress.net

Die

SALOMONISCHEN SCHRIFTEN

erklärt

von

HEINRICH EWALD.

Zweite ausgabe.

Göttingen,

Vandenhoeck & Ruprecht's Verlag.

1867.

Vorrede.

Es trifft sich hoffentlich auch für die leser dieses werkes gut dafs ich in dem gegenwärtigen bande alle drei Salômonischen schriften zusammenfassen kann: dazu sind sie bei der jezigen ausgabe sowol im ganzen werke als unter sich gerade só gereihet wie sie nach den Bd. I *a* gegebenen erörterungen über geschichte und wesen der Hebräischen dichtung in die reihe zu stellen sind. Wie viel neues und ausführlicheres diese zweite ausgabe enthalte, kann ihre vergleichung mit der ersten leicht lehren. Wenn ich aber den inhalt der ersten bearbeitung des Hohenliedes bei weitem nicht vollständig in diese herübergenommen habe sodafs jene nach vielen seiten hin noch immer ihren eigenthümlichen werth behält, so liegt das an der ganz verschiedenen anlage des gegenwärtigen werkes. Jezt nun gebe ich hier über das Hohelied eine völlig neue ausarbeitung.

Dafs die übersezung der stücke hier nur der kürze der erklärung zu hülfe kommen sollte, habe ich in diesem werke früher deutlich geäufsert und läfst schon seine aufschrift erkennen. Dennoch habe ich auf sie auch in dieser neuen ausgabe viele aufmerksamkeit verwandt, und man sollte doch begreifen dafs die der ältesten stücke wie Spr. 10, 2—22, 16 absichtlich die härte der frühesten redeart wiedergibt.

Ich kann jedoch hier nicht übersehen dafs jezt dreifsig jahre seit der ersten ausgabe der erklärung der Lehrdichtungen, über vierzig seit dér des Hohenliedes vergangen sind; ich kann die frage hier nicht übergehen ob das sichere verständnifs und die richtige schäzung dieser drei Biblischen bücher durch die vielen seitdem besonders in Deutschland über sie erschienenen schriften im Grofsen gefördert sei oder nicht. Aber leider mufs ich diese frage auch hier ebenso wie neulich bei der erklärung der Psalmen verneinen. Gerade wenn man auf die grofsen hauptsachen sieht auf welche es doch bei diesen wie bei allen Biblischen büchern zulezt allein ankommt, enthalten diese werke je hochmüthiger sie auftreten wollen desto mehr nur rückschritte. Nicht alsob sie alles läugneten was in jenen meinen beiden werken auseinandergesezt ist: wie wäre das auch so leicht möglich? Aber statt eben das allgemeinste und bedeutendste was in ihnen gewonnen war als einen festen grund für weitere erkenntnisse frei und froh anzuerkennen (dafs aber ein solcher grund in ihnen gegeben war, davon habe ich mich auch bei dieser neuen ausarbeitung wieder überzeugt), herrscht in ihnen so viel kleinliche verkennung des Richtigen und soviel kleben am Eiteln und Verkehrten dafs die rückschritte in welche sie verfallen überall nahe genug liegen und für alle unsre bessere zukunft gefährlich genug werden.

Ich bin nun wol alt genug geworden um mich über dies ganze treiben noch offener zu äufsern als ich dieses schon bis jezt an solchen stellen that wo es mir nüzlich schien. Die Deutschen sind, wer kann es läugnen der sie genau kennt, seitdem den Päpsten im Mittelalter ihre erste frische jugend zu knicken gelang, ein immer tiefer gesunkenes volk geworden welches sich noch immer nicht zu der männlichen reife und dem unbeugsamen edeln stolze eines ächten volkes erheben will, ja die nicht wenigen und nicht geringen anfänge welche es seit 600 jahren dazu von zeit zu zeit machte immer wieder verliert ehe sie noch ihm die beste frucht getragen. Wo ist die erhebung der grofsen Deutschen Reformation, wo die der befreiungskriege geblieben?. immer sind dieselben für welche so herrliches geschehen war, diesem herrlichen selbst wieder untreu geworden; immer haben sie die hand Gottes wieder verlassen welche sie schon ergreifen und zu einem edleren daseyn hinanleiten wollte. Darum wird denn das gute selbst welches unter ihnen ist ihnen immer wieder zum bösen. Denn wo ist ein volk welches noch immer im tiefen grunde besser wäre als das Deutsche? wo hat alles gemeine volk weit und breit mehr männlichkeit und arbeitsamkeit, mehr guten willen und bildsamkeit zu allem bessern wesen, mehr genügsamkeit und bescheidenheit als das Deutsche? aber die verworrenheit und menschenfurcht die unmännlichkeit und gottleerheit der meisten welche sich in ihm als führer und leiter aufwerfen, richtet es immer wieder zu grunde. Die Reformation hat die Deutschen vom Päpstlichen joche befreit: eine solche geistige freiheit fordert, wenn sie bestehen und gute früchte tragen soll, als erste bedingung dafs alle die welche in der Evangelischen kirche sei es auf rein wissenschaftlichem oder auf kirchenleitendem gebiete irgendwie als führer thätig seyn wollen desto weniger sich der eigensucht und dem eigensinne sowie aller sonstigen verkehrten freiheit hingeben und desto reiner der unsichtbaren göttlichen wahrheit und kraft dienen welche allein hier herrschen soll. Allein wie wenige handeln nun wirklich nach dem geseze dieser so schwer errungenen und so zarten freiheit, wie viele machen sich zu sklaven von bestrebungen die sie zerstören müssen, und wieweit ist infolge davon jenes joch in dieser oder jener gestalt schon wieder zurückgekehrt! Von volksthümlicher freiheit ist seit den ältesten zeiten den Deutschen ein reiches mafs und, was noch mehr ist, ein unausrottbarer trieb geblieben, und ihre macht ist durch die edelste anstrengung nicht weniger herrlicher männer aufs neue kräftig gewachsen: allein welcher finstere gebrauch wird nun von ihr gemacht, und wie tief sind so viele gerade von denen gesunken welche als ihre öffentlichen stüzen gelten wollen und doch nicht einmal die ächte treue und geduld ihr rein zu dienen finden können! Die öffentlichen äufserungen auch durch bücher und zeitungen wurden ihrer alten fesseln immer mehr ledig: und wie haben sie sich nun den finstersten gewalten wieder só dienstbar gemacht dafs man unter 100 zeitungen kaum 2 oder 3 trifft welche nicht den tiefsten unwillen jedes noch unverdorbenen herzens erregen müssen!

Es ist so dieser immer noch wieder zur herrschaft kommende mangel am edeln, und das ist dasselbe als wenn man sagt am christlichen leben welcher in Deutschland die besten bestrebungen lähmt und beständig unsägliches elend schafft. Von den oberen schichten der gesellschaft her ist dieser mangel in Deutschland eingerissen; und gerade auch die Gelehrten welche ihm am treuesten widerstehen sollten, werden ihm noch immer so oft und so schwer zur beute [1]). O wann wird dieser bann von dem Deutschen volke

---

[1]) die leser des XIIten *Jahrb. der Bibl. wiss.* wissen dafs ich dort gegen ende des j. 1864 dem Leipziger Professor Fleischer nachweisen mufste dafs er sich in der wissenschaft von unlauteren antrieben leiten lasse. Es ist schlimm genug dafs man etwas der art nachweisen mufs: allein wo es wenn wissenschaft in Deutschland nicht untergehen soll durchaus nothwendig wird, da verlangt die liebe zu ihr auch dies. Die art nun wie er jezt (in einem blatte das man in die DMGZ. nicht aufzunehmen wol aber ihr beizulegen gewagt hat) sich darüber äufsert, zeigt nur dafs er solche in der wissenschaft durchaus verwerfliche unlautere und unwürdige antriebe noch immer in sich wirken läfst, alsob z. b. seine gedruckten und gesprochenen unwahrheiten von 1844 jezt da er sie obwohl öffentlich gewarnt blofs wiederholt keine wären! Allein ich halte es für über-

genommen welcher noch immer sein bestes leben zerrüttet, wann wird dieses volk sich allgemeiner und kräftiger zu einem männlich reifen, wir können (wie schon bemerkt) ebenso wohl sagen zu einem ächt christlichen denken streben und handeln erheben! Was diesen sommer seit dem 15. Jun. in Deutschland geschah, ist nur eine der nächsten und der entsezlichsten folgen dieses mangels: denn wol kann es kommen dafs plözlich alle die bösen antriebe welche längst in dem vom göttlichen lichte nicht erleuchteten geiste eines volkes wie im verborgenen grofs und mächtig wurden, wie durch éinen schlag zusammengetrieben offen ausfahren um alles Bessere zu ersticken.

Gibt es noch ein Deutschland? wer versteht heute bei der neige des sommers 1866 diese frage nicht? und wer kann sich ihrem gewichte entziehen auchwenn er es wollte? Welcher Deutsche wenigstens der nochnicht völlig jedem bessern leben und streben abgestorben ist, wird dieser frage aus dem wege gehen wollen?

Wir wissen dafs es sich bei dieser frage nicht blofs um land und boden drehet, wiewohl es sich hier auch nicht um ein blofs erobertes und wie durch gewalt erobertes so auch durch die gleiche gewalt leicht wieder verloren gehendes land handelt. Dieser boden ist seit aller bekannten geschichte von dem Deutschen volke unzertrennlich gewesen: nur dieses hat alles grofse und herrliche gegründet was in ihm zur dauernden blüthe gekommen und noch jezt seine zierde und sein

flüssig darüber sowie über das Leipziger CBL. hier weiter zu reden, da meine worte unwiderlegt geblieben sind und bleiben mufsten. Ist es in diesen allerunglücklichsten Deutschen zeiten nochnicht genug des eiteln gelehrten treibens?

stolz ist. Ein volk welches das land eines andern schon hochgebildeten volkes erobert, kann jahrhunderte lang in ihm sich festsezen und schon ewig in ihm zu bleiben träumen, und wird doch bei jeder stärkeren erschütterung leicht wieder aus ihm verdrängt. Allein die geschichte lehrt auch dafs es stammvölker gibt welche früh sefshaft und friedliebend ebenso wie grofs und ausgebreitet genug geworden sind um, wenn sie hinter den fortschritten aller menschlichen entwickelung nicht zurückbleiben, die hauptländer der erde auf die dauer zu bewohnen, und damit die fruchtbarsten gebiete und die festesten haltorte aller höheren bildung zu werden fähig sind. Gäbe es solche völker nicht, so würden wir überhaupt von menschlicher geschichte und von den fortschritten aller menschlichen bestimmung auf erden nicht reden können; niemand aber kann läugnen dafs das Deutsche volk zu ihrer zahl gehöre so wie es sich bisher in aller geschichte gezeigt hat, bis endlich in diesen lezten tagen ereignisse eingetreten sind welche es zweifelhaft machen könnten. Eben deswegen aber ist jene frage unter deren last wir jezt seufzen, einerlei mit der anderen:

Gibt es noch ein Deutsches volk? Ein volk wenn es des namens werth ist, hat noch eine ganz andere einheit als ein land: in ihm ist doch zulezt alles nur geistigen sinnes und geistiger kraft; und schüzt es treu und entschlossen das einzige wodurch es ein volk unter allen übrigen völkern der erde geworden ist und fortdauernd bleiben kann, so hat es etwas unsterbliches in sich, und kann in keiner weise so wie land und boden zertheilt und zerrissen werden. Jedes volk von der oben bestimmten art (denn von andern brauchen wir hier nicht zu reden) kann heute in eine wenigstens 2000jährige geschichte zurückblicken, und findet in ihr neben allen verirrungen und verkehrtheiten welche in ihm zeit- und ortsweise mächtig wurden doch auch genug unvergänglichen gewinnes an höheren gütern des lebens, den es nur nicht veruntreuen darf um von ihm aus auch in alle seine zukunft mit ungebrochener zuversicht zu blicken und die lasten des tages mit heiterem blicke zu tragen. Es findet in ihr aber auch genug von höheren gütern des lebens die es wie kein anderes volk sich erworben, und genug von schwierigeren aufgaben alles menschlichen bestrebens die es gerade an seiner stelle zu lösen hat und die kein anderes volk an diesem plaze der weiten erde so gut lösen kann. Dies alles bildet die straffe lebensfreudigkeit und die unzerstörliche unsterblichkeitshoffnung eines volkes. Und wir waren bis jezt der meinung dafs es in diesem sinne ein Deutsches volk gebe, und dafs dieses volk sich nicht selbst aufgeben wolle. Wir hatten nicht zu besorgen dafs dieses volk sich leicht überheben werde und den gefahren durch das gefühl und die sicherheit einer art von weltherrschaft verblendet zu werden schon so nahe sei wie das heutige Englische: wir wufsten dafs dieses volk durch die ungunst der lezten sechs jahrhunderte von seiner alten herrlichkeit und macht viel verloren habe, doch sahen wir seinen kern noch unangetastet und gesund, auch seinen leib nochnicht so unersezlich eingefallen und geschwächt; so hofften wir dieses alte bewährte kernvolk unsres festlandes werde vielleicht eine noch schönere zukunft vor sich haben als alle vergangenheit in seiner jugend war. Aber wir müssen nun desto mehr fragen: gibt es noch jezt nach dem neuesten was wir erleben mufsten ein Deutsches volk?

Die frage mufs verneint werden wenn man den zustand Deutschlands betrachtet wie er seit dem 15ten Jun. dieses jahres sich bis jezt gestaltet hat. Die einheit Deutschlands welche sich als eine der ältesten und gewichtigsten geschichtlichen thatsachen aller Europäischen bildung und gesittung vonselbst verstand und die sich nach ihrer ersten kurzen unterbrechung in dem Deutschen Bunde wiederherstellte, ist zerrissen. Sie ist zerrissen nicht etwa durch einen auswärtigen feind und eroberer: gegen ihn würde sich das Deutsche volk heute leicht ebenso wieder erheben können wie 1809 und 1813 während der ersten und einzigen zeit wo überhaupt ein Fremder zum eroberer Deutschlands wurde; oder durch die empörung eines vasallen gegen den Kaiser: auch die schlimmsten zerrüttungen dieser art vermochten niemals die tiefen grundlagen des Deutschen Reiches aus ihrem boden zu heben, noch weniger die einheit des volkes zu zerstören. Sie ist zerrissen durch die Deutschen selbst; und zum erstenmale seit allem daseyn eines Deutschen Reiches und in ihm eines Deutschen volkes ist jezt das zu denken grauenvollste und unglaublichste geschehen, daſs dieses volk seinen eignen leib zerrissen hat oder ihn wenigstens zerrissen zu haben glauben soll.

Wäre diese zerreiſsung indessen nur als eine rein innere erfolgt, so könnte man darin vielleicht eine leicht wieder vorübergehende verirrung finden, eine krampfhafte spannung und ausrenkung der glieder die sich doch leicht wieder richtig einfügen würden. Es kann ja wol einmal über ein volk eine solche plözliche verfinsterung und verblendung kommen daſs es gegen seine eignen eingeweide wüthet und wie in toller raserei vergehen zu wollen scheint: allein es besinnt sich ebenso leicht im nächsten augenblicke und kehrt zur vollen vernunft zurück. Hier aber haben die Berliner (um die veranlasser der zerreiſsung hier kurz so zu nennen) für die beabsichtigte zerreiſsung des bandes der Deutschen einheit zuvor theils des geduldigen zuschauens theils der thätigen hülfe Fremder sich versichert, und sie dann mit solchen hülfsmitteln ausgeführt. Ein volk welches bis jezt gar kein volk war und noch nie sich als solches bewährt hat, empfing die erlaubnifs und aufmunterung Deutsche macht zu schädigen und den Deutschen boden von süden her zu überziehen; und die zerreifsung selbst wurde von den Franzosen nicht blofs zum voraus erlaubt gebilligt und vorgezeichnet sondern auch obwohl ohne waffen mitausgeführt und gewährleistet. Diese einmischung der Fremden ist eine ganz andere als jene ohne welche der Westphälische frieden 1648 und der Deutsche Bund 1814 nicht zu stande kam: denn damals handelte es sich um die grofsen weiten fragen der religion und der freiheit welche alle völker ergriffen hatten, sodafs Deutschland als das mittelland Europa's längst nicht mehr allein in handeln begriffen war; hier aber handelte es sich um Deutschland und sein fortbestehen allein; und da sind von Deutschen selbst die Fremden gerufen um die Deutsche einheit zu zerstören. Was konnte den Fremden und erbfeinden Deutschlands lieber seyn als dies? Sie sind nun zu den hütern und schirmherren der zerreifsung Deutschlands gesezt, und herrschen über es als solche.

Was aber diese zerreifsung noch besonders erschwert, ist dafs sie nicht etwa aus solchen ursachen erfolgte welche ein volk wirklich in seinem tiefsten Innern nicht nur gewaltig bewegen sondern auch zerspalten und mit übergewalt gegen einander treiben können. Solche ursachen gehen von einer grundverschiedenheit der richtung des geistes aus: nur die religionsstreitigkeiten sind die welche ein volk am tiefsten entzweien und am hartnäckigsten auseinander reifsen können. Allein sogar diese welche in keines volkes geist so tief eingedrungen sind wie in den des Deutschen, haben es troz aller Päpste und Jesuiten und troz aller schweren schäden welche sie ihm brachten nicht völlig zerreifsen können: vielmehr haben schon seit dem ende des 30jährigen krieges alle die grofsen volksthümlichen fragen im vereine mit einer

besseren wissenschaft und religion das zerstörende feuer
ener zerreifsung immer mehr gedämpft; und nur ganz
zerstreute einzelne Thoren konnten sich einbilden dafs
dies feuer durch den krieg des jahres 1866 wieder
heller aufglühen würde. Aber es ist auch nicht etwa
eine geistige zerklüftung und verfeindung neuerer art
in welche sich die Deutschen verloren hätten: vielmehr
wehete durch ganz Deutschland, nimmt man ein paar
einzelne orte aus, noch nie ein geist der in allen volksthümlichen fragen so einig war und täglich noch einiger werden wollte. Was die verfeindung und zerreifsung wirklich hervorlockte und vollendete ist nichts
als die herrschsucht eines ansich höchst geringen theiles über alle die anderen: wo diese sucht einreifsen
darf nnd das glück der zeit für sich hat, da wird der
rifs in die einheit eines volkes erst der tiefste und
unheilbarste.

Indem ich soeben das was hier zulezt allein treibend war mit einem kurzen worte auf herrschsucht
zurückführte, behaupte ich nur was jeder ebenso unbefangene als sachkundige ganz ebenso erkennen und,
wenn er nicht aus ihm gutscheinenden besonderen gründen zu schweigen vorzieht, auch öffentlich behaupten
wird. Der staub welcher über die sache als sie erst
werden sollte mit gewaltigster anstrengung aufgerüttelt
wurde und jezt gerne noch immer nachspielend emporfliegen möchte, hat keinen augenblick irgendeinen
blenden können der nicht blind seyn wollte. Oder
man erwäge doch auchnur und sage warum ich selbst
so urtheile und demgemäfs handle. Was sollte mich
denn dazu bestimmen so und nicht anders zu urtheilen
und zu handeln als von der einen seite die wahrheit
als das höchste dem jeder mensch sich zu unterwerfen
hat, und von der anderen das lebendige gefühl welches
jeden Deutschen sei er der einfachste oder der gelehrteste der mächtigste oder der niedrigste für das wohl

und die zukunft des Deutschen volkes beseelen mufs? Wer wagt es mir etwas anderes zuzutrauen? Wer kann behaupten ich hätte jemals seit dreifsig jahren und länger wo ich sei es im volksthümlichen oder im kirchlichen oder im rein wissenschaftlichen gebiete öffentlicher zu handeln mich gedrungen fühlte meine eignen sinnlichen vortheile oder auchnur die gunst der menschen gesucht oder von blofsem ehrgeize oder gar von parteisucht getrieben gehandelt? Wie ich namentlich zu könig Ernst August bis zu dessen tode und zu dessen nach meiner überzeugung unrechtmäfsig vertriebenen sohne gestanden habe, ist leicht einem jeden bekannt. Aufserdem ist es nie meine sitte gewesen das nächste zu versäumen was jedermann zu thun hat. Ich hoffe jedermann werde finden dafs ich auch hier nur thue was jeder der seinem volke nicht untreu werden will zu thun hat. Aber der lauf der gedanken zwingt mich hier die weitere frage aufzuwerfen:

Drohet der untergang des Deutschen volkes? und ich mufs leider meinen dafs jeder etwas tiefer nachdenkende auch diese frage nur bejahen kann, mag man auf den jezigen inneren oder auf den äufseren zustand Deutschlands blicken.

Diese zertheilung ist ja wahrlich nicht dáraus entsprungen dafs das Deutsche volk sich auf seinem boden etwa zu wohl und zu sicher gefühlt hätte um den einen oder andern grofsen theil von sich leicht missen zu können, oder in sich selbst so unerträglich zerrissen um ferner neben einander zu bestehen, oder von irgendeiner andern noth zu sehr gequält um nicht durch den abzug grofser bruchstücke eine erleichterung suchen zu müssen. Solches waren die ursachen welche in alten und neuen zeiten bei den Phöniken und Griechen wie bei den Engländern zu der aussendung von bürgern und der gründung von neuen reichen führten welche leicht auch neben dem alten fröhlich und herrlich aufblüheten; und aus solchen ursachen mögen sich die Deutschen stämme in den urzeiten immer weiter getrennt haben ohne dadurch untergehen zu müssen, zumahl ihrem jugendlichen muthe und ihrem unwiderstehlichen tapfern arme damals die ganze alte welt offen stand. Allein wie gänzlich verschieden sind unsre heutigen verhältnisse! Was jezt die zerrüttung und zerspaltung herbeigeführt hat, ist nichts als (um es hier noch einmal in dem oben bestimmten sinne kurz zu sagen) die herrschsucht einiger weniger über alle die andern: diese aber zu ertragen widerstrebt allen den unausrottbarsten überzeugungen und den heiligsten alten sitten der Deutschen. Es gibt nichts in der uns bekannten nun fast 2000jährigen geschichte der Deutschen worin sie zu allen zeiten und unter allen lagen sich so gleich geblieben wären und was sie so fest behauptet hätten als diesen grundsaz dafs solche herrschsucht und anmafsung nicht zu ertragen sei. Denn sie haben immer mehr oder minder klar gefühlt dafs nur das recht herrschen dürfe, und zwar ein solches recht welchem alle ohne unterschied sich frei und willig fügen können weil es nicht in der willkür und herrschsucht einzelner sondern in dem über allen gleichmäfsig stehenden göttlichen rechte selbst seine quelle habe. Es ist zulezt nur dieses lebendige ruhig klare und allein selige gefühl für das Göttliche selbst welches unsre vorfahren in allen jahrhunderten hier leitete; und erst wenn diese gottesgabe im Deutschen volke völlig verloren ginge, würde es die herrschsucht einzelner über sich walten lassen können. Aber es kommt hinzu dafs auch in der wirklichkeit niemals ein einzelner zweig unsres weitverzweigten hochstämmigen baumes so dürre und saftlos wurde dafs er die herrschaft anderer über sich verdient hätte. Vielmehr haben sich alle Deutsche stämme an tüchtigkeit und freiheitssinn zu allen zeiten gleich gezeigt, auch bei allen versuchungen und allen grofsen entscheidungen der zeit wie noch zulezt in den Franzosenkriegen 1792—1815 gleichmäfsig sich bewährt. Will die herrschsucht heute dennoch ihre zwecke hartnäckig ausführen und gelingt ihr das wirklich für die dauer, so mufs das zum sicheren anfange des unterganges des Deutschen volkes werden. Denn das edelste und kraftvollste seines geistes wird damit gebrochen: wo dieses gebrochen wird, siecht der leib selbst unrettbar dahin. Das stolze haus sinkt dahin, und die trümmer fallen denen anheim welche sie auflesen um mit ihnen das eigne aufzubauen.

Aber es ist schon mehr geschehen als die blofse herrschsucht unter dem äufseren schirme des friedens walten zu lassen: der bruderkrieg ist hinzugekommen; und was ist der krieg? was wenigstens unter Christen und heutigen Christlichen völkern? Offenbar nichts als das aus der schuld des einen der kriegenden hervorgesprungene gegentheil alles dessen was die heiligsten pflichten von uns fordern, die auf die zerstörung wenn nöthig alles menschlichen lebens und wohles gerichtete gesinnung und that, die tausendfachste umkehrung aller sittlichen ordnung, nicht zerstreut und einzeln, sondern wie der zweck es fordert bis ins unbegrenzte, für den augenblick am besten soviel und so stark als möglich. Wohl haben seit den zeiten der Deutschen Reformation ein Grotius und andre christlichgesinnte Weise diesem freibriefe wilder zerstörungslust einige engere grenzen zu sezen gesucht: die zerstörung soll blofs gegen die kriegsmänner und die kriegsmittel, also auch gegen das öffentliche vermögen gerichtet seyn: allein wird dieses geschädigt geraubt durch zwangsandrohung eingefordert, so werden dadurch alle die einzelnen glieder des von krieg überzogenen reiches mit beschädigt, auch ganz abgesehen von den tausendfachen bittersten nachtheilen und schmerzen aller sonstigen art welche der einzelne leidet und von den weiteren gräueln welche überall drohen und unhemmbar genug sind. Und doch sind diese nächsten für jedermann sogleich empfindlichen schäden und betrübnisse nochnicht die schlimmsten. Wie der krieg in seinem eigensten kreise nur alles das wilde rohe und unmenschliche im menschen entfesselt, so löst er auch noch weit über diesen kreis hinaus alle die schranken heilsamer scheu und zucht; die frechsten treulosesten und unheilvollsten gedanken, sonst durch die zügel der sitte und bildung oder auch der billigen dankbarkeit und rücksicht eingehalten, fahren da offen genug auch aus solchen geistern hervor von welchen man etwas der art am wenigsten erwartete; die erschreckenden blöſsen wie die schmuzigen leidenschaften auch scheinbar hochgebildeter und frommer leute treten plözlich unverhüllt vor das auge, und der boden aller sittlichkeit erzittert über nacht weit und breit um nur in zuviele brüche zu reiſsen. Aber auch alle die aussaten und keime einer besseren gestaltung der zukunft welche eben in schönster blüthe standen werden, je zarter sie sind, desto hoffnungsloser zertreten, und am schonungslosesten wenn die seite siegt welche den krieg nur durch das eigne unrecht hervorruft; das augenblickliche geschick der kriege hängt aber zusehr von tausend zufälligkeiten ab als daſs man hoffen könnte, die seite auf welcher von vorne an das recht und mit ihm die göttliche zuversicht des sieges steht müsse immer sogleich siegen. Und weil alle die welche einen ungerechten krieg beginnen oder billigen zugleich die lüge die entstellung und hinterlist in jeder gestalt und ausdehnung zu hülfe nehmen müssen, so entsteht die tiefe vergiftung alles menschlichen redens und denkens und begehrens welche die gegenwart umtäubt und ihre bitteren säfte noch weit in alle zukunft hinein verbreitet.

Es ist ein durchaus thörichtes oder vielmehr, wo man es absichtlich vorbringt, ein rein lügenhaftes gerede dafs am ausbruche eines krieges die zwei in ihn verwickelten seiten die gleiche schuld tragen und man willkürlich jede für gleich verantwortlich halten könne. Da müfste es etwa einen Teufel geben der sich das vergnügen machte die beiden seiten ganz gleichmäfsig gegen einander zu reizen und zulezt blind auf einander auflaufen zu lassen, etwa so wie der mensch zum spiele zwei stiere oder zwei hunde auf einander reizt und dann in wilder wuth einander packen läfst: da weifs man freilich nicht welcher stier oder welcher hund mehr schuld trägt und wüthender ist als die andere. Nicht so kann es bei menschen seyn: bei diesen waltet durch und durch geist und freiheit, und nach der unendlichkeit alles dadurch bestimmten menschlichen bestrebens und thuns ebenso wie bei der langen reihe aller der einzelnheiten welche dieses endlich zum kriege bestimmen können, ist es so gut wie unmöglich dafs bei beiden seiten ganz dieselben irrthümer und fehler dieselben begehrlichkeiten und dieselben nothwendigkeiten zum kriege treiben. Oder zweifelt man hieran, so betrachte man nur genau die geschichte der entstehung der kriege in alter und neuer zeit, und man wird überall finden dafs von vorne an nur die eine seite die schuldigste war, sofern die wirklichen antriebe zu dem unheilvollen nur von ihren unentschuldbaren begehrlichkeiten übergriffen und bedrückungen ausgingen.

Aber ein nicht minder verkehrter gedanke ist es auch dass der krieg seinem ausgange nach ein gottesurtheil enthalte, ein gemeines gerede welches nur denen gefallen kann welche so wie man neuestens unter uns als die höchste ansicht einer Deutschen herrschaft hat verkünden hören das Duell in schuz nehmen, weil sie auch von ihm denselben aberglauben hegen oder wenigstens in der welt bestehen zu lassen für vortheilhaft halten. Dass leute die ihren Gott, wie die Bibel sagt, in ihrer faust und ihrem schwerte tragen und so krieg beginnen in dessen ausfalle ein gottesurtheil sehen ist leicht verständlich: sie sehen entweder besiegt ihre faust und ihr schwert verurtheilt, und haben weiter keinen Gott; oder siegen sie, so preisen sie ihre faust nur noch mehr. Wer aber etwas tiefer nachdenkt, wird sich hüten ein gottesurtheil da zu finden wo vielmehr nur menschliche gewaltthat ihren willen auf eine spanne zeit durchsezte die kurz genug werden kann. Nur wo für eine gerechte sache gekämpft wird und dieser kampf siegreich ist, da ist göttliches wohlgefallen und göttlicher segen; und nur solche friedensschlüsse welche auf diesem felde reifen haben aller geschichte zufolge immer die bürgschaft längerer glücklicher dauer in sich getragen; ja man kann genau verfolgen wie sogar solche kriege in welchen die gerechte sache endlich siegte nur wenn diese reiner siegte den beglückendsten und längsten frieden in sich schlossen.

Der krieg ist ewig vor Gott verworfen, weil er aus der menschlichen verkehrtheit und sünde entspringt und die gewaltthat an die stelle des rechtes sezt. Er ist nicht wie die frevler sagen die blüthe und ehre sondern die schwäche der schimpf und die schande der menschheit, und wo er ausbricht stets ein zeichen wie gottlos und wie roh die menschheit noch ist. Auch was er richtiges bezweckt, sollte stets auf ganz andere art sowohl dem göttlichen willen allein entsprechend als zum fortschreitenden segen der menschheit erreicht werden: es gibt bei irgend gebildeten völkern gar keine verwickelung der menschlichen dinge die rechtzeitig nicht ohne die rohheit des krieges zum segen für beide seiten gelöst werden könnte. Nur wiefern er und wo er zur abwehr des drängendsten unrechts unvermeidlich geworden, ist er zu entschuldigen und kann wenn man auf dieser seite mit tapferkeit und weisheit siegreich wird zum segen werden. Aber seine verwerflichkeit und sein fluch steigt je wie er nach den grossen geschichtlichen verhältnissen in welchen die menschheit jezt steht verschieden entsteht.

Er war im Alterthume entschuldbarer, aber nur weil die segensmächte welche seinen ausbruch verhindern und seine wuth bändigen können, damals noch zu wenig von volk zu volk und mitten auch in einem volke selbst herrschen konnten: die alles verklärenden wahrheiten und die alles heilenden kräfte des Christenthumes. Darum gestalteten sich denn jene kriege sobald sie etwas ernster wurden zu reinen vertilgungskriegen von geschlecht zu geschlecht von stamm zu stamm von volk zu volk. Die Römer meinten die Karthager vertilgen zu müssen und verbreiteten über dies weit früher und weit höher als sie gebildete volk die lügen welchen oberflächliche schriftsteller noch jezt glauben. Die Gothen frassen die Heruler, die Ost- und die Westgothen sich unter einander, die Franken diese und andere Deutsche, sodass der berechtigte eintritt dieser in die hohe weltgeschichte dann doch viel unglücklicher wurde als er hätte werden können. Dass diese unseligkeiten des Alterthumes dann durch die keimenden und noch ärger durch die ausgewachsenen Päpste mitten im Christenthume sich fortsezten, beweist nichts gegen die heilskräfte dieses: es war nur ein zurückfall ins Heidenthum, vor welchem die Christenheit zu keiner zeit sicher ist wenn sie sich selbst nicht besser dagegen verwahrt. Jezt aber sind seine wahrheiten und seine heilskräfte seit 300 bis bald 400 jahren mit einer ganz neuen macht und höheren gewissheit só aufgegangen dass vor ihnen jeder krieg von vorne an erbleichen sollte; und jezt kann das Christenthum wie es denndoch noch immer die allein öffentlich anerkannte höchste macht aller unsrer reiche ist im schönsten einklange mit aller wissenschaft und aller menschlichkeit an die völker wie an die fürsten forderungen stellen vor deren sanftem ernste alle kriegslust verstummen müsste. Sogar alle die kriege von einem Christlichen volke zum andern sind vor dem lichte und der macht unsrer heutigen erkenntnisse von vorne an verdammt, und werden unmöglich wenden wir diese nur rechtzeitig und mit dem rechten geschicke an. Entweder ist das Christenthum nichts (mögen die fürsten wenn sie das meinen, es öffentlich sagen!) und die h. Dreieinigkeit in deren namen noch alle hohen verträge unsrer reiche geschlossen werden eine lüge, oder alle unsre fürsten müssen sich ebenso wie unsre völker dem unterwerfen was sie selbst als ihr Höchstes anerkennen und welches heute in seiner ganzen ewigen wahrheit und seinem heilskräftigen wirken wieder hell und treibend genug aufgegangen ist. Nur zwischen christlichen und unchristlichen reichen wären kriege noch möglich weil nichts gemeinsames das ihre wuth brechen muss gleichmäfsig über ihnen steht: und doch kann das Christenthum auch diese leicht verhindern wenn es auf der einen seite lebendig genug ist.

Aber noch unentschuldbarer wird der innere krieg in einem unsrer heutigen christlichen völker, da die verkehrheit der gründe welche ihn zulezt verursachen in dem engeren raume vor allem am leichtesten durchschauet werden kann, und sein ausbruch desto strenger verhütet werden muss je mehr jedermann leicht ahnet warum der Bürgerkrieg der verabscheuenswertheste und furchtbarste aller ist. Besteht in einem dieser völker zugleich eine Bundesverfassung der einzelnen glieder welche die freiheit und gleichheit aller verbürgt ihren wetteifer in allem guten befördert und alles worin ein glied sich etwa durch eins oder mehere andere benachtheiligt hält in freier berathung erörtern lässt, so ist es eins der gröſsten verbrechen wenn ein einzelnes glied für sich oder im sonderbunde mit anderen aus bloſser selbstsucht den krieg hervorruft.

Und doch steigert sich auch dies verbrechen noch bis zu einem äuſsersten wenn das volk gegen welches es sich richtet so wie das jezige Deutsche durch die ungunst der jahrhunderte schon viele und schwere verluste erlitten hat und kaum erst in jüngster zeit einiger maſsen wieder auf gutem wege ist die macht und ehre unter den übrigen völkern zu behaupten welche ihm gebührt. Da ist es alsob auch die lezte und edelste anstrengung eines Unglücklichen ohne seine schuld und doch durch eine seiner eignen hände geknickt würde. Alles mitleid und alle liebe wird da mit allem rechte und aller billigkeit erstickt, und vom Christenthume ist nichts übrig als sein gerades gegentheil. Und doch steigert sich auch dieser fall noch. Gesezt ein weitverzweigtes aber verbündetes volk dieser art hat so eben durch die schwersten erfahrungen belehrt, endlich wohl begriffen wie sein bund durch einige bei gutem willen garnicht so schwere verbesserungen sich zum besten aller aber ohne irgend den schaden eines einzelnen glücklicher umgestalten könne, es ist auch schon so gut wie vollkommen bereit dazu und findet von aussen keinerlei schwierigkeit, ein einzelnes glied aber von ihm widerstrebt aus herrschsucht und anmaſsung und beutet die lage der augenblicklichen spannung só aus um durch bundesbruch sich allein zum gebieter aller zu machen, ja es scheuet sich nicht zu dem zwecke die hülfe der Fremden anzurufen und zu gebrauchen: wie soll man das nennen?

Als ich von der hiesigen Universität am 14. Dec. 1837 vertrieben aber schon vor Ostern des folgenden jahres nach Tübingen berufen war, wanderte ich in jenen mir neuen gegenden während der beiden nächsten sommer oft allein weiter zu fufse aus, und suchte auch darin erholung zu neuen arbeiten in zeiten die schon damals vorzüglich auch durch Preufsens schuld für das gesammte Deutschland immer finsterer zu werden droheten. Da führte mich der weg nach Rottenburg hin bisweilen vor einem herrlichen walde hoher schlanker bäume vorbei welcher die höhen rechts bekränzte. Jeder dieser waldkönige ragte über einem steilen gelände wie ein selbständiger freier held hoch empor, und doch bildeten sie alle auch ohne das dichte laubdach von oben eine undurchdringliche mauer. Nichts für das auge lieblicher als dieser anblick. Aber nichts drängte sich auch, so oft ich den prangenden schmuck sah, in jenen zeiten lebhafter vor meine seele als der wunsch dass doch die Deutschen männer selbst endlich einmahl so seyn möchten wie diese in ihrem lande wachsenden und durch ihre sorgfalt so herrlich grünenden waldesfürsten. O ständen die Deutschen männer so geschaart wie ihr, so jeder dem Gott ein höheres mafs verlieh ungebeugt vom andern in freiester selbständigkeit und doch alle wieder für die ehre und das wohl des Ganzen wie eine undurchdringliche mauer zusammen, so jeder in seinem boden festgewurzelt in all seinem beginnen und thun gerade zum himmel emporstrebend und doch alle von demselben kranze stets grünender liebe zum gleichen vaterlande umfeuchtet und umschlossen!

Und wenn ich in jenen frühlingen die getreidefelder durchstreifte und sah wie auf jedem die schon hochaufgeschossene dichte saat noch so ganz rein von allem unkraute prangte als könne in diesen niedrigen wald unzähliger grüner halme auch nicht éin störendes reis eindringen, wie oft wünschte ich es möge so für Deutschland nur erst éin ähnlicher frühling kommen wo alle seine söhne welche irgendeinen trieb lauteren strebens und fröhlichen wachsens in sich fühlen sich dichtgedrängt zusammenschaarten die heute nothwendigen aufgaben alles Deutschen lebens ernstlich vorzunehmen. Wohl bleibt das unkraut nirgends ganz aus: aber wie wenig kann es schaden wenn nur eine weite saat einmahl erst mächtig und dicht genug ins frische kraut geschossen ist!

Solche gedanken bewegten mich damals stets unaufhaltsam und lebhaft genug auch mitten unter der wucht aller der übrigen. Jeder mann eines volkes ist auch den öffentlichen sei es kirchlichen oder volksthümlichen verhältnissen stets und ganz soviel sorge zu widmen verpflichtet als er in seiner stellung und nach dem ernste seiner erfahrungen vermag. Wenn jeder so seine pflicht thut, so brauchen wir wenige welche sich allein der leitung des ganzen volkes widmen; und diese wenigen müssen dann da sie wissen dass sie von vielen tausenden der schärfsten augen in ihrem eignen volke nicht bloſs beobachtet sondern auch noch immer zeitig genug gerichtet werden, desto besser an willen und desto fähiger an geist seyn.

Was aber soll ein Deutscher welchem das herz für seines volkes ehre und wohl nochnicht gänzlich verknöchert ist, heute denken, nachdem die Deutschen dinge von jener schon genug trüben zeit an von stufe zu stufe immer tiefer zu grunde gerichtet und heute in einem zustande sind dessen gräuel unmöglich noch ärger seyn können. Dies ist ein „heil- recht- und gottloser krieg“, schrieb mir ganz freiwillig ein Engländer sogar mit diesen selben Deutschen worten als der krieg eben ausbrechen wollte; und wie schwach sind sogar diese worte eines völlig unbefangenen aber Deutsche wissenschaft liebenden Fremden!

O welches glückliche in aller welt hochgeehrte und willig anerkannte land hätte Deutschland nun seit länger als einem halben jahrhunderte werden können, und welches volk hatte mehr anspruch darauf endlich einmahl im innern und äufsern frieden zu einem erspriefslichen leben zu kommen als das Deutsche! Wehe einem grofsen volke wenn auf ihm einmahl ein sein ganzes Innere zerfressendes nie von ihm mit der rechten entschlossenheit und einigkeit wieder abgeschütteltes grofses vergehen lastet, sowie auf den Franzosen die Bluthochzeitnacht und dann dazu der frevel der umwälzungslust! Ein solches volk kann nur noch unter der zuchtruthe der gewaltherrschaft und dem gaukelspiele von allerlei tand sein sieches leben hinschleppen bis es völlig untersinkt. Auf dem Deutschen volke lastet kein solches altes verbrechen, denn die von Papst und Jesuiten ausgehende frevelthat der gewaltsamen unterdrückung der Reformation hatte selbst nach dem 30jährigen mordkriege nie das ganze Deutsche volk unterjochen können; und die zerstörungslust des Preufsischen Friedrich II welche seit 1740 bis 1812 allein die mächtigste ursache alles neuen Deutschen elendes gewesen, war endlich 1813—15 in der gemeinsamen erhebung und dem heldenmüthigen siegeskampfe des ganzen Deutschen volkes só erstickt dass sogar die wenigen welche von dem geiste jenes fürsten nochnicht geheilt waren sich nicht laut zu regen wagten. So lag 1815 alles só dass ein neues herrliches Deutsches reich erstehen konnte, ein reich unzertrennlich verbündeter bruderstämme, aber in diesem loseren bande seiner theile selbst die bürgschaft aller guten freiheit und glücklichen entwickelung in sich tragend sobald nur die brudertreue unverlezt und damit im zusammenhange der gute wille zu einigen nothwendigen verbesserungen des zusammenwirkens von fürsten und volk ungetrübt blieb.

Aber nun ist das unglaubliche geschehen, und ein krieg oder vielmehr ein überfall ausgeführt während jeder treue Deutsche meinte die waffen müssten den erstarrenden händen entfallen ehe sie geschwungen würden. Die Römer hatten wenigstens soviel gefühl dass sich nach bürgerkriegen kein triumph zieme: auch dieses gefühl ist wiederholt bitter verlezt. Und während alle bundesländer besonders wenn sie vom Deutschen rechte nicht lassen wollten den Berliner blättern schon vor dem kriege nur noch ein gegenstand des unaufhörlichsten hohnes und spottes waren, gibt es fortwährend keinen gedanken kein wort kein bild womit man nicht Oestreich wie ein anderes Karthago zu tode zu bringen sucht, obgleich niemand sagen kann was es denn Preufsen gegenüber strafwürdiges gethan habe. Der tödliche hass ist so in das innerste herz des Deutschen volkes gebracht, während durch diese feindschaft im süden die festesten vormauern Deutschlands bereits dem lachenden Fremden in die hände gespielt, die gesammte lange westgrenze wankend, und Schleswig-Holstein um seinen rechtmäfsigen fürsten ebenso wie um seine grundgeseze und die sicherheit seines gebietes gebracht ist. Die geschichte zeigt dass eine solche innerste zerrüttung eines volkes der anfang seines unterganges wird. Das volk Israel ging vom augenblicke seiner spaltung an seinem untergange zu; der Peloponnesische krieg ward den Griechen zum tode; Polen war verloren sobald seine grofsen inneren parteien sich gewaltsam schieden; und die Schweiz wie Amerika wäre heute nicht mehr, hätte dort 1847 oder hier 1865 der Sonderbund gesiegt.

Nun leidet es aber keinen zweifel dass der Deutsche Bund bei allseitig gutem willen hätte sehr leicht in den besseren zustand gebracht werden können welchen alle die besten Deutschen längst ersehnten. Dass neben den der zahl nach zu erweiternden vertretern der einzelnen länder (dem Bundestage) als dem Deutschen Oberhause ein aus volksvertretern zusammenzusezendes Unterhaus zu bilden sei, hatten die Deutschen fürsten längst zugestanden. Dass alle die länder aufser Oestreich und Preufsen sich zu der dritten grofsen gruppe enger zusammenschlössen, war von anfang an der einzig richtige gedanke, welcher troz aller schwierigkeiten schon immer siegreicher durchdrang; freilich hat Bayern viel dádurch gefehlt dass es ihn nicht kräftig genug zu ergreifen wusste; und Hannover hat sich durch sein thörichtes widerstreben dagegen ammeisten selbst geschadet: allein der gedanke war so einzig richtig dass er sicher bald zum vollkommenen siege gekommen wäre. Die nebenländer Deutscher fürsten hätten bei voller selbständigkeit im unablöslichen bande mit Deutschland nicht weniger blühen können. Ein herrlicher wetteifer zwischen allen Deutschen ländern in allen guten und erspriefslichen bestrebungen wäre ermöglicht; und wie wären die streitigkeiten ob ein einzelnes etwas gröfser oder kleiner seyn solle und das verrücken alter guter grenzen noch möglich gewesen wenn durch gemeinsames fortschreiten im glücklichen zusammenwirken alle fürsten den gleichen zuwachs an ehre und macht gewonnen hätten! Die vorzüge der einzelnen länder und völker wären wechselseitig ausgetauscht; ihre mängel hätten sich leicht immer mehr verloren, da das wohl jedes das gemeinsame wohl gewesen wäre. Der Preufsische hochmuth wäre heilsam gedemüthigt; der alten geistigen gebrechen Oestreichs hätte man sich liebreich angenommen (nur durch die christliche liebe können sie gehoben werden), und Jesuiten hätten bald sowohl aus Oestreich als aus Preufsen weichen müssen. Tausende der kleinlichen verhältnisse der elenden befürchtungen und der niederträchtigen bestrebungen wären mit éinem schlage vernichtet, und endlich wäre in der grofsen weiten mitte des Europäischen festlandes ein für die ganze welt hochsegensreiches edleres und göttlicheres wirken möglich geworden. Wenn der könig von Preufsen oder der Kaiser von Oestreich scheinbar dadurch etwas verloren hätten dass jeder nur mit zwei andern Deutschen fürsten die Deutsche macht zusammengefasst hätte, so wären sie dafür des entsezlichen fluches ledig geworden wonach sie jezt bei nicht Deutschen fürsten jeder wieder seine besondre stüze suchen, also selbst garnicht wahrhaft selbständig sind; und ist es denn nicht tausendmahl ehrenvoller und tausendmahl leichter dafs die Deutschen fürsten sich unter sich selbst verständigen, was ja doch nur ihre erste Deutsche pflicht ist? — Und frägt man wodurch dieses alles jezt in das bitterste gegentheil verwandelt ist, so muss jeder ächte Deutsche den tiefsten schmerz empfinden. Hier liegt eine schwere gemeinsame schuld vor: kein besseres volk hätte es dahin kommen lassen, und jeder sehe zu wieweit er selbst seine pflicht nicht gethan habe. Aber ebenso gewiss liegt die gröfste schuld an den Preufsen. Diese sind seit ihrem Friedrich II in volksthümlicher bildung weit zurückgeblieben, und haben sich desto leichter in einen höchst unglückseligen hochmuth einwiegen lassen. Und nirgends unter ihnen hat sich dieses nun so gezeigt wie bei den Abgeordneten in Berlin. Die schöne zeit von 1813—15 hat dort nur eine kurze unterbrechung gebracht; und wenn schon Friedrich II der geistige vorgänger des ersten Bonaparte war, so hat nun der geist des zweiten nirgends in Deutschland soviel aufnahme gefunden als dort.

Frägt man aber woher denn das sichtbare glück komme welches bis jezt diese in Deutschland noch ganz neue nachahmung des Cavour-Bonapartischen geistes begleite, so ziemt es sich vor allem etwas weiter in alle geschichte zurückzublicken, um auch von ihr die rechte würdigung aller solcher nur dem Unerfahrenen neuen erscheinungen zu lernen. Denn sieht man nur etwas genauer zu, so ist weder die erscheinung selbst noch ihr scheinbares glück in der gegenwart noch ihr nothwendiger göttlicher ausgang so neu; das neue und unerhörte ist nur dass sie im gewande sogar auch der heutigen Berlinischen frömmigkeit einherwandeln und den segen des Evangelischen Christenthumes für sich in beschlag nehmen will.

Wir wissen was seit allen jahrtausenden der geschichte in der menschheit förderndes und segnendes gewesen, was in ihr der unumstöfsliche grund ewiger wahrheit und lauteren göttlichen heiles geworden ist: wir können aber auch wissen was in ihr der unheilvollste blendende glanz und die hauptquelle alles verderbens war und noch heute ist. Jedes jahrhundert kann seine besondern lasten und besondern bedürfnisse, seine gerechten sehnsuchten und hoffnungen haben: die lust und der versuch diese auf verkehrte art zu befriedigen ist überall eine hauptquelle des unheiles. Aber diese lust und dieser versuch kann zur günstigen zeit auch mit äufserster anstrengung und dem scheinbarsten erfolge sich äufsern; und schon der blofse schein des guten erfolges kann unabsehbar viele täuschen. Da wird es denn meist éin ungewöhnlich kraftvoller und anregendster mensch seyn der durch das gaukelbild einer befriedigung der tiefsten bedürfnisse der zeit die menschen hinreifst; oder haben verschiedene geister schon die einzelnen fäden dazu fest genug gesponnen, so kann plözlich auch wol ein ganzes volk in einem durch die winde der zeit geschlungenen neze dieser fäden sich verstricken lassen und selbst wie zum schöpfer eines solchen gaukelbildes werden, sowie dann leicht viele einzelne folgen können welche das einmahl geschaffene gaukelbild auf das geschickteste zu handhaben und die welt durch es zu täuschen verstehen. Es ist diese verschlingung eines berechtigten gedankens mit den verkehrtesten und ungerechtesten, dieser glänzende aber nichtige schein der befriedigung eines weitgreifenden billigen bedürfnisses und wunsches, diese breite eröffnung eines neuen höchst leicht und höchst bequem scheinenden und dennoch völlig verkehrten grofsen weges durch die freuden und reize der welt, welche die scheinbar glänzendsten und doch nur verderblichsten bewegungen, die stürmischsten umwälzungen und die weitesten zerstörungen in der geschichte hervorgebracht hat, die auf viele jahrhunderte hin die ganze gestaltung der menschlichen dinge bedingen und die tiefsten spuren von verwüstung hinterlassen, unzählige einzelne verleiten und ganze völker vernichten, durch nichts aber in ihrem laufe aufgehalten werden kann als dádurch dass man in den ewigen göttlichen mächten die kraft auch alle diese gaukelei allen diesen schwindel und alles dies unrecht streng zu meiden, die wirklichen bedürfnisse aber auf die rechte art zu befriedigen findet.

Nun aber steigert sich diese mögliche verschlingung und verleitung mit der fortschreitenden geschichte selbst; und ist sie auch uralt und zeigt sich schon im Alterthume deutlich genug, so wird sie doch erst dá recht grofs wo das Alterthum sich endlich in allen seinen schlingen selbst verstrickte. Sie wurde zuerst weltgeschichtlich als Cäsar durch das gaukelbild der bequemsten befriedigung aller volksthümlichen freiheiten und gelüste die gesammte weite Römerwelt betrog und dén grund legte auf welchem seine ersten ächten nachfolger bis Nero weiter baueten, anfangs wegen der plözlich eingefallenen ungeheuern verwüstungen vorsichtiger, dann in bester sicherheit und schönstem glücke der zeit taumelnder; Caligula und Nero waren nur die folgerichtigkeiten Cäsar's. Und so bewegte sich dieses ungeheuerste triebwerk des sinkenden Alterthumes von einigen ansäzen zu gröfserer besonnenheit und sicherheit die auf einige ungeheuere zerstörungen folgten immer wieder zu den ächt Cäsarischen gaukeleien und taumeleien hin bis zum lezten untergange des reiches der mit Cäsar selbst schon begann. — Und was ist dann Muhammed und der ganze Islâm bis heute anderes als der grundverkehrte trieb und versuch die grofsen fehler in welche das junge Christenthum wirklich seit Constantin immer schwerer sich verloren hatte dádurch zu vermeiden dass man der welt eine scheinbar aufrichtigere und bequemere religion geben wollte? Dieses gaukelbild war wunderbar mächtig und glücklich genug, und wusste das ganze Mittelalter hindurch das Christenthum desto tiefer zu beugen da auch in diesem das ähnliche gaukelbild des Papstthumes inzwischen übermächtig geworden war: welche dieser beiden gaukeleien in sich selbst folgerichtiger und insofern mächtiger war, zeigte die geschichte gerade bis in das jahrhundert der Deutschen Reformation hinein hell genug; und erst seit dieser kam in das Christenthum der neuzeit ein die welt weit und breit umspannender gründlicherer anfang zur entfernung aller solcher gaukeleien.

Die Französische revolution hat als das zerrbild der Deutschen Reformation die neue gaukelei einer durch überraschende list und gewalt aller art zu erreichenden volksthümlichen freiheit aufgebracht, aber alsbald auch allen völkern unter dem zauberbilde dieser freiheit nichts als knechtschaft zugeführt. Weil dies aber dem auslande bald übel munden musste, so haben die beiden Bonaparte als die ächten söhne der Revolution Frankreich selbst zwar durch ähnliche gaukelbilder einer halben freiheit das ausland aber zugleich durch andere scheinbilder zu leiten gesucht. Das wesentliche dieser dann von Cavour weiter ausgebildeten kunst ist jedoch überall nur die list und die fähigkeit die eigene herrschsucht und den eingriff in fremde rechte und güter durch irgendeinen schein als wolle man die volksthümlichen freiheiten und herrlichkeiten erleichtern und mehren zu verhüllen, ganz wie dies Cäsar begann. Man spürt aus was vom volke jezt ammeisten gewünscht werde oder was ihm ammeisten schmeichele, wirft sich zu einem manne auf der allein solche wünschenswerthe dinge recht geben könne; und verbirgt darunter nur seine eignen pläne. Nichts ist in Deutschland längst wünschenswerther und von den besten männern ernster und tiefer erstrebt als eine festere einheit aller bundesglieder durch eine bessere vertretung des ganzen Deutschen volkes und der Deutschen fürsten. Aber man hat nun gesehen wie man diese volkswünsche ausführen will.

Deutschland kann nur blühen und das Deutsche volk selbst ist erst dann vor seinem schimpflichsten untergange sicher wenn es alle seine güter und seine kräfte in freier einigung zusammenfasst und sich aus dieser elenden innern zerreiſsung wieder erhebt in die es jezt gestürzt ist. Deutschland, nicht als bloſses land freilich sondern als ein wohlgeordnetes reich, und das Deutsche volk solange es nochnicht gänzlich so tief wie das Polnische gesunken ist, diese beiden allein sind die unsterblichen namen und wesen, die in bekannter geschichte seit 2000 jahren dasind, die nie wahrhaft zerstört werden konnten, und die noch jezt auch in ihrer tiefsten entwürdigung ebenso wie zur Bonapartischen zeit die einzigen leuchtenden gestalten sind welche jedem ächten Deutschen stets vor augen schweben müssen. Wie die Bonapartischen zeiten das recht des gesammten Deutschen volkes auf einheit nicht zerstören konnten, ebenso wenig können es die der jezigen gewaltsamen zerreiſsung; und erst in diesem unsterblichen heiligen wesen haben auch die Deutschen fürsten ihr gutes recht ihre glückselige thätigkeit und ihr daseyn selbst. Nennt sich doch sogar dás was hier im Norden daraus gebildet ist den Norddeutschen Bund, als gäbe es sogar in diesem noch immer etwas was über dem könige von Preufsen und den oben beschriebenen Berliner Abgeordneten steht, so unklar man dieses auch zu denken und zu lassen sich bemühet hat.

Allein dass diese zerreifsung nicht dauern solle, geben ja auch dieselben zu welche sie herbeigeführt haben und mit ihr vorerst zufrieden sind. Es frägt sich nur wie sie wieder aufhören solle. Und leicht versteht sich dass die welche sie schufen sie durch dieselben mittel wieder zerstören wollen durch welche sie geschaffen ist. Auch ist dieser plan ja sehr durchsichtig, und eben deshalb nicht der mühe werth dass ich weiter darüber hier rede. Die Cavour-Bonapartischen wege weiter zu verfolgen muss man denen überlassen die von vorne an nichts besseres kannten. Ist doch das höchste welches diesen nachahmern des undeutschen wesens vorschwebt nichts als dass aus Deutschland auf dem blut- und eisenwege erst ein Frankreich des 11ten oder des 13ten 14ten und 15ten Louis werde, damit dann aus ihm auch das Frankreich des 16ten werden könne. Gott hat den Deutschen das beispiel der bis heute fortdauernden entsezlichen folgen jener art zu herrschen in den fremden völkern vor die augen geführt damit sie nicht ähnlich handeln: und diese entarteten Deutschen halten es für das beste dennoch in die ausgetretenen gleise der Revolution sich zu begeben!

Allein wenn die zerreifsung als eine todtgeborne wieder entfernt werden soll, so haben vielmehr die das bessere recht für sich welche sie aus dem leben jener unsterblichen wahrheiten heraus und daher nur mit den rechten mitteln auflösen wollen. Die Deutschen müssen werden was sie nochnicht sind, ein ächtes volk:

dann ist sie vonselbst vernichtet, und jenes hehre urbild volksthümlicher herrlichkeit ist vollkommen da welches nur durch ihre schuld verloren gehen kann. Nachdem Deutschland in diesen strudel der tiefsten verwirrungen und der brennendsten übel hineingeworfen ist, müssen zunächst alle die sich ermannen und sich zusammenfinden welche überhaupt noch Deutsche treue und Deutsches wesen nicht verrathen wollen. Nur die bewährung der äuſsersten treue und der unermüdlichste kampf gegen alles was diese zerstören will kann noch helfen. Wir haben zu diesem kampfe nur zwei unentreiſsbare waffen: das ewige recht des Deutschen volkes und die klare pflicht des ächtchristlichen handelns; aber rüsten wir damit nur unsre beiden hände, so kann dem beharrlichen kampfe der lezte sieg nicht entstehen. Denn jede sache kann siegreich werden welcher die klare pflicht des ächtchristlichen handelns zur seite steht und die mit der göttlichen kraft geführt wird welche in dieser liegt.

Das unmittelbare denken und reden und thun jedes Deutschen der nicht geradezu zum steigenden verderben mitwirken will, muss endlich ein ganz anderes werden als es noch jezt bei sovielen ist denen man schon ihrer bildung und stellung nach etwas besseres zutrauen sollte. Gibt es etwas für das volk von denkern und Gelehrten schimpflicheres als dass über dinge die überhaupt unter den Deutschen unserer zeit keinen augenblick zweifelhaft seyn sollten nur ein ewiger streit fortdauern will, und jeder sich schon ein Weiser dünkt wenn er von tag zu tag nur seine eigne haut schüzt und dabei nach art schwacher weiber und kinder die schuld nur immer auf andere schiebt? Aber die jüngste zeit hat wieder bei so vielen die für hochweise männer ja für Christen gelten wollen eine so unglaubliche feigheit treulosigkeit und niederträchtigkeit enthüllt daſs man oft gar nicht weiss ob man noch unter Deutschen sei. Ueber die allernächsten dinge die jeder tag erzeugt nicht sich selbst und andere zu täuschen und von ihrer klaren erkentniss aus alles unrecht und alle freventhat abzuweisen, sollte endlich die erste sorge jedes Deutschen werden: und wie leicht wird das wenn es als die grundbedingung alles Deutschen lebens von allen geübt wird die sich irgendwie als führer hervorthun wollen.

Die alten spaltungen welche das Deutsche volk veruneinigen und schwächen, sollte man endlich allgemein richtig behandeln. Dauert das Päpstliche wesen noch fort und wird durch die Bischöfe z. b. von Paderborn und Wien zu einem fortwährenden mittel die Deutschen zu verwirren und gegen einander zu hezen, so liegt die schuld heute zunächst nur an denen welche darüber wol gerne beständig laut schreien, selbst aber nicht den kleinsten finger rühren um die dinge zu bessern, und dabei vielmehr das übel noch durch ihre eigne neue schuld vermehren. Verbreiten die Evangelischen und alle die nicht Päpstlich untergehen wollen von der einen seite die rechte erkenntniss über diese dinge wie wir sie heute haben können, und wirken von der andern nur mit den unerschöpflichen kräften der rechten christlichen liebe auf sie, so ist jezt längst die zeit gekommen dass diese alten schäden völlig weichen. Aber wenn die Berliner die politik des auch dem blindesten auge einleuchtenden unrechtes des treubruches und des bruderhasses ja der zerreifsung und zerstörung Deutschlands dem Protestantismus gleichsezen und von dem kriege wie er eben geführt und vollendet ist für diesen vortheile suchen, so weiss man nicht was gröfser sei, ob ihre vollkommne entfremdung von allem Christenthume wonach sie den namen Protestantismus nur heuchlerisch in den mund nehmen während sie ihm den ärgsten schimpf bereiten, oder die gerechte entrüstung auf seiten der Päpstlichen und Bischöflichen über einen solchen Protestantismus d. i. eine solche entweihung alles Christenthumes. Meint man aber die ausstofsung Oestreichs werde gegen Jesuitismus schüzen, so ist das erst der irrthümer gröfster. Denn erstlich ist er in Preufsen selbst längst mächtig und fest genug eingebürgert; und zweitens lassen solche geistige dinge überhaupt sich nicht durch so grobe schlagbäume absperren.

Und wie müssen alle die neuesten irrsale zu boden fallen welche nun so unsägliches elend angestiftet haben und mit weiterem unsäglichem schwanger gehen! Die forderung dafs eine einzelne herrschaft „die führung“ Deutschlands übernehmen solle, war unter dem Deutschen Bunde nicht blofs ein ausflufs blofser feigheit und grundloser verzweiflung sondern auch verrath und verbrechen: man spielte mit diesem gedanken und dieser redensart und liefs das spiel sich entwickeln, vergeblich von allen denen gewarnt welche dem undeutschen Nationalvereine nicht beitreten wollten, und nun sehe man was aus blofsen verkehrten gedanken und redensarten am ende geworden ist! Und nun Oestreich! Es gibt kein einziges grofses oder kleines gemeinwesen in welches so wie es ist nicht einige überbleibsel älterer verirrungen noch hineinragten: aber hängt es mit andern welche freier davon sind enger zusammen, so wirkt der Bund selbst am leichtesten dáhin dass sie immer völliger verschwinden. Jedermann weiss welche überbleibsel der art an Oestreich haften: allein was soll man von dén Deutschen sagen deren ganze weisheit und bruderliebe gegen es (wenn man es genau nimmt) auf dén saz ausläuft „Du sollst so wie du vor 200 jahren warest bleiben und wieder werden damit ich dich todtschlagen kann!“ Welche vorzüge hat es dagegen unläugbar? Schon als das grofse überbleibsel des auf strenges recht gebaueten Deutschen Kaiserreiches hat es sich allen gedanken an gewaltsame umwälzung stets am fernsten gehalten und sich einen geradsinn bewahrt welcher auf dem Festlande längst seltener als der wundervogel geworden ist. Es kämpfte gegen die Französische umwälzung und den ersten Bonaparte rein um das Deutsche reich und Deutsche recht zu schüzen, während Preufsen schon im Baseler frieden beides verrieth; es hat sich auch in den krieg von 1859 und in den jezigen wider seinen willen rein um das recht zu schüzen treiben lassen. Es hat weder Preufsen noch irgendeinem andern Deutschen lande eine unbill zugefügt, und sich noch zulezt den nie erlöschenden dank der Schleswig-Holsteiner verdient. Und wie ist es dafür von seinen eignen bundesgenossen behandelt! Aber wahrlich es gibt keinen ächten Deutschen bei welchem nicht die liebe für es, jene christliche liebe die alle unglücklichen umfasst am nächsten auch die volksgenossen, heute noch inniger und unablässig thätiger seyn müsste als jemals früher.

Unser ganzes bestreben muss also im wesentlichen dá sich fortsezen wohin es die Besten unter uns schon vor dem kriege lenken wollten; denn unverrückt müssen die nothwendigen ziele eines grofsen volkes seyn, und am kräftigsten dá wieder aufgenommen werden wo sie gewaltsam unterbrochen werden sollten. Das Neue aber und Bessere dem alle die ächten Deutschen schon vorher stets zustrebten, muss jezt nur noch desto entschiedener und desto beharrlicher erstrebt werden. Denn das Alte soviel davon verderblich und vergänglich war, ist durch den lezten ruck der über Deutschland gekommen nur noch unrettbarer aus seinen fugen gehoben und bereits im vollen wanken. Da hilft es also auch nicht bloss auf alte vorbilder zu blicken: auch die herrlichsten jener männer wenn sie heute zu wirken berufen würden, müssten noch ganz anders wirken als zu ihrer zeit; und von dem alten roste

Deutschen wesens haftete auch an ihnen noch immer zu viel. Was kann uns Luther's beispiel nüzen wenn wir das ganze bedürfniss und wohl unsres volkes nicht noch weit allseitiger und sicherer ins auge fassen als wir es bei ihm zu seiner zeit sehen? oder was Melanchthon's, auf welchen in neuester zeit manche aus guten manche aus schwachen gründen mit ganz neuem eifer hinweisen? er war gerade in den volksthümlichen fragen nicht fest und klar genug; aber auch selbst der Arndt unsrer zeit der bei aller vortrefflichkeit nicht kraft genug sich erhielt um dem sinne seines eignen liedes treu zu bleiben, kann uns kein reines vorbild seyn. Unsre zeit verlangt ihre eignen kämpfe und siege, und doch verlangt sie von uns nichts was wir nach den ewigen gesezen des ächten Christenthumes nicht immer erstreben und immer thun sollten wohin auch jeden einzelnen Gott gestellt haben möge.

Wohl gäbe es in unsern Deutschen ländern und am zahlreichsten und dichtesten in Norddeutschland einen stand der durch sein daseyn selbst dázu bestimmt seyn sollte jene lauterkeit und geradheit und zugleich jenen schwung und jene göttliche freudigkeit im geiste des volkes zu erhalten ohne welche es nicht bestehen noch insbesondere die zeitfristen seiner schwereren versuchungen siegreich genug überdauern kann. Das ist der stand der Evangelischen Geistlichen, welche doch eben dazu in der mitte zwischen allen den übrigen höchsten und niedrigsten ständen ihre stelle haben damit sie mit dem was allein ein volk in sich wahrhaft vereinigen und stählen kann ein licht für die augen und die gewissen sowol der fürsten als der völker und ein stab für die ermüdenden und irrenden werden, und denen ja das Evangelium nur dázu am nächsten anvertraut ist damit es am nächsten durch sie zum heile des volkes wirke und die ächte geistige luft nirgends fehle. Allein das allgemeine Deutsche verderben hat leider auch sie immer tiefer ergriffen; und statt das salz und licht des grofsen weiten volkes hier in Norddeutschland zu werden, scheint es als wolle mit ihnen salz und licht immer mehr aus ihm verschwinden. Denn sie haben ihr geschäft immer mehr dadurch sich zu erleichtern gelernt dass sie die beiden hehren namen des Kreuzes und der Auferstehung zu zwei ruhekissen der allgemeinen sünde machen und zunächst immer diese sünde vorschieben damit der einzelne mensch wie dadurch geschreckt und geängstigt von zeit zu zeit durch die guten werke von glauben und bekennen sein gewissen befreit fühlen möge; und das alles so als wäre was in der kirche geschieht aufserhalb der wirklichen welt und als dürfe man was von königen und Kaisern oder von deren stellvertretern gesündigt wird nicht berühren. Dadurch haben sie sich aber ihr geschäft inderthat nur erschwert, und sind den Päpstlichen Geistlichen nur immer ähnlicher geworden. Was wundert man sich nun dafs ihr ansehen immer mehr zu sinken drohet, zumahl wenn sie noch dazu durch das Neulutherische wesen sich alles noch mehr erleichtern wollen! O wie habe ich seit 30 bis 40 jahren ausgeschauet ob endlich von dieser mitte aus welche die heiligste und eben darum für alles heil der menschheit thätigste seyn sollte, ein kräftigerer geist der heiligung und stärkung unser volk wieder durchwehete! Wohl sah man auch zu einigen zeiten einige anfänge davon, wie hier im lande Hannover 1838 ff. und dann 1862 f., hie und da auch 1848, und dann besonders in Schleswig-Holstein und wegen der Sch.-Holsteinischen sache auch in Süd-Deutschland noch bis in dieses jahr hinein. Allein wie wenig thut noch immer die gesammte geistlichkeit ihre pflicht! Möchten doch bald viele die ächte christliche treue auch in allem volksthümlichen so bewähren wie in der neuesten zeit der jezt schon verewigte

Baurschmidt oder wie Pastor Schrader in Kiel! dann würde es sowohl in der kirche als in dem weltlichen reiche bei uns besser stehen [1]).

Denn ist schliefslich hier noch irgendetwas das allerunseligste, so ist es dies dass man überall laut ausgerufen hat [2]) alles das entsezliche wovon oben die rede war sei im namen und auftrage eines einzelnen Deutschen gemeinwesens geschehen welches sich der bildung und wissenschaft, des schuzes und der förderung aller geistigen güter, insbesondere des Evangelischen Christenthumes vor allen andern rühmen könne. Gibt es einen ärgeren widerspruch, eine frechere behauptung? Wie lange schreiet man in Berlin oder wo sonst dieser Berlinische geist wehet und schreiet jezt wieder so laut als möglich, man streite ja nur gegen den Katholicismus gegen das Pfaffenthum gegen den Jesuitismus, und auch der jezige krieg sei nichts weiter als der ganz berechtigte krieg des Protestantismus gegen seine feinde gewesen!

Die wahrheit ist vielmehr dass man in den vorwiegend Evangelischen landschaften Deuschlands nirgends in allen jenen gütern heute so weit zurück ist als in Preufsen und vorallèm in Berlin selbst. Wie könnte es auch anders seyn bei einem gemeinwesen

---

[1]) Welche fortschritte das Berlinische Christenthum jezt auch in Schleswig-Holstein machen wolle, kann man an dem weitschweifigen buche des Dr. theol. W. H. Koopmann („Bischof für Holstein") ersehen welches so eben 1866 zu Hamburg als ein „motivirter Protest gegen die Tendenzen des sogenannten Deutschen Protestantenvereins" erschien. Es will gegen die „Phrase" und die „Falschmünzerei" reden, besteht aber von vorne bis hinten aus nichts als aus der wirklichkeit dieser 1000mal in ihm wiederholten zwei worte, sofern diese sogar ihm selbst erst durch den Ludwigsburgischen Straufs zugebrachten worte in der wissenschaft überhaupt einen sinn haben.

[2]) man lese vor allem die deutlichst redende schrift „Bruderkrieg? Nein! Principienkampf! Von einem Veteranen aus den Jahren 1813—15. Berlin, 1866." Der vf. wagt sich nicht zu nennen, spricht aber wie ein vollkommen eingeweiheter, während alles was er sagt nichts als eine kette von lauter lügen ist.

welches sich von dem grundverkehrten geiste eines königs Friedrich II noch nie auf die dauer gründlich losgemacht hat und seine besten kräfte immer mehr nur auf die mittel des krieges und der schwächung ja unterjochung seiner Deutschen brüder wendet? Fast alle die übrigen Deutschen länder haben seit 50 jahren auch unter allen den beengungen und finsternissen dieser Deutschen zeit im volksthümlichen kirchlichen und wissenschaftichen leben die bedeutendsten fortschritte gemacht, haben insbesondre ein viel regeres gefühl für recht und unrecht und eine viel reinere entschlossenheit für die förderung der bildung des volkes und aller andern geistigen güter zu kämpfen erworben: Preufsen ist in alle dem weit zurückgeblieben, sodass sich leider die lust nun einmahl umgekehrt die Deutschen brüder desto mehr zu demüthigen und auszubeuten auch daraus miterklärt.

Schon die entsezliche art des öffentlichen geredes über Oestreich welche dort seit so langer zeit eingerissen ist, zeugt nichtnur von dem sogar ganz offenen verrathe an Deutschem gute und Deutschem volke worin man seinen vortheil sucht, sondern auch von einer unsittlichkeit und rohheit welche gar keine grenze mehr weder kennt noch fürchtet. Da gibt es von einer bilderzeitung an deren namen nicht über meine feder kommen soll und die dennoch dort stets das allerbeliebteste blatt war bis fast zu allen anderen blättern herab kein wort kein bild keinen gedanken womit man nicht Oesterreich wäre es möglich zu tode zu schlagen sich beeilte; dieses ist nun einmahl das Karthago das durch alle mittel zerstört werden muss; und wenn man meinen sollte ein so entsezlicher bruderhass könne sich doch bis in die oberen lüfte nicht hinaufwagen, so hat man uns auch darin jezt hinreichend anders belehrt. Aber auch aufser Oesterreich gab es fast kein bundesland mehr welches nicht stets verächtlicher und höhnender behandelt wäre.

Wie es mit dem schulunterrichte und der sorge für die niederen lehrer dort stehe, weiſs die welt: aber auch die Preusiſschen Universitäten haben den wissenschaften nicht im mindesten mehr als die übrigen Deutschen genüzt.. Vielmehr hat sich nicht weniges von den tiefen schäden des einseitigen Preuſsenthumes bis mitten in sie hinein verbreitet; und man muss es selbst erfahren haben um es zu glauben welcher rohe hass gegen Oesterreich von der einen und welche kriecherei gegen das eigne Preuſsenthum von der anderen seite sich in die Deutsche wissenschaft immer tiefer einspinnen will. Ja schon die unerschöpflichen jährlichen lobeserhebungen eines Friedrich II welche die Berliner Akademie für eine ihrer heiligsten obliegenheiten hält, sprechen hier laut genug.

Und in wie gerngetragenen fesseln dort alles rechts- und verfassungswesen liege, ist in den lezten jahren nicht bloſs zu Preuſsens sondern auch zu ganz Deutschlands tiefstem schaden nur zu deutlich geworden. Hätten auch nur (um von den dortigen Juristen ganz zu schweigen) die Preuſsischen Stände ihre pflicht gethan, so wäre dieser ganze wahnsinnige krieg unmöglich geworden. Aber sie hatten für Schleswig-Holstein für das öffentliche Deutsche recht und für die ehre und das wohl Deutschlands selbst kein herz, stieſsen die wenigen männer zurück welche unter ihnen besser gesinnt waren, ja lobten sogar die künste welche den krieg schaffen sollten.

Allein am traurigsten sieht es dort in der Evangelischen kirche selbst aus, sofern sie eben durch die richtung und den geist des einseitigen Berlinerthums bestimmt wird. Man weiſs längst um wie viel andere Deutsche länder hier voraus sind, und wie das östliche Preuſsen nur mit Mecklenburg sich vergleichen läſst. Was soll man sagen daſs der Deutsche Protestantenverein, dieses von jedermann sowohl in seiner völligen harmlosigkeit als in seiner heutigen kirchlichen nothwendigkeit so leicht zu erkennende bestreben, nirgends in ganz Deutschland solche anfeindung erlitten hat als im Berlinischen Oberkirchenrathe und in Mecklenburg! Folgerichtig ist das freilich nach dem geiste welcher auch in der kirche dort immer mehr zur einzigen herrschaft gekommen ist: der verein macht mit dem Evangelischen Christenthume endlich zur hohen zeit ernst, und ist dazu nicht Preufsisch sondern Deutsch; beides will man nicht! Und als nun die blutigen gespensterschatten des von Preufsen anzufachenden Deutschen bürgerkrieges näher und näher heranrückten und niemand sich mehr über alles was beabsichtigt wurde täuschen konnte, als schon alles was in den Preufsischen ländern noch gesunderen unverdorbeneren geistes vor dem kommenden grofsen unheile zurückbebte und die damit übereinstimmende meinung des ganzen übrigen Deutschlands klar genug war, wie hätten da die Evangelischen Geistlichen dort durch ein zeitiges einsichtig-muthiges gewissenhaftes wort sowohl vor ihren gemeinden als von ihrem könige ihrer pflicht genügen, die ganze heutige Evangelische kirche mit einem mahle auf die höhere stufe heben welche ihr bei uns längst nothwendig ist, und unmittelbar für unsre gegenwart ein ewig strahlendes verdienst sich erwerben können! Wozu nüzen unsre Geistlichen wenn sie gerade in solchen für das geistige leben einer zeit und das bleibende wohl des volkes unvergleichlich wichtigen lagen den stummen hunden jenes Propheten gleichen und weder vom Neuen noch vom Alten Testamente irgendetwas zu wissen scheinen! Auch kann man nicht sagen sie seien nicht gerade damals noch zur rechten zeit aufgemuntert ein für ganz Deutschland so überaus heilsames wort zu reden, wenn es für Evangelische Geistliche überhaupt einer aufmunterung zu solchem werke bedürfte: kurz zuvor hatte ich das „sendschreiben an den könig von Preufsen" veröffentlicht [1]) welches auch in Preufsen genug verbreitet wurde; und schon das beispiel sovieler trefflicher Ev. Geistlichen Bayern's und Württembergs hätte sie treiben können. Aber sie blieben stumm, und wurden sogar selbst noch ein dienstwilliges werkzeug zum schüren des krieges, leisteten den anweisungen des Berlinischen Oberconsistoriums gehorsam, und die Obergeistlichen mufsten sogar persönlich ihre beistimmung und ihren segen zu dem beginnenden kriege geben! Kann eine Evangelische kirche tiefer sinken als sie dort in ihren höchsten spizen gesunken ist?

Soll unsre kirche und unsre ganze Norddeutsche bildung nicht alle achtung vor den augen der Päpstlichen und aller übrigen welt verlieren, so ist es vielmehr von der höchsten nothwendigkeit sich von aller gemeinschaft mit dieser gefährlichen richtung loszusagen. Nicht so kann die Päpstliche kirche bekehrt, die Evangelische gefördert und alles Christenthum der welt empfohlen werden! Wie das einseitige Preufsische wesen den keim zum verderben aller unsrer geistigen güter und zur endlichen unaufhaltsamen verwüstung Deutschlands in sich schliefst, so kann es vorzüglich auch unser besseres Christenthum nur auflösen und abtödten. Ist dás ein ächtes ein erträgliches Christenthum welches einen ohne alle ursache ja nur zur befriedigung arger gelüste angezettelten mörderischen bruderkrieg heiligt, das in aller weltgeschichte unerhörteste unrecht aller art beschönigt, den schnöden hochmuth und die verachtung des bruders nur noch steigert, und unabsehbar ungöttliches beginnen und thun segnet? Und dadurch sollen alle die welche sei

---

[1]) im XII. Jahrbb. der Bibl. wiss. s. 172—186. Ich bemerke bei dieser gelegenheit dafs ich die unmittelbare absendung an den könig nur deshalb unterliefs weil einige Schleswig-Holsteiner die ich um rath fragte davon nur eine verstärkung ihrer leiden fürchteten. So herrschte die bleiche furcht!

es dem Christenthume selbst oder der Evangelischen kirche feindlich gegenüberstehen für diese gewonnen werden?

— Bis so weit habe ich diese vorrede ausgedehnt, weil ich für ihren inhalt sonst heute keinen plaz fand [1]): und doch drehen sich alle diese gedanken aufs engste nur um die Bibel, auch um die in diesem bande enthaltenen bücher von ihr. Ich lasse dagegen aus der gegenwärtigen ausgabe des ganzen werkes sowohl die lange vor- als die ausführliche nachrede fort, weil ich längst für sie an einen andern ort denke wo sie passender wiederholt würden.

---

[1]) Ich bin meinen auswärtigen freunden schuldig mitzutheilen dafs ich ähnliche gedanken wie die in dieser vorrede niedergelegten schon im Julius und August dieses jahres der neuen ausgabe der *Alterthümer des volkes Israel* mitgeben wollte, meine damalige schrift aber aus blasser furcht vor der Preufsischen herrschaft mir vom drucker und verleger zurückgegeben wurde. Ich hoffe in meinem ganzen leben nie etwas der öffentlichkeit unwürdiges geschrieben zu haben, und bin 1848 auch deshalb nach Göttingen zurückgekehrt weil ein Göttinger Professor nie unter Censur schrieb; und mufs nun hier in Göttingen 1866 eine solche erfahrung machen! Indessen ist auch dieser druck gegen meinen wunsch sehr verzögert.

Die Lehrdichtungen

des

Alten Bundes

übersezt und erklärt.

Sprüche Salômo's.

Ueber entstehung und geschichte des jezigen buches der Sprüche Salômo's haben wir zwar kein einziges äufseres zeugniss aus dem frühern Alterthume: aber das buch selbst enthält, wenn man es nur seinem ganzen höchst mannigfaltigen reichen inhalte nach genauer untersucht, diesen vollkommener wieder versteht, und ihn mit den andern Biblischen büchern vergleicht, so viele und so sichere spuren seines ursprunges, dafs man über das meiste mit entschiedenheit, über das andre wenigstens mit überwiegender wahrscheinlichkeit ein urtheil aussprechen kann.

Denn zunächst sind dem buche einige geschichtliche bemerkungen eingeflochten welche mit allen andern merkmalen zusammengehalten zu den wichtigsten folgerungen führen. So wird auch der nachlässigste leser dádurch zu einigem nachdenken getrieben dafs nach der langen überschrift 1, 1 noch einmahl 10, 1 eine sehr kurze, aber hinlänglich deutliche *Sprüche Salômo's* verheifst, als sollten nun erst die rechten sprüche dieses namens folgen [1]). Dafs auch der inhalt und die art der sprüche von da sich ändern, merkt man unklarer wenigstens bald ebenso leicht; und so kommt man fast wider willen in ein meinen und vermuthen über die entstehung des buchs. Doch erst die feinere und schärfere untersuchung des Innern führt zu der unumstöfslichen gewifsheit dafs mit der auffallenden überschrift 10, 1 das älteste

[1]) dafs diese kurze überschrift in den LXX fehlt, ist für die sache selbst ohne gewicht, erklärt sich jedoch aus der unten zu besprechenden eigenthümlichen ausgabe des Buches aus welcher die Griechische übersezung geflossen ist.

buch von sprüchen anfange, und von da an in einer ununterbrochenen reihe bis 22, 16 sich erstrecke. Alle denkbaren merkmale der sprache, der dichtungsart und des inhalts der hier enthaltenen sprüche führen im einklange zu dieser gewifsheit. Zerstreut haben sich indessen stücke aus der ältesten schrift welcher dieser grofse abschnitt 10, 1—22, 16 entlehnt ist, auch in andern abschnitten des jezigen buches erhalten: wir nehmen hier vorläufig auch auf sie gelegentlich rücksicht, werden aber erst unten die frage beantworten wie sie in diese anderen abschnitte versprengt werden konnten.

1. Die älteste sammlung, cap. 10—22, 16.

1. Ihre sprache.

Schon die sprache dieses theiles hat vieles ihn sowohl von andern Biblischen büchern als von den übrigen theilen dieses buches selbst unterscheidende. Sie ist nicht blofs im allgemeinen voll alterthümlicher gedrungenheit und ohne spuren späterer farbe: sondern sie hat auch viele entweder das gepräge wahrer ursprünglichkeit mit sich führende oder doch eigenthümliche und seltene bilder ausdrücke und wörter. So die bilder von der *quelle des lebens* 10, 11. 13, 14. 14, 27. 16, 22 und vom *baume des lebens* 11, 30. 13, 12. 15, 4, welche sich sonst nirgends in der Bibel finden aufser in spätern schriften und in diesen erst wieder hieraus oder aus Gen. 2—3 geschöpft, die aber hier einer so leichten behandlung sich fügen und so durchsichtig mit ähnlichen bildern z. b. von den *fallstricken des todes* 13, 14. 14, 27 vgl. Ψ. 18, 6 wechseln, dafs man merkt, wie hier nicht die jezigen erzählungen vom paradiese Gen. 2—3, wo aufserdem von einer lebensquelle nicht so deutlich geredet wird, sondern ein viel weiterer, noch freier gebliebener sagenkreis zum grunde liegt, aus dem unter andern auch die wenigen ausführlichen darstellungen Gen. 2, 5—c. 3 geflossen sind. Denn dafs ein stehendes bild wie das vom lebensbaume nicht ein jedem dichter zufällig beikommendes sei, sondern auf einer früher gegebenen festen anschauung eines theiles des Alterthumes und den aus dieser gebildeten sagen beruhe, ist eben so unverkennbar wie dafs diesen stellen nicht blofs die erzählungen der Genesis vorschweben; wenn aber das eine bild 3, 18, das andre Ψ. 36, 10 wiederkehrt, so ist das ohne zweifel nachahmung jener ältern stellen [1]). Und recht aus der frischen schifffahrtskunde der Salômonischen zeit fliefst das wort תַּחְבֻּלוֹת *steuerung, lenkung* 11, 14. 12, 5. 20, 18, sonst nur später daraus wiederholt 1, 5. 24, 6. B. Ijob 37, 12. — Auf ähnliche art ist diesen sprüchen eigen der besondre gebrauch des מַרְפֵּא *linderung* im sinne von *heilmittel* in vielfachen bildern und wendungen 12, 18. 13, 17. 16, 24 vgl. 29, 1; 14, 30. 15, 4, später nachgebildet 4, 22. 6, 15 vgl. 3, 8; und die sehr häufige anwendung von מְחִתָּה für *einsturz, gefahr* 10, 14. 15. 13, 3. 14, 28. 18, 7 und für *erschütterung* des geistes 10, 29. 21, 15; ferner zeichnet diese sprüche aus das particip יָפִיחַ 12, 17. 14, 5. 25. 19, 5. 9. (wiederholt 6, 9) vgl. aufserdem blofs Ψ. 12, 6 27, 11; das der wurzel nach sehr seltene סֶלֶף und סַלֵּף 13, 6. 19, 3. 21, 12; 11, 3. 15, 4, woneben Ex. 23, 8 und Ijob 12, 19 um so weniger in anschlag kommen, da zwar nicht die erste, aber gewifs die zweite dieser stellen sich als wiederhall aus diesen sprüchen denken läfst; לֹא יִנָּקֶה *er wird nie freigesprochen werden* d. i. der (göttlichen) strafe nie entfliehen (dies wie noch sonst manches nachklang der ältesten d. i. ächtmosaischen gesezessprache Ex. 20, 7) 11, 21. 16, 5. 17, 5 vgl. 28, 20, wiederholt 6, 29; auch רִדָּה in Piel 11, 19. 12, 11. 13, 21. 15, 9 vgl. 28, 19 ist sonst verhältnifsmäfsig sehr selten. — Dazu kommen noch mehere alterthümliche, sonst gänzlich fehlende redeweisen, wie עד ארגיעה 12, 19; יד ליד 11, 21. 16, 5; התגלע 17, 14. 18, 1. 20, 3; נִרְגָּן *ohrenbläser* 16, 28. 18, 8 vgl. 26, 20. 22, redeweisen welche wegen ihrer (die lezte ausgenommen) zweifelhaften deutung unten besonders erklärt werden müssen.

Im sazbaue ist besonders zu beachten das mit einem ihm untergeordneten unbestimmten substantiv dem ganzen saze voraufgestellte יֵשׁ, um das dasein einer erscheinung, aber eben auch nur diefs im gegensaz zum gänzlichen fehlen derselben zuzugeben, welchen begriff man schwerlich ebenso kurz wiedergeben kann als durch unser *mancher*, oder *wohl mancher*, z. b. יֵשׁ אֹהֵב דָּבֵק מֵאָח *es gibt einen freund, der treuer liebt als bruder* d. i. mancher freund liebt treuer als

---

[1]) wie dies alles geschichtlich zu denken sei, ist näher angedeutet *Geschichte des volkes Israel* I. s. 60. III. s. 378 der 3ten ausg.

bruder. Diese redefarbe ist hier sehr häufig, 11, 24. 12, 18. 13, 7. 23. 14, 12. 16, 25. 18, 24. 20, 15, dagegen den übrigen theilen des buches gänzlich fremd, indem stellen wie 3, 28. 23, 18. 24, 14 vgl. 19, 18; 8, 21 nicht hieher gehören, und auch sonst sehr selten Nu. 9, 20 f. — Eine andere eigenthümlichkeit ist dafs der gebrauch des Artikels in diesem langen abschnitte so gut wie völlig fehlt. Zwar ist er auch sonst in der dichterischen sprache selten [1]: allein hier steigert sich seine auslassung bis zum äufsersten, als müfste die sprache dieser sprüche umso straffer und glatter seyn je mehr die haltung derselben auch aus anderen unten zu erläuternden gründen so scharf und kurz als möglich ist. Und besonders ist es in diesen kieselharten kurzen wortreihen die völlige gleichheit alle sprüche hindurch welche den ganzen abschnitt auszeichnet [2]. — Eigenthümlich ist auch das kurze scharfe hervorheben eines unterzuordnenden aber im gedanken wichtigeren selbstwortes durch sein vorklingendes fürwort, wie 14, 13 אַחֲרִיתָהּ שִׂמְחָה *ihr ende* das *der freude*, blofs um die freude in diesem saze hervorzuheben: dies war eher eine nachbildung der volkssprache, wie sie sich für sprüche schickt welche in vielem dem muster des volkssprichwortes nachgebildet wurden [3].

Noch viel weiter bis in die einzelnsten fäden erstreckt sich die gemeinschaft der sprache dieses abschnittes und sein unterschied darin von den übrigen; doch schon diese auswahl von hauptsachen mag zum beweise genügen.

2. Ihre zeile.

Die dichtungsart ist hier die denkbar einfachste und alterthümlichste. Nämlich es ist hier zwar überall schon die bewufste kunst, welche den spruch in das schöne ebenmaafs

---

[1]) *LB.* §. 277 *b.*

[2]) die einzigen Fälle wo der Artikel erscheint sind 20, 1 bei הַיַּיִן: doch wäre dies nur ein sehr kleines wörtchen welches dazu hier dem folgenden שֵׁכָר dadurch schärfer entgegengesezt wird; und 21, 31 bei הַתְּשׁוּעָה, doch ist dies das einzige von nur zwei wörtern welche ausnahmsweise das ganze glied füllen, sodafs der Artikel hier wie das dritte wort ergänzt. Aber ganz verkehrt würde man z. b. in der oben erläuterten stelle 14, 13 אַחֲרִית הַשִּׂמְחָה verbessern wollen. Ja sogar 20, 1 ist der Artikel wie die LXX zeigen nicht ursprünglich.

[3]) s. die beispiele *LB.* §. 309 *c.*

und den zauber des verses kleidet: wie man denn ungeheuer irrt, stellt man sich unter diesen sprüchen etwa volkssprichwörter vor, die aus den ereignissen und erfahrungen des lebens selbst in glücklichen augenblicken unbewufst geboren werden und welchen der vers mit seiner überlegung und besonnenheit wohl sehr fremd seyn mufs. Hier ist vielmehr besonnene kunst und wohlgemessenheit: aber die nächste und einfachste. Die ruhige würde und schönheit, welche nach I. *a* s. 57 f. 124 für den lehrspruch sich ziemt, hält hier zunächst noch als ihr ganz entsprechend den ebenmäfsigen zweigliedrigen vers strenge fest, sodafs weder das eine von beiden gliedern zu gespannt und kurz seyn darf gegen das andre, noch die rede sich zu sehr erweitern, auch nicht einmahl ein kleineres drittes glied möglich sein kann. Stets zwei gleiche glieder, jedes von drei bis vier, selten von fünf etwas kürzern wörtern. Von welchem ersten geseze nirgends im ganzen abschnitte, der doch gegen vierhundert zeilen enthält, eine ausnahme sich zeigt: denn dafs die einzige stelle 19, 7 nicht füglich dahin gezählt werden könne, wird unten erhellen.

Damit hängt aber aufs engste ein andres gesez der kunst zusammen. Denn der lehrspruch erstrebt nicht weniger nothwendig nach seinem ursprünglichen zwecke die gröfste kürze und abrundung des sinnes, um leicht gefafst und tief dem gedächtnisse eingeprägt zu werden: darum mufs der vers nicht blofs den ruhigsten, gemessensten gliederbau erhalten, sondern zugleich einen vollkommen abgeschlossenen, für sich verständlichen runden sinn geben. Hiemit wird nicht gefordert dafs ein gedanke in seiner ganzen breite und bestimmtheit sich in einem solchen kurzen verse ausdrücke, welches oft unmöglich ist; vielmehr kann sich ein grundgedanke in viele einzelne auffassungen und wahrheiten, vergleichungen und schilderungen só auflösen dafs der dichter eine längere reihe von versen dazu bestimmt ihn ganz zu erschöpfen, wie z. b. gleich 10, 2—5 dér gedanke dafs nur ein durch fleifs erworbener reichthum dauere, sich stufenweise nach den einzelnen wahrheiten welche er in sich schliefst in meheren versen als ebenso viel sprüchen auseinanderlegt. Aber ein jeder vers mufs dabei einen für sich bestehenden lehrinhalt haben, sodafs er ganz allein gebraucht oder aus seinem ursprünglichen zusammenhange mit ähnlichen sprüchen gerissen dennoch einen vollkommen verständlichen sinn gibt: jeder vers mufs ein geschlossener saz, ein spruch, eine mögliche lehre seyn; auch nicht einmahl durch zwei verse hindurch darf sich derselbe sinn ziehen, sodafs etwa im ersten das bild, im zweiten die anwendung wäre. Diefs gesez ist nun nicht weniger mit der gröfsten strenge durch diesen ganzen abschnitt festgehalten, und dadurch geben sich alle diese verse noch völlig als wahre denksprüche, nicht sowohl zum lesen, als vielmehr dazu bestimmt mit leichtem schlage das gedächtnifs zu treffen und in ihrer runden kernigen kürze und gemessenheit desto tiefer in das gemüth sich zu senken, desto schneller immer wieder vor dem auge des geistes zu schweben.

Endlich sucht sich der sinn, auf solche ruhe hingewiesen und in so enge grenzen beschränkt, doch auch wieder so lebendig, scharf und weit als nur möglich zu erklären. Der beste weg aber, den sinn in aller kürze doch recht lebhaft und bestimmt, voll und scharf zu fassen, ist dér mit dem grundsaze den gegensaz zu verknüpfen und so im engen raume doch den kreis vollständig zu umschreiben; denn nichts erläutert den grundsaz so schnell überraschend und so klar belehrend als sein gegensaz. Kann man überhaupt sagen, der rasche flügelschlag von saz und gegensaz sei das lebendigste leben des verses in seinen zwei gliedern, das heben und senken der bewegten brust, das athmen des gedankens, und kann daher diese farbe der rede in keiner dichtungsart ganz fehlen: so gehört sie doch wieder am meisten in den spruchvers, und macht eine wenn nicht nothwendige, doch sehr erwünschte zierde desselben aus. In den ersten capiteln von c. 10 an, wo man gerade die ältesten sprüche unter diesen alten findet, bis in die mitte von c. 15 herrscht wirklich die beschreibung durch saz und gegensaz dermafsen vor, dafs das gegentheil zu den ausnahmen gehört: abweichend sind nämlich blofs die wenigen sprüche wo das erste glied eine vergleichung enthält 10, 26. 11, 22 (warum nicht 11, 16, s. unten), oder wo das zweite glied einen ähnlichen gedanken hinzufügt 11, 7. 12, 28. 14 19. 26. 15, 3. 10. 12, oder wo erst beide glieder einen einfachen sinn geben 14, 7; denn die fälle 13, 14. 14, 27, wo der gegensaz um etwas weniger schneidend erscheint, kann man nicht wohl zu den ausnahmen rechnen. In allen andern spielt der schöne wechsel des gegensazes.

Indem nun alle diese drei grundtriebe zum baue der zeile stets zusammenwirken um in jeder dieser spruchzeilen einem vollen klaren gedanken seine spizeste und schärfste aber doch deutlichste gestalt zu geben, bedingt sich diese gestalt sogar leicht bis in die treffendste wahl der kleinsten theile der rede hinein. Die zeile stellt gewöhnlich in aller kürze nur ein verhältnifs sittlicher dinge hin welches lehren warnen zum nachdenken reizen und zur nachfolge ermuntern oder abschrecken soll. So gestalten sich denn die worte zunächst schon fast in jeder halbzeile zu einem vollen saze der ruhigen schilderung, in welchem nach einem grundgeseze der sprache das grundwort vorantritt [1]; und so zeichnen sich die bilder der dinge von welchen geredet werden soll zunächst nur jedes wie in seinen zwei grofsen aber desto deutlicheren und schlagenderen grundstrichen. Sehr viele fangen daher mit dem als grundwort und darum bezüglich gesezten mittelworte (Participium) an, wie *wer in der ernte sammelt* ist ... 10, 5 [2]. Viel seltener steht die aussage ganz [3] oder doch theilweise [4] voran, weil ihr wort in dem besonderen falle ein verhältnifsmäfsig gewichtiges ist. Der wechselnden farben dieser ruhigen schilderung durch das eine oder zugleich durch beide glieder hindurch ist sodann nach der unendlichkeit des gedankens eine unabsehbare zahl; auch das *perf.* kann kräftig vorantreten, wo das kleine gemälde sich so am treffendsten vollenden läfst: allein denkwürdig ist dafs das gemeine *imperf.* als zu schwach und unstet gilt um wenigstens ohne bestimmtere einkleidung und stüze das erste wort eines ruhigen sazes zu werden [5]. So hat sich eine ganz eigenthümliche art mit worten kurz und scharf zu malen gebildet welche zu der kunst dieser spruchdichtung gehört und sie erst vollendet: jeder spruch ein kleines niedlich klares oft in seinen wenigen grundstrichen die höchsten wahrheiten kühn hinzeichnendes lebendiges gemälde, und doch nie blofs um zu malen und durch die schöne malerei allein zu vergnügen,

---

1) *LB.* §. 306 *c.*

2) dies zu beachten ist überall für die richtige erklärung dieser sprüche höchst wichtig. Es ist z. b. sehr unrichtig in dem spruche 11, 13 das הולך רכיל für die aussage zu halten: nicht von dem geheimnisse ausplaudernden sondern von dem verläumder soll hier zunächst gesprochen werden. und der ist ja auch viel wichtiger.

3) wie 10, 11 *a* vgl. mit 11, 30 *a*; 17, 6.

4) wie 10, 2. 3. 20, 1. 21, 1. In fällen wie 14, 3 *a* steht dagegen nach dem Hebräischen und überhaupt Semitischen sazbaue das grundwort blofs deswegen am ende weil der saz weder ein Verbum noch ein gewöhnliches aussagewort hat.

5) schon ein לא *nicht* kann das imperf. stüzen 10, 2. 3. 15. 12. 18, 2. Der einzige fall wo einfaches *imperf.* voran zu stehen scheint, ist 17, 10.

sondern immer zulezt um durch das gemälde irgendeine ernste lehre zu geben! Viel seltener und offenbar mehr erst in etwas späteren sprüchen wird statt dieser ruhig zeichnenden und dadurch lehrenden rede sogleich unmittelbar vorschrift und befehl gegeben [1]).

Wie nun alle diese merkmahle der ältesten spruchdichtung später immer mehr sich verlieren und andre an ihre stelle treten, wird unten erklärt werden: vorläufig steht der saz fest, dass auch die einfache und doch schon sehr feste und in ihrer art vollendete dichtungsart den oben bezeichneten abschnitt als den ältesten kund gibt.

3. Ihr zeitalter.

Weisen nun solche kennzeichen der dichtungsart und der sprache schon im allgemeinen auf ein verhältnifsmäfsig frühes zeitalter dieses hauptabschnittes zurück, so ergibt sich dasselbe noch näher wenn man die geschichtlichen zustände des lebens des alten volkes bedenkt welche aus ihm hervorleuchten. Denn deutlich genug hervorleuchten kann man diese zustände auch aus solchen kurzen denksprüchen sehen, wenn man sie und die wechselnden zeiten selbst nur näher versteht: wie sonst, so erläutert auch nach dieser seite hin ein solcher kurzer spruch immer leicht den andern; und nimmt man sie schliefslich alle wieder scharf zusammen, so sieht man nur desto klarer dafs sie alle doch fast ohne ausnahme auf die gleichen grofsen geschichtlichen verhältnisse zurückweisen.

Vor allem leuchtet ein dafs die grofse menge dieser sprüche zu einer zeit gedichtet seyn mufs wo das königthum Israel's eben in seiner schönsten blüthe stand, wo es das wohl und den wohlstand des volkes mächtig gefördert hatte, so von diesem aufrichtig hochgeachtet wurde, und selbst auch seine eigne würde und gesegnete wirksamkeit noch aufs erfolgreichste aufrecht erhielt. Die schönsten und wahrsten weil die unbefangensten und gemüthlichsten zeugnisse darüber geben uns eben sehr viele dieser sprüche [2]): und diese zeugnisse sind umso sicherer da wir nachher sehen werden wie die spätern sprüche unsres buches ein ganz anderes bild des zu ihrer zeit bestehenden königthumes wiederspiegeln: aber

---

[1]) wie 19, 18. 20. 20, 22. Anders aber wo der ausruf blofs spott enthalten soll, wie 19, 27.

[2]) die hier gemeinten sind unten zusammengestellt.

sie stimmen auch mit allen übrigen zeugnissen über jene herrlichsten zeiten des königthumes in Israel völlig überein [1]). Ueberall fühlt man hier deutlich und lebhaft genug dafs unsre sprüche mitten von dem leuchtendsten glanze dieses eigenthümlichsten königthumes in Israel überstrahlt werden, ja selbst nur aus ihm und der durch es gegründeten zeit eines länger dauernden friedens wohlstandes und edler bildung des volkes hervorgehen konnten. Wir kommen hier so nahe als möglich an die herrlichkeit der Davîdischen zeit, und könnten vermuthen alle diese sprüche seien aus dem wirklichen zeitalter Salômo's. Indessen blieb das königthum in Juda auch nach Salômo vorzüglich unter der herrschaft eines Asa und Josaphat in seinem vollen glanze: erst nach den zeiten Josaphat's sank es tiefer, und gewann erst unter ʿUzzia manchen strahl seiner alten herrlichkeit zurück.

Damit im zusammenhange steht dafs das volk damals, wie aus allen merkmalen unsrer sprüche erhellet, noch auf einer ganz ungebrochenen höhe seiner alten macht stand, noch durchaus selbständig und frei und glücklich unter allen völkern sich fühlte, ja in einem wohlstande lebte dessen sicherheit und zufriedenheit kaum höher seyn konnte. Man bedenke wie ungemein mannichfach der inhalt dieser sprüche ist, wie sie von allem wiederhallen was damals ihre zeit stärker bewegte, und auf die verschiedensten stimmungen und bestrebungen ihrer gegenwart rücksicht nehmen. Nirgends aber leuchtet nach dieser seite hin ein finsterer schatten durch, und nirgends wird ein gedanke laut welcher erst durch die mifsherrschaft und das einreifsende elend des volkes seine färbung empfangen konnte.

Und mitten endlich im schuze dieses sichern stolzen königthumes und dieses gesättigten wohlstandes des freien selbständigen volkes sehen wir hier ein streben nach allseitiger höherer bildung nach weisheit und erkenntnifs erblühet welches allen geschichtlichen zeichen zufolge in Israel erst seit dem aufgange der Salômonischen tage sich entfaltete, dann aber alsbald sich herrlich und mächtig genug ausbreitete. Eine der reichen früchte dieses neuen weisheitsstrebens haben wir nun sichtbar in unserm grofsen buchabschnitte vor

---

[1]) das *B. der Ursprünge* und die ältesten *Königsgeschichten* zeigen nebst den sonstigen dichterischen überbleibseln jener zeiten die nächste verwandtschaft mit unsern sprüchen; vgl. die *Geschichte* I. s. 112 ff. 205 ff. III. s. 382.

uns. Wir sehen, dies streben nach weisheit hat sich hier mit der kunst der höheren dichtung vermählt, ganz wie wir das auch sonst aus jenen zeiten theils sicher wissen theils nach dem Davîdischen vorgange erwarten [1]). Wir fühlen auch, die früchte dieses doppelstrebens welche uns hier geboten werden, sind im ganzen noch so frisch und so frühzeitig wie wir sie aus jenen ersten zeiten erwarten. Aber je näher wir nun durch diese sprüche in die art und gestalt jenes weisheitsbestrebens wieder zurückblicken, desto deutlicher sehen wir auch dafs die weisheit jener tage zwar schon hoch und kühn genug ausgebildet, já schon als eine ehre und ein schmuck des menschen von allen só vielgesucht und hochgeachtet war wie es nur in einem wahrhaft philosophischen zeitalter möglich ist, allein auch schon sich selbst in mehere richtungen und schulen zerspalten hatte, von welchen die eine strenger als die andere sich an die ewigen grundsäze der wahren religion anschlofs [2]). Unsre sprüche sind ganz aus dem geiste und dem bestreben der besseren richtung geflossen: allein es gab auch schon, wie klar genug aus ihnen und aus anderen zeugnissen jener jahrhunderte hervorleuchtet, schulen der Skeptiker und Skoptiker (Ironiker, *Spötter*): und leztere suchten sich bereits auch des volkslebens zu bemächtigen, sodafs unsre sprüche keinem geringen theile nach gerade gegen sie am schärfsten gerichtet sind [3]).

Nun bilden sich freilich wo irgend das streben nach weisheit in seiner ganzen selbständigkeit und freiheit sich erhebt, auch entgegengesezte schulen bald genug aus; und wir sehen noch später bei den Griechen wie schnell sich Sophisten ausbilden und ihre ganze zeit zu beherrschen suchen. Während der langen friedlich glücklichen herrschaft Salômo's könnten auch diese hier soviel genannten und vielbekämpften *Spötter* sich sehr wohl schon zusammengethan und ihre an-

---

[1]) vgl. die *Geschichte* III. s. 374 ff.

[2]) dies für vieles auch zum verständnisse unseres buches sehr wichtige ist in der abhandlung der *Jahrbb. der Bibl. wiss.* I. s. 95 f. weiter bewiesen.

[3]) wie 13, 1. 14, 6. 15, 12. 19, 25. 29. 20, 1. 11. 24. 22, 10. 29, 8 (später wiederholt 1, 22. 3, 34. 9, 7 f. 24, 9). Nirgends ist von den לֵצִים *spöttern* so häufig und so frisch die rede wie in unserm haupttheile, insbesondere auch mit so deutlicher hinweisung darauf dafs sie eine wirkliche mächtige schule bildeten. Aber ebenso denkwürdig genug ist dabei dafs diese sprüche zerstreut sich erst von c. 13 an finden.

sichten im volke zu den herrschendsten zu machen gesucht haben. Allein es kommt noch von einer andern seite aus ein umstand hier in betracht welcher die frage ob manche dieser sprüche nicht noch nach der zeit Salômo's entstanden seien zur entscheidung bringen kann. In dén sprüchen nämlich welche sich auf das volksthümliche reich (den Staat) beziehen und die ihrem inhalte ebenso wie ihrem ausdrucke nach eine dichte reihe ganz für sich bilden, wird *die Stadt* só hervorgehoben als machte sie den inbegriff und die lebendige macht des ganzen reiches aus [1]. Dies entspricht nun freilich ganz denselben Griechischen begriffen und gewohnheiten wonach wir noch jezt nach deren vorgange von *Politik* reden: bei den Griechen in der zeit ihrer blüthe bei den Römern und den meisten Phönikischen und sonstigen alten gemeinwesen dieser art war *die stadt* allein der lebendige mittelort alles öffentlichen lebens, da dieses bei ihnen ursprünglich allein von einer wo möglich festen grofsen und mächtigen stadt und deren *bürgerschaft* ausging und sowohl deren landschaft als ihre eroberungen ihr streng untergeben wurden. Allein ganz anders bei Israel: dies war und blieb noch seit Mose und Josúa bis in die tage Davîd's und Salômo's ein wahres vielverzweigtes und getheiltes aber eidgenössisch verbundenes grofses *volk*, dessen leben sich garnicht um eine einzige grofse stadt drehete. Erst als nach der spaltung des alten reiches sich die geschichte und das selbständige leben Juda's allein um das inzwischen so grofs und fest gewordene Jerusalem drehete, trat hier ein zustand ein welcher mit jenem Griechischen die nächste ähnlichkeit zeigt und der dieses überbleibsel eines Davîdischen reiches von dem Zehnstämmereiche bald so wesentlich und so folgenreich unterschied. Aber wenn dies so ist, so können wir uns nicht denken dafs die sprüche über die (um es kurz so zu sagen) *Politik* früher als in den tagen eines Asa und Josophat gedichtet und geschrieben sind.

Die herrlichkeit des königthumes deren bild die meisten dieser *politischen* sprüche so lebendig und doch so un-

---

[1]) 11, 10. 11. 29, 8 vgl. 10, 15. 18, 11. Hier wird das dichterische קִרְיָה oder קֶרֶת für *stadt* gebraucht: in gemeiner sprache aber sagte man von jezt an oft הָעִיר *die stadt* für *Jerusalem*, wie in den *Jahrbb. der Bibl. wiss.* XI. s. 202 und wie *LB.* §. 277 *b* weiter bewiesen ist. Der dichter von Spr. 1—9 gebraucht so עִיר 1, 21 oder auch קֶרֶת 8, 3. 9. 7.

schuldig uns vor die augen stellen, kann aufserdem nicht wohl als von Salômo selbst so aufgefafst und so niedergeschrieben gedacht werden. Manche dieser sprüche können zwar unstreitig schon unter Salômo's herrschaft gedichtet seyn: allein da die erwähnten uns in etwas spätere zeiten herabführen und doch alle sichtbar aus einer höheren einheit geflossen sind, so werden wir am sichersten annehmen sie seien erst aus dem ende des zehnten jahrhunderts. Und am wahrscheinlichsten ist es nun ferner dafs auch die schwere spaltung und theilweise entartung der schulen der weisheit von welcher oben geredet ist, erst in diese zeiten fiel.

Von der andern seite ist es aber (wie unten noch näher erhellen wird) ebenso gewifs dafs diese ganze dichtungsart von Salômo ausgeht und viele dieser alten sprüche wirklich von ihm und aus seiner zeit abstammen. Wir werden daher am richtigsten sagen die sprüche dieses hauptabschnittes seien dem zehnten jahrhunderte entsprungen, theils im engsten wortsinne der wirklich Salômonischen zeit theils der nächsten nach ihr: so wie sich unten zeigen wird wie gewifs diese für uns heute älteste sammlung schon aus meheren älteren und ziemlich verschiedenen von einem lezten herausgeber zusammengestellt ist. Da sie indessen doch ihrer gröfsten menge nach noch etwa aus demselben jahrhunderte sind und dazu alle dem geiste derselben strengeren weisheitsschule entstammen, so zeigen sie

4. ihrem inhalte nach

dennoch im ganzen eine gleichmäfsigkeit welche höchst denkwürdig ist. Denn hier können wir wie nirgends weiter klar erkennen wie der geistige zustand des zehnten jahrhunderts und wie seine höchsten bestrebungen waren. Wir sehen wie höchst eigenthümlich und wie verschieden er von dem schon des neunten und achten jahrhunderts war: und die sich so ergebende hohe eigenthümlichkeit und gleichmäfsigkeit des gesammten inhaltes dieser sprüche führt uns auch ihrerseits zu demselben ergebnisse über ihr zeitalter zurück.

Doch um deutlich zu sehen wie zwar nicht alle aber doch bei weitem die meisten dieser in der jezigen sammlung sehr zerstreut vorliegenden sprüche auf dasselbe zeitalter zurückweisen und zwar auf ein verhältnifsmäfsig sehr frühes, müssen sie durch betrachtung wieder ihrem inhalte und ihrer verwandschaft nach näher aneinandergehalten und zusammengestellt werden. Dafs dieses möglich sei, leidet keinen zweifel. Denn so vereinzelt auch und abgerissen in den sprüchen die gedanken erscheinen: sie theilen sich doch erst aus einem gemeinsamen grunde, einer grundanschauung des höhern lebens als ihrer lezten quelle. Denn hier sind keine aus allerlei verschiedenen veranlassungen des niedern lebens entstandene sprichwörter, welche ein Gelehrter bloſs aus des volkes weitem munde gesammelt und wie sie denn keine innere ordnung zulassen, nur lose aneinandergereihet hätte; nichts kann verkehrter seyn als die Arabischen spruchsammlungen von Abu-Obaida, Maidani und andern, welche die fliegenden volkssprichwörter auflasen und erklärten, hier zu vergleichen. Wir haben hier vielmehr die mit kunst und kenntniſs gepaarten versuche von dichtern, die wahrheiten der religion angewandt auf die unendlich einzelnen fälle und möglichkeiten des niedern lebens in kurze scharfe sprüche zu fassen, gleichsam um die schwerern allgemeinen säze der höhern erkenntniſs in einzelne kleinere faſslichere säze aufgelöst tropfenweise dem geiste der zu bildenden jugend einzuflöſsen; so daſs also in jedem spruche doch wieder irgend ein wenn auch noch so kleines stück und theilchen der allgemeinen ewigen wahrheit enthalten ist, und daſs nichts hier als bloſse geschichtliche erinnerung erscheint wie so oft in den volkssprüchen, ja kein einziges beispiel aus der einzelnen geschichte auftritt, sondern alles als ursprüngliche anschauung des dichtergemüthes und als lehre für jedermann sich darstellt. Nur in der spizen kürze, treffenden schärfe und leichten faſslichkeit ist das volkssprichwort hier muster geworden, wie z. b. die art im Perfectum wie aus der erfahrung zu reden: *er fand ein weib — er fand ein gut* 18, 22 vgl. 11, 2*a*. 8. 14, 6*a*. 19. 18, 3. 21, 22. 22, 2. 12. 13 noch stark an diese farbe erinnert: aber sinn und zweck ist hier ein anderer. Die grundanschauung aber welche sich so im einzelnen zu erklären sucht, ist entfernt die der ganzen alten religion, wie sie sich im leben jener zeit schon tief in das herz des volks gesenkt hatte, näher aber die des besondern dichters und weisen, welcher von den wahrheiten jener auf eine eigenthümlich tiefe art getroffen und durch sie begeistert für seine besondre zeit als lehrer wirken will: und man sollte an und für sich glauben daſs wenn einmahl ein dichter eine in ihm lebende grundanschauung des lebens durch die spruchdichtung auseinanderseczen wollte, er dann auch nicht bloſs einen oder ein paar sprüche geschrieben haben könne, sondern sie vielseitig nach allen richtungen hin in einer reihe von sprüchen erschöpft haben müsse. — Doch so viel ist vorläufig gewifs, dafs jeder spruch dieser art auf die allgemeine grundanschauung zurückweist aus der er gedichtet ist: und wie das einzelne hier erst aus dem ganzen fliefst, so kann man umgekehrt auch wieder aus dem einzelnen und zerstreuten welches vorliegt auf den verborgenen gemeinsamen grund zurückschliefsen und von diesem aus das einzelne betrachten.

Diefs führt denn zugleich zu einem andern nuzen welcher uns so zufliefsen kann, dém der erklärung dieser vielen sprüche im einzelnen, deren aufgabe hier keine leichte ist, da sie mit jedem neuen spizen spruche ihr geschäft aufs neue beginnen mufs. Jedoch jeden einzelnen spruch dem blofsen sinne nach zu erklären, würde weder wegen der öftern wiederholung ähnlicher gedanken rathsam, noch überhaupt nöthig seyn, falls nur die übersezung richtig ist. Aber desto nothwendiger wird es die grundgedanken in ihrem innern zusammenhange aufzufassen und soviel als möglich das ganze gebäude zu überschauen, von dem hier so viele stückchen zerstreut sind: nur so bekommt das einzelne wieder leicht volles licht und ächten zusammenhang. Wären die sprüche noch, wie vielleicht als sie aus erster hand kamen (s. darüber unten), nach der ähnlichkeit des sinnes selbst geordnet: so würde die erklärung dieses geschäftes ziemlich überhoben seyn, da dann das näher zusammenstehende sich leicht gegenseitig erklärte: aber bei dem jezigen zustande von zerrissenheit und ordnungslosigkeit worin diese sprüche zu uns gekommen sind, ist es doppelt unerläfslich auf die grundgedanken des oft so dunkel scheinenden einzelnen zuruckzukehren.

Was sich in den übrigen theilen des buchs verwandtes findet, und zwar wie unten erhellen wird, besonders aus c. 28—29, mufs hier der übersichtlichkeit wegen sogleich mit berüchtigt werden. — Welche ordnung aber hier zur übersicht des inhaltes die leichteste sei, folgt mit ziemlicher sicherheit aus dem wesen der gedanken selbst; ich habe hier eigentlich nichts hinzuzufügen als die fugen und übergänge, sonst kommt es nur darauf án den sinn des sinnreichen richtig zu erschöpfen.

I. Das verhältnifs der dinge.

Hinter dem äufsern, sichtbaren, einzelnen ist etwas inneres, denkendes, schaffendes, allein ewiges und mächtiges, alles einzelne zusammenfassendes, und zwar wie hinter allem äufsern, so insbesondere hinter dem erscheinenden menschen. Der geist also des menschen ist nicht blofs sein eigner geist, mit dem er auf immer willkürlich verfahren könnte, sondern *eine leuchte Jahve's ist des menschen geist* 20, 27; sein allen anderen menschen verborgener sinn kann doch nicht aufserhalb Jahve's sein: *hölle und untergang*, das tiefste und dunkelste, welches nie ein lebender mensch schauet, *sind klar vor Jahve* (Ijob 26, 5 f.), *um wie viel mehr die menschenherzen!* 15, 11, wie es auch umgekehrt wahr ist dafs *der mensch* zwar *mittel hat silber und gold zu läutern, aber der die herzen vollkommen prüft und wägt*, blofs *Jahve* ist 17, 3. Die sinne ferner des menschen sind nicht blofs seine werkzeuge, die er ewig willkürlich blofs für sich gebrauchen könnte als hätte er sie sich selbst gegeben, sondern *das ohr welches hört und das auge welches sieht — Jahve hat sie beide zugleich geschaffen!* und hat also noch die lezte gewalt darüber 20, 12; ja hinter dem ganzen leben des menschen ist doch eigentlich ein höheres leben ihn leitend und haltend wie mit einer einsicht deren gröfse den geleiteten stets aufs neue überrascht: *von Jahve sind des mannes schritte, und der mensch — wie wüfste der seinen weg?* wenn ihm Jahve nicht stets aufs neue in jeder noth und verwickelung rath und ausweg zeigte 20, 24. Aber was vom einzelnen, gilt auch von allen menschen, hinter deren der äufsern erscheinung nach äufserst verschiedenem leben ein höheres leben liegt vor dem sie alle gleich sind wie sie alle von ihm leben: *armer und zinsherr begegnen sich* äufserlich so sehr verschieden erscheinend, *doch der beider augen erleuchtet*, dafs sie sich begegnen können, *ist ihr schöpfer Jahve* 29, 13. 22, 2; und *überall sind Jahve's augen, erspähend böse und gute* 15, 3.

Indem nun aber dieses Innere ungeachtet alles möglichen äufsern wechsels nie verdrängt oder gar aufgehoben werden kann, vielmehr selbst immer aufs neue nach seinen eigenen gesezen die schöpfung erhaltend zum heile einwirkt: so entsteht dadurch eben die ewige ordnung der dinge, wonach *Gott alles gemacht* hat *zu seinem zweck*, entsprechend dem in ihn gelegten zweck und über diese grenze nicht hinaus könnend 16, 4*a*, die ordnung und herrschaft gegen welche nichts menschliches gilt sofern es ihr widerstreitet und gegen sie sich erheben will: *es ist keine weisheit und keine einsicht und kein rath gegen Jahve; das rofs ist bereit für den schlachttag, aber Jahve's ist der sieg* 21, 30 f., welcher sich alle menschlichen gedanken und pläne als ihrer lehrerin ewig fügen müssen, sofern doch kein mensch, auch der weiseste nicht, in einem einzelnen augenblicke des lebens ihren alles einzelne und alle zeiten zusammenhaltenden geheimen sinn je völlig zu ergründen und ihre ganze entwickelung zum voraus zu überschauen vermag, welches aufs kräftigste mit manchen schönen sprüchen gesagt wird: *des menschen sind die herzensanordnungen* und gebete, *doch von Jahve kommt erhörung der zunge* 16, 1; *des menschen herz ergrübelt seinen weg, doch Jahve richtet seinen schritt*, dafs er mitten im leben oft ganz anders und zwar heilsamer zu handeln geleitet wird als er vorher ergrübelt hatte 16, 9, und *viele gedanken* sind *in eines herzen, doch Jahve's rath, der wird bestehen* 19, 21; und gesprochen mit rücksicht auf die falschen einbildungen des menschen: *jeder weg eines*, den er wirklich einschlägt, *scheint ihm recht* oder *unschuldig*, sonst würde er ihn nicht wählen, *doch der die herzen* oder geister genau *abwägt*, ob sie wirklich der ewigen ordnung der dinge gemäfs ihn gewählt haben, *ist Jahve* 16, 2. 21, 2. Und diese ewige ordnung und herrschaft ist nicht etwa etwas äufseres bei Jahve, sondern es ist sein *weg* 10, 29, d. h. die nothwendige, ewig fortschreitende äufserung seiner thätigkeit, es ist eben so die gerechtigkeit wie das wahre leben selbst.

Wenn jedoch hiedurch der mensch in eine gedankenlose und entwürdigende abhängigkeit gegen Jahve zu versinken scheint als könne er nichts gutes thun aufser sich als willenloser sklav ohne murren in alles zu fügen: so verhält sich vielmehr die sache, genauer betrachtet, gerade umgekehrt. Denn eben die thätige kraft jenes innern denkenden oder der geist Jahve's ist dem menschen so wenig blofs etwas fremdes und fernes, dafs des geschaffenen menschen geist ein wenn auch noch so geringer theil desselben ist, ebenfalls rein innerlich und unvernichtbar, denkend und schaffend, selbständig und unbesiegbar, das einzelne zusammenfassend, wenn auch das alles nur in geringerem maafse und nur wie eine abgeleitete kraft. Und indem nun dieser geist des menschen in dem göttlichen ruht und der göttliche in ihm, so entsteht ein beständiges wechselverhältnifs und eine lebendige wechselwirkung zwischen beiden, sodafs der mensch zwar zunächst wirkt ganz nach eigener lust und eigener kraft, als wäre er selbst schöpfer in seinem kreise, aber eigentlich doch nur zugleich mit Gott, wissend und wollend oder nicht; woraus denn folgt dafs, wenn diefs verhältnifs rein ist, dann der menschliche geist durch den göttlichen stark, hell und klar ist alles leibliche zu durchdringen und zu beherrschen, als wäre er eine leuchte Gottes selbst mitten im körper. Es bedurfte dieser auseinandersezung um nun erst recht vollkommen jenen tiefen spruch zu verstehen: *eine leuchte Jah-*

ve's ist des menschen geist, erforschend alle leibeskammern 20, 27. Aber in diesem verhältnisse liegt schon von seiten des menschen die möglichkeit einer trübung: denn weil der mensch als einzelwesen eignen willen hat mit der fähigkeit sich zu vereinzeln (wiewohl das alles wieder zulezt bedingt und beschränkt ist), so kann er sich mit dem ihm verliehenen gute absondern und nach eignem gutdünken für sich leben wollen im widerspruche mit dem allgemeinen leben und dem willen des göttlichen geistes 18, 2; 14, 12. 16, 25. 12, 15: ein irrthum der aus der vorstellung und möglichkeit in den willen und die that übergehend die sünde selbst ist, und die einzige wahre thorheit, da der mensch sich doch nicht auf immer vereinzeln kann, sondern so weit er sich vom göttlichen geiste entfernt, soweit die rückwirkung der von ihm gestörten ordnung gewaltsam und schmerzhaft fühlen mufs. Diese innere wahrheit wird ihrem wesen nach überall in den sprüchen einfach vorausgesezt, als im leben selbst gegeben und durch die erfahrung gewifs, ohne dafs durch vergleichung der gegenwart mit der urzeit eine geschichtliche erklärung gesucht würde wie Gen. 2, 5—c. 3: vielmehr wird häufiger das einzelne welches in ihr liegt, wie es nach der art dieser spruchdichtung seyn mufs, besonders hervorgehoben. Also wird

1. die doppelte möglichkeit des menschlichen lebens und strebens klar ausgesprochen zugleich mit der höhern beziehung einer jeden, wonach die that nie ohne die ensprechende gesinnung seyn und niemand vom rechten abgehn kann ohne von Gott selbst: *wer in seiner geradheit geht* ohne auf irrwege zu sinnen, *fürchtet Jahve, doch wer verkehrter wege ist, verachtet ihn* 14, 2. Und zwar hat jede dieser beiden möglichkeiten einmahl in die wirklichkeit übergehend nach dem allgemeinen geseze des fortschrittes ihre eigne stärke stetigkeit und fortbildung, zur fast nothwendigen gewohnheit und fertigkeit werdend: *wie ein scherz ist's dem thoren schande zu üben, und weisheit* (zu zeigen) *dem mann voll verstand* 10, 23, weil jede that durch stillung der nach ihr gerichteten lust die begierde auf ihre besondre art stärkt: *gestillte lust ist süfs der seele, aber* eben deswegen *ist's der thoren gräuel vom bösen*, das sie einmal zu lieb gewonnen, *zu weichen*, 13, 19, *thorheit ist freude dem sinnlosen* 15, 21*a*. 21, 15, sodafs die gedanken selbst, davon ergriffen, nach einer der beiden seiten hin sich vorwiegend und beherrschend neigen, sowohl für sich: *der gerechten gedanken*, alles was sie denken, *ist* stets *recht, der frevler leitung* aber

betrug 12, 6, als in bezug auf verwandtes bei andern: *die bosheit horcht auf unheilslippen* (worte abzielend zum unheil), *die lüge hört auf zunge des verderbens* den rath andre zu verderben 17, 4; vgl. 28, 4. 29, 27. Darum ist im sichtbaren leben kein stillstand beider richtungen bis zum tode: wie das gute unendlich ist, ebenso das böse wenigstens bis zur gewaltsamen unterbrechung; denn auf den leichtsinn der die wahrheit nur übersieht (פְּתִי), folgt bald die thorheit, welche sich schon schwer warnen läfst und bei selbstverschuldetem unfall auf Jahve zürnt 19, 3; auf diese endlich bald die verstocktheit, welche, um sich gleich zu bleiben, ihren spott gegen das wahre wenden mufs in schonungslosem übermuthe 21, 24. — Aber

2. schon zum voraus ist, wie der mensch nach eignem gewissen fühlen kann, der innere und ewige werth jeder der beiden möglichkeiten und lebensweisen bestimmt, sodafs der mensch nicht etwa blind wählt, als ob er die nothwendigen folgen beiderseits nicht überschauen, wenigstens ahnen könnte; das wohlgefallen oder die liebe Jahve's ist stets auf seiten der redlichkeit und unschuld jeglicher art, wie diese sich auch äufsern mag in that oder in gedanken und gebet, sein abscheu oder gräuel stets auf der entgegengesezten seite, sogar beim opfer der frevler 11, 20. 12, 22. 15, 8 f. 26; 21, 3. 27. Und wie nun vom menschen in keiner art etwas ausgehen kann, was nicht eine von ihm unabhängige, unabwendbare und nothwendige folge und rückwirkung hätte, welche eben aus der ewigen ordnung der fliefst: so wirkt

3. diese ewige ordnung gerade só auf ihn zurück wie er sie bestimmt, entweder fördernd und beglückend wenn er ihr nicht widerstrebt, sondern den eignen geist zum willigen werkzeuge des göttlichen machend selbst am göttlichen werk und leben theilnimmt; oder trübend und zerstörend wenn er es wagt das allgemeine zu stören und zu trüben, welches endlich nothwendig seine kräfte wie erzürnt gegen den rückwärts kehrt der es aufhalten will. So entspricht der erfolg und das schicksal dem sinnen und sehnen, sodafs den frevler doch zulezt dasselbe übel trifft wovor ihn lange graute und das er umsonst zu vermeiden suchte, die sehnsucht aber der gerechten erfüllt wird 10, 24. Darum ist so oft die rede von der *frucht* der reden und thaten des gerechten, deren güte er künftig geniessen werde, während die frevler wind erben oder des gewinnes verlustig gehen 11, 29*a*. 30*a*. 12, 14. 18, 20, ja während der frevler lust vielmehr durch empörung der von ihnen verlezten äufsern ordnung gestillt wird

13, 2; und darum wird so nachdrücklich die vergeltung als nie auf erden ausbleibend und die Jahve'n verhafsten frevler am ehesten ereilend geschildert 11, 31. 13, 21 f. 14, 14. 17, 20. 21, 7. 12. 22, 8.

Von der einen seite also macht das leben des irrthums und der ungerechtigkeit, vom nothwendigen ausgange aus betrachtet, den traurigsten anblick: den gütern nachjagend wird der frevler doch aller wahren verlustig; einen doppelten, zweideutigen weg einschlagend um das eingebildete gute auf böse art zu erreichen, verräth er sich zulezt und stürzt sich selbst in das übel, als würde das übel die gefahr in die er fällt, das nez worin er sich fangen läfst 12, 12 f. 29, 6; 28, 10. 18 vgl. 26, 26—28. 24, 16; was ihm süfs war, kehrt sich in härte und schmerz um 20, 17; unter der last der schuld gekrümmt kann er den geraden weg kaum mehr einschlagen, so sehr ist sein sinn schon verkehrt, seine möglichkeit beschränkt 21, 8; und doch, verhärtet er sich gegen anfängliche warnungen und züchtigungen, trifft ihn nur desto überraschender und unvermeidlicher der lezte schlag 29, 1. 28, 14; so spottet seiner die schuld und strafe, der er zu entkommen sich abmüht und die doch noch immer seiner unversehens harrt 14, 9, menschlicher wille kann den todtschläger vom verderben nicht retten in das er flieht 28, 17, und sucht man in ihm wie in allen dingen den göttlichen zweck wozu sie geschaffen, so kann man vom ende aus die sache betrachtet sagen, er sei zum straftage bestimmt um an ihm die wahrheit der göttlichen gerechtigkeit zu beweisen 16, 4.

Von der andern seite sind alle wahren güter mit dem gerechten. Zunächst das leben selbst im reinen sinne, welches ist das göttliche leben, unsterblichkeit. Denn indem er dem ewigen leben nicht widerstrebt, nimmt er theil an dessen fortgange und geniefst dessen glück mit, von ihm gehalten und getragen, und zwar nicht blofs im niedern sinne, sofern seine tage ruhiger und länger werden während die des ungerechten an gewaltsamer unterbrechung und aufhebung leiden 10, 27. 11, 19 vgl. dagegen 15; 10. 21, 16, sondern auch sofern er wirklich an der unerschöpflichen fülle und heitern wonne des wahren göttlichen lebens theil nimmt 11, 30*a*. 12, 28. 15, 24. 21, 21; wie denn mit jeder reinen that auch eine reine freude verbunden ist 12, 20. 15, 23. 21, 15. Denn mit diesem leben hängt die innigste gemeinschaft und vertrautheit mit Jahve zusammen, worin er das göttliche wohlgefallen als preis gewinnt 12, 2. 14, 22, eine himmlische macht die als solche auch schlechthin רָצוֹן genannt wird 14, 9*b*. 11, 27 (vgl. εὐδοκία Luc. 2, 14), worin der wunsch erfüllung, das gebet erhörung und das harren eine frucht findet als von vorn an im göttlichen sinne gefaſst 10, 3. 28. 11, 7. 23; 15, 29. 28, 9, worin die gerechtigkeit selbst welche im strengern sinne so genannt wird, das ist aber die göttliche, für ihn lebendig und thätig wird, ihn selbst in ihren höhern kreis ziehend oder ihn rechtfertigend, so aber das heil als ihre frucht hervorbringend 21, 21. Ist aber dieſs wahre leben bei einem, so ist zweitens der zugang zur alles ergreifenden und umfassenden einsicht geöffnet als der thätigkeit des erleuchteten geistes bei betrachtung der einzelnen dinge 28, 5. 29, 7; diese aber wiederum ihrerseits gibt ihm die macht alle die äuſsern güter des niedern lebens so viel darin gutes ist zu gewinnen, während dieselben dem frevler, der sie allein begierig sucht, nie dauerhaft und wahrhaft zu gebote stehen: also keimt auch die ächte gunst bei den menschen auf diesem boden, während der ungetreuen weg unfruchtbar bleibt 13, 15 vgl. 10, 32. 16, 21—24, ferner ehre unter menschen 21, 21. 12, 8. 18, 3, im guten andenken durch alle wechsel der zeit sich bewährend 10, 7, so wie die gunst am schönsten sich in frommen segnungen ausspricht 10, 6*a*. 11, 26; sodann endliche versöhnung sogar der übelwollenden feinde 16, 7, und damit zusammenhangend die wahre macht und herrschaft in ihren unendlich verschiedenen grenzen 11, 29*b*. 30*b*. 17, 2. 14, 19; ferner reichthum, der edle, nicht ergeizte, sondern dem göttlichen segen entsprossende 10, 22. 13, 8. 14, 24. 15, 6, der eben so die macht mehrt 22, 7, wie er durch kein wohlthun wesentlich verringert wird 11, 24, da noch immer genug bleibt zur sättigung 13, 23. 25; ein reichthum der so wieder zur förderung des lebens selbst dient 10, 16. 21, 6. Endlich erfüllt jenes erleuchtete leben den gerechten nicht minder mit sicherheit und vertrauen in gefahr und drangsal, sodaſs eben seine unschuld sein leiter und retter wird 10, 9. 29. 11, 3. 5 f. 13, 6. 18, 10. 28, 1 vgl. 25, 19, als stände ihm stets ein unverlöschbares licht zur seite 13, 9; ein seliges vertrauen das auch im tode nicht abnimmt 14, 32. 10, 2. 11, 4. 7, und wodurch ihm so gut als gar kein wahres übel zustöſst 12, 21. Während also beim ungerechten nichts ist als trübung verwirrung und vernichtung, und während er mit täuschung endet wie er damit anfing 11, 18: ist bei dem gerechten ein fester grund, etwas von allem wechsel unberührbares, wie eine tiefe unausrottbare wurzel 10, 25. 30. 12, 3. 7. 19. 14, 11; rettung und heil ist also bloſs für ihn, fortdauernd noch auf seine nachkommen 11, 21. 14, 26. 20, 7. 22, 12, auch die hülflose unschuld nimmt an diesem ewig im verborgenen wirksamen heile theil 15, 25. Ja wenn man beides, das verderben des frevlers und den ewigen sieg des gerechten, in sofern betrachtet als sie doch sich gegenseitig bedingen müssen und dieser nicht ohne jenes sich vollendet: so scheint's als ob auch hier eine wechselwirkung statt finde zum besten des gerechten, als ob der frevler umkomme damit dieser lebe 11, 8. 21, 18 und alsob jenes güter für diesen aufgespart seien 13, 21 f. 28, 8.

Das ist der zusammenhang dieser auffassung des ewigen verhältnisses der dinge, einer höchst einfachen, alterthümlich grofsen und starkherzigen auffassung, worin unstreitig der grund jeder wahrheit bereits richtig gelegt ist und worin eigentlich nichts schon verkehrt und einseitig gewordenes sich findet, indem z. b. nirgends so wie später geradezu gesagt wird, jedes erscheinende übel sei folge der sünde dessen den es treffe, aber worin sich allerdings noch viele lücken leicht entdecken lassen, wie z. b. eben die feinere frage, wie nun der gerechte ein ihn treffendes übel zu betrachten habe, hier noch auf eine leere stelle stöfst. Neben dem grofsen, emporragenden und festen, allgemeingültigen, fehlt hier noch manches feinere, genauere, einzelne und bezügliche: als wäre hier erst ein grofses festes gebäude aufgeführt ohne völlig von innen ausgeschmücht, verziert und fein vollendet zu seyn.

II. Die that.

Wie nun die that oder das eigene eingreifen des menschen in den lauf der dinge seyn müsse, folgt aus jener richtigen auffassung ihres verhältnisses: denn das bewufstseyn dieses verhältnisses kann allein die that auf die rechte art treiben und leiten. Darum mufs

1. diefs bewufstseyn selbst zunächst erstrebt werden, damit es eine ihm entsprechende verfassung des gemüths und richtung der kräfte gründe; und diefs ist die allen menschen auf gleiche weise gemeinsame *pflicht*, welche erst den boden bereitet für die besondre pflicht und thätigkeit. — Steht also der einzelne mensch der wahrheit nach so dem ganzen und allgemeinen gegenüber: so wird sofort seiner gesinnung tiefster grund seyn die *furcht Jahve's* die wir lateinisch religion nennen, welche weniger das träge gefühl der menschlichen bedingtheit ist, als vielmehr vor allem die scheu in Jahve jene ewige ordnung zu verlezen vgl. 8, 13. Ijob 28, 28, eine scheu welche rege und klar geworden das streben in sich schliefst vielmehr jenes wahre leben immer voller zu

erkennen und zu gewinnen. Diese grundverfassung des gemüths wird, wie es seyn mufs, als mutter des gewinnes aller wahren güter gepriesen, weil ohne sie nichts auch nur richtig angefangen werden kann 10, 27. 14, 27. 19, 23. 22, 4 f.; sie ist auch *die zucht* oder *schule der weisheit*, sofern auch lautere erkenntnifs ohne solche richtung des geistes nicht möglich ist 15, 33, obwohl dann auch umgekehrt das wachsen der wahren erkenntnifs diese furcht fördert und mehrt 2, 5: jedoch die wahre weisheit ist immer dáran zu erkennen dafs sie wirklich (durch diese furcht) die ewige bahn verfolgen, den irrthum meiden lehrt 14, 8. 16, 17. Sofern der mensch einen natürlichen stolz und selbstische überhebung zu bekämpfen hat, ist sie die *demuth* עֲנָוָה 15, 33. 22, 4, jene demuth welche von dem alles geheimste leichliche durchdringenden göttlichen geiste geleitet (20, 27) ihn nie glauben läfst genug frei zu seyn von sünde 20, 9, sondern ihn zur steten klarheit im freien bekenntnifs derselben treibt 28, 13 f.; wie denn nichts verwerflicher sowohl als verderblicher ist als die herrschaft des blinden stolzes 16, 5. 18 f. 17, 19*b*. 18, 12. 29, 23, dieses ackers der sünde 21, 4, des übermuthes 11, 2. 13, 10, oder auch nur des dünkels 26, 12 und der ruhmsucht 27, 1 f. 21. Sofern der mensch noch daneben einen wie angeborenen leichtsinn hat dem er gar leicht nachgiebt, ist jene furcht die ächte bedachtsamkeit und behutsamkeit die auf alles wahre achtet und nichts nothwendiges übersieht 13, 13. 14, 16. 16, 20. Und sofern diese furcht endlich keine furcht vor den weltlichen und wechselnden dingen, sondern vor der ewigen ordnung und deren schüzer ist: führt sie zugleich zu dem wahren vertrauen und der untrüglichen hoffnung 16, 20. 29, 25 f. im gegensaze gegen jedes vertrauen auf eitle vergängliche dinge 11, 28 vgl. 28, 25 f. Hier wäre nun der übergang zur liebe Jahve's leicht: doch diesen begriff welcher im Deuteronomium so stark hervorgehoben wird, trifft man hier noch nirgends, obgleich auch nichts ihm widerstreitendes gesagt wird; doch wird schon die thorheit eines unfalles wegen auf Jahve zu zürnen hervorgehoben 19, 3, und sehr deutlich gesagt dafs sünde nicht durch opfer sondern durch liebe und treue als die blüthen jener frucht gesühnt werde 16, 6.

Aber jene furcht ist, näher betrachtet, gar nicht blofs die vor Jahve und seiner ordnung als einem ungetheilten dichten ganzen: sondern, wie sich der geist Jahve's in die welt ergossen hat und hier in unendlich vielen kreisen und in den verschiedensten gestalten sein werk vollendet, so schliefst jene furcht Jahve's auch die achtung vor allem in der welt sich offenbarenden also erkennbaren göttlichen und guten und die scheu diefs zu verlezen ein. Wer also in der welt das göttliche leben fördern will um von ihm wieder zu geniefsen: der wird nicht mit feindschaft gegen sie sich rüsten, sondern mit der liebe, welche das eigne wohl findet im fremden; für welche vom freien zuge des geistes getragene liebe die Hebräer aufser dem allgemeinern אַהֲבָה das eigenthümliche wort חֶסֶד haben. Diese, dem frevler seinem streben nach fremd 21, 10, kennt gegen hülfsbedürftigkeit keine härte oder gar spott 21, 13. 14, 21. 31. 17, 5. 18, 23. 22, 9. 28, 27, entzieht auch dem viehe nicht das gerechte mitleid 12, 10, wendet mit der weisheit verbündet durch sanftheit und langmuth das böse zum guten um, dem vergehen verzeihend und die rache in geduld Gott überlassend 10, 12. 19, 11. 20, 22 vgl. 25, 21 f. 24, 29. 17, hütet sich aus schadenfreude auch böse, gehässige nachrichten zu verbreiten 10, 18. 25, 23, (ist ohne neid über fremde güter 23, 17. 24, 1. 19), nimmt auf den zustand der seele des nächsten rücksicht ohne zur unzeit sich in kummer oder freude zu mischen 14, 10 vgl. 25, 20, sucht aber sonst überall den den geist niederdrückenden kummer zu lichten und die hoffnung zu erfüllen 12, 25. 15, 13. 15. 30. 17, 22. 18, 14; 13, 12 vgl. 25, 25 (erlaubt sich nicht einmal einen übeln scherz 26, 18 f.), und fühlt bei aller aufopferung und mühe doch in sich selbst den besten segen, unerschöpfliche freude 11, 17. 19, 22. Undank dagegen erscheint als die ärgste sünde 17, 13. — Sieht man aber mehr ins einzelne, so findet jene in der liebe thätige scheu

1) zunächst die menschliche gesellschaft vor als ein ganzes das auch zum wohl des einzelnen nur durch die thätige wahrheit und gerechtigkeit jedes blühen kann, ja näher betrachtet nur auf diesen grundpfeilern ruhet. Demnach wird oft das verwerfliche jeder lüge, insbesondere der böswilligen, verläumderischen oder auch nur übelgeschäftigen zunge hervorgehoben 13, 5. 17, 7; 11, 13. 16, 27 f. 20, 19; 17, 9; 18, 8. 26, 20—22. 29, 8, so wie das der schmeichelei 29, 5. Ebenso ist gewicht und maafs (obwol in äufserlichkeiten von menschen bestimmt) doch seiner innern nothwendigkeit und zuverlässigkeit nach etwas heiliges, unverlezliches, welches wiederholt eingeschärft wird, weil die sache damals unstreitig noch neu war und der staat sich ihrer noch zu wenig

angenommen hatte 11, 1. 16, 11. 20, 10. 23 vgl. Am. 8, 5. Noch deutlicher ist, was die gerechtigkeit betrifft, wie jedes unrecht seines zweckes verfehlend sich endlich doppelt rächt 22, 16, wie die richtenden häuptlinge sich jeder auch der gering scheinenden unbilligkeit enthalten sollten 17, 26 vgl. 25, 26, wie den frevler ungestraft zu lassen nicht minder schlecht sei als den gerechten zu strafen 17, 15 und wie jede bevorzugung des (reichen) frevlers die empfindlichsten folgen nach sich ziehe 18, 5 vgl. 24, 24. 22, 22, folgen die um so trauriger sind da das unrecht oft um eines ganz unbedeutenden vortheils willen begangen wird 28, 21 f. Weil das gericht in jenen frühen zeiten für gewisse schwere zweifelhafte fälle, wo kein menschlicher verstand sich entscheidung zutraute, das loos als auskunft billigte, so wird dessen heiligkeit in schuz genommen 16, 33. 18, 18 vgl.-fälle wie 1 Sam. 14, 37 ff.; doch noch öfter und gewichtiger wird, weil das gericht jener zeiten noch sehr wenig von schriftlichen urkunden, meist von mündlicher aussage abhing, die heiligkeit des zeugnisses und die ewige schuld der falschen aussage gelehrt, und wie einem überhaupt zuverlässigen, treuen manne auch im gerichte am leichtesten zu trauen sei 19, 5. 9. 21, 28; 12, 17. 14, 5. 25. 19, 28 vgl. 25, 18. 24, 28. — Doch es bildet sich schon von jeher

2) der staat als der versuch durch äufsere macht und herrschaft zur aufrechthaltung dieser güter zu wirken, der daher auch am meisten blüht wenn er seiner bestimmung eingedenk durch redlichkeit und weise kräftige leitung gefördert wird 11, 11. 14, wie denn die erfahrung zeigt dafs das aufkommen der gerechten immer allgemeine freude erregt 11, 10 (28, 12. 28. 9, 2), die sünde dagegen der schimpf der völker ist 14, 34. Hier aber wird insbesondre (wie schon oben s. 10 f. vorläufig bemerkt wurde) die wunderbare kraft eines königs zur strengen doch gerechten erhaltung der ordnung und des wohles eines staats in so leuchtenden farben mit sichtbarer vorliebe, ja mit so völlig reiner und heiterer begeisterung beschrieben, dafs man nothwendig sehen mufs wie den sprüchen die erste schöne zeit des starken fleckenlosen königthums in Israel und der allgemeinen ungetrübten achtung vor ihm zu grunde liegt; kaum findet man sonst im A. T. einen so klaren und so lieblichen spiegel der wirklichen gröfse jener zeit in dieser hinsicht, obwohl auch sonst im A. T. viele geschichtliche spuren dieser zeit zerstreut sind die man nur noch nicht beachtet und gewürdigt hat. Als wäre noch die erste heiligkeit und stärke des engen verhält-

nisses zwischen Jahve und seinem Gesalbten sowohl im sinne des königs als im glauben des volks unverlezt erhalten, wird hier gelehrt des königs wort im richterstuhle sei ein untrügliches orakel und unrecht thun sei ihm ein abscheu, etwas seinem herzen unmögliches 16, 10. 12, so sichte und strafe er nachdrücklich alles böse 20, 8. 26; so treffe, wie sein donnernder zorn die frevler, so sein liebliches, erquickendes wohlgefallen die gerechten und weisen 19, 12. 20, 2. 16, 15; 14, 35. 22, 11; so endlich stüze er seinen thron dádurch dafs huld und treue, diese göttlichen kräfte, durch ihn thätig wiederum ihn schüzen und thörichte erbitterung oder gar empörung nicht entfernt ihm schaden 20, 28; 20, 2, als würde ein todesengel sofort wider die empörung gesandt 17, 11 (vgl. dagegen unten zu 24, 21 f.). Keine trübe erinnerung stört dabei dieses so reichlich ausgeführte, fleckenlose bild; welches wie es sich in späterer mehr verworrener und gesunkener zeit stark ändere, unten erhellen wird. — Doch da auch der weiseste wohlwollendste und thatkräftigste könig allein für sich so gut wie nichts machen kann, so wird ebenso stark erinnert einmahl wie sehr es auf geschickte beredte und unermüdet redliche freunde (Minister) von ihm ankomme 22, 11. 14, 35. 16, 13, sowie dárauf dafs er nicht einseitig (parteiisch) sondern von möglichst vielen treugesinnten männern (in Ständen) berathen werde 11, 14. 15, 22; und zweitens dafs man nie verzweifeln dürfe den übelberathenen Gottes sinne entgegen zu handeln bereiten könig durch die unermüdliche anstrengung weiser vorstellung und dringender bitte zum rechten ziele umzulenken 16, 14. 21, 1, sowie dafs sein schmuck doch nur das wachsen und das glück des volkes sei 14, 28; und zulezt kommt ja doch wieder alles auf das volk selbst zurück, insbesondere auf die in ihm herrschende weisheit und gerechtigkeit 14, 34. 28, 2. Und da es sich zerstreut schon früh treffen konnte dafs einmahl ein begünstigter sklav zu hohen ehren befördert wurde, so wird nicht unterlassen zu bemerken dafs ein sklav der, wie gewöhnlich alle, an knechtischen sinn gewöhnt ist, ebenso wenig geziemend die herrschaft über fürsten handhaben könne wie ein narr das wohlleben (d. i. den luxus) der reichern 19, 10. — Ein anderes gut welches diesem öffentlichen zur seite geht, ist

3) das des menschlichen hauses, der familie, worüber sich wenige, aber herrliche sprüche finden: über das glück ein weises weib und damit den grund eines Jahve'n wohlgefälligen hauses gefunden zu haben 18, 22. 19, 13 f. 12, 4; 22,

14; über die heiligkeit des verhältnisses zwischen kind und eltern, das auch von dem erwachsenen ein eigenes haus gründenden sohne nicht gestört werden dürfe 19, 13. 26. 20, 20; über die ehrwürdigkeit des alters die nicht zu entweihen oder zu verachten sei, da vielmehr alter und jugend sich zur gegenseitigen zier gereichten 16, 31. 17, 6. 20, 29; überhaupt strafe sich von selbst jeder versuch sein haus zu trüben, die ruhe des hauses zu stören 11, 29.

Von der ächten freundschaft, einem andern gute der art, wird bemerkt, dafs sie zwar selten zu finden sei, indem gar viele freundschaft heuchelnd nur dem reichthum oder der macht schmeicheln (dieselben die den armen, weil er ihnen nicht nüzlich sein kann, schimpflich verlassen) 20, 6. 19, 4. 6. 7. 14, 20, aber einmahl entstanden, sich wunderbar in gefahren bewähre, so dafs man sagen könne, ein bruder werde gleichsam erst für drangsale geboren, oder die liebe des in drangsal bewährten freundes stelle ihn vollkommen einem bruder gleich, ja mache ihn noch theurer als einen gewöhnlichen bruder, als werde dem leidenden dann erst ein bruder im vollen sinne des worts geboren 17, 17. 18, 24 vgl. 27, 9 f.

2. So von innen für alles gerüstet, soll der mensch durch die eigene that ins leben eingreifen. Denn dafs ist zunächst hier gewifs, dafs er nicht das leben und dessen mühen, die gesellschaft und den kampf fliehen darf, weil er, je mehr sich einseitig auf die eigne person zurückziehend, desto gewisser ein spiel der niedern begierden und gelüste wird 18, 1; vielmehr schärft die gesellschaft gegenseitig die menschen und bildet sie zur gröfsern tüchtigkeit 27, 17, und wie der wasserspiegel das bild des eignen gesichts zurückwirft, so spiegelt sich das eigne herz in dem des andern, hat man nur muth und schärfe genug in dieses tief zu blicken 27, 19.

Vielmehr eifer und fleifs ist hier, geleitet von jener grundgesinnung, das höchste und nothwendigste, die dem menschen überlassene that, woran er die welt erkennend und zum guten wirkend durchdringe. Diefs wird, da die sprüche zunächst zur belehrung der jüngern mitwelt dienen, auf die mannigfaltigste art eingeschärft: *fleifs* als ein mittel der weisheit und vorsicht um nicht zu darben aus schläfriger trägheit 10, 4. 5. 19, 15. 20, 13. 21, 20; 12, 11. 28, 19; während die trägheit stets umsonst begehrt ohne zum genufs und zur freude des mittheilens zu gelangen 13, 4. 21, 25 f. und während sogar der blofs lässige oft dem verderber einer sache gleichkommt 18, 9; fleifs als mittel die schwierigkeiten des lebens zu ebnen 15, 19, zur selbständigkeit, ja zur herrschaft über die trägen zu gelangen 12, 24, indem sogar ein besonnener sklav dadurch sich gunst erwerbend zu gleicher macht mit den brüdern eines hauses kommen kann (wenn ihn z. b. der vater im lezten willen wohl bedenkt, wie diefs nicht selten geschah) 17, 2 vgl. 27, 18; dann wird das in der faulheit liegende schimpfliche oft mit empfindlich höhnenden bildern hervorgehoben 12, 27; 19, 24; 20, 4; 14, 4; 22, 13 vgl. 26, 13—16. Insbesondre von der treue und dem fleifse des in den verschiedensten stellungen und geschäften dienenden oder gesandten 13, 17. 10, 26 vgl. 25, 13. 26, 6. 10. — Wie man sich der leichtgläubigkeit nicht hingeben solle, 14, 15. 20, 14.

Aber mitten in dem wallenden eifer auf jede weise zum allgemeinen guten zu wirken soll die besonnenheit nicht schwinden, sondern desto gröfser und reiner seyn je tiefer jener sich in die welt stürzt. Nur durch rath und kluge leitung gelingt ein plan 15, 22. 20, 18. Also eine eile und geschäftigkeit bis zum verlieren des bewufstseyns ist wohl noch schneller gefährlich als trägheit 19, 2. 21, 5. Insbesondere wird die unvorsichtigkeit bei gefahr 22, 3 vgl. 27, 12, das voreilige gelübde 20, 25 und das unbedachtsame bürgschaftsleisten scharf gerügt, wodurch wirklich mancher jüngling freiheit und andre güter ohne noth verwirkte 11, 15. 17, 18. 20, 16 vgl. weiter 27, 13. 22, 26 f. 6, 1—5. — Und obwohl man die einsicht die man tief in sich ruhend fühlt, am rechten orte nicht zurückhalten soll 14, 33. 28, 23, so ist es doch das unfehlbare kennzeichen von thorheit und leichtsinn, mit unüberlegten gebärden und worten hervorzuplazen und kein maafs im reden zu halten, dadurch aber im besten falle etwas unnüzes zu thun 14, 23. 26, 2, im schlimmen dagegen muthwillig sich der verachtung entweder oder der gefahr den zorn anderer zu reizen preiszugeben 15, 28. 18, 13; 12, 23. 13, 16. 17, 27 f.; 11, 12. 10, 14; 12, 18. 10, 10. 15, 2; ja man kann, da bei unmäfsigkeit im reden nicht leicht ein vergehen ausbleibt 10, 19, sagen dafs oft von der zunge das leben abhängt 18, 21. 15, 4; 18, 6. 7. 12, 13 f. 13, 3. 10, 8. 21, 23. vgl. 29, 20. Nicht weniger schlimm aber ists im gedränge des lebens selbst langmuth und selbstbeherrschung zu verlieren, wovon einige schöne sprüche 16, 32. 25, 28; 15, 1, insbesondere bei eifersucht 14, 30 vgl. 27, 3 f.; wie durch ein nachgeben gegen unmuth und zorn hader und zank entzündet wird, so ist jeder der an leichtsinn oder zorn gewöhnt stets streit anzettelt, lieber ganz zu meiden 15, 18. 14, 17. 29. 29, 22; 20, 3. 22, 10; 19, 19. 29, 9. Als besonders hartnäckig werden wie oft im Alterthume brüderliche streitigkeiten bezeichnet, in denen sich die ursprünglich gröfsere wärme in gröfsere kälte verwandelt hat 18, 19. Doch dem anfange des ins unendliche gehenden streits zu begegnen sei das beste 17, 14, zumal da kein hader ohne weitres vergehen bleibe, wie kein hochmuth ohne fall 17, 19; auch in den dingen des gewöhnlichen lebens sei dünkel schimpflich 18, 17. 28, 11. — Ein theil dieser besonnenheit ist's auch, gegenüber den äufsern reizungen das übermaafs der fröhlichkeit zu meiden, wobei doch das herz im grunde oft wenig befriedrigt seyn kann 14, 13.

Und, was das ziel anlangt, so soll das durch den eifer zu erwerbende äufsere gut nicht seiner selbst wegen gesucht oder behauptet werden. Denn was z. b. den reichthum betrifft, so ist er zwar als äufseres gut nicht zu verachten, da jedes gut der art wo es einmahl feststeht sich selbst mehrt und dem besizer achtung und schuz, so wie vertrauen auf eigne kräfte verschafft, während der ärmere oft blofs wegen seiner armuth schuzlos in gröfsere gefahr kommt 10, 15. 18, 11. 22, 7: aber ohne zweifel ist ein geringes gut unendlich besser als ein grofses sobald diefs mit irgend einem wahren übel verbunden ist, wie mit ungerechtigkeit 13, 23. 16, 8. 19, 1 vgl. 28, 6. 20; 20, 21, mit der unruhe des blofs weltlichen treibens oder mit hafs und zank 15, 16 f. 17, 1, mit schlechtem namen 22, 1; vielmehr ist nur der mit genügsamkeit gesammelte reichthum beständig 13, 11 und auch ein schweres feld der arbeit gibt, näher betrachtet, zur erhaltung des lebens genügsamer genug einkommen 13, 23. 25, zumal der eben nicht grofse überflufs die lust zur arbeit wunderbar fördert 16, 26 vgl. 27, 7; und nichts ist lächerlicher als aus blofser ehrsucht stolz zu thun bei wirklicher armuth 12, 9. 13, 7. Die schönste freude ist's aber eben sowohl als den reichsten segen bringend vom überflusse freigebig zu spenden, und wunderbar hält sich oft gerade das vermögen dessen der es beständig zu zerstreuen scheint: von welcher pflicht zu besizen als besize man nicht, hier einige schöne sprüche vorkommen 11, 24—26. 19, 17. 21, 26*b*; während wer sich einmahl dem geize ergibt, nie gesättigt wird 27, 20. Insbesondere wird nicht selten zu geschenken an richter und fürsten ermahnt, nicht in dem bösen sinne um schmeichelei oder gar bestechung zu befördern, sondern weil damals die richter wirklich noch nicht vom staate erhalten wurden, so dafs obwohl das gesez ihnen geschenke zu geben nicht vorschrieb, doch auch die schmuzige eigensüchtige kargheit gegen sie eben nicht zu loben war 17, 8. 18, 16. 21, 14; wogegen das in böser absicht aus ungerechtigkeit angenommene geschenk ausdrücklich und scharf genug gemifsbilligt wird 15, 27. 17, 23. — Dafs der hehler so gut wie der stehler, 29, 24.

Was so im allgemeinen, gilt im besondern angewandt von der frau des hauses, in deren hand es liegt durch weisheit das wohl des hauses entweder zu bauen oder durch thorheit es zu zerstören 14, 1, welche durch lieblichkeit ehre erwerben kann 11, 16. 12, 4, aber durch sinnlosigkeit ihre schönheit verliert 11, 22, durch zänkereien unerträglich wird 21, 9. 19 vgl. 25, 24. 27, 15 f.

III. Die zucht.

Aber weder die erkenntnifs jenes verhältnisses noch die sicherheit dieser that ist so leicht zu gewinnen; und es würde einem gewöhnlichen menschen schwer möglich seyn solche höhe aus eigner kraft zu erklimmen. Doch jedem der jezigen kommt schon von aufsen ein kreis von höhern erkenntnissen wie von diesen entsprechenden bestimmten forderungen entgegen: von vielen seiten her, zunächst von den eltern des hauses, empfangen rath und vorschriften warnung und zucht die jüngern der mitwelt, ihnen den weg zu jener höhe des lebens zu erleichtern. Die nothwendigkeit und die rechte weise der zucht מוּסָר zu erklären, ist um so mehr noch ein wichtiger zweck dieser sprüche, da sie nach ihrer jezigen sammlung vorzüglich zum nuzen der jüngern mitwelt dienen sollen. So werden zuerst alle welche das recht dazu haben, aufgefordert die strenge der zucht nicht weichlich zu vernachlässigen, sondern gerade aus reiner liebe zur jugend ihr die zucht nicht zu ersparen 13, 24 vgl. 29, 15. 17. 26, 3, weil die frühe gewöhnung des knaben für seyn ganzes späteres leben eine dauernde folge habe 22, 6; früh aber sei anzufangen, da man schon an den spielen des kindes die besondre richtung seines geistes erkennen könne 20, 11. Und zwar sei nicht blofs der spötter d. h. der verstockte s. 12 zu strafen, damit doch wenigstens der blofs leichtsinnige ein beispiel daran nehme, sondern auch wer schon einen grund gelegt in der erkenntnifs, müsse durch unterricht darin wachsen 19, 25. 21, 11 vgl. 1, 5. Schärfere strafen seien freilich für die hartnäckigern nöthig, ebenso wie für völlig verstockte menschen schon göttliche strafen bereit seien 19, 29. 10, 13*b*. 20, 30. 22, 15: doch dürfe die züchtigung nie das leben selbst gefährden 19, 18, welches leztere gegen die im Alterthume oft schrankenlose ausübung der väterlichen gewalt gesagt wird. — Von der andern seite werden die jüngern aufs ernstlichste ermahnt zucht und rath willig anzunehmen 13, 1. 15, 5, und zwar ebensowohl um den eltern stolz und freude zu bereiten 10, 1. 15, 20. 17, 21. 25; 28, 7. 29, 3 vgl. 27, 11, als auch um das besonders für spätere gefährliche zeiten unschäzbare gut des wissens und der besonnenheit zu erwerben 12, 1. 19, 20, welches auch ironisch eingeschärft wird 19, 27; ja die achtsamkeit auf zucht verleiht nicht blofs weisheit sondern durch diese alle andern güter, das leben selbst, so wie ehre und reichthum 10, 17. 15, 31f. 19, 8. 16. 13, 18. Auch jede gesellschaft mit männern in deren munde ein lebendiger weisheitsquell, ist danach zu suchen, während umgekehrt die gemeinschaft mit thoren unnüz, die mit wilden ihre leidenschaft schon durch gebärden verrathenden menschen höchst gefährlich ist 18, 4. 13, 20. 12, 26. 15, 12 vgl. 27, 5 f.; 14, 7. 17, 12; 16, 29. 30 und das schlechte beispiel keinen weisen verlocken darf 15, 21. 21, 29, und während niemand bei trunkenheit, vergnügungslust und buhlerei weisheit oder auch nur niedere güter gewinnen kann 20, 1. 21, 17. 28, 7. 29, 3.

So ist also, sieht man auf sitte und gewohnheit des lebens, die in gerechtigkeit sprossende weisheit das köstlichste gut, welches erstrebt und erworben werden kann 16, 16. 20, 15. 17, 16, das gut welches weit über die blofs rohe gewalt geht 21, 22, welches die worte des redenden erst beredt und lehrreich macht, überall wohlgefallen und liebe seinem besizer schaffend 10, 32. 16, 21—24, kurz eine quelle des lebens und alles heiles für den einzelnen der sie besizt und für andre 16, 22. 10, 11. 20 f. 11, 9. 13, 14. 14, 3. 12, 6. 16, 22. 29, 8. 10 f., während die thoren eben durch unverstand umkommen 10, 21*b* (und während die thorheit nie allein bleibt, sondern als ihren schimpf die sünde nach sich zieht 24, 9). Der muth also wenigstens und die kraft weise zu werden, und damit der anfang der weisheit selbst mufs als das unentbehrlichste vorhanden seyn: gehört doch selbst schon einsicht dazu, den wie tiefes wasser im innern verborgen liegenden rath hervorzuziehen oder zu erschöpfen, da so oft trübe irrende gedanken auf der oberfläche schwimmen, den wirklich schon innerlich möglichen rath in die tiefe zurückdrängend 20, 5. Wo einmahl dieser anfang feststeht, baut sich der weisheit haus von selbst weiter; so wie umgekehrt die thorheit, einmahl sich festsezend, immer weiter führt in verkennung verstockung und verderben 14, 6. 18. 15, 14. 18, 15; 10, 8. 13. 31. 15, 2. 7. 17, 24 vgl. 26, 7. 8. 11; den schon für die wahrheit empfänglichen trifft die leichteste zucht schärfer als den verstockten die härteste strafe 17, 10 vgl. 27, 22, und er weiſs auch aus jeder unangenehmen sache sich still eine warnung und lehre zu nehmen 12, 16.

Daſs das orakel (oder die Offenbarung) die beste zucht für alle, und sein lautwerden ein heil sei, wird erst 29, 18 und bloſs hier hervorgehoben: sonst wird hier überall nur die im leben schon gegründete wirksame weisheit gemeint, als wenn Israel damals noch gar nicht nöthig gehabt hätte auf die geschichtlich gegebene Offenbarung als auf etwas entweder unterbrochenes oder auch abgeschlossenes hinzublicken. Vielmehr wie die (obwohl durch ältere offenbarung angeregte) lebensweisheit zur zeit der schönsten blüthe des alten volkes noch lebendig und neu mit eigner kraft sich gestaltete und fortbildete, so erscheint sie in den sprüchen dieses abschnittes: hier ist noch alles unmittelbare einsicht und frohe gewiſsheit, durchsichtige klarheit mit lieblichkeit und reinheit des ausdrucks gepaart, ein zwar dem umfange nach noch begrenztes, aber der kraft nach ungeschwächtes, leicht nach allen seiten hin sich bewegendes frisches wissen und denken. Darum eben sind die sprüche dieses theiles nicht bloſs die ältesten, sondern auch dem innern gehalte nach die reichsten und herrlichsten. Wirklich ist hier unter der verworrenen menge der mannigfaltigsten sprüche ein heutigen tags wenig genau bekannter schaz von kurzhingeworfenen tiefen gedanken und wahren anschauungen des geistigen lebens verborgen; oft ist die zu den wichtigsten folgerungen spornende beobachtung in die engen grenzen eines spruches zusammengedrängt; und wenn in andern schriften A. T. vielmehr einzelne groſse wahrheiten erschöpfend verfolgt werden, so führen diese kurz andeutenden sprüche in die volle breite der betrachtung des höhern lebens nach allen seiten, und geben vorschrift und aufschluſs über viele sonst kaum berührte beziehungen.

5. Verfasser und entstehung dieses abschnittes.

Wenn also die sprüche dieses theiles ihrem sinne nach so schön zusammenhangen daſs man nirgends einen absichtlichen widerspruch des einen gegen den andern oder zwei wenn ansich wahre doch nicht in dieser art als von einem dichter kommend neben einander denkbare sprüche bemerkt; und wenn dann auch alles zusammentrifft um sie als die ältesten des buches zu bezeichnen: sind sie dann wirklich im strengern geschichtlichen sinne sprüche von Salômo selbst sämmtlich geschrieben? Der schlufs ist nahe, aber wir dürfen ihn, alles überlegt, nicht ziehen. Denn schon der zustand worin diese besondre sammlung von sprüchen vorliegt, widerstrebt einer solchen möglichkeit.

1. Betrachtet man zunächst nur die verwirrung worin jezt viele dieser sprüche auf einander folgen: so scheint darin kein zeichen der ursprünglichkeit liegen zu können. Werden blofs volkssprüche gesammelt und niedergeschrieben, so kann man sich allerdings leicht denken wie ein sammler, zufrieden das gehörte nach und nach niederzuschreiben, um eine bestimmtere ordnung der sprüche sich nicht kümmert; doch dafs die vorliegende sammlung so entstanden sei, ist schon oben verneint: wie aber ein dichter, der mit abgemessener kunst an das werk schreitet und sichtbar einen ganzen lebenskreis mit den funken seiner spruchweisheit erleuchten will, wie der ohne innern zusammenhang und irgend einen passenden fortschritt sprüche nach einander dichten und verworren aneinanderreihen könne, ist nicht wohl abzusehen. Wir haben vielmehr allen grund schon als an sich nothwendig vorauszusezen, dafs ursprünglich ein fortlaufender faden sich durch die sammlung zog, das vielfache und zerstreute bindend; und einen thatsächlichen beweis dafür geben noch die hie und da erhaltenen fugen dieses ursprünglichen zusammenhanges: denn nicht gar selten hangen noch zwei drei oder gar noch mehr sprüche, die nach der jezigen reihe auf einander folgen, auch innerlich vollkommen zusammen; und zwar nicht só alsob sie blofs von einem sammler des ähnlichen inhaltes wegen lose aneinandergeschoben wären, sondern vielmehr só dafs man merkt wie hier ein grundgedanke fortschreitend durch einzelne sprüche als seine glieder sich erklärt und wie alle aus demselben geiste quellend, éines hauches und éiner farbe sind: eine erscheinung die unten in der übersezung anschaulich gemacht wird [1]). Ja oft ist ein einzelner spruch sichtbar zwischen sprüche ganz verschiedenen sinnes eingeschoben, den man sich hinwegdenkend sogleich den ursprünglichen zusammenhang wieder hindurchleuchten

---

[1]) man nehme nur solche fälle wie 10, 4. 5; 16, 27—30; 18, 16—20 und später 26, 20—28.

sieht, z. b. 11, 22 zwischen v. 18—23, 13, 24 zwischen v. 23 und 25, 15, 14 zwischen v. 13 und 15. Ich sage, wie vonselbst deutlich, hiemit nicht dafs die sprüche zuerst gerade so geordnet waren wie oben die wiederherstellung einer solchen ordnung zu anderm zwecke versucht ist; die reihe konnte sehr lose und leicht seyn wie etwa in Indischen und Persischen, auch Arabischen büchern der art: aber dafs sie nicht gänzlich fehlte und dafs die ursprünglichen spruchbücher oder sammlungen in dieser hinsicht von der jezigen sehr verschieden waren, ist nicht zu bezweifeln.

In dieser ursprünglichen sammlung war, wie sich nun leicht weiter versteht, auch keine wiederholung desselben spruches mit geringen oder gar keinen veränderungen, indem derselbe dichter in demselben werke sich nie solchergestalt wiederholen würde wie hier z. b. 14, 12 vgl. 16, 25 und sonst nicht selten geschieht.

2. Untersucht man ferner die beschaffenheit des wortgefüges der sammlung, so zeigt sich dafs diese ungemein gelitten hat: kaum ist ein andres stück im A. T. zu finden welches durchgängig so viel von seiner ursprünglichen reinheit verloren hätte; hier fehlen zum theil ganze verse und versglieder oder sind versezt, worte sind verwechselt, der sinn nicht selten ganz verschieden geworden, wie diefs unten im einzelnen erhellen wird. Nun fallen zwar viele dieser fehler erst auf schuld der spätern abschreiber des ganzen gegenwärtigen buches, welche gewifs nirgends leichter irren konnten als bei diesen alten ebenso kurzen und für die Spätern oft dunkeln als unzusammenhängenden sprüchen: wir sehen diefs aus den LXX, welche an vielen stellen ein weit besseres und vollständigeres an anderen aber auch ein weit weniger richtiges wortgefüge vor augen hatten als das Massôretische ist; wie denn unstreitig in den lezten jahrhunderten v. Ch. die handschriften dieses buches schon äufserst abweichend geworden waren. Aber es bleiben noch aufserdem viele stellen übrig wo man eben bei der genauesten betrachtung sich veranlafst findet zu vermuthen der text sei ursprünglich ein anderer gewesen, wie unten bei der übersezung bisweilen bemerkt ist. Solche uralte fehler müssen bis in das 7te und 8te jahrh. hinaufreichen: diefs erhellt auch daraus dafs diejenigen abschnitte des jezigen buches welche erst aus diesen zeiten sind, einen viel reinern text haben. So führt denn diese erscheinung auf die gewifsheit grofser veränderungen welche diese ältesten sprüche durchlaufen ha-

ben müssen, bevor sie in der jezt urkundlich nachzuweisenden gestalt in das gröfsere buch aufgenommen wurden.

3. Endlich kommt man auch bei scharfer vergleichung dieser sprüche unter einander auf die wahrheit dafs nicht alle eine gleiche ursprünglichkeit tragen, sondern einige doch auch unter diesen ältesten und schönsten sprüchen älter und schöner sind als die andern. Solche feinere unterschiede zeigen sich zwar nicht in den reinen gedanken, welche hier vielmehr bewundrungswürdig übereinstimmen und offenbar das kräftigste enthalten was im 10ten und 9ten jahrh. v. Ch. in Israel und zwar von Salômo's weisheit ausgehend gedacht und erstrebt wurde: aber wohl erscheint derselbe gedanke in dem einen spruche schärfer, runder, schöpferischer ausgedrückt als im andern; was in dem einen spruche mit glücklichem wurfe bündig und stark zusammengehalten ist, das zergeht in andern und dehnt sich in mehere minder kräftige; ein altes herrliches baustück ist vielfach aufs neue angewandt und weiter verziert; und mancher spruch ruht sichtbar nur auf ältern grundlagen. Diefs lehrt der überblick aller sprüche dieser sammlung und kaum ist's nöthig hier beispiele zu nennen; man vgl. unter vielen andern 10, 6*b* vgl. mit v. 11; 18, 11 mit 10, 15; 15, 33 mit 18, 12. Ebenso lassen sich in der kunst des verses hier feinere unterschiede nachweisen. Der gegensaz der beiden glieder, jenes nach s. 8 schönste zeichen vom kunstvollen baue dieser verse, wird doch nur in den ersten fünf capiteln strenger gehalten, verliert sich dagegen mehr von der mitte des 15 cap. an; diefs aber bezeichnet recht das abnehmen der innern kraft dieses verses, das schon anfangende erschlaffen der kunst in diesen ihren ältesten grenzen und gesezen, und den übergang in eine neue weise welche dann in den folgenden abschnitten vollendet hervortreten wird.

So wird zwar aus dem allen gewifs dafs auch diese ältesten sprüche nicht alle unmittelbar auf Salômo's zeit zurückgeführt werden können, als hätte er sie alle in ihrer jezigen gestalt geschrieben. Aber weiter folgt auch daraus nichts. Denn fiele es unserer tage einem entweder zu kecken oder zu unwissenden ein zu behaupten Salômo und seine zeit habe in keiner weise antheil an diesen sprüchen (wie es denn jezt so sinnloses redende, herzlose menschen gibt): so würde der erst die wahrheit völlig in ihr gegentheil umkehren, etwas das richtig in seinen grenzen verstanden wahrheit enthält, zum unwahren machend [1]). Denn vor allem ist hier zu bedenken dafs hier keine volkssprüche gesammelt sind, sondern sprüche mit kunst gefertigt, und zwar nach einem ganz eigenthümlichen, durchgängigen kunstgeseze. Eine so bestimmte ausbildung der kunst entsteht aber nicht so zufällig, sondern ihre veranlassung mufs in dem reichthume und den bedürfnissen einer bestimmten zeit, ihre schöpfung in der geistigen kraft éines mannes dieser zeit liegen: denn es mag alles zu einem bestimmten fortschritte der kunst bereit liegen, aber den muth und die kraft dazu ihn zu thun hat nur éiner. Den günstigen augenblick nun zur entstehung der spruchdichtung gab unstreitig die glückliche ruhe, der freiere umblick und die keimende höhere kunstbildung der Salômonischen zeit: früher ist sie nicht denkbar und haben wir von ihr weder sage noch spur. Der einzelne aber in dem dieser trieb der zeit sich erfüllte, ist eben so gewifs Salômo, er von dem die sage zuerst meldet 1 Kö. 5, 12 dafs er 3000 d. h. sehr viele sprüche fertigte, und seit dessen zeit die spruchbildung nie ruhet, wie denn schon oben nachgewiesen ist dafs diese sprüche bereits vor dem 8ten jahrh. nicht blofs vorhanden waren sondern auch mannigfaltige wechsel durchlaufen hatten. Nehmen wir noch dazu dafs diese sprüche (ungeachtet kleiner unterschiede unter sich selbst) nach s. 4—33 eine so starke gleichheit in gedanken und sprache haben und so viel sie von allen andern sprüchen und schriften unterscheidendes: so mufs man schliefsen dafs über sie ursprünglich nur éin hoher geist waltete, dessen hauch alles belebt und hält, auch das was etwa später sich angeschlossen hat. So wird denn auch die einfache, gewifs sehr alte überschrift 10, 1 zum übereinstimmenden zeugnisse dafs hier wirklich nach alter treuer überlieferung sprüche Salômo's sich finden.

Aber allerdings thut sich hier eine besondere schwierigkeit auf. Hätten wir noch ein anderes buch welches wir sicher von Salômo ableiten könnten, so liefse sich schon durch vergleichung mit diesem sicher genug feststellen was in unserer sammlung unmittelbar von ihm sei. Allein wir besizen aufser unserm buche zwar noch einige liederzeilen die wir ihm mit recht zuschreiben können, wie Bd. I *b* gezeigt ist: ihre anzahl ist aber bei weitem zu gering um auf sie allein

---

[1]) ich lasse diese stelle ganz so aus der ersten ausgabe stehen, obgleich oder vielmehr gerade weil dennoch nach ihr wieder solche erklärer aufgestanden sind welche alles nur ungewifs zu machen vorziehen. Ihre widerlegung ist hier überall zum voraus gegeben.

viel zu bauen. Man mufs daher hier desto vorsichtiger verfahren, und kann nicht so schlechthin behaupten unsre sprüche seien alle in der jezigen art und gestalt von Salômo: sondern die richtige vorstellung welche man sich über das ganze verhältnifs machen kann, ist in der kürze diese:

Salômo ist der gründer dieser dichtungsart; auf ihn gehen auch in der that noch sehr viele der hier gesammelten sprüche unmittelbar zurück; ja alles durchweht hier noch sein geist. Wüfsten wir nicht sonst noch bestimmt genug dafs Salômo auch als dichter alle künste liebte, so könnte man vermuthen diese spruchdichtung sei nur an Solômo's hofe sehr begünstigt und dem könige blofs als ihrem beförderer zugeschrieben: allein wir haben auch nach den zeugnissen aufserhalb unseres buches keinen grund zu zweifeln dafs der kunstsinnige und dichterisch fähige könig selbst den nächsten antheil an dieser dichtung und ihrer gründung habe, wiewohl wir im einzelnen nicht bei jedem spruche beweisen können dafs er wirklich von ihm sei.

Aber die ursprüngliche schrift Salômo's ist diese sammlung nicht; die war auch nach 1 Kö. 5, 12 deutlich genug viel umfassender, da die zahl von 3000 sprüchen, auch rund genommen, sogar für das grofse jezige buch, wie viel mehr für diesen abschnitt darin zu bedeutend ist, und da aus dem zusammenhange der worte 1 Kö. 5, 12 folgt dafs dér erzähler von dem diese nachricht herrührt, ganz andre werke im sinne hatte als die jezt im Kanon als Salômonisch gelten; wie sich denn nicht im geringsten bezweifeln läfst dafs Salômo ein spruchbuch selbst herausgegeben hat. — Aber kein buch ist schon im höhern Alterthume so sehr schneller verwandelung ausgesezt als ein spruchbuch. Es wird leicht ein volksbuch, häufig gelesen und abgeschrieben: diefs die erste quelle seiner raschen veränderung, ein schicksal welches insoweit späterhin beliebte dichtungen und märchenbücher mit ihm theilten. Dazu kommt dafs ein solches buch mit lauter einzelnen sprüchen ohne schwierigkeit sich bis ins unendliche zertheilen, umstellen, ausziehen und vermehren läfst; dergleichen beispiele aus allen literaturen, auch viel spätern, in menge vorliegen. Sogar das schon abgeschlossene jezige grofse buch der sprüche hat in spätern jahrhunderten aufs neue dasselbe schicksal erfahren, wie die vergleichung der LXX mit dem Massôr. texte zeigt: in ältern jahrhh. bei der blüthe der literatur ist diefs gewifs noch leichter gewesen. — So mufs nun das ursprüngliche Salômonische spruchwerk schon in dem ersten jahrhunderte nach seiner herausgabe vielfach verkürzt, umgestellt, allmählig auch mit neuen zusäzen vermehrt worden seyn; es mufs zu mehrfachen zwecken wiederholt umgearbeitet sich schon in viele abgeleitete kleinere werke zerspalten haben: bis zulezt einer das zerstreute, soviel ihm gut schien, wieder zusammenstellte in der gegenwärtigen sammlung, welche an der spize noch immer mit recht, aber mit den angegebenen einschränkungen verstanden, sich *Sprüche Salômo's* nennt. Nun fehlt es uns freilich an hinreichenden alten urkunden und zeugnissen um die entstehung der gegenwärtigen sammlung bis ins einzelnste nachzuweisen: allein nehmen wir alle merkmale welche wir noch jezt sicher erkennen können richtig zusammen, so vermögen wir doch noch folgendes zu erkennen was hier sicher zu erkennen wichtig genug ist:

1. Als ein ältestes spruchbuch kann man gewifs sich ein solches denken in welchem durch eine grofse menge wohlgereiheter sprüche gelehrt war was die *gerechtigkeit* und das ihr entsprechende leben des menschen sei. Sprüche dieses inhaltes und zweckes füllen noch die ersten Capitel der gegenwärtigen sammlung in dichterer menge; sie geben sich überall auch ihrer kunst nach als dem ältesten stocke dieser dichtung angehörig; und kein gegenstand konnte nach dem ganzen stande des alten volkes und seiner wahren religion von vorne an diese dichtkunst so würdig beschäftigen wie dieser.

Ein ähnliches spruchbuch mag bald gefolgt seyn welches in ganz ähnlicher weise den *fleifs* des lebens und seine pflichten empfahl. Die sprüche dieses inhaltes kreuzen sich jezt in den ersten Capiteln mit jenen ersten, zeigen eine ganz gleiche kunst, und gehören ebenso zu den ursprünglichsten und schönsten der ganzen jezigen sammlung.

2. Nächstdem sind es besonders zwei wichtigste gegenstände welche von dieser dichtkunst ergriffen und auf das schönste verarbeitet wurden. Einmahl die sprüche über das rechte volk und dessen blüthe, sowie über den ächten könig und die stellung der menschen zu diesem: diese sprüche *politischen* sinnes stehen noch in der jezigen sammlung etwas zurück, und ihre gröfsere menge folgt erst von 14, 34 f. 16, 10 an. — Zweitens die über die rechte *weisheit* und ihren nuzen, mit den offenen spizen angriffen auf die afterweisheit der *Spötter*. Auch sie gehören noch zu den dichterisch schönsten und kräftigsten; aber ihre gröfsere menge folgt noch jezt vorzüglich erst von 13, 1 an; und schon oben s. 12 ff. ist darauf hingewiesen dafs die sprüche von beiderlei

inhalte doch erst in die nächsten zeiten nach Salômo sich leicht einfügen.

3. Ein spruchbuch dieser ältesten art war gewifs nicht sehr grofs: aber ihre zahl wuchs sichtbar allmälig rasch. So fanden sich denn auch früh genug solche dichterische schriftsteller welche den schon sehr mannichfach gewordenen reichen inhalt der ursprünglichen spruchbücher in neuer weise zusammenstellten, auch in eigener weise vieles fortdichteten, und gröfsere spruchbücher herausgaben. Diese dichter zweiter hand sind es erst welche den mannichfaltigen bunten inhalt der sprüche jener ältesten schriften so in einander zu verarbeiten und zu verflechten anfingen wie wir dies jezt in unserer sammlung vollendet sehen. Und solcher sammelbücher von sprüchen gab es allen spuren zufolge schon im neunten jahrhunderte sehr viele und sehr verschiedene. Man konnte indefs solche gröfsere sammlungen nach mancherlei rücksichten entwerfen, auch die grofse menge von sprüchen des verschiedensten inhaltes doch wieder nach neuen zwecken in eine gewisse eintheilung und übersicht bringen. Und dies ist augenscheinlich bei unserer sammlung geschehen.

Denn untersucht man diese schliefslich auch nach den grofsen theilen in welche sie selbst etwa wieder zerfallen will, so ist unverkennbar dafs ihr lezter sammler sie eben wegen ihres so langen bunten inhaltes in einige gröfsere theile zerlegen wollte. Dabei leitete ihn offenbar die rücksicht auf den gebrauch für jüngere leser wozu er die sammlung bestimmte. Die ursprünglichen weisheits- und spruchbücher wurden gewifs nicht zunächst für schulen oder für jüngere leser bestimmt, sondern waren wie freie ergüsse der dichterischen freude und kunst so zu jedem beliebigen gebrauche veröffentlicht. Allein es bildeten sich, wie oben bemerkt, früh genug auch verschiedene weisheitsschulen in Jerusalem aus: und wie sehr es sitte wurde die spruchbücher vorzüglich auch für den gebrauch jüngerer leser einzurichten, wird sich unten noch weiter zeigen. So zerfällte unser sammler denn offenbar seine sammlung in 5 theile, indem er an die spize eines jeden einen die Jüngeren zur guten zucht ermahnenden spruch stellte: 10, 1. 13, 1. 15, 20. 17, 25. 19, 20. Jeder dieser sprüche steht jezt an seiner stelle ganz einzeln, völlig wie eine überschrift zu einem besondern theile des buches. Alle aber sind wieder unter sich an inhalt und zweck so ähnlich als möglich, indem sie nur immer jüngere leser zum eifer für die weisheit só ermahnen wie ein vater zu seinem sohne reden würde. Die folgenden geschicke dieser sammlung werden zeigen wie eine solche einkleidung bei den spruchlehrbüchern immer beliebter wurde. Aber auch dem dichterischen gehalte nach gehören sprüche wie 19, 20 zu den spätesten dieser sammlung, wie in bezug gerade auf ihn schon oben s. 10 gezeigt ist.

Uebrigens konnte dieser sammler noch im neunten jahrhunderte leben, wie auch aus den weiteren schicksalen dieses buches erhellet: Und die sammlung dieses herausgebers konnte anfangs noch gröfser seyn, weil sie bei 22, 16 so aufhört dafs wir keinen grund sehen warum sie nicht weiter ginge. Zwar weisen jene 5 kleineren abschnitte die wir hier deutlich im sinne des lezten herausgebers unterscheiden können, durch ihre ziemlich gleichmäfsige gröfse dárauf hin dafs die sammlung bis 22, 16 jezt ziemlich vollständig erhalten ist: allein warum sie gerade hier aufhöre sieht man nicht; und wir werden unten bei 22, 17—c. 29 besonders in c. 28 f. noch manche sprüche finden welche ursprünglich sehr wohl in unserem oder in ähnlichen ältesten sammelbüchern stehen konnten weil sie denen dieses jezigen hauptabschnittes völlig gleichen.

II. Die spätere sammlung, cap. 25—29.

Dafs diese wieder durch eine besondre überschrift unterschiedene sammlung eine geraume zeit später entstanden sei als die vorige viel gröfsere, kann man, um zuvörderst vom inhalte der überschrift ganz abzusehen, aus ihrer vergleichung mit der vorigen deutlich wahrnehmen: denn wenn auch in dieser menge, wie unten erhellen wird, mehere ältere sprüche enthalten sind, so weisen die andern desto bestimmter auf eine spätere zeit hin.

1. Der sprache fehlt gerade dás was in jener ersten sammlung das eigenthümlichste ist; oder kehrt hier einmahl etwas der art zerstreut wieder, so ist's in einem spruche der sich leicht als älterer zeit angehörig zu erkennen gibt. Dagegen ist hier in der sprache manches neue, dort völlig fremde: wobei weniger einzelne worte in betracht kommen mögen, als vielmehr neue wendungen und farben der rede, welche leichter zur unterscheidung verschiedener zeiten dienen. So ist hier neu der auf eine erscheinung aufmerksam machende, muntere anfang רָאִיתָ *sahst du —?* 26, 12. 29, 20 vgl. ähnlich und etwa aus gleicher zeit 22, 29; ferner eben dieser gebrauch des *perf.*, wodurch äufserst kurz wie fragend eine

bedingung gesezt wird, welches aus der kurzen umgangssprache später auch in die dichterische gedrungen seyn mufs, 25, 16 vgl. 24, 10; dann die ebenfalls sehr kurze art von vergleichung zwischen sache und bild, indem beide, obwohl in zwei glieder getrennt, recht schnell wie in einem abgebrochenen ausrufe aneinandergereiht und die sache im zweiten gliede blofs durch das einfache ו *und* angeknüpft wird 25, 3. 20. 25. 26, 3. 7. 9f. 21 vgl. ähnlich 14. 27, 20. 15: solche weichlichere flüchtige sprache ist der gemessenen, stets vollen und ruhigen redeweise der ältern ebenso fremd (denn 11, 16 gehört nicht hieher) wie hier häufig [1]). Auch die blofse nebeneinanderstellung ohne diefs *und*, hier fast überall die nächste art der vergleichung 25, 11—14. 18 f. 26. 28. 26, 23, findet sich dort nur 11, 22 in einem spruche welcher erst eingesezt seyn mag als jene sammlung wie oben erläutert zum hausgebrauche eingerichtet wurde und der noch jezt die ursprüngliche spruchreihe dort unterbricht; vgl. auch oben s. 35.

2. Augenscheinlicher noch und durchgreifender sind die veränderungen in der art der dichtung. Jene strenge bildung des verses ist hier in voller erschlaffung und auflösung begriffen: ihr aber geht schon eine art von verweichlichung des sinnes und inhaltes der sprüche oder ein nachlassen der innern kraft der auffassung voraus. Zunächst wird der gegensaz des sinnes der glieder sô wenig noch festgehalten dafs er nur ausnahmsweise erscheint: es fehlt hier jene gedrungene fülle und innere stärke der darstellung, ein einzelner gedanke füllt oft schon den vers ohne grofse abwechslung und schöne gliederung des sinnes; und mehr zur ausschmückung des gedankens durch starke auffallende bilder und redensarten wendet sich die kunst. Nirgends sind die vergleichungen häufiger und stärker, aber auch äufserlicher und loser verbunden als hier; unter den bildern sind auch solche welche auf ein weiter fortgeschrittenes bürgerliches leben hindeuten, wie die in der ersten sammlung nicht so mannigfachen bilder vom arbeiten der metalle 25, 4 f. 11. 26, 23. Doch so artet der kurze spruch mehr in eine zierliche malerei von gewissen sittenzuständen und lebenserscheinungen aus, und nähert sich insoweit wieder stärker dem volkssprichworte als er von jenem anhauche eines kräftigeren dichter-

[1]) im B. Ijob beginnt sie kaum erst, 5, 7. 12, 11 vgl. 14, 11 f. 19. *LB*. §. 340 *b*.

geistes mehr verlassen wird: dies trifft in jener älteren sammlung wenigstens erst selten ein (11, 22. 17, 8. 23. 18, 23. 20, 14. 21, 14 sprüche welche dort offenbar zu den späteren gehören). — Dann aber schwindet auch immer mehr jenes runde ebenmaafs der zwei glieder: weniger noch dádurch dafs das eine glied der beiden zu kurz und eilig würde wie in noch spätern sprüchen, als vielmehr durch zu grofse auflösung und dehnung; schon erweitert sich der vers nicht selten zu drei gliedern, als könne sich der gedanke nicht mehr so kurz fassen und vollenden; ja es dehnt sich derselbe sinn nicht selten schon über zwei oder mehere verse aus wie 25, 4 f., 6 f., und es beginnt der versuch in einer reihe von eng zusammenhängenden versen oder gar in einem kleinen lieblichen gemälde ganzer lagen und zustände längere ermahnungen zum sittlichen leben und dahin einschlagende schilderungen zu entwerfen 26, 23 - 28. 27, 23—27. Damit aber tritt die spruchdichtung wesentlich in eine verschiedene gestalt und art, deren volle ausbildung bald in noch spätern stücken deutlich werden wird. Während sie an innerer scharfer kürze und kraft verliert, sucht sie durch den zusammenhängend belehrenden vortrag, durch ausführliche schilderung und mehr das einzelne ganz erschöpfende darstellung wieder zu gewinnen; ihre kühn abgerissene, strenge und doch einfach schöne form zerreifsend erhebt sie sich zur rednerischen gewandtheit, zum versuche hinreifsender beredtsamkeit, wobei zwar das eigentlich dichterische und künstlerische allmälig etwas leidet, die wärme aber und leichte verständlichkeit steigt. Allerdings aber erklärt sich dieser übergang ins Rednerische auch dádurch leicht dafs in jenen jahrhunderten die Propheten immer mehr zu den grofsen volksrednern wurden: und wir werden diesen übergang bald ganz vollendet sehen.

3. Uebersieht man endlich den inhalt der dieser sammlung eigenthümlichen gedanken, so leitet auch der sehr bestimmt auf eine spätere zeit: aus einem im ganzen noch einfachern treuherzigern und zuverlässigern zustande der gesellschaft kommt der aufmerksame leser hier in einen bunter und verwickelter, gefährlicher und feindseliger gewordenen, wo das häusliche stillleben sich zwar mehr ausgebildet hatte, der staat aber und die öffentliche sicherheit und zuversicht tiefer gesunken, und die alterthümlich einfache gesinnung überhaupt schon ziemlich verschwunden war. Am meisten fällt hier sogleich ein sehr vorsichtiger und doch trüber klang der rede auf worin über die herrscher gesprochen wird: der hauch jener ungetrübten freude am könige und jener hohen

verehrung desselben, welche in der vorigen sammlung so wohl thut, belebt diese sprüche nicht; umgekehrt wird eine gesezlose und sich selbst wieder strafende auflösung der treue des landes so wie gleichzeitig eine schlimme entartung der herrscherwürde jezt als durch die erfahrung gegeben gesezt und schon ist die rede von den übeln der vielherrschaft 28, 2 und der kleinen gierigen tyrannen 28, 3. 15 f., so wie ungewöhnlich häufig von dem schlimmen wechsel der herrschaft, indem bald die Gerechten, bald die gefürchteten frevler zur macht gelangen, obwohl der endliche sieg jener immer in die lezte aussicht gestellt wird 28, 12. 28. 29, 2. 16, während in der fast dreimal so grofsen ersten sammlung kaum ein einziger spruch 11, 10 ähnlich klingt; nur durch gerechtigkeit, wird hier mehrmal eingeschärft, bestehe des landes heil und des herrschers stuhl 29, 4. 14, dazu gehöre aber die tiefste erforschung und durchdringung des sinnes aller menschen womit der könig zu thun habe, denn wie es die ehre Gottes sei etwas zu verbergen, indem die menschen immer tiefer in den göttlichen rath und sinn zu dringen suchen und doch mit aller mühe nie alles erschöpfen, so sei es umgekehrt der könige ehre etwas zu erforschen, ein vorliegendes dunkel zu durchdringen um besonnen zu handeln 25, 2, selbst aber müssen sie von andern sich nicht erforschen lassen, um nicht von schlechten gemifsbraucht und getäuscht zu werden 25, 3; denn nichts sei verderblicher als böse rathgeber und lügner in königs nähe 25, 4 f. 29, 12 vgl. 22, 29, so wie nichts lächerlicher als thoren unverdiente ehre geben 25, 27. 26, 1. 8. Man merkt stark genug wie hier die zeiten kommen in welchen das Deuteronomium endlich die königliche gewalt gesezlich zu ordnen versucht. Auch ist nicht zu übersehen dafs diese sammlung gerade mit solchen sprüchen über den könig beginnt, als solle hier nachgeholt werden was in einer frühern sammlung fehlte. — Auf solche spätere zeiten führen ferner die sprüche über die verderbliche verzärtelung der haussklaven 29, 19. 21; so wie der über das übel der (bekanntlich für viele schon im 8ten jahr. v. Ch. anfangenden) verbannung durch gefangenschaft in der Fremde 27, 8. — Sonst sind hier noch auszuzeichnen die sprüche über bescheidenheit vor den Grofsen der erde 25, 6 f. und über lästige zudringlichkeit mit besuchen oder glückwünschen 25, 16 f. 27, 14, sowie über eitle ruhmsucht 25, 14. 27, 1 f.; ferner die häufigen sprüche über zank- und streitsucht 25, 8—10. 26, 17. 20 f. 28, 25. 29, 9. 22, über falschheit 26, 23—28, über redlichkeit gegen das vermögen der eltern 28, 24; endlich die zur ermunterung zum fleifse in viehzucht und ackerbau 27, 23—27 als hätte es damals in Israel schon ebenso wie zu Virgil's zeit noth gethan die zeitgenossen aus ihrem verbildeten leben zur einfachheit und zum fleifsigen ackerbaue zurückzurufen. Vieler andern sprüche kurzer inhalt ist schon oben, wo es möglich war, in die beschreibung der ersten sammlung eingeflochten; manche sind auch in der that nichts als weitre ausschmückungen älterer baustücke, wie 27, 15 f.

Uebrigens da diese dichtungsart in jener zeit überhaupt immer freier wurde und ihre alten fesseln ablegte, so nimmt sie auch bereitwillig einzelne vorkommnisse selbst des niedern lebens in ihr gebiet auf, und dehnt sich mehr zur auffassung zerstreuter lebensbilder aus, während zusammenhang schärfe und höhe jener grofsen grundanschauung, woraus die ältern sprüche wie aus einem festen mittelorte flossen, mehr sich verliert. Je mehr aber die spruchdichtung in die kleinlichkeiten und zufälligkeiten des niedern volkslebens sich einläfst, desto mehr verliert sie an innerm gehalte und an allgemeingültigkeit, wie man bei manchen dieser sprüche, verglichen mit denen der frühern sammlung, gar fühlbar merkt. Auch insofern nähert sich diese spruchdichtung jezt wieder mehr der art der volkssprichwörter.

Frägt man weiter in welcher bestimmtern zeit diese spätere sammlung entstanden sei: so widerstrebt kein anzeichen der in der überschrift 25, 1 angegebenen nachricht dafs sie in die herrschaft königs Hizqia und damit in das ende des achten jahrh. v. Ch. gehöre. Die nachricht dafs *die männer des königs Hizqia die* in dieser sammlung enthaltenen *sprüche Salômo's übertrugen* d. i. aus anderen schriften in diese neue schrift leiteten und so neugesammelt herausgaben, ist eine sowohl ansich als für die ganze alte schriftgeschichte des volkes Israel höchst wichtige. An ihrer zuverlässigkeit zu zweifeln liegt (wie unten noch weiter erhellen wird) von keiner seite her ein grund vor. Die „männer des königs“ mögen Schriftgelehrte und dichter gewesen seyn welche er an seinem hofe hielt: mit der förderung der künste am hofe begann Davîd und Salômo fügte sicher die förderung der wissenschaft und schriftkunde hinzu [1]); es ist selbstverständlich dafs ihre nachfolger dieser guten sitte treu blieben, und ammeisten ist das auch anderen anzeichen zufolge von Hizqia

---

[1]) vgl. die *Geschichte* III. s. 183. 374 ff.

zu erwarten [1]); auch hatte man am damaligen hofe in Jerusalem wenigstens nach dem grofsen siege über die Assyrer mufse genug sich mit solchen friedlich volksthümlichen arbeiten zu beschäftigen. War nun damals das volk mit büchern überschwemmt welche in der weise der Salômo-Sprüche fortgedichtete sprüche geben wollten aber gewifs oft minder würdige und der wahren religion entsprechende enthielten, so ist nicht auffallend dafs die Gelehrten an Hizqia's hofe auf den willen des königs selbst eine sammlung besserer veranstalteten. In diese mufsten, wie einmahl die entwickelung dieser dichtungsart und der geschmack der zeit war, nothwendig die besten auch der neueren sprüche aufgenommen werden: und sie bilden hier die grofse menge. Allein wenn sie aus dem neunten jahrh. oder dem anfange des achten abstammten, so waren sie gegen dessen ende schon alt genug um als „Salômo-Sprüche" mit den noch älteren zusammenzustehen: und aus jenen zeiten müssen wir sie auch den oben erläuterten anzeichen zufolge ableiten. Denn sie in noch spätere zeiten zu versezen fordert nichts, vielmehr waren die zeiten des neunten jahrhunderts nach allen spuren (und wir kennen sie gerade aus der prophetischen schrift des ʿAmôs sehr genau) schon so verwirrt und unvermeidlichem sinken zueilend wie sie hier erscheinen; auch die sprache führt nicht auf noch spätre zeiten. Viel aber vor dieser zeit der sammlung sind gewifs die meisten der sprüche nicht geschrieben.

Dennoch sind sichtbar nicht alle diese sprüche erst aus der eben bestimmten zeit; denn die oben beschriebenen merkmale passen nur auf die meisten: bei genauerer ansicht bemerkt man vielmehr wieder feinere unterschiede; vorzüglich sind die sprüche in cap. 28—29 fast durchgängig noch etwas andersgestaltet und gewifs verhältnifsmäfsig älter als die menge in cap. 25—27; auch wiederholen sich einige sprüche der ersten sammlung hier ohne merkliche veränderung, woraus denn soviel hervorgeht dafs diese sammlung ohne alle oder doch ohne ängstliche rücksicht auf die frühere veranstaltet ist. Ja einige sprüche trifft man hier noch voll der schönsten kraft, den besten aus der ersten sammlung nicht blofs an inhalt sondern auch an kunst und gestaltung gleichzustellen. Also erhellt, dafs noch im neunten und achten jahrhunderte die dichtung sowohl als die sammlung von sprüchen sich immer an die ältern kräftigern zeiten des zehnten eng anschlofs, selbst nichts seyn wollend als eine fortspinnung des

---

[1]) ebenda s. 669.

dort angeknüpften starken fadens. Woraus ferner folgt dafs diese sammlung noch immer, wie es in der überschrift 25, 1 heifst „Sprüche Salômo's“ genannt werden konnte, indem sie mit ihren armen zum theil wirklich in die Salômonische zeit zurückreicht, und auch die sprüche welche nicht unmittelbar auf Salômo oder seine zeit zurückgehen, doch noch in ähnlichem flusse und triebe der kunst fortgedichtet sind. Wenn die frühere sammlung den namen „Sprüche Salômo's“ nach der menge mit recht führt, so kann diese solchen ehrennamen wenigstens noch ebensowohl nach einigen wichtigen bestandtheilen wie nach dem sinne der dichter und sammler dieser sprüche ansprechen, zumahl wenn man bedenkt wie es damals mit der öffentlichen verfasserschaft der dichter stand, wovon unten zu reden ist. Ganz anders die noch spätern theile des jezigen buchs.

III. Cap. 1—9. — Cap. 22, 17—24, 34.

Vergleicht man diese innerhalb c. 1—29 noch übrigen stücke des jezigen buchs: so kommt man zu dem schlusse dafs sie noch später als die eben beschriebene zweite sammlung entstanden seyn müssen.

1. Die sprache weicht merkbar ab. Von den unten erwähnten besondern bildern und vergleichungen jezt zu schweigen: so sind wörter welche früher kaum einmahl sich zeigen, hier lieblingswörter geworden, wie die neue bildung חָכְמוֹת *weisheit* 1, 20. 9, 1. 24, 7 vgl. 14, 1 (*LB*. §. 165 *c*), wenn auch an lezterer stelle die Massôra durch abweichende punctation dasselbe wort nicht anzuerkennen scheint; זָרָה oder נכריה *die auswärtige*, *fremde*, in der bedeutung der nicht zum hause gehörigen frau oder des ehebrecherischen weibes kommt im umfange der ersten sammlung nur 22, 14 vor, hier aber sehr häufig 2, 16. 5, 3. 20. 6, 24. 7, 5; 23, 27 vgl. 6, 26—29. Auch fängt in einzelnen wenigen spuren der verfall der Hebräischen sprache sichtbar hervorzutreten an, obgleich im allgemeinen die farbe der rede noch ächt Hebräisch ist; eine verbindung indefs wie die des שְׂפָתַיִם mit dem *msc. pl.* im verbum 5, 2, obgleich sofort v. 3 genauer das *fem. pl.* folgt §. 180 *c*, oder die bildung אישים 8, 4 §. 186 *f*. würde man schwerlich in schriften aus Jerusalem vor dem 7ten jahrhunderte finden.

2. In der gestalt des vortrages ist nun die grofse ver-

änderung vollendet deren werden die zweite sammlung offenbarte. Inderthat ist von der ältern gestalt der spruchdichtung keine spur mehr: so gänzlich ist die umwandlung hier schon geschehen. Das ebenmaafs der zwei glieder des verses ist dermaafsen geschwächt dafs das eine ohne alles verhältnifs kurz an umfang oder gering an kraft seyn kann 1, 10. 5, 2. 6, 7. 8, 33; 22, 28*b*. 24, 8. 10. 25. 26. Aber der einzelne spruch ist jezt überhaupt sehr selten geworden und kommt beinahe nur noch als ausnahme vor: vorherrschend sind hier allein zusammenhangende schilderungen, fortlaufende erklärungen einer wahrheit, längere reden und ermahnungen. Nicht mehr legt sich hier der gedanke in ruhiger würde dar, als bedürfe er der weitern empfehlung und dringenden ermahnung nicht: vielmehr wendet sich die rede überall gern und vorzüglich gerade da wo sie das höchste erstrebt, an das herz eines zuhörers oder weisheitschülers selbst mit eindringlicher belehrung und sucht zu überzeugen, fortzureifsen; wie es denn wohl so kommen mufste dafs je mehr allmälig die gegensäze im leben hervortraten und die abweichenden schwerer zu überzeugen waren, desto einziger auch die spruchdichtung ins ermahnen und predigen überging: zumal so auch die dichtung ansich leichter und geschmeidiger, flüssiger und fafsbarer wird. Und dazu wirkte nach s. 43 das beispiel der rede der grofsen Propheten jener zeiten hier immer mächtiger ein. Wirklich steht nicht blofs verlust auf seiten dieser spätern gestalt der spruchdichtung: während sie die treffende spize kürze, die innere fülle und gedrängte kraft der alten sprüche auf immer einbüfst, hat sie schon an wärme eindringlichkeit und fafslichkeit gewonnen; die weisheit welche zuerst nur ihr wesen und ihren inhalt in unendlicher mannigfaltigkeit erkennbar zu machen strebt, endet dámit dafs sie, sicher und klar geworden, nun auch sich inniger und dringender an die menschen wendet.

3. Unter den geschichtlichen spuren ist keine deutlicher als die häufigen stellen welche auf einen schon höchst verwirrten öffentlichen zustand hindeuten, einen zustand wo viele räuber und andere zügellose menschen das land durchstreiften und durch ihr scheinbar glückliches leben die jüngern zeitgenossen leicht zu ähnlichen ausschweifungen reizen konnten 1, 11—19. 2, 12—15. 4, 14—17; 24, 15; ähnlich sind die warnungen vor leichtsinniger empörung wider die öffentliche ordnung 24, 21 f.; aber auch die schöne ermahnung, unschuldig zum tode geschleppte mit eigner aufopferung und anstrengung zu retten 24, 11 weist auf eine durch den gan-

zen staat gehende zerrüttung des rechts hin, welche aus den ältern sprüchen nirgends so grell hervorschimmert. Sogar vor einer neuen gefahr des herzens wird hier gewarnt deren in den frühern sammlungen nicht éinmahl gedacht wird, vor dem neide beim anblicke des scheinbaren glücks der frevler 3, 31; 23, 17. 24, 1. 19, ein gegenstand der zum erstenmale im Buche Ijob ins gebiet des nachdenkens und der höhern dichtung gezogen wird. — Vom Buche Ijob finden sich hier aber noch andre spuren. Was nämlich der höchste gedanke des B. Ijob ist, dafs der mensch auch in der zucht Gottes seine liebe sehen solle, das tritt hier c. 3 nun schon als fertige gewisse wahrheit auf, obgleich keine der beiden frühern spruchsammlungen einen solchen ausspruch enthielt: ein ungeheurer fortschritt, der nach allem was wir wissen durch das B. Ijob vermittelt ist. Auch die allgemeine auffassung der weisheit als der schöpferin und ordnerin der welt c. 3. 8 erscheint hier als weitre folgerung aus Ijob c. 28. Und obgleich der dichter von c. 1—9 sichtbar nicht die worte, sondern nur etwa den geist und die lehre des B. Ijob in sich aufgenommen hatte, so scheinen doch schon einige bilder und worte hier aus jenem buche wiederzuschallen, wie חֻטְבְּעוּ 8, 25 aus Ijob 38, 6; 2, 4. 3, 14. 8, 11. 19 aus Ijob 28, 12—19; 7, 23 aus Ijob 16, 13. 20, 25; 3, 23 ff. aus Ijob 5, 22 ff. Aufserdem 2, 7*b* aus *Ψ*. 18, 31 (doch bei weitem nicht so stark als 30, 5).

Alles diefs zusammengenommen führt etwa in den anfang bis in die mitte des 7ten jahrhunderts; noch tiefer herabzugehen ist kein grund, aber viel höher hinauf können eben so wenig diese stücke gesezt werden.

Indefs führen auf denselben schlufs noch ganz verschiedenartige zeichen. In der zweiten sammlung waren doch noch einige sprüche aus Salômonischer zeit: hier wird man auch nicht éinen mehr treffen der aus jener zeit stammte; sondern eine neue zeit war gekommen wo die lehrdichter aus eigner schöpfung längere stücke entwarfen welche kaum noch einige ähnlichkeit mit den ältern Salômonischen sammlungen zeigen. Nichts beweist schon äufserlich strenger dafs damals die Salômonische zeit und dichtungsart längst dahingeschwunden war, als die doppelte erscheinung auf welche man hier stöfst, die einer sehr langen ausführlichen einleitung und vorbereitung zu den alten sprüchen die ein dichter an die spize des jezigen buchs stellt c. 1—9, und die eines langen nachtrages zu den alten sprüchen, wozu unter andern auch die ganze spätere sammlung gezogen ist c. 22, 17—25, 1. Inderthat liegt jezt die alte sammlung c. 10, 1—22, 16 mitten zwischen spätern zusäzen, wie ein alter edelstein von späterer hand zwar sorgsam und zierlich jedoch immer mit gröbern stoffen eingefafst und wohlverwahrt.

Hier aber erhebt sich denn endlich mit nachdruck die frage: was diese verbrämungen, näher betrachtet, für sinn und zweck haben? eine frage welche zu der andern führt: ob beide zusäze vorn und am ende von demselber dichter stammen? kurz, wie das ganze jezige buch bis c. 29 entstanden sei?

1. Das stück c. 1—9 ist ein ursprüngliches Ganzes, wohl zusammenhangend und wie aus éinem gufse geflossen. Dafs der dichter die absicht hatte damit nichts weiter als eine art einleitung zu der oben beschriebenen für uns heute ältesten sammlung von Salômonischen sprüchen zu geben, erhellt klar aus der aufschrift die er voraufschickt 1, 1—7: denn nicht nur geht sichtbar ihr zweck dahin auch der ältern sammlung namen und bestimmung kurz zu bezeichnen, indem die sprüche, welche 1, 1. 6 verheifsen werden, doch eigentlich erst von c. 10 an in menge folgen, sondern man kann auch mit recht sagen ein dichter welcher die absicht etwa in Salômo's namen selbst zu schreiben nirgends auch nur entfernt verräth, konnte gar nicht 1, 1 Salômonische sprüche versprechen, wenn er nicht doch eigentlich die von c. 10 an folgenden als die hauptsache seines buchs meinte.

Was die überschrift ahnen läfst, bestätigt dann der inhalt dieses stückes. Nichts gleicht mehr einer blofsen einleitung zu einem gröfsern spruchbuche als der inhalt dieses stückes, dessen zweck, um es kurz zu sagen, dér ist, die weisheit ganz im allgemeinen zu empfehlen, wie man an der spize eines buchs im allgemeinen zuerst seinen wichtigsten inhalt zu nennen und zu empfehlen pflegt. Läfst sich die rede hie und da in einzelnes herab, so geschieht das entweder blofs des beispieles und des bildes wegen, oder um passenden ortes auf einige damals gerade sehr nöthig scheinende dinge aufmerksam zu machen: aber sofort geht die rede wieder ins allgemeine über.

In diesen grenzen aber erschöpft diefs stück vollständig seinen zweck, indem nichts unversucht gelassen wird um die weisheit so dringlich als möglich zu empfehlen. Während die güter der weisheit als lohn des tapfer zu ihr strebenden aufs reizendste wiederholt geschildert werden, erscheint von der andern seite ebenso oft die thorheit mit ihrer vorübergehenden täuschung und ihrem dauernden elende warnend und schreckend; während die weisheit nach ihren forderungen und voraussezungen, ihren werken und früchten wie sie unter menschen seyn soll aufs mannigfachste dargestellt wird, erhebt sich die rede auch bis zu ihrer reinen auffassung von der göttlichen seite nach ihrer ewigkeit und alles umfassenden macht und ladet, so den zusammenhang zwischen menschlicher und göttlicher weisheit zeigend, durch die ermahnung zur menschlichen auch zur theilnahme an der göttlichen ein; während endlich dadurch der vortrag eine eigenthümliche höhe und feierlichkeit annimmt, gewinnt er stets wieder durch die herzliche ansprache und ermahnung einen anlockenden zauber, indem das ganze wie von einem wohlwollenden vater an seinen sohn gerichtet ist; bisweilen werden auch, jedoch nur noch künstlicher, mehere söhne angeredet 4, 1 f. (5, 7. 7, 24). 8, 32 f.. So rollt der strom der wohlwollenden lehre ruhig dahin, nur bisweilen nach längerm aufenthalte mächtiger wieder anfangend. Im ganzen mufs der fortgang in solcher ermahnenden rede aufsteigend zum höchsten und spannend bis zum ende seyn: doch auch mit den wenigen einzelnheiten die der dichter als für seine zeit gerade sehr wichtig hervorheben wollte, konnte er nicht anfangen in einem stücke welches vorherrschend das allgemeine darstellen will; also zerfällt alles in folgende drei haupttheile: nach einer überschrift welche auf ächt Semitische weise den namen in das buch selbst einflicht und den zweck der schrift genügend erklärt 1, 1—7, beginnt 1) eine allgemeine ermahnung zur weisheit, wo schon alles, auch das höhere, angeregt, nichts aber schon gänzlich vollendet wird, vielmehr droht sie ins einzelne zu verlaufen 1, 8—3, 35; hierauf wird 2) das wenige einzelne welches zu sagen war, vollständig erschöpft 4, 1—6, 19; bis die rede endlich 3) allmälig immer mächtiger ganz allein zum allgemeinsten und höchsten sich erhebt um im erhabensten fast lyrischen schwunge zu schliefsen 6, 20—9, 18. Dafs diefs die wahren haupttheile der rede mit den längsten pausen sind, erhellt auch aus der äufsern gestaltung. Denn wo nur ein geringerer abschnitt und stillstand ist, da steht die zutrauliche anrede „mein sohn“! stets voran, wie um den zuhörer recht festzuhalten (wenn nicht etwa eine noch nähere verbindung durch ein folgerndes *und nun* oder ein anderes voranzusezendes wort eintritt 3, 11. 5, 7. 7, 24. 8, 32); wo aber ein völlig neuer anfang ist, steht eine solche anrede vielmehr stets ruhiger erst nach dem imperative womit die rede beginnt, 1, 8. 4, 1. 6, 19. vgl. ähnlich 4, 10. 8, 4 f.

2. Ganz anders das stück oder vielmehr die stücke 22, 17—24, 34. Hier ist kein so grofsartiges Ganzes: alles hat das ansehen von einzelnen ermahnungen und rathschlägen. Allerdings fängt der dichter auch hier an in eignem namen zu ermahnen und aufmerksamkeit zu fordern: aber er wendet sich dabei nicht ins allgemeine, sondern gibt sofort einzelne lehren und sprüche, theils von gewaltsamen und unvorsichtigen thaten abrathend 22, 17—23, 11, theils mit neuer herzlicher ermahnung vor zu grofser weichheit und schlaffheit des lebens warnend 23, 12—35, und von 24, 1 an noch andere einzelne gegenstände der ermahnung heranziehend. Es kommt hinzu dafs alles von hier an das ansehen von blofsen nachträgen gewinnt. Denn zweimahl 24, 23. 25, 1 wird offenbar von der gleichen lezten hand geschrieben: *auch diese* (folgende) *sind sprüche*, nur dafs das erstemahl im allgemeinen *sprüche von Weisen* angekündigt werden, und dann erst die oben beschriebene zweite sammlung von *Sprüchen Salômo's* folgt.

Ist nun der vor- und (wie man ihn vielleicht nennen könnte) der nachredner derselbe? hat éin späterer dichter die älteste sammlung c. 10, 1—22, 16 von beiden seiten vermehrt herausgegeben? Manches scheint dafür zu sprechen. Das wichtigste scheint dieses, dafs wie 1, 6 neben den Sprüchen (Salômo's) auch allgemeiner *worte der Weisen* angekündigt werden, so dieser höchst merkwürdige ausdruck auch 22, 17 und in der überschrift 24, 23 wiederkehrt: welches, beiläufig gesagt, nicht blofs ein deutlicher beweis ist dafs die überschrift 24, 23 von derselben hand herrührt die 22, 17 schrieb, sondern auch ein klares zeichen dafs nach dem eignem sinne des vor- und des nachredners in dem jezigen grofsen buche nicht blofs im strengsten sinne Salômonische sprüche gegeben werden sollen; vgl. Qôh. 9, 17. 12, 11. Ferner ist doch auch die ermahnende art der rede welche c. 1—9 herrscht, c. 22, 17 — C. 24, 22 ziemlich festgehalten, und wie dort erscheint auch hier die herzliche anrede „mein sohn"! 23, 19. 26. 24, 13; sonst in dem ganzen alten hauptabschnitte blofs 19, 27, und in dem späteren blofs 27, 11. Aufserdem kam schon oben manches vor welches hieher zu ziehen wäre.

Aber von der andern seite finden sich sehr bedeutende abweichungen zwischen den beiden stücken. Das stück c. 1—9 hat eine reihe von bildern die sich in ihm beständig wie im kreise bewegen, die aber aufserdem selten sind, namentlich in dem nachtrage gar nicht oder doch nicht so rein ursprünglich-kräftig vorkommen: so die bilder von dem zur hölle fahrenden hause der treulosen buhlerin und der ihr ähnlichen thorheit oder lasterhaftigkeit 2, 18 f. 5, 5 f. 7, 26 f. 9, 18 vgl. 4, 19; ferner die von der weisheit als dem schönsten schmucke des halses oder der finger 1, 9. 3, 3. 22. 6, 21; 7, 3 und dem zierlichsten kranze des hauptes 1, 9. 4, 9, derselben weisheit welche zu gleicher zeit auf die tafel des herzens zu schreiben sei 3, 3. 7, 3; auch im nachtrage wird zuweilen hervorgehoben wie die weisheit äufserlich mit den sinnen ebenso wie innerlich mit dem geiste aufzunehmen sei 22, 18. 23, 12, aber ganz anders als 2, 1 f. 4, 21. Und bei aller verwandtschaft der sprache und der wendungen der rede bemerkt man bei näherer aufmerksamkeit doch auch feinere unterschiede, wie z. b. der vorrede fremd ist der auffallende nachdruck im pronomen 22, 19. 23, 15, der gebrauch des נעים 22, 13. 23, 8. 24, 4. 25, des שית לב 22, 17. 24, 32, des אחרית in der bedeutung der „zukunft“ als „hoffnung“ 23, 18. 24, 14. 20, indem stellen wie 5, 11 eben so wenig hieher gehören wie 23, 32. 5, 4. 29, 21 und sogar 19, 20 nicht verglichen werden kann. Die wörter הורה *weisen* oder *lehren* und das nennwort תורה im sinne der höheren *lehre* liegen dem vorredner überall sehr nahe [1]), finden sich aber nirgends bei dem verfasser der angehängten stücke [2]). — Auch würde schwerlich der vorredner sich entschlossen haben das ihm nöthig scheinende einzelne in einem besondern abschnitte abzuhandeln, wenn er schon die absicht gehabt hätte einen nachtrag anzuhängen, wohin ja dergleichen recht eigentlich gehört.

Nehmen wir noch hinzu dafs das stück 6, 10—12 sichtbar schon 24, 33 f. von späterer hand wiederholt wird, und bedenken dabei dafs derselbe dichter nicht so wie hier geschehen sich selbst wiederholen kann: so bleibt kein zweifel dafs vor- und nachredner nicht nur verschieden sind, sondern auch der verfasser des nachtrags später geschrieben haben mufs als der der vorrede. Diefs lezte könnte in mancher hinsicht bezweifelt werden, wenn sich nachweisen liefse dafs 24, 33 f. nicht aus 6, 10—12, sondern beide etwa aus einem ältern stücke geflossen wären: allein aller augenschein ist dagegen.

3. Die völlige sicherheit in dieser ganzen sache gibt

---

1) s. 1, 8. 3, 1. 4, 2. 4. 11. 5, 13. 6, 23. 7, 2.

2) überall von 22, 17 bis c. 29 findet sich תורה nur in den etwas späteren sprüchen 28, 4. 7. 9. 29, 18; in dem hauptabschnitte nur 13, 14.

indessen erst das richtige verständnifs des aus manchen besonderen ursachen sehr schwierigen stückes womit der grofse nachtrag beginnt 22, 17—21 und des zustandes in welchem der damit eingeleitete grofse abschnitt 22, 22—24, 22 vor uns liegt. Indem also hier das unten bei der einzelnen erklärung weiter bewiesene vorläufig vorausgesezt wird, werde hier nur folgendes an dieser stelle wichtigere bemerkt [1]).

Der ganze abschnitt 22, 17—24, 22 enthält danach nur auszüge aus einer besondern schrift deren verfasser selbst garnicht mehr dárauf anspruch machte *Sprüche Salômo's* etwa so wie sie 1, 1 oder auchnur so wie sie 25, 1 angekündigt werden geben zu wollen. Er nannte sich wahrscheinlich nicht selbst als verfasser, sei es in einer vor- oder in einer nachschrift: aber was es geben wollte und was wahrscheinlich auch die aufschrift seines buches ankündigte, waren *Sprüche von Weisen* überhaupt. Dabei ist sehr denkwürdig dafs er im eingange 22, 17—21 diese schrift seinen lesern als eine *zweite* ankündigt, welcher er eine andere verschiedenen inhaltes aber für dieselben leser bestimmte habe vorausgehen lassen. Man könnte daher vermuthen derselbe dichter welcher die älteste sammlung mit dem neuen grofsen vorworte c. 1—9 versehen herausgab, habe dann dieselbe noch einmahl mit diesen nachträgen wie in einem zweiten buche veröffentlicht: allein weder ertragen jene worte 22, 17—21 diesen sinn, noch ist hier (wie oben schon gezeigt) überhaupt die hand desselben dichters zu erkennen.

Vielmehr sehen wir sogleich aus der bemerkung 24, 23 weiter dafs es auch noch andere solcher neuer werke mit der aufschrift *Sprüche der Weisen* gab: und aus einem anderen werke dieser art sind offenbar jezt die sprüche entlehnt welche 24, 23—34 ihre stelle gefunden haben. Diese sind etwa aus derselben zeit und desselben geistes. Die menge von büchern mit lehrsprüchen wurde offenbar in Israel immer gröfser: und neuere dichter veröffentlichten ihre werke am liebsten unter diesem namen von Sprüchen der Weisen, da sie manche sprüche aus den älteren büchern mehr oder weniger umgegossen wiederholten und sie mit eignen zusäzen in neuen einkleidungen vorführten. Aber ebenso wurde es nach dem schon oben s. 40 bemerkten und noch zulezt nach dem grofsen vorgange des vorredners der ältesten sammlung

---

[1]) vgl. auch hierüber und über das folgende die abh. in den *Jahrbb. der Bibl. wiss.* XI. s. 16 ff.

c. 1—9 immer gewöhnlicher solche werke zunächst für die schulen und für jüngere leser herausgegeben.

Kommt man in solcher weise zu einem sicheren verständnisse der abschnitte 22, 17—24, 34, so hann man erst vollkommen genug

IV. die entstehung des jezigen buches

in einem ebenso sichern überblicke erkennen, damit aber zugleich auch von der entwickelung der ganzen lehrdichtung im volke Israel einen zeitraum von vier jahrhunderten hindurch sich die richtigste vorstellung entwerfen. Es ist der wahre vorzug und der hohe werth dieses buches dafs es so zugleich zweierlei köstliche gaben reicht. Es schliefst alle die schönsten blüthen der lehrdichtung dieses alten volkes in sich, ähnlich wie der Psalter alle die herrlichsten blüthen der liederdichtung und die vier grofsen Prophetischen Bücher alle die ewigsten worte der grofsen Propheten. Aber es läfst uns auch noch klar genug erkennen welche sehr verschiedene stufen diese gattung von dichtung in dem alten volke durchlief und wie höchst mannichfach sie sich im laufe der zeiten gestaltete: ähnlich wie man in dem Psalter in jenen vier grofsen Prophetischen Büchern oder im Pentateuche selbst die genügendsten zeugnisse über die zeitliche ausbildung anderer zweige des schriftthumes Israel's wiederfinden kann.

Unstreitig waren von Salômo's tagen an bis in die zeiten der lezten zerstörung des Davîdischen reiches sehr viele und höchst verschiedene kleinere und gröfsere werke von lehrdichtung im umlauf: wir können jezt ihre zahl und ihren umfang ebenso wie ihren näheren inhalt nur nach den in unserm buche erhaltenen überbleibseln dieses besondern stromes von schriften und nach einigen sonst zerstreuten merkmalen schäzen, aber auch nach diesen jezt im ganzen so geringen kennzeichen zu urtheilen war jener strom mächtig und breit genug, und wurde im laufe dieser vier jahrhunderte immer mächtiger und breiter. Dieser gewaltige strom zeigte auch an den sehr verschiedenen farben welche er im langen laufe annahm, wie sehr sich sein ursprüngliches und lebendigstes wasser durch sovielerlei neue zuflüsse allmählig veränderte, ohne dafs der strom selbst doch ein anderer wurde. — Es ist nun oben an der jezt erhaltenen ältesten sammlung c. 10, 1—22, 16 gezeigt wie das helle klare wasser dieses stromes in den zeiten seines ersten und kraftvollsten ursprunges im zehnten jahrhunderte bis in das neunte hinein war; und an der nächstältesten sammlung c. 25—29 wie er sich im neunten jahrhunderte bis in den anfang des achten hinein durch neue zuflüsse allmälig zu verfärben anfing, ohne sich schon so stark zu verändern. Es war bis dahin der durch Salômo und die hohe kunstschule seiner zeit gebildete *Salômonische spruch* welcher sich im wesentlichen noch immer in seiner ursprünglichen art und farbe erhielt, und neben dem neue freiere farben und gestaltungen sich erst sehr allmählig eindrängten; die kunstkenner der zeit wenigstens wie die männer Hizqiá's s. 45, schäzten allein noch diese älteste art des lehrspruches, und liefsen neben ihr erst sehr wenige freiere dichtungen neuerer art zu. Aber das achte jahrhundert, die zeit wo die in rede und wort gröfsten Propheten wirkten, wo die alte wahre religion dieses volkes schon mit aller entschiedenheit eine Messianische vollendung anstrebte soweit sie damals möglich war, und so mit dem ganzen edelsten geiste dieser religion auch das ganze alte schriftthum des volkes sich erst zu seiner tiefsten anstrengung rüstete und zu seiner reinsten höhe sich erhub, brachte wie in die seit Salômo sehr mannichfach ausgebildeten weisheitsschulen so auch in die lehrdichtung als deren gefügigstes und machtvollstes werkzeug einen gewaltigen umschwung. Die bësseren geister kehrten sich strenger gegen die entartungen der weisheitsschulen, deren grofsen schaden man jezt hinreichend erkannt hatte: und die öffentliche weisheitslehre mit ihrer dichtung folgte diesem neuen mächtigen zuge immer entschiedener. Die grofsen Propheten reden jezt selbst mit den künsten der lehrdichter wetteifernd überall wo die gelegenheit es ihnen anrieth in lehrsprüchen, und verschmähen es nicht den reiz und den zauber mit welchem die kunst dieser auf die gegenwart einwirkte mitten in ihre eignen reden einzuflechten [1]). Aber auch die dichter von lebensspielen huldigen um dieselbe zeit der macht welche die spruchdichtung errungen hatte durch die kunstvolle anwendung ihrer schäze, und der dichter Ijob's läfst die menschen auch mit derer hülfe geist gegen geist kehren [2]); aber auch sogar die liederdichtung leihet ihre dienste sie zu verklären [3]).

1) man sieht dies besonders aus der grofsen rede Jes. c. 28—32, wo der prophet freilich noch besondere ursache hatte zu zeigen dafs er auch weisheit und spruchkunst gut handhaben könne.

2) s. besonders Ijob 13, 12: aber auch 27, 1. 29, 1 ist sogar jede der menschlichen reden hier wie ein einziger מָשָׁל, eine lehrrede.

3) Ψ. 49, noch ganz abgesehen von Ψ. 37 und ähnlichen.

Bei einem solchen gewaltigen umschwunge sehen wir denn auch sie selbst jezt rascher in neue bahnen einlenken. Sie erhebt sich, sichtbar im einklange mit einer damals schon entwickelten tieferen weisheitsschule (philosophie) selbst, zu der erörterung dessen was überhaupt *weisheit* sowohl für den menschen als in Gott und in der ordnung der welt sei, und streift so in dieser wie in andern fragen dicht an die erforschung aller der tiefsten räthsel des menschlichen nachdenkens. Aber indem sie zugleich auf die menschen selbst in der warmen gegenwart immer nachdrücklicher einwirken will, ergreift sie alle guten mittel der dichtung und redekunst um ihre zwecke zu erreichen, läfst sich bald ganz von dem gewaltigen prophetischen zuge ergreifen welcher durch jene zeiten geht, und wird selbst wie eine in strömender begeisterung redende prophetische ermahnerin die weisheit in allem zu ergreifen; bald kleidet sie sich sogar in die kunst des lebensspiels und schafft kleine stücke von rede und gegenrede um desto leichter die thorheit zu geisseln und die ächte weisheit zu empfehlen; bald entwirft sie lebhafte gemälde sittlicher erscheinungen zur abschreckung oder ermunterung, stellt spize worte und bilder zum erreichen ihrer zwecke künstlich zusammen, und geht wenigstens überall in zusammenhangendere fliefsendere reden und darstellungen über. Wie jedoch die sitte solche schriften vorzüglich an die jugend zu richten nach s. 40 ziemlich früh beginnt, so schreitet sie in diesen zeiten fort, und die meisten bücher von lehrdichtung werden wie von einem vater an seine söhne gerichtet. — Und blicken wir nun näher auf die fortbildung und schliefsliche vollendung unsres buches hin, so sehen wir wie

1. ein lehrdichter in dieser neuen zeit die oben beschriebene älteste sammlung 10, 1—22, 16 mit der grofsartigen einleitung zum lobe der weisheit c. 1—9 neu herausgiebt und damit seiner zeit einen doppelten dienst erweist, erneuernd die herrlichen alten Salômosprüche, und zu ihrer beachtung ganz aus dem besten geiste der gegenwart und mit besonderer rücksicht auf ihre nächsten bedürfnisse ermahnend. Dieser dichter will so nur eine neue einleitung zu dem besten alten spruchbuche und eine neue empfehlung desselben geben, und gibt doch zugleich etwas wodurch jenes auf das herrlichste ergänzt wird. Er bewährt sich noch als ein durchaus selbständiger lehrdichter eigenster gedanken und höheren schwunges: und doch merkt man leicht wie soviele der schönsten bilder und gedanken des von ihm neu herausgegebenen alten buches c. 10—22, 16 bei ihm nur wiederklingen. Er

nennt sich nicht als dichter, verheifst in der aufschrift seines buches 1, 1 nur die *Sprüche Salômo's* geben zu wollen, und läfst wirklich die alte kurze überschrift der gewifs ältesten und besten sammlung dieser welche man damals haben konnte vor 10, 1 stehen: aber er ist doch einsichtig und aufrichtig genug um zugleich 1, 6 von *Worten der Weisen* überhaupt zu reden welche man hier finden solle. So wie er den namen *Sprüche Salômo's* also an die spize eines buches stellte, war er ganz richtig: und der blofse vorredner ist bescheiden genug sich nicht selbst daneben nennen zu wollen. Aber keiner dieser jüngeren spruchdichter war so wie er sowohl in die höhern weisheitsbestrebungen seiner zeit als in ihren prophetischen schwung eingetaucht, und war so fähig den alten herrlichen schaz Salômonischer sprüche für seine zeit neu zu empfehlen. Und wirklich wurde dieses so entstandene buch c. 1—22, 16 sichtbar ein seitdem unverlierbarer besiz des schriftthumes aller wahren religion und ein fester ansaz um welchen sich bald noch ähnliche stücke unzerstörbaren werthes fester sammeln sollten. Denn

2. ist unverkennbar dafs späterhin ein blofser sammler diesem schon bestehenden und gewifs bald sehr beliebt gewordenen buche die stücke 22, 17—c. 29 anhängte, blofs weil er richtig urtheilte sie eigneten sich ihrem inhalte und werthe nach sehr wohl hier angehängt zu werden. Nehmen wir nun an jener vorredner und erneuerer der „Sprüche Salômo's" habe um den anfang des siebenten jahrhunderts sein werk herausgegeben, so mag dieser vermehrer des buchs gegen dessen mitte hin oder noch etwas später es in dieser vergröfserten gestalt herausgegeben haben. In der zwischenzeit war es sichtbar immer gewöhnlicher geworden neue sprüchbücher unter dem namen *Sprüche der Weisen* zu veröffentlichen: die verfasser derselben hatten sich noch immer nicht genannt, da die dichter nach alter sitte im volke Israel sich überhaupt bei der veröffentlichung ihrer schriften ebenso wenig zu nennen beliebten wie die geschichtschreiber; nur bei den Propheten war es aus guten gründen immer anders gewesen. Unser sammler las nun aus zweien solcher neueren spruchbücher die stücke 22, 17—24, 22 und 24, 23—34 aus, und hängte sie aus ihren urschriften offenbar vielfach verkürzt hier an: nach der bemerkung bei 24, 23 schrieb er sie aber selbst nicht Salômo'n zu, ebenso wie ja schon der vorredner 1, 6 verständig genug gewesen war neben den sprüchen Salômo's auch solche der Weisen überhaupt zu nennen. Der alte ehrwürdige name Salômo's als des grün-

ders dieser dichtungsart konnte nicht verhindern dafs einem solchen buche welches wesentlich zum unterrichte für Jüngere und sonst zu allgemeinem gebrauche bestimmt war, auch stücke anderer dichter beigefügt wurden: wie wir dasselbe bei dem Psalter sehen. Darum konnte denn derselbe sammler einem buche welches in seiner hauptaufschrift Sprüche Salômo's ankündigte, sehr wohl weiter noch c. 25—29 die oben beurtheilte spätere sammlung solcher sprüche von den männern Hizqia's anhängen: und wir müssen ihm sehr dankbar seyn dafs so auch diese sammlung gerettet ist. Dafs wir bei diesen drei anhängen aber die hand desselben sammlers vor uns haben, ist aus der gleichheit seiner schreibart 24, 23 und 25, 1 einleuchtend: zwischen 22, 16 und v. 17 sind dagegen wahrscheinlich erst nach der zeit dieses sammlers einige zeilen ausgefallen.

3. Weiter aber reicht sichtbar die hand dieses sammlers und neuen herausgebers dieses buches nicht herab: und man kann schon daraus schliefsen dafs die stücke welche nun nach c. 30 f. folgen wiederum erst wieder später hinzugefügt wurden. Aber dasselbe ergibt sich auch aus dem inhalte und der besondern art dieser stücke. Wir sehen hier die lezten ausgänge in welche sich diese dichtung auf ihrem noch ganz ungestörten geraden wege endlich nach ganz verschiedenen seiten hin auflöste.

Die stücke 30, 1—31, 9 welche gewifs von éinem dichter sind, tragen nun zum erstenmale 30, 1 an ihrer stirne den namen dieses neueren dichters: er nannte sich *Agûr sohn Iaqê's*, und wir wissen zwar heute nichts weiter von ihm, können aber nicht im geringsten zweifeln dafs er zu seiner zeit als ein sehr geschickter dichter galt. Endlich war also auch insoweit die alte sitte durchbrochen dafs es nun die neuen dichter wagten sich selbst an der stirne ihrer werke sogleich zu nennen: und wirklich hatte sich, wie wir aus diesen bruchstücken ersehen, die blofse kunst solcher dichtungsart so ungemein vermehrt dafs es wohl der mühe werth scheinen konnte die namen der dichter zu bemerken. Schon mischte sich auch die dichterische einbildung aufs mächtigste in dieses früher immer sehr ferne davon gehaltene gebiet: sie dichtete lebenslagen und lebensstreite und malte sie künstlich aus um in anreden oder zwiegesprächen desto lebendiger die wahrheiten zu lehren welche gelehrt werden sollten; sie bildete künstliche namen aller art, und steigerte die künste der räthselhaften spizen rede bis zum äufsersten. Aber schon war es fast nur noch diese ungemein hohe kunst der dichtung welche anzog: an reinen gedanken ist hier nichts schöpferisches mehr. Wir können es begreifen dafs ein neuer herausgeber des buches der Sprüche Salômo's auch von der sehr verschiedenen dichtung dieses dichters einige stücke noch anhängte: aber ebenso begreiflich ist warum er aus dem buche Agûr's welches sehr grofs seyn konnte doch nur diese wenigen dazu selbst vielverkürzten stücke aufnahm. Uebrigens veröffentlichte dieser dichter Agûr sein werk gewifs noch im verlaufe des siebenten jahrhunderts; und danach mag man schäzen wann diese anhänge noch hinzukamen.

Allein nicht alle solche spätere lehrdichter wendeten so allen fleifs nur auf die überraschende ausführung und darstellung, und schufen so durch überlegte künstlichkeit wirklich unübertreffbares: wir sehen zum glücke aus dem lezten stücke eines allen zeichen nach wieder völlig verschiedenen dichters 31, 10—31 dafs man um dieselbe zeit doch auch noch obwohl nicht ohne der späteren kunst seinen zoll zu zahlen in höchst schlichter dichtersprache längere lehrstücke entwarf; und wer auch „das lob des tugendsamen weibes“ hier noch ganz zum schlusse hinzufügte, er konnte das buch nicht besser schliefsen.

Das ganze buch wie es sich seitdem Hebräisch erhalten hat, konnte (wie unten noch weiter zu erweisen) auch mit diesen lezten zusäzen schon im sechsten jahrhunderte daseyn, auch wenn wir annehmen dafs das buch Agûr's aus welchem hier einige stücke aufgenommen wurden damals schon längst nichtmehr neu war. Und so gibt das buch in seiner jezigen gestalt noch die deutlichsten beweise der schicksale der alt-Hebräischen spruchdichtung, von der es selbst die wichtigsten denkmahle, die blüthen der thätigkeit vieler jahrhunderte in sich schliefst.

Von Salômo will es selbst nicht vollständig abgeleitet seyn: es legt seine allmählige entstehung noch klar dar. Aber von Salômo geht sein lezter ursprung aus: um den Salômonischen stamm hat sich alles spätre in mancherlei weise versammelt, und das wichtigste darin ist noch jezt der älteste Salômonische bestandtheil.

V. Eine veränderte ausgabe des buches. — Seine namen.

Und doch blieb dieses Hebräische buch nochnicht überall so wie es sich jezt für uns erhalten hat. Wir ersehen dies aus der Griechischen übersezung der LXX. Vergleicht man nämlich diese genauer mit dem Hebräischen buche wie es sich für uns durch die Palästinischen Judäer erhalten hat, so zeigen sich zwar sehr viele abweichungen zwischen beiden welche man unabsichtliche nennen könnte; es sind dieselben welche ähnlich bei den andern Biblischen büchern so oft wiederkehren, nur dafs sie gerade bei diesem buche aus der schon s. 35 angedeuteten ursache zahlreicher und stärker sind als bei vielen anderen Biblischen büchern. Vorzüglich enthält jenes wortgefüge welchem die Griechische übersezung folgte zerstreut eine menge sprüche mehr als das uns vorliegende Hebräische; bisweilen aber hat umgekehrt auch dieses den einen oder anderen spruch mehr als jenes. Wiewohl indessen das Griechische wortgefüge im ganzen hierin als reicher und als ursprünglicher sich erweist, wie wir dies unten bei den einzelnen fällen zeigen werden: so kann man doch nicht behaupten dafs alle diese abweichungen aus einer bestimmten absicht flossen. Die alten abschreiber verkürzten leicht etwas im wortgefüge welches dazu einlud: und einzelne dieser vielen sprüche auszulassen oder auch hie und da einzusezen schien manchen ziemlich unwichtig.

Allein anders ist es mit solchen abweichungen welche ganze abschnitte betreffen und aus offenbarer absichtlichkeit fliefsen. Vergleicht man diese genau, so zeigt sich dafs sie in den LXX nur aus einer mit bewufstseyn veränderten neuen ausgabe des buches zu erklären sind: und was zu dieser hingeführt habe und worin ihr gedanke bestehe, das können wir noch deutlich genug erkennen. Ein alter leser nahm gewifs an der scheinbaren unordnung anstofs in welcher jezt vorzüglich die hinteren theile des buches auf einander folgen. Denn da der ausfall einiger verse nach 22, 16 wovon oben s. 59 gesprochen wurde damals in den verbreiteten handschriften gewöhnlich geworden seyn mufs, so konnte man zwar leicht meinen der sinn der *Sprüche Salômo's* verheifsenden überschrift 1, 1 erstrecke sich in éiner reihe bis 24, 22; und unterschied man hier überall nichtmehr feiner, so konnte die kurze überschrift vor 10, 1 ganz überflüssig scheinen, wie sie in den LXX wirklich ausgelassen ist und wie diese auslassung offenbar mit der neuen ausgabe des buches welche jezt veranstaltet werden sollte zusammenhängt. Aber fand man nun 24, 23 die ankündigung von *Sprüchen der Weisen* und dazu so seltsam abgerissen wie *auch diese* sprüche *sind von Weisen:* so schien hier alles zusammenhanglos und unverständlich, umso mehr da man sogleich 25, 1 wieder *Sprüche Salômo's* und alsdann 30, 1 *Worte Agûr's* fand.

Da man nun annehmen konnte Agûr sei selbst einer dieser Weisen aufser Salômo, so schien es besser seine worte mit denen dieser Weisen zusammenzustellen; und da die 3 stücke aus welchen *Agûr's Worte* bestehen damals gewifs noch sehr richtig getrennt geschrieben wurden, so sezte dieser neue herausgeber einen *zweiten* theil des ganzen buches zusammen 1) aus den *worten Agûr's* 30, 1—14; 2) aus den *worten der Weisen* 24, 23—24; 3) aus den übrigen zwei theilen der worte Agûr's 30, 15—31, 9. So folgte ihm denn als *dritter* theil des ganzen buchs die kleinere sammlung der Sprüche Salômo's c. 25—29: nur hatte ihm das גם *auch* 25, 1 nun keine bedeutung mehr, sodafs er es gewifs schon ebenso ausliefs wie es in den LXX fehlt; und das lob der tugendsamen hausfrau 31, 10—21 welches in den damaligen handschriften von Agûr's worten gewifs noch deutlich genug getrennt war, blieb auch in dieser ausgabe am ende stehen. Wollte man jedoch den inhalt des buches nach dieser ausgabe kürzer bezeichnen, so theilte man es in *Sprüche Salômo's* und *Sprüche Agûr's*, wie wir noch sicher wissen [1]).

Es versteht sich vonselbst dafs diese neue ausgabe noch aus dem Hebräischen selbst veranstaltet wurde: denn der Griechische übersezer der LXX verstand, wie seine übersezung der worte 30, 1. 24, 23 zeigt, nicht einmahl mehr den sinn auf welchem sie beruhet [2]). Die ausgabe mufs dann aber (ebenso wie manche ähnlich umgestellte ausgaben von anderen Biblischen büchern) ammeisten in Aegypten verbreitet gewesen seyn, wo sie ins Griechische übersezt wurde. Frägt man wann sie entstanden sei, so mufs man vor allem bestimmen aus welcher zeit die uns jezt Hebräisch erhaltene abstamme. Es liegt aber die höchste wahrscheinlichkeit vor dafs diese ihrem ursprunge nach oben erläuterte ausgabe gegen das ende des sechsten jahrhunderts erschien. Denn in dieser zeit herrschte in dem neuen Jerusalem überhaupt die fruchtbarste thätigkeit im sammeln und neuen herausgeben aller der wichtigsten zweige des alten schriftthumes, wie die geschichte der sammlung unserer vier Prophetenbücher und

---

1) es ist seltsam wie allgemein der name Agûr dann in Bagur verdorben wurde, s. Assemani's *bibl. or. Vat.* III. 1. p. 6. *Jahrbb. der Bibl. wiss.* V. s. 147.

2) merkwürdig ist nur der zusaz des Cod. Vat. bei 25, 1 *αἱ ἀδιάκριτοι „die nicht zu scheidenden* sprüche Salômo's", als sollten sie dadurch als von dem buche dennoch nicht wahrhaft zu scheidende bezeichnet werden.

des Psalters zeigt, während schon oben gezeigt ist dafs sogar das späteste stück des jezigen Spruchbuches damals schon gedichtet seyn konnte. Wir können daher sehr wohl annehmen dafs die neue ausgabe welche sich endlich in der Griechischen übersezung für uns verewigte, bereits im laufe des fünften jahrhunderts entstand.

Indessen blieb in allen ausgaben und übersezungen der gewöhnliche kurze name des buches *Sprüche* [1]) *Salômo's*. Doch bewirkte das herrliche lob der weisheit womit der oben beschriebene dichter seine neue ausgabe der ältesten spruchsammlung c. 1—9 geziert hatte, dafs man auch ganz absehend von dem namen eines dichters dem buche den noch kürzeren namen *die Weisheit* gab, ein name der besonders von den Aegyptischen Juden ausgehend bald unter den ersten Chriesten sehr beliebt wurde [2]), dann aber auch auf die ähnlichen späteren werke leicht übertragen werden konnte [3]). Und nachdem von diesem namen ausgehend zuerst der Römische Klemens [4]) das buch in fliefsender rede mit rücksicht auf seinen äufserst mannichfachen inhalt als *ἡ πανάρετος σοφία* bezeichnet hatte, ward auch dieser stolzere name von manchen Griechisch schreibenden wiederholt.

I. C. 1—9.

C. 1, 1—7.

Diese 7 zeilen welche eine wende verhältnifsmäfsig mittlerer gröfse bilden, geben die dichterische aufschrift zu dem buche nach der ausgabe des vorredners c. 1—22, 16 und

---

[1]) bei den LXX *παροιμίαι*: aber 25, 1 hat Cod. Vat. *παιδεῖαι*. Unser übersezer vermeidet das im Psalter gebrauchte *παραβολαί*.

[2]) der name findet sich zwar jezt zuerst bei Meliton (Eus. *KG.* 4 : 26, 14), allein er mufs schon vor dem Römischen Klemens im gebrauche gewesen seyn.

[3]) das buch des Sirachsohnes nannte man gerne *die Weisheit des Sirachsohnes*, und das noch spätere Alexandrinische *die Weisheit Salômo's* im absichtlichen gegensaze zu unserem ganz kurz *die Weisheit* genannten älteren buche.

[4]) an die Kor. c. 57, wiederholt schon von Hégésippos und Eirémäos nach Eus. *KG.* 4 : 22, 9.

mit seinen eignen worten. Die aufschrift gibt v. 1 den namen des verfassers der hier wiederholten alten sammlung 10, 1—22, 16, weist kurz auf den zweck und nuzen des buches hin v. 2—6, und schliefst v. 7 treffend mit einem raschen übergange zu der ausführlichen vorrede oder einleitung zu dem alten buche welche unser dichter geben will.

Wer nämlich Semitische bücher kennt, weifs dafs die aufschrift sich oft etwas länger dehnt und auch den zweck der schrift kurz angibt, auch wol mit einem kurzen passenden schlusse sogleich näher zu dem gegenstande selbst hinüberleitet. Wir haben hier nur das älteste beispiel davon: und wir dürfen uns nicht dáran stofsen dafs hier sogar ein dichter mit dichterworten dem buche eine solche aufschrift gibt, indem sein wort anfangs bei der nennung des buches und urdichters v. 1 nur erst leise sich schwingt, denn sobald der zweck berührt wird v. 2 schon ganz von der höheren wärme des dichterischen gefühles ergriffen wird. Denn ähnlich fing oft das prophetische wort mit einer blofsen ankündigung seines hauptinhaltes an, und entwickelte sich von da erst zum rechten schwunge [1]); aber auch bei liederdichtern findet sich ähnliches [2]).

Es leidet aber nicht den geringsten zweifel dafs diese aufschrift von demselben dichter ist welcher die folgende grofse rede der Weisheit bis c 9 schrieb. Liegt dieses nach allem was oben gezeigt ist schon ansich am nächsten vor, so bestätigt es sich vollkommen dádurch dafs wir hier ganz dieselben eigenthümlichen farben der gedanken und worte vor uns haben durch welche dieser beredte lehrdichter sich auszeichnet: jedes wort und jede beredte wendung führt auf denselben dichter só zurück und von jedem andern só entschieden ab dafs wir an keinen andern denken können [3]).

---

1) wie Jes. 9, 7 und noch mehr B. Zakh. 9, 1; auch noch im Qorâne Sur. 9, 1. Sehr ähnlich ist auch Apoc. 1, 1—3.

2) Ψ. 102, 1 vgl. I *a* s. 286.

3) um hier nur einige hauptsachen hervorzuheben: das wort בִּינָה v. 2 ist nirgends so häufig wie bei unserm dichter 2, 3. 3, 5. 4, 1. 5. 7. 7, 4. 8, 14. 9, 6. 10, wiederholt später 23, 4. 12, zwischen c. 10—22, 16 findet es sich nur einmahl 16, 16 und hier nach s. 39 in einem spätern spruche; vielmehr gebraucht das älteste buch immer תְּבוּנָה welches unser dichter aus ihm blofs 3, 13 wiederholt. — Das מֵישָׁרִים v. 3 ist in sittlicher bedeutung nirgends so häufig als bei unserm dichter 2, 9. 8, 6, später wiederholt 23, 16, nirgends sonst

Namentlich wäre es völlig verkehrt sich zu denken diese zeilen die sich hier ächt dichterisch zu einer besondern wende reihen seien dem buche erst vorangesezt nachdem es bis c. 29 oder gar bis c. 31 gesammelt war, oder sich einzubilden *die worte der Weisen* v. 6 sollten auf die stücke 22, 17. 24, 23, die *räthsel der Weisen* auf die stücke 30, 15—33 hinweisen. Vielmehr werden diese worte und räthsel der Weisen v. 6 garnicht erwähnt um die aufschrift *Sprüche Salômo's* v. 1 zu vermehren, alsob auf c. 1—22, 16 dann ein anderer theil des buches mit einer solchen aufschrift folgen sollte, sondern um in dichterischer vollrede neben dem *spruche* und *dem ernsten scherze* den mannichfachen inhalt des buches so wie es bis 22, 16 ist anzudeuten; und unser dichter war sicher klug genug um zu wissen daſs der altererbte name *Sprüche Salômo's* nicht zu ängstlich zu nehmen sei und man hier ebenso wohl von *Worten der Weisen* reden könne.

Sprüche Salômo's, Davîd's sohnes, 1, 1
  königs von Israel:
zu wissen von weisheit und zucht,
  um zu verstehn verständ'ge worte,
zu lernen die zucht zu besonnenheit
  recht billigkeit und redlichkeit;
Einfältigen zu geben klugheit,
  dem Jüngern wissenschaft und überlegung,
damit ein Weiser hörend weiter lerne,
  und ein Verständ'ger lenkung sich erwerbe; 5
um zu verstehen spruch und ernsten scherz,
  der Weisen worte so wie ihre räthsel. —

im buche zu finden. — Die ganze redensart v. 4 *a* findet sich 8, 5 vgl. v. 12 wieder, und sehr auszeichnend ist für unsern dichter der gebrauch des מְזִמָּה im guten sinne v. 4 *b*. 3, 21 und in der mehrheit 5, 2. 8, 12, während מְזִמּוֹת sowohl 12, 2. 14, 17 als 24, 8 vielmehr ebenso wie bei fast allen andern schriftstellern im schlimmsten sinne gebraucht wird. Auch פֶּתִי und פְּתָאִים v. 4 ist nirgends so häufig wie bei unserm dichter 1, 22. 32. 7, 7. 8, 5. 9, 4. 6. 16, und findet sich sonst im ganzen buche nur 14, 15. 18. 19, 8. 22, 3. 27, 12. Dazu kommt noch das sehr eigenthümliche יוֹסִיף לֶקַח v. 5, 9, 9, worüber unten.

Zu fürchten Jahve ist des wissens anfang:
weisheit und zucht verschmähten narren stets!

Als zwecke dieses buches werden v. 2—6 dreie, aber immer näher und bestimmter angegeben: nämlich 1) im allgemeinen zwar v. 2 f. ist der zweck dér dafs man kluge worte zu verstehen lernend zugleich weisheit und zucht sich aneigne, und zwar die zucht zu besonnenheit, zu recht billigkeit und redlichkeit d. i. zu jeglicher art des rechts (so hangen die worte des 2ten gliedes v. 3 noch von מוסר ab). — Dann aber 2) näher v. 4 f. sollen diese lehren allen arten von jüngern menschen nüzen, indem auch der welcher schon einen grund im wissen und einsehen gelegt hat, durch die aufmerksame betrachtung dieser sprüche noch mehr weisheit und besonders lenkung d. i. besonnenheit im handeln wie die eines steuermannes im meere (aus 11, 14. 12, 5. 20, 18) erwerben kann (die *imperf.* ישמע u. s. w. v. 5 hangen von לְ— v. 4 ab, nach 350 *b*. Die verbindung יוסף לקח steht hier und 9, 9 in ganz anderm zusammenhange und sinne als 16, 21. 23, da לֶקַח activ das *lernen* eig. annehmen, passiv die *lehre* eig. was angenommen wird, bedeuten kann). — Endlich 3) v. 6 der allernächste zweck ist hier dér diese weisheit und zucht auch in ihrer höchst mannichfaltigen gestalt verstehen zu lernen, nämlich 1) in der einfachen ältesten gestalt als מָשָׁל; 2) als מליצה oder in dér gestalt welche wir ironie nennen: dergleichen ironische einkleidung gar nicht so selten diesen sprüchen gegeben wird, um die beschränktheit die trägheit und die laster überhaupt desto schärfer obwohl im besten wohlwollen und im ernstesten scherze zu geifseln, wie 15, 10. 17, 16. 20, 16 und sonst oft; oder 3) als *worte von Weisen*, die sich in der gestalt freier bewegen und nicht gerade sich streng an die älteste gestalt des lehrspruches מָשָׁל binden können; oder 4) als *räthsel:* räthselhaft aber sind die kurzen spizen sprüche oft nicht weniger, wenn ein schwerer gedanke blofs angedeutet, nicht ausgeführt und angewandt wird, z. b. 16, 25 vgl. Ψ. 49, 5; man hat daher nicht nöthig bei diesem worte an die räthsel c. 30 oder auch nur an die räthselhafte frage 23, 29 allein zu denken.

Doch, fügt der lehrer gleich an der schwelle des buches nach erklärung seines zweckes hinzu v. 7, ohne religion sei kein gründlicher anfang zur weisheit möglich, wie dagegen umgekehrt die weisheit jene wieder fördre: welche leser oder vielmehr welche gesinnung bei ihnen sich der dichter zum voraus wünsche, ist daraus deutlich; denn die verstockten thoren welche nach s. 12 auch durch verkehrte schulweisheit vielfach verleitet aus ihrer beschränkung nicht herausgehen wollen, verachten folgerichtig auch weisheit und zucht; und dafs sie diefs thun, ist eben wieder ein zeichen ihrer unseligen beschränktheit. Ganz ebenso 9, 10; vgl. s. 19. Wenn indefs die furcht Jahve's gleichsam der boden oder der mögliche anfang des keimens der weisheit ist, so besteht dagegen ihr wirklicher anfang nur in der eignen muthigen thätigkeit sie zu erringen, wäre es auch mit aufopferung aller äufsern güter; so dafs es in dieser hinsicht bei unserm selben dichter unten heifsen kann: *der weisheit anfang ist: erwirb weisheit!* 4, 7.

C. 1, 8 — c. 9.

Uebersieht man nun die einleitung zu dem älteren spruchbuche selbst wie sie dieser dichter so ausführlich und so beredt gibt, so wird man vor allem von dem zusammenwirken dreier höchster triebe und zwecke überrascht welche bei ihm von vorne an übermächtig waren und durch deren verschmelzung diese ganze vielgliedrige einleitung erst ihre besondre ausgestaltung empfängt.

Denn achtet man genau dárauf wie unser dichter sich in allen seinen äufserungen gibt, so mufs man sagen nichts schwebe ihm in der wogenden tiefe seines geistes so nahe vor als das lebendigste bild der Weisheit selbst. Sie ist ihm eine wunderbare macht, die er gewifs selbst so tief in sein innerstes leben hat aufzunehmen und mit welcher er sich selbst auch äufserlich so zu schmücken gesucht hat wie er überall aufs beredteste hier die Jüngern auffordert sie in ihr herz zu schreiben und sich mit ihr wie mit dem besten schmucke zu zieren. Und wie die weisheit zu seiner zeit auch als sache der schule als übung und lehre seit jahrhunderten allmälig in Israel wirklich eine immer gröfsere macht geworden und schon wie die dichte luft eines neuen geistigen himmels dies volk von allen seiten umgeben und einengen wollte, so ist es unserm dichter alsob sie von ihrer unsichtbaren höhe herab dennoch wie ein mächtiger prophet oder öffentlicher volksredner allen menschen dieser gemeinde mit gewaltigster stimme sie zu hören und ihren wahrheiten zu folgen zurufe. Immer und stets, und auch mitten im tiefsten gewühle der welt kann so der mensch die stimme dieser weisheit vernehmen wie sie hier laut wird und alle zu sich ziehen und mit ihren gütern rüsten möchte. Aber der dichter hat sich ebenso auch in die über aller menschheit und allem gegenwärtigen weltgewühle stehende weisheit vertieft, und weifs dafs sie eine rein göttliche macht ist die schon vor aller schöpfung in Gott selbst war und ihm bei der schöpfung selbst wie eine werkmeisterin zur seite stand sodafs in aller welt von vorne an nichts ohne sie ist. So kennt er denn aufs lebendigste ihre bedeutung wie für die ganze welt so für die menschen in all ihrem begehren und handeln, und hat sich wie in die schlagende seele ihrer macht so ganz versenkt dafs ihr innerster sinn und trieb nun wieder auch aus ihm laut wird und ihre stimme nicht selten unaufhaltsam aus ihm ebenso erschallt wie aus einem propheten die stimme Gottes.

Allein sosehr er im reinen betrachten der weisheit ihrer unerschöpflichen ewigen und zeitlichen macht und der güter schwelgt welche sie den menschen spenden kann, so vergifst er doch nicht dafs er zunächst nur die jugend zu ihr hinleiten möchte, nicht zwar die ganz unmündige sondern die schon reifere welche eben in die blüthe und kraft des alters kommend desto mehr allen sittlichen gefahren ausgesezt ist, ja auch alle menschen die jugendlich gesinnt überhaupt noch weiter zu lernen lust haben wie er schon in jener überschrift 1, 5 andeutete. Sein werk soll zunächst für diese beste doppelte jugend seyn, und gerade in dieser einleitung will er sie aufs dringendste die weisheit in allem zu ergreifen mahnen und locken. So wird denn sein wort zum beredten strome dieser ermahnung; er beginnt allein mit dieser herzlichen ermahnung, und kehrt immer wieder so zu ihr zurück; und weil es da gar sehr auf die wirklichen lagen des gegenwärtigen lebens und deren gefahren ankommt, so geht er überall nur von diesen aus: aber rasch erhebt sich seine rede von solchen anfängen aus auch zu den wahren höhen der dinge der weisheit, und läfst sich von diesen höhen selbst stufenweise immer freier emporschwingen, bis er wie vor ihrer eignen gewaltigeren stimme verstummt und sie selbst immer vollkommner vor dem hörer alles ergiefst was in ihrer tiefen seele liegt, sodafs nicht mehr dieser menschliche lehrer sondern nur noch Sie selbst redet und lockt und zieht. Dieses wogen der einmahl bewegten rede von ihren tiefen bis zu ihren reinsten höhen hinauf im einanderverarbeiten der beiden grundzwecke des dichters, dies ihr schnelles überspringen von dem blofs menschlichen und zeitlichen zu dem rein göttlichen und ewigen, dies ihr mächtig emporreifsendes steigen auch zu den äufsersten gipfeln des gegenstandes welches wieder nicht ohne sanftes herablassen und ruhigen schlufs bleibt, dieser ihr alles durchdringender ernst neben der sich dennoch stets gleich bleibenden herzlichkeit und reinen liebe, und dies ihr ahnenlassen alles des höchsten und andeuten alles des tiefsten auch mitten in ihrem sonst breiten ruhigen flusse ist das eigenthümlichste und zugleich der zauber welcher in diesen worten liegt und der den hörer auch wo sie sich weiter ausbreiten nirgends ermüden läfst [1]).

Während nun so die beiden tiefsten grundzwecke des dichters obwohl sie wie gegensäze sind sich wohlthuend in einander verschmelzen, sind es unverkennbar noch einige besondere sittliche gefahren gegen welche der lehrdichter so wie seine zeit es zunächst forderte zu warnen die gelegenheit ergreift. Dies ist offenbar der dritte zweck welcher ihm von anfang an vorschwebte, und welchen mit jenen beiden andern gut auszugleichen eine aufgabe seiner kunst werden mufste. Denn im ganzen bringt es zwar das wesen einer blofs ermahnenden und aufmunternden einleitung zu dem alten Spruchbuche mit sich dafs die rede sich hier im allgemeinen bewege: aber einzelne besondere ermahnungen und winke sogar auch über gegenstände die in dem alten buche ebenfalls berührt waren, konnten dadurch nicht ausgeschlossen seyn.

Unser dichter begriff indefs dafs eine einzige fortlaufende rede sich wenig eigne um einen so mannichfachen inhalt mit dem rechten nachdrucke und in schöner klarheit zu umspannen. Seine rede ist aufserdem ganz das bild der mündlich belehrenden, wie sie in den schulen und noch mehr bei den Propheten war: die mündliche rede darf nicht zu lang seyn, und wird je höher sie sich und noch dazu dichterisch schwingt desto besser so kurz als möglich. So gibt er denn drei reden oder vorträge, dichterischen schwunges aber nur wie in lebendiger anrede an einen Jünger oder auch an einen geschlossenen kreis von Jüngeren in welchen ein erfahrener lehrer tritt. Und wer wollte behaupten das alles sei blofse erdichtung ohne etwas ihm in der wirklichkeit entsprechende? Vielmehr wie die Propheten in Jerusalem ihre kreise von hörern um sich versammelten, ebenso gewifs auch die lehrer an den verschiedenen weisheitsschulen; und dafs diese damals

---

[1]) da unser dichter so sein werk zunächst für Jüngere bestimmte, so könnte man vermuthen von ihm stamme auch die lezte eintheilung und einrichtung der älteren sammlung, wie diese s. 40 beschrieben wurde. Allein inderthat kommt dieser vermuthung der augenschein nicht entgegen; vielmehr liefs unser vorredner die von ihm neu herauszugebende sammlung gerade so wie er sie vorfand.

längst bestanden und in ihrer art höchst ausgebildet waren wissen wir nach s. 11 f. auch sonst [1]).

Jeder dieser drei vorträge ist in sich geschlossen, alle aber sind so angelegt und ausgeführt dafs die lezten zwecke welche der dichter hat in ihnen stufenweise erst vollständig erreicht werden. Der erste ist allgemeinsten inhaltes, der zweite soll besonders die nächsten ermahnungen einschliefsen welche der dichter für seine zeit passend hielt, der dritte vollendet auch das höchste was er zu sagen hat. Auch die anlage der einzelnen ändert sich danach.

Wie aber die reden der Propheten in jenen zeiten in wenden zerfielen und jede längere in eine entsprechende zahl längerer wenden [2]), so zerfällt auch jede dieser drei reden in eine reihe längerer wenden. Da die zeilen hier fast durchaus sehr gleichmäfsig von der I *a*. s. 127 f. beschriebenen zierlichen kürze sind, so bildet eine zahl von 10 derselben das durchschnittliche mafs einer wende; doch dehnen sich einige etwas länger, ähnlich wie bei den Prophetischen reden hierin etwas gröfsere freiheit als in den liedern herrscht. Daneben aber rundet sich die zahl der wenden jeder rede selbst wieder gerne zu einem beliebten kreise ab, in den beiden ersten zu 7 in der lezten zu 10 wenden.

1. C. 1, 8—3, 35.

Die erste rede als die allgemeinste schildert nach lebhafter darstellung des zu meidenden und des zu erstrebenden 1, 10—33 die herrlichen folgen der thätigen willigkeit des geistes weisheit wie sie hier geboten werde anzunehmen 2, 1—22, jene weisheit nämlich, wie zum schlusse weiter erläutert wird, welche als die ächte ewige weisheit vom vertrauen allein auf Jahve und der frohen bereitwilligkeit von ihm auch in leiden stets zu lernen unzertrennlich ist 3, 1—26; woran sich einige besondre vorschriften über die liebe zu allen menschen schliefsen 3, 27—35. Abgesehen von diesem ausläufer welcher dennoch nach dem ganzen zwecke des dichters sein recht hat, zerfällt also diese rede in drei theile, unter denen aber der mittlere am meisten als vollendet und abgeschlossen hervorragt: eine so beredte schilderung aller der mannichfachen schönen folgen der willig angenommenen

---

[1]) inderthat gibt das B. Qôhéleth ganz ähnlich eine reihe solcher vorträge, wie unten zu zeigen sind.

[2]) s. die *Propheten des Alten Bundes* I. s. 50 ff.

zucht und weisheit kehrt nachher nicht wieder; der 3te theil gibt nur eine nähere bestimmung und erläuterung dazu indem er die weisheit zu deren annahme, wie die worte der Weisen sie erklären, hier so dringend ermahnt wird doch wieder auf ihr inneres und nothwendiges leben, den muth stets von Jahve selbst zu lernen, zurückführt, da doch die menschliche weisheitslehre zulezt nichts bezweckt als eben dieses leben, diesen trieb der weisheit (d. i. wie wir heute sagen Philosophie) in dem einzelnen zu gründen. Den weg zu jenem haupttheile oder der empfehlung der weisheit ihrer früchte wegen bahnt die darstellung des doppelten weges der dem jünglinge gleich vorne beim eintritte ins öffentliche leben nicht nur offen stehe sondern auch lockend genug entgegenkomme. Von der einen seite 1, 10—19 empfangen ihn verführerische lockungen zur sünde, insbesondre zum unsteten, auf raub des schwächern ausgehenden lebens, ein bild jener zeit welches hier allein ausgeführt wird, aber statt aller ähnlichen dienen kann; von der andern 1, 20—33 kommt ihm die oft verschmähte, aber doch allein zum heil führende und stets unter allem trüben gewirre des lebens laut und vernehmbar genug rufende weisheit entgegen, wie sie in der gegenwart ach! schon mit ernst zürnender, scharf warnender, ahnungsvoller rede ihre wahrheit predigt. Das lezte schöne bild von der laut zu allen redenden weisheit wird jedoch hier noch nicht ganz erschöpft, sondern erst in der 3ten rede c. 8 wieder aufgenommen und vollendet; denn hier dient es blofs zur vorbereitung des hauptgedankens c. 2. — Nach dieser anlage zerfällt ganz entsprechend jeder der zwei ersten grundtheile der rede in 2, dagegen der lezte alles gewichtig schliefsende in 3, die ganze rede also in 7 wenden.

Aber man kann an diesem ersten vortrage des dichters auch sogleich am deutlichsten das enge in einander wirken der drei grundbestandtheile seiner ganzen dichtung erkennen. Der vortrag beginnt wie alle drei ganz mit der väterlichen ermahnung an den Jünger, nennt jedoch sogleich eine sehr nahe liegende besondre verlockung der gegenwart durch die er sich nicht verleiten lassen möge, und ergiefst sich so in der ersten wende ganz besonders herzlich 1, 8—19: aber kaum ist so die rede von unten auf recht lebendig geworden, so springt sie in der zweiten wende 1, 20—33 zu der rein himmlischen macht der Weisheit über und schwingt sich schon fast zu allen höhen ihrer schilderung auf. Nun kehrt sie zwar in ihrer mitte alsbald zu der einfachen ermahnung an den Jünger um und sucht ihm die weisheit in ihrer allernächsten bedeutung nur umso näher zu legen c. 2: allein wie der dichter sogleich zu anfange auf eine ganz besondre gefahr jener zeit aufmerksam gemacht hatte, so lenkt er die rede am ende des dritten theiles 3, 27—31 ganz wieder auf einzelne ermahnungen zurück, kaum zum lezten schlusse v. 32—35 sie wieder etwas zu der allgemeinen höhe emporschwingend welcher ihr im ganzen geziemt. So vollkommen sind in dieser ersten rede alle die drei verschiedenen stimmen die aus des dichters geiste laut werden wollen in einander verarbeitet: und diese erste rede gibt insofern schon die ganze dichtung unsers vorredners im kleinen.

I. 1.

O höre, mein sohn, deines vaters zucht,
stofs deiner mutter lehre nicht zurück!
da sie ein holder kranz sind deinem haupte,
und schön geschmeide deinem halse. —
10 Mein sohn, wenn dich die sünder locken, — so willige nicht ein!
Wenn sie so sagen: „komm mit uns,
lauern lafs uns auf blut, spähen auf den der schuldlos ist umsonst!
verschlingen wir sie, wie die hölle, lebend,
gesunden leibs, wie die zur grube fahren!
wir werden lauter prächt'ge schäze finden,
voll beute machen unsre häuser;
dein loos wirst du in unsrer mitte fällen,
éin beutel nur wird unsrer aller seyn!"
15 mein sohn! so geh auf keinen weg mit ihnen,
halt deinen fufs zurück von ihrem stege!
Denn ihre füfse — zum bösen laufen sie
und eilen zu vergiefsen blut!
Vergeblich ja wird ausgespannt das nez
vor allen den gefiederten:
und jene — sie lauern auf ihr eignes blut,
sie spähen auf ihre eignen seelen!
So sind die pfade jedes der geld schneidet:
die seele seines herrn nimmt es. —

2.

Die weisheit wird laut draufsen, 20
läfst auf den gassen ihre stimme hören,
vorn an den lärmendsten wegorten rufend,
an eingängen der thore in der stadt — so ihre reden redend:
„Wie lang', einfält'ge, wollt ihr einfalt lieben?
und haben spötter spötterei erwählt?
und wollen thoren hassen wissenschaft?
Rede müfst ihr stehen meiner rüge:
seht da, ich ströme meinen geist euch aus,
will meine worte euch verkünden! . . . .
— Dieweil ich rief und — ihr euch weigertet,
ich reckte meine hand — und niemand merkte,
und ihr abwarft all meinen rath 25
und meiner rüge nicht zu willen wart:
so will auch ich verlachen eure noth,
will spotten wann kommt euer schrecken,
wann kommt wie ungewitter euer schrecken,
und eure noth wie sturm anzieht,
wann über euch kommt angst und enge.
Da wird man rufen mich — ich nicht erwidern,
wird emsig suchen mich — und mich nicht finden;
dafür dafs man das wissen hafste
und Jahve's furcht nicht höher hielt,
nicht willigte in meinen rath, 30
verschmähte alle meine rüge:
so soll von seines weges frucht man essen,
sich sättigen von seinen rathschlüssen! —
Denn der Einfält'gen abkehr wird sie morden,
der thoren sicherheit sie selbst verderben:
doch wer auf mich hört, der wird sicher wohnen,
und ruhe haben ohne schreck vor übel."

II. 3.

2,
1 Mein sohn! wenn meine worte du annimmst,
meine gebote birgst bei dir,
so dafs du neigst zur weisheit hin dein ohr,
dein herz hinlenkest zur vernunft;
ja wenn du rufst herbei die einsicht,
hin zur vernunft hebst deine stimme,
wenn du sie suchst wie silber auf,
und wie nach schäzen nach ihr forschest:
5 dann wirst du Jahve's furcht verstehn,
und wissen Gottes finden
— denn Jahve nur verleihet weisheit,
aus seinem munde wissen und vernunft,
und spart den Redlichen auf wahres heil,
er der ein schild den schuldlos wandelnden!
dafs er behüte die gerechten pfade
und seiner Frommen weg bewahre —;
dann wirst du recht und billigkeit verstehn,
und gradheit, jede bahn des guten
10 — denn weisheit wird ins herz dir kommen,
und wissend seyn, gefallen deiner seele —;
die überlegung wird bewahren dich,
die einsicht wird behüten dich:

4.

Um dich vor schlimmstem wege zu retten,
vor menschen die verkehrtheit reden,
die da verlassen haben der geradheit pfade
zu gehen in des dunkels wegen,
die da sich freun zu üben böses,
frohlocken ob der bösesten verkehrtheit,
15 sie welche krumme pfade wandeln
und die queerbahnen lieben; —
um dich vor fremdem weib zu retten,
der hausfremden, die glatte worte führt,

welche verlassen ihren jugendgatten
    und ihres Gottes bund vergessen hat
— denn hin zum tode sinket schon ihr haus
    und zu den Schatten ihre bahnen hin:
alle die zu ihr gehn, kehren nicht wieder,
    erreichen nicht des lebens pfade —; —
damit du gehest auf dem weg der Guten 20
    und der Gerechten pfade wahrest:
— denn redliche werden das land bewohnen,
    und unbefleckte in ihm überbleiben;
doch frevler werden aus dem land vertilgt
    und treulose aus ihm gerissen werden. —

III. 5.

Mein sohn! vergifs nicht meine lehre, 3, 1
    meine gebote hüte wohl dein herz!
denn langes alter, lebensjahre
    und heil werden sie mehren dir;
nie mögen huld und treue dich verlassen,
    binde sie fest an deinen hals,
    schreib sie auf deines herzens tafel:
so findest gnade du und guten sinn
    in Gottes und der menschen augen! —
Verlafs dich auf Jahve mit ganzem herzen, 5
    auf eigene vernunft stüze dich nicht;
in allen deinen wegen kenne ihn:
    so wird *er* ebnen deine pfade!
Sei weise nicht in deinen augen,
    fürchte Jahve und — weich' von bösem:
heilung ist das für deinen leib,
    erquickung den gebeinen dein!
ehr' Jahve mehr als dein vermögen,
    als köstlichstes all des gewinnes dein:
so füllen deine speicher sich mit sätte, 10
    von most werden die keltern überfliefsen!

6.

Die zucht Jahve's, mein sohn! verachte nicht,
und nicht verdriefse seine strafe dich:
denn welchen Jahve liebt, den strafet er,
und hat ihn gerne wie den sohn ein vater.
O heil dem menschen der gefunden weisheit,
dem menschen der vernunft gewinnt:
denn ihr erwerb ist besser als der silbers,
und mehr als lautern goldes ihr gewinn;
15 kostbarer ist sie als die perlen,
all deine liebsten sachen sind ihr nicht gleich.
Länge des lebens ist in ihrer rechten,
in ihrer linken reichthum so wie ehre;
ja ihre wege wege sind von wonne,
und alle ihre stege frieden,
ein lebensbaum sie denen die sie fassen,
und wer nur sie festhält, ist selig!
Durch weisheit gründete Jahve die erde,
stellte die himmel fest durch die vernunft;
20 durch seine einsicht spalteten sich die Urfluthen,
und träufeln lichte wolken thau.

7.

Mein sohn! nie schwinden sie aus deinen augen,
behüte wahren rath und überlegung,
auf dafs sie seien leben deiner seele
und anmuth deinem halse!
Dann wirst du sicher gehen deinen weg
und nicht anstofsen wird dein fufs;
wenn du dich legst, wirst du nicht beben,
und liegst du, wird süfs sein dein schlaf;
25 hab' keine furcht vor raschem schrecken,
und vor der frevler wetter, wann es kommt!
denn Jahve wird in deiner hoffnung seyn,
und deinen fufs vor fang bewahren.

— Weigre kein gutes dém dem es gebührt,
wenn's frei steht deiner hand zu thun!
Sag' nicht zum Nächsten: „geh und komme wieder,
und morgen will ich's geben!“ wenn du's hast.
Säe nicht wider deinen Nächsten übles,
indem er arglos bei dir wohnt.
Hadre mit einem nicht umsonst, 30
wenn er dir böses nicht zufügt.
Beneide du nicht der gewaltthat freund,
und wähle alle seine wege nicht:
denn Jahve's gräuel ist der queerkopf:
aber mit redlichen ist seine freundschaft;
der fluch Jahve's hängt an des frevlers hause,
doch der Gerechten aue segnet er.
Wenn spötter er verspottet selbst,
so gibt er gnade doch den duldern;
ehre werden die Weisen erben, 35
doch thoren hebet schande hoch.

I. 1. 1, 8—19. Die ermahnung an Jüngere mit einer anspielung auf die worte des fünften gebotes des Dekaloges zu beginnen v. 8 f., mufs damals sehr sitte gewesen seyn, da sie bei unserm dichter zum anfange aller seiner vorträge wiederkehrt 4, 1—4. 6, 20. *Da sie* v. 9, von dir angenommen wie sich aus v. 8 versteht, dein schönster schmuck werden.

Aber rasch geht die rede v. 10—19 zur ermahnung vor dem drängendsten übel jener zeit (s. 48 f.) sich zu hüten über. Sehr lockend sind die vorspiegelungen womit ergraute frevler den Jüngern zum zügellosen räuberischen leben zu verführen suchen; als wäre die schuldlosen mörderisch zu überfallen die lustigste und zugleich sicherste lebensart, so fordern sie ihn áuf v. 11 kühn auf diejenigen jagd zu machen welche, die armen tröpfe! zwar unschuldig seien (und dadurch sicher zu bleiben meinen), aber umsonst, ohne nuzen, wie eben der erfolg lehre, und lustig im augenblick sie wie lebendig und unversehrt noch in die hölle zu senden! als thäte der abgrund seinen schlund auf im Nu die zu verschlingen welche ohne krankheit und gewöhnlichen langsamen tod in ihn fahren, die in demselben augenblick gesund lebend und todt sind; reiche beute, an der auch der neuling seinen durchs loos zu bestimmenden gleichen antheil erhalte, werde der lohn seyn! v. 13 f. Doch wie entrüstet erhebt sich dagegen die ermahnung des lehrers alle gemeinschaft mit solchen leuten zu meiden, und zwar aus zwei ursachen: 1) v. 16 weil die sache viel ernster sei als diese leichtsinnigen gesellen sie schildern; denn um's kurz zu sagen, zu einer unfehlbar bösen that, zu offenem morde (der nicht ungestraft bleiben könne) eilen sie (vgl. die ganz ähnliche wendung bei derselben sache 4, 17. 6, 26); und 2) v. 17 f. weil, so lockend jene die sache als leicht und sicher darstellen, sie inderthat die gefährlichste und tödtlichste sei. Denn meinst du sie sei ungefährlich, du könnest dich vor der gefahr hüten, so bedenke das sprichwort v. 17. Wie wenn der vogel ein lockendes nez vor sich ausspannen sieht, sich also (wenn er klug wäre) davor hüten könnte, aber doch bald aus begierde nach der lockspeise blind hineinstürzt, mit dem leben die blinde gier büfsend: so sehen die frevler auch das gefährliche nez klar vor sich (denn in jeder sünde liegt schon nach dem vorgefühle eine gefahr verborgen), meinen aber klug genug zu seyn um sich davor zu hüten, die süfse lockspeise mit gewandter hand aus dem neze unversehrt herausziehen zu können — und fallen dennoch unversehens in ein nez das vielmehr stärker ist als all ihre klugheit und vorsicht; sodafs die welche anderer leben nachstellen, die sache von diesem ende aus betrachtet, eigentlich nur ihrem eignen leben nachzustellen so thöricht sind; denn umsonst meint der mensch wenn er nur erst sündige, dann durch gewandtheit die verderblichen folgen der sünde aufheben zu können. Also nimmt ungerechter gewinn (raub) wie zur vergeltung das leben dessen der ihn sucht und besizt, oder nach dem sprüchworte *geld schneidet* v. 19.

Dieser ganze sinn der bald so tief bewegten wallenden rede v. 10—19 ist so vollkommen im einzelnen wie im ganzen treffend dafs man garnicht begreift was denn besseres gesagt seyn könnte; ja man mufs sagen dafs die ermahnung sowohl als die schilderung bis in jedes einzelne wort hinein unübertrefflich ist, obwohl sie allerdings schon von den LXX sehr wenig verstanden wurde. Zwar fehlt v. 16 in den LXX und ist erst von den folgenden übersezern nachgeholt: allein dies kann nichts seyn als eine von den vielen flüchtigkeiten deren sich jener übersezer schuldig macht; oder fehlte der vers wirklich in dieses übersezers handschrift, so war diese eben an dieser wie sonst an so manchen stellen zu übel bestellt. In den zusammenhang der ganzen rede gehören diese worte v. 16 só nothwendig und dazu ist ihre farbe so treffend durch die erwähnung des *fufses* so eben v. 15 und des *blutes* von vorne an v. 11 wie zum voraus bestimmt und dieses kehrt dann v. 18 so treffend wieder, dafs sich nichts besseres sezen läfst. Auch läfst sich nicht sagen die worte seien aus B. Jes. 59, 7 *a* durch eine spätere hand hieher verschlagen: vielmehr entlehnt sie jener spätere Prophet deutlich schon ganz abgerissen aus unserer stelle, indem er zu dem worte *blut* nur das *unschuldiges* aus v. 11 und anderen bekannten redensarten hinzufügt, während es hier ganz richtig fehlt. — Auch der sinn der worte und die bilder v. 12 sind schon nach dem zu Ψ. 55, 16 gesagten klar genug, und zugleich hier so malerisch daſs sie kein dichter besser als ebenso sezen konnte; תְּמִים entspricht nur dem תֹּם Ijob 21, 23 wo ebenfalls wie hier vom sterben die rede ist; ja schon nach dem gliederbaue der zeilen kann das wort hier nur sinnlich verstanden werden. — Endlich ist es auch ganz treffend daſs die rede zuerst v. 10 sich ganz ruhig erhebt und der gedanke hier sogar nur in einer einzelnen langzeile sich ausdrückt, während er dann mit v. 11 sogleich neu beginnend sich in allem folgenden desto höher schwingt und zunächst die worte v. 15 ganz zu dem ende von v. 10 zurückkehren. Und um völlig zu begreifen wie die rede gegen das ende hin v. 16 f. immer kürzer werden und die gedanken mehr bloſs andeuten kann, muſs man hier wie in allen ähnlichen fällen bedenken daſs sie durch das maſs der wende bedingt ist und sich zusammenzieht um dieses maſs nicht zu überschreiten.

2. 1, 20—33. Die Weisheit dagegen, die ächte göttliche deren bild der dichter nun sogleich desto schärfer allen solchen verführenden stimmen gegenüber zu stellen eilt, redet nicht im geheimen oder durch falsche vorspiegelung, sondern ganz öffentlich, sogar wenn man sie nur hören will, auch mitten im lärmendsten getümmel des lebens, mit ernster mahnung zu Unweisen aller art, ob diese vielleicht noch rechter zeit sich warnen lassen durch die hier aus der tiefsten fülle des geistes strömende wahrheit v. 20—23. Redet sie doch nicht bloſs in einem bestimmten augenblicke: o nein, von jeher hat sie sehnsüchtig zu helfen und zu retten in Israel gewaltig auch zu den Unweisen so geredet. — Aber um die haltung welche der dichter dieser längeren rede der Weisheit gibt völlig zu verstehen, muſs man bedenken wie ächt dramatisch hier alles dargestellt wird. Ganz wie ein groſser Prophet vor einer volksversammlung auftritt, zurückweisend und lehrend spricht, aber nachdem er viel geredet auch wol erst innehält um zu übersehen welche wirkung seine worte machen, so hält die Weisheit nachdem sie die Leichtsinnigen wenigstens zum stehen gebracht und durch die zucht ihrer worte zu belehren gesucht hat v. 22 f. erst an, blickt sich um welche wirkung diese ihre worte gehabt; und leicht versteht sich daſs sie nach den worten v. 23 ihnen im einzelnen viele gute lehren gibt welche der dichter nur in dieser darstellung der kürze wegen aus-

läfst. Aber sie sieht dafs man nicht ernstlich auf sie hören will, schon hohnlachend sie verläfst und absichtlich die freiwillig dargebotene hülfe ihrer besten rathschläge von sich weist: so fährt sie denn v. 24 nach diesem stillstande in einer ganz andern weise fort; nun mufs ihre rede zugleich die schmerzliche und doch nothwendige drohung des endlich unvermeidlichen untergangs enthalten, eine drohung die sich zuerst zwar noch lebhaft in der anrede an sie erhebt v. 24—27, dann aber wie abgewandt von den dennoch auch diese veränderte stimme nicht hören wollenden thoren in der immer mehr zurückgezogenen ruhe des reinen gedankens sich stufenweise vollendet v. 28—31; 32 f. In das feuer der heftigen anrede mischt sich sogar ein schwer zurückzuhaltender hohn des edelsten zorns über solche verkehrtheit, ein hohn der in der sache selbst liegt: habt ihr thöricht alle hülfe und rath von mir höhnisch verworfen, mit absicht ins verderben rennend, so werde auch ich die verschmähte, meinerseits wie zur gerechten rache eure noth verhöhnen, wann die längst gedrohte und nothwendig gewordene endlich wie alles verheerender sturm euch schreckend überfällt! v. 24—27. Freilich, heifst es dann ruhiger v. 28—31, wird man dann in der stunde der gefahr die stets verschmähte weisheit eifrig suchen, aber weil nur aus angst und verworrenheit, umsonst! Denn so kommt zulezt v. 32 f. die ruhigste erklärung, noch über dem willen und der möglichkeit der weisheit zu retten steht die höhere nothwendigkeit der folgen der thaten nach der göttlichen gerechtigkeit oder der ewigen ordnung der welt, wonach die sorglos-leichtsinnige beschränkung auf sich selbst und die widerspenstigkeit gegen die weisheit zum tödtlichen verderben führen mufs, während alle güter dem der weisheit willig sein ohr leihenden zufallen: und ist die stimme dieser Weisheit überhaupt rein göttlichen sinnes und göttlicher kraft, so geht sie hier zum schlusse v. 31 f. ganz wie in die stimme Gottes über, ähnlich wie das wort des ächten Propheten mit unhemmbarer gewalt in das Gottes selbst überspringt. Und wohl ist's als klänge auch in diesen worten der himmlischen Weisheit das tief schmerzlichste gefühl der Propheten des siebenten jahrhunderts hindurch welche das „haus der Widerspenstigkeit" wie endlich Hezeqiel Israel nennt noch nachhaltig bekehren zu können verzweifelten und den unausbleiblichen sturz des Ganzen immer näher ankündigten, während sie dennoch immer wieder an das ewige recht zu erinnern nicht ermüdeten. Aber ebenso denkwürdig ist was die kunst dieser langen rede betrifft, wie ruhig sie zulezt wieder wird nachdem sie von vorne an v. 22. 23 und noch einmahl in ihrer mitte v. 27 stärker aufwallte wie man besonders an diesen dreizeiligen versen hört. — Ueber den seltenen gebrauch des willensausdruckes in תשׁבי s. *LB*. §. 229: wäre aber diese aussprache des wortes richtig, so könnte es nur bedeuten *bekehren müfst ihr euch auf meine rüge!* allein das ist nicht die sprache der Weisheit: diese kann nach v. 25. 30. 33 nur fordern dafs man sie höre und auf ihre gerechte rüge antwort gebe. Richtiger sprechen wir daher תָּשֻׁבוּ *antworten* oder *redestehen müsset ihr meiner rüge*, wie sie eben in aller ausführlichkeit anheben soll. Das *ὑπεύθυνοι γίγνεσθαι ἐλέγχοις* der LXX ist daher dem sinne nach ganz passend, nur dort im zusammenhange der rede garnicht richtig verstanden. — Ueber das —בְּ bei den begriffen des *lachens* und *spottens* v. 26 vgl. *LB*. §. 217 f. 2; das —לְ 31, 25 hat eine ganz andere bedeutung.

II. 3. 2, 1—11. Der lezte vers bahnt schon den weg zu der nun mit einem neuen anfange folgenden sehr beredten beschreibung der früchte und der endzwecke der weisheit welche hier erklärt werden soll. Wird diese gern mit dem ohre und tief bleibend mit dem herzen angenommen v. 1 f., oder vielmehr wird sie, um diefs noch schärfer zu sagen, mit dem eignen willen als freundin eingeladen (vergl. 7, 4) und wie der kostbarste schaz gesucht v. 3 f.: dann folgen von selbst wie herrliche gaben ihrer anfangenden thätigkeit ihre früchte, welche im einzelnen sind: 1) nähere einsicht in die religion, als welche ein wissen um die göttlichen dinge in sich schliefst, indem die weisheit allerdings so die religion, wo sie einmahl rege ist, durch ihr licht wechselseitig fördert vergl. s. 24, — eine unentbehrliche einsicht deren inhalt eben die frohe wahrheit ist dafs doch die lezte weisheit selbst und das wahre heil nur von Jahve als aus der ewigen quelle komme, dieselbe lezte weisheit also zu welcher allein auch der lehrer die schüler durch diese sprüche erheben will, damit auch sie unmittelbar von Jahve lernen und von ihm gelehrt und geleitet das heil gewinnen v. 5—8; — 2) nähere einsicht in alle die arten und seiten des rechts oder der angewandten religion, eine mehr irdische einsicht die leicht kommt sobald nur der reiz jener weisheit das herz gefesselt hält v. 9 f.; — 3) überlegung und vorsicht in den vielen gefahren des wirklichen lebens v. 11. Aber indem nun sofort von der andern seite auch die lezten zwecke der mit solchen gaben kommenden Weisheit erklärt werden sollen oder das wozu sie im wirklichen leben vorzüglich dienen soll, so weitet sich die rede ohne abgebrochen zu werden doch

4. v. 12—22 zu einer vollen neuen wende; und auch hier sind es vorzüglich drei zwecke welche hervorzuheben der rede am geeignetsten scheint. Bewahren soll die Weisheit 1) vor der schon 1, 10—19 weiter berührten gefahr in gemeinschaft mit solchen verkehrten menschen und störern der menschlichen gesellschaft zu gerathen wie sie oben beschrieben sind und hier wieder mit einigen neuen kräfti-

gen strichen in ihrer ganzen abscheulichkeit gezeichnet werden v. 12—15. Es ist wirklich merkwürdig dafs auch hier zuerst wieder vor solchen menschen gewarnt wird: denn dafs hier etwa dieselben menschen nur mit etwas anderen farben beschrieben werden sollen ist einleuchtend. Man sieht daraus nur noch deutlicher was in jener zeit die nächste gefahr für die Jüngeren war. Aber bewahren soll die weisheit auch 2) vor der davon sehr verschiedenen gefahr in die hände eines gleifsnerischen, den bei Gott beschwornen heiligen ehebund frevelhaft brechenden *fremden weibes* (vgl. oben s. 47) zu fallen, einer gefahr die um so gröfser ist und nicht geringer zu achten als die erstere, da das haus eines solchen weibes, so lockend es zu seyn scheint, doch inderthat sammt allen die es (verbrecherisch) besuchen schon unhemmbar ins tödliche verderben wie in die hölle selbst sinkt v. 16—19, wie dies alles unten 5, 1 ff. 6, 24 ff. 9, 18 noch viel weiter geschildert wird. Inderthat sind diese beiden hier ausgezeichneten gefahren die nächsten und allgemeinsten in welche ein Jüngerer fallen kann: aber sie sollen an der hand der Weisheit nur vermieden werden damit man — 3) vielmehr dem wege der Gerechten folge welche die verheifsung ewigen glückes haben, v. 20—22 (zurückkehrend zu v. 12, wie למען dem לְ־ v. 12. 16 entspricht): denn gewifs ist diese alte verheifsung aus der heiligen geschichte und v. 21 f. aus gedanken des Pentateuches wiederholt.

So enthalten die beiden wenden dieses ganzen haupttheiles eigentlich nur einen einzigen grofsen saz, und der grofse nachsaz von v. 5 an zerfällt wieder in mehere vielverschlungene säze, von denen die meisten mit einem כִּי schliefsen v. 6—8, v. 10, v. 18, v. 21 f.; unstreitig ein merkwürdiges beispiel so langer und so festgehaltener sazbildung. Und hält man diesen zweiten hauptabschnitt der rede mit dem ersten zusammen, so ist auch dás so treffend dafs er am schlusse v. 21 f. ebenso wie jener 1, 33 zu der höhe der Messianischen hoffnung hinanleitet, wie diese sich in solchen freieren ermahnungen wie der Weisheit selbst leicht ausdrücken konnte; denn noch bestimmtere anspielungen auf die Messianische hoffnung Israel's wären ebenso wie die nennung Israel's selbst nach dem guten gefühle der Weisen und lehrdichter jener jahrhunderte nicht am orte gewesen. Vgl. unten zu 10, 30. — Bei den worten v. 7 f. schweben dem dichter solche alte dichterworte vor wie Ψ. 18, 31. 1 Sam. 2, 9: man erkennt das auch dáran dafs sowohl מָגֵן in diesem sinne (anders 6, 11) als חָסִיד diesem dichter ebenso wie den älteren Sprüchen dieses buches völlig fremd ist. Aber auch der ausdruck v. 6 dafs Jahve *aus seinem munde* d. i. durch Orakel einsicht gebe, weist auf ein älteres dichterwort zurück, da er hier und sonst bei unserm dichter sehr einzeln dasteht. — Ueber das רִעֵת v. 10 in dieser besondern wortverbindung s. *LB.* §. 174 *g.* — Uebrigens erhellt aus v. 17 dafs die ehen nicht ohne heilige gebräuche von seiten der öffentlichen religion geschlossen wurden, obgleich der Pentateuch nichts davon sagt; vgl. die *Alterthümer* s. 268 f. der 3ten ausg.

III. c. 3. Aber vollenden kann der redner seine aufgabe nur wenn er was bei allem vorigen mehr vorausgesezt als bewiesen ist jezt ausdrücklich hervorhebt: nämlich

5. dafs die ächte weisheit zwar unter allen gütern welche sie verleihet dem menschen auch gnade vor Gott als das höchste schaffen kann, selbst aber nur dann die rechte werde wenn sie sich auch ihrerseits in wahrer religion rein zu Gott erhebe. Jenes erste ist nur wie eine fortsezung der oben c. 2 beschriebenen güter welche die Weisheit reichen kann: doch werden hier von dem neuen kräftigen anfange der ermahnung aus v. 1 f. auch noch andere erwähnt: die erhöhung sogar des äufsern lebensglückes, des langen lebens und des friedens (die farbe der worte v. 2 nach 10, 27); aber als das wichtigste folgt v. 3 f.: wer die von der Weisheit empfohlenen zwei guten mächte Huld und Treue beständig als schönsten schmuck und zugleich im tiefen herzen geschrieben trage, der werde gnade vor Gott und guten sinn vor menschen finden d. h. von Gott als der gnade, von menschen als ihres guten sinnes oder ihrer guten achtung würdig betrachtet werden; so scheint man die allerdings etwas kurz gefafste redensart v. 4 allein richtig zu verstehen, der dichter hatte dabei etwa die worte 13, 15 im gedächtnisse, wendet sie aber ganz neu an. — Die erwähnung dieser zwei göttlichen mächte führt nun desto rascher zu dem neuen welches hier v. 5—10 folgen sollte, der ermahnung só die weisheit zu suchen dafs man doch eigentlich nichts anders als die lezte göttliche weisheit selbst will; diese aber kann verneinend nur durch entäufserung seiner selbst oder durch das verzichten auf den eignen dünkel und durch das aufgeben der vorherrschenden lust an äufsern gütern, bejahend nur durch das ungetheilte auch durch leiden nicht getrübte vertrauen auf den auch unter der zucht der leiden liebenden Jahve erworben werden: wo aber diese nie wankende stets von Jahve und seinen fügungen lernende, in den göttlichen sinn getauchte Weisheit herrscht, da spriefsen die glücklichsten früchte vonselbst in menge, sodafs eben deswegen hier zugleich diese folgen in neuen reizenden bildern geschildert werden. So folgen hier die drei doppelverse v. 5 f., 7 f., 9 f., welche das volle bild sowohl des nach dieser seite hin zu thuenden als der jedesmahl daraus möglicherweise keimenden güter geben; und passend rundet sich dabei diese wende só ab dafs die hier v. 2 zu-

erst genannten güter des langen glücklichen lebens auch zulezt v. 8. 10 wieder vorgeführt werden. תְּהִי v. 8 nach §. 347 *b*; שֹׁר der *nabel* v. 8 müfste den ganzen äufsern leib bezeichnen, den innern gebeinen so entgegengesezt dafs leib und gebein hier wie sonst oft, den ganzen körper ausdrücken: doch ist dem sprachgebrauche nach richtiger mit LXX Pesch. שֵׁר = שְׁאֵר zu lesen; wirklich steht בשר ihm gleich 4, 22 und man könnte auch לִבְשָׂרְךָ als ursprüngliche lesart vermuthen.

6. Aber indem der redner im anfange der folgenden wende den ganzen sinn und zweck der vorigen noch einmahl und am stärksten v. 11 f. dáhin zusammenfafst dafs der mensch (wie schon Ijob 5, 17 gelehrt war) gerade in den von Gott gesandten leiden am meisten eine zucht nur seiner liebe sehen sollte, hebt sich seine rede schon wie zum schlusse eilend höher; und zum erstenmahle erscheint hier die seligpreisung des menschen der auf solche weise weisheit gefunden und das allgemeine lob der weisheit, welche durch kein äufseres vermögen zu erwerben selbst kostbarer ist als alle äufsern schäze v. 14 f., welche der quell ist aller wahren güter und wonnen, des lebens und glücks für die zu ihr kommenden und sie festhaltenden v. 16—18, ja welche als Jahve's gehülfin die schöpferin und erhalterin der ganzen welt ist, wie v. 19 f. nur kurz angedeutet ist, da es der dichter c. 8 weiter erklären wird. *Es spalteten sich* bei der schöpfung nach Gn. 1, 6—8 die fluthen der urwelt, sodafs nun die obere hälfte derselben, die wässrige luft, stets den befruchtenden *thau träufelt*.

7. Und wohl könnte die rede beinahe schon mit diesem sich immer steigernden lobe der Weiheit und dem lezten erhabenen hinweise auf die schöpfung selbst schliefsen, wenn dieser schlufs nicht eben nach dem gesammten ziele und zwecke gerade dieser rede doch zu hoch wäre. Diese erste rede in welcher nach s. 71 f. alle die drei grundbestandtheile der gedanken und zwecke des dichters so vollkommen in einander zerfliefsen, soll wie von anfang an 1, 8—19 so auch am ende wieder vorzüglich ermahnend seyn: und sie wird es in dieser lezten wende in der doppelten hinsicht welche bei dem dichter vorwaltet; wodurch diese wende denn auch, was bei ihr als der lezten am leichtesten möglich ist, sich länger dehnt und in zwei längere hälften zerfällt.

Zuerst v. 21—26 der nächste schlufs dieses theiles, indem die rede zu ihrem anfange v. 1—3 zurückkehrt, auch um die herrlichen folgen der weisheit noch von anderen seiten aus als in der 5ten wende sehr allgemein zu schildern. So sollen sie also, jene tugenden, weisheit und überlegung, nie vernachlässigt, von innen heil von aufsen eine zierde geben, v. 21 f. (das *masc. pl.* im verbum v. 21*a* und v. 22*a* steht weil der dichter im anfang allgemeiner die tugend und ihre lehren meint vergl. v. 1. 4, 21 f. 6, 20—22, doch bestimmter nennt er v. 21*b* zwei *fem.*): dann werde die ächte sicherheit und seligkeit kommen sowohl bei tag als bei nacht v. 22 f.; dann möge man sich nur nicht vor jähem unglück fürchten, wann dieses einmahl (es werde aber sicher kommen) wie ein ungewitter vom himmel (1, 27) die frevler überrasche, da Jahve des Treuen vertrauen füllend den fufs vor fang durchs nez, also vor verborgener gefahr ihn selbst bewahren werde v. 25 f.

Aber auch einige ermahnungen zu einzelnen tugenden folgen hier endlich noch umso passender da die ganze rede schon in der ersten wende 1, 10—19 etwas sehr einzelnes hervorgehoben hatte: es sind hier einige sprüche zur ermahnung zu dér menschenliebe welche überall sich gleichmäfsig bewährend auch keinen neid kennt gegen den glücklich scheinenden frevler v. 27—31. Doch auch diese einzelnen sprüche über verhältnisse des niedern lebens werden zum lezten schlusse v. 32—35 auf die höhere betrachtung und wahrheit zurückgeführt aus welcher sie geflossen sind, mit welcher kurzen kräftigen schilderung des ewigen göttlichen schicksals der Gerechten oder Ungerechten diese rede passend schliefst. Scharf und doch zum gegensaze dichterisch richtig stimmend, heifst es v. 34 dafs Jahve die ihn verspottenden selbst (הוא §. 314 *a*) verspotte, welches 1, 26 von der verschmähten weisheit, früher aber s. 21 von der verachteten strafe gesagt wird. Aber den erhabensten und zugleich schärfsten schlufs auch dieser betrachtung gibt v. 35 dér gedanke dafs wie Weise ewige ehre erwerben, so zwar auch die Thoren weithin und lange zeit berühmt werden können, aber nur von der schande gehoben oder berühmt gemacht, als schreckhafte beispiele der verkehrtheit und der göttlichen strafen, Jes. 65, 15.

Die worte v. 9 können nicht bedeuten *ehre Gott von deinem vermögen* und *von den erstlingen deines einkommens* ihm davon gebend: eine ermahnung zehnten und erstlinge zu geben gehört nach dem ganzen sinne unsres dichters nicht zu den ermahnungen dieser reden, und findet sich auch in dem ganzen jezigen buche nicht, weil sie etwas zu besonderes und blofs priesterliches enthalten würde. Vielmehr sagt der dichter mit diesen worten im wesentlichen nur dasselbe was er mit anderen 4, 7 f. und sonst ausdrückt. — V. 24 vergl. 4, 12. 6, 22 ist nicht nöthig mit den LXX תֵּשֵׁב für תשכב zu lesen: der gegensaz ist hier nicht das *sizen* und *stehen*, sondern das *gehen* bei tage und *liegen* in der nacht, also nur der eine der Deut. 6, 7. Ψ. 139, 2 aufgestellten gegensäze; und dafs das *perf.* im folgenden gliede dann einen der zeit nach verschiedenen sinn habe sagt der zusammenhang. Uebrigens schweben dem dichter bei v. 23 *b*. 25 *a*. nicht etwa die worte Ψ. 91, 5 *a*. 12 *b* vor: eher liefse sich das gegentheil denken. — Dafs v. 25 לאל ידיך eigentlich sei *nach der macht deiner hände*, zeigt auch v. 28 das entsprechende ויש אתך. — Die redensart mit חרש wohl aus Ijob 4, 8.

2. Cap. 4, 1 — 6, 19.

Was nun in dem ersten vortrage noch in seiner vollen ungetheiltheit zusammen war, das trennt sich in den beiden folgenden nach den beiden grofsen hälften welche sich in ihm leicht sondern können. Einzelne besondere ermahnungen und warnungen wie sie gerade für jene zeit dem dichter höchst nothwendig schienen, hatte er zwar schon in den ersten vortrag eingewebt: allein alles was er nach dieser seite hin vorzüglich einschärfen wollte, stellt er nun vielmehr in diesem zweiten vortrage wie in einer rundschau zusammen. Da wir nun schon aus der gliederung der vorigen rede wissen dafs der dichter das mannichfaltige weite gerne in der siebenzahl zusammenfafst, so kann es umso weniger auffallen dafs er hier gerade 7 einzelnheiten auszeichnet: er ermahnt der Jüngere möge sich hüten 1) vor dem wüsten räuberleben, derselben die jugend damals so leicht verlockenden gefahr wovor er auch in der ersten rede und auch dort sofort fast an ihrer spize 1, 10—19 und dann beiläufig dort noch einmahl 2, 12—15 so ernst gewarnt hatte; 2) vor dem falschen denken und reden, welches nur wie die innere seite zu jenem verkehrten wüsten leben ist; 3) vor hurerei, in deren scharfen gegensaze er vielmehr 4) zur treue in der ehe desto herzlicher ermahnt; aber weiter noch ermahnt er sich zu hüten 5) vor bürgschaftleisten; 6) vor faulheit; und 7) vor streitsucht. Dies ist der kreis einzelner ermahnungen welchen der dichter hier umschreiben will: und bedenkt man dafs unter diesen sieben die zwei ersten und die zwei mittlern wieder näher zu einander stehen ganz so wie in der gliederung der sieben wenden der vorigen rede, so wird man auch darin dieselbe kunstvolle anlage wiederfinden. Aber wie sehr dem dichter ein solcher geschlossener kreis von 7 dingen überall vorschwebe, zeigt er am ende dieses ganzen vortrages 6, 16—19 noch durch ein besonderes schlufsstückchen.

Aber weil dem dichter offenbar viel daran lag gerade diesen für seine zeit so nothwendigen kreis besonderer ermahnungen für die Jüngeren mit aller ihm möglichen wärme zu geben, so wählt er hier auch eine andere art des vortrags. Er tritt wie in einer versammlung vieler Jüngerer auf zu denen er wie ein vater zu söhnen reden will, weifs aber was er ihnen treuherzig rathen will nicht besser zu sagen als so wie es ihm einst sein eigner vater unvergefslich gesagt hat. Er war vielgeliebter einziger sohn seiner ältern: und hat nun die ermahnungen zur beglückenden lebensweisheit welche ihm einst sein wohlwollender vater gab durch sein eignes leben vollkommen bestätigt gefunden. Umso mehr kann er hoffen dafs auch die Jüngeren welchen er diese liebreichen worte neu mittheilen und empfehlen will, ihnen ihre ganze aufmerksamkeit schenken und ihren sinn sich aneignen werden. Das ist die anlage dieses vortrages: und es versteht sich nach dieser kunst vonselbst dafs alle die worte von dá an wo die rede des vaters unsres lehrers eingeleitet wird 4, 4 bis zum schlusse 6, 19 wirklich nur als von ihm jezt so wiederholt gelten sollen wie sein vater sie ihm einst mit unvergefslicher wahrheit gesagt [1]). Da der dichter nun eine erste wende rein mit dieser doppelten einleitung zu dem kreise der 7 einzelnen ermahnungen auszufüllen hat, so stellt er den kreis der 7 wenden selbst welchen er hier ebenso wie in dem vorigen vortrage zu grunde legt dádurch wieder her dafs er von den 7 besondern ermahnungen zwei in éiner wende zusammendrängt: dazu schien sich ihm am besten die 5te und 6te zu eignen. Eingeleitet aber wird eine solche einzelne warnung immer passend mit dér aufforderung bei der allgemeinen aufmerksamkeit auf die segensreiche weisheit auch auf das besondere zu achten was gerade erwähnt wird: doch wird diese aufforderung im verlaufe der reihe stufenweise immer kürzer, und verschwindet bei den lezten selbst kürzer gefafsten warnungen ganz.

Die gliederung der ganzen rede in 7 wenden jede durchschnittlich zu 10 versen ist auch hier einleuchtend und sicher genug: wenn hie und da davon eine kleine abweichung sich zeigt, so kann das nur wie zufällig seyn; und es mufs dann im einzelnen untersucht werden ob sie vom dichter selbst oder erst von späteren händen herrühre.

---

[1]) nur in der stelle 5, 7 pafst dazu nicht die mehrzahl *söhne:* allein sicher lasen hier und ebenso in der stelle der folgenden rede 7, 44 wo alles sich ganz ebenso verhält, die LXX noch richtig die einzahl. Dies umso mehr da die LXX in den worten 4, 1 f. die mehrzahl eben dá haben wo sie ursprünglich seyn mufs. Wirklich pafst die mehrzahl beide male 5, 7. 7, 24 auch in den einzelnen zusammenhang der worte nicht.

1.

4, 1 Hört, söhne, eines vaters zucht,
und merket auf zu wissen klug zu seyn:
da gute lehre ich euch gebe,
verlafst nicht meine unterweisung!
Ich war ein sohn ja meinem vater,
ein zarter einziger für meine mutter:
so lehrte er mich denn und sprach zu mir:
„festhalte dein herz meine worte,
meine gebote halt' — und du wirst leben!
5 Erwirb weisheit, erwirb vernunft,
vergifs, verwirf' nicht meines mundes worte;
verlafs sie nicht — so wird sie dich bewahren,
lieb' sie — so wird sie dich behüten!
Der weisheit anfang ist: erwirb weisheit,
mit allem deinem gut erwirb weisheit;
adle du sie — so wird sie dich erheben,
dich ehren wann du sie umschlingst,
wird deinem haupte geben holden kranz,
mit einer schmucken krone dich beschenken.

2.

10 Höre, mein sohn, und nimm an meine worte,
auf dafs dir werden viele lebensjahre!
im weg der weisheit unterwies ich dich,
ich liefs dich gehn auf der geradheit bahnen,
auf dafs im gehn dein schritt nicht enge werde,
und läufst du, du nicht strauchelest!
Halt' fest die zucht, lafs sie nicht sinken,
behüte sie, da sie dein leben ist;
auf der frevler pfad begib dich nicht,
beschreite nicht den weg der bösen:
wirf ab ihn, ziehe nicht auf ihn,
weich weit von ihm und geh vorüber!

Denn nimmer schlafen sie wenn sie nicht schaden stiften,
fort ist ihr schlaf sobald sie nicht verführen,
weil sie das brod des frevels afsen,
den wein endloser roheit trinken.
Der Gerechten pfad ist wie das helle licht
das wachsend leuchtet bis zum hohen tage;
der frevler weg ist wie in finstrer nacht,
sie wissen nicht woran sie straucheln.

3.

Mein sohn, auf meine worte merke, 20
zu meinen reden neig' dein ohr!
mögen sie deinen augen nicht entschlüpfen:
bewahre sie in deines herzens mitte!
denn leben sind sie jedem der sie findet,
und seinem ganzen leibe eine heilung.
Vor jeder hut behüte du dein herz:
denn von ihm gehen aus des lebens enden!
entferne von dir mundes-falschheit,
unredlichkeit der lippen halt dir fern;
lafs deine augen schaun gerade aus, 25
und deine wimpern eben vor dich hin!
Wäg' wohl ab deines fufses bahn,
und alle deine wege seien aufrecht;
bieg nicht zur rechten noch zur linken,
entferne deinen fufs von bösem!
(*Denn schreiten wird zur rechten dir Jahve,*
während dir links verkehrte wege sind;
und Er wird ebnen deine bahnen
und deine gänge in frieden leiten.)

4.

Mein sohn! auf meine weisheit merke, 5, 1
meiner vernunft neige dein ohr,
dafs du behaltest beste überlegungen,
und einsicht deine lippen wahren!

Denn honigseim träufeln der Fremden lippen,
und glätter ist als öl ihr gaumen:
aber ihr ausgang ist wie wermuth bitter,
scharf wie vielschneidig schwert;
5 hinfahren ihre füſse in den tod,
die hölle halten ihre schritte fest;
den lebensweg, daſs sie den nicht abwäge,
schwanken schon ihre bahnen unversehends.
Also, mein sohn, höre auf mich,
weich' nicht von meines mundes worten!
fern von ihr wähle deinen weg
und näh're dich nicht ihres hauses thüre:
daſs du nicht andern gebest deine hoheit,
deine jahre einem Unerbittlichem,
10 daſs Fremde nicht an deiner kraft satt werden,
an deinen mühen in eines Fremden hause,
und du dann stöhnst an deinem ende,
wann schwindet hin dein blut und fleisch,

5.

und sprichst: „o weh, wie haſst' ich zucht,
verachtete mein herz die strafe,
und hörte nicht auf meiner lehrer stimme
und neigte nicht zum unterricht mein ohr!
beinahe war ich schon in allem übel
mitten in der versammlung und gemeinde!"
15 Trink wasser doch von deinem borne,
und klares aus dem eignen brunnen!
laſs deine quellen nicht nach auſsen flieſsen,
auf gassen deine wasserbäche hin;
sie mögen dein nur seyn allein,
und nicht seyn Anderer mit dir:
so wird dein brunnenort gesegnet seyn,
hast freude auch von deinem jugendweibe!
Die liebliche hindin, die holde gemse —
ihr busen mache alle zeit dich trunken,

in ihrer liebe magst dich stets verlieren;
warum willst, sohn, mit Fremder dich verlieren, 20
umarmen einer hausesfremden busen?
Denn klar vor Jahve sind die wege eines,
und alle seine bahnen wäget er;
die eignen sünden fangen ihn, den frevler,
in eignen fehlers banden hängt er fest:
nur ér wird sterben, weil es fehlt an zucht,
durch seiner narrheit gröſse sich verlieren.

6.

Sohn! hast du dich verbürgt für deinen nächsten, 6, 1
handschlag gegeben für den Fremden,
bist du verstrickt in deines mundes reden,
gefangen du in deines mundes reden:
so thu doch das, mein sohn, und mach dich los,
weil in des nächsten hand du bist gekommen;
geh spute dich, und dränge deinen nächsten!
verstatte schlaf nicht deinen augen,
noch schlummer deinen wimpern,
mach los dich wie die hirschkuh von dem nez, 5
und wie der sperling von des jägers hand!

Geh zur ameise, fauler!
sieh ihre sitten an und werde weise!
sie welche keinen fürsten hat,
noch häuptling und herrscher,
welche ihr brod im sommer rüstet,
zur erntezeit einsammelt ihre speise. —
Wie lange, fauler, willst du liegen,
wann willst von deinem schlaf aufstehn?
Ein wenig schlaf, ein wenig träumereien, 10
ein wenig händefalten um zu schlummern:
so kommt wie ein landstreicher deine armuth,
dein mangel wie ein schildbewaffneter.

7.

Ein taugenichts, ein heilloser
ist wer in mundes-falschheit lebt,
wer winkt mit augen, spricht mit seinen füſsen,
wer weist mit seinen fingern,
in dessen herz verkehrtheit ist,
wer säet böses alle zeit,
läſst lauter hader los:
20 drum wird urplözlich kommen seine noth,
er plözlich seyn zerschlagen ohne heilung. —
Sechs dinge sind's die Jahve hasset,
und sieben seiner seele gräuel:
hochmüth'ge augen; truges zunge;
und hände die unschuldig blut vergieſsen;
ein herz das heillose gedanken säet;
füſse die eilig hin zum bösen laufen;
wer lügen athmet als ein falscher zeuge;
und — wer da hader zwischen brüder bringt."

1. In den worten der allgemeinen ermahnung 4, 1—9 zittert, sobald sie zur empfehlung der weisheit übergehen v. 4 ff., noch mancher gedanke aus der ersten rede nach: und doch tauchen auch hier viele neue reizende bilder und wendungen auf die weisheit im unerschöpflichen redeflusse immer neu zu empfehlen. Die einzelnen säze sind jedoch hier so wenig durch ein strengeres band aneinandergeschlossen daſs ein einzelner von den 10 versen die wir hier voraussezen dürfen leicht verloren gehen konnte: so wie in dem wortgefüge der LXX hier sogar mehr als die worte eines einzelnen der im Hebräischen erhaltenen verse ausgefallen sind. — Bei den worten v. 3 f. versteht sich leicht daſs ein glied mit so wenig vollendetem gedanken wie das erste von v. 3 ist, erst durch das zweite ergänzt wird: ein zarter und einziger, also vielgeliebter sohn der eltern. Die alte lehre selbst erscheint ganz kurz v. 4 wo die frucht der weisheit kaum mit einem jedoch sehr gewichtigen wörtchen bezeichnet wird; dann weiter v. 5 f.; endlich noch weiter und bestimmter, indem auch diese frucht vollkommner geschildert wird, v. 7—9. Zu v. 7 s. zu 1, 7; zu v. 8 vergl. 3, 35; zu v. 9 vgl. 1, 9. Das מִגֵּן v. 9 *hingeben* ist ein seltenes dichterwort von einer wurzel die wahrscheinlich *flieſsen* bedeutet vergl. מוּג. — Sonst entlehnt der dichter die farbe

der rede bei v. 5 und 7 zwar vor allem aus solchen älteren sprüchen wie 16, 16. 17, 16: allein wie im anfange dieses vortrages manches aus dem den ersten beginnenden wie unwillkürlich wiederschallt, so wendet er hier v. 7 das 1, 7 vom *anfange der weisheit* gebrauchte wort auf die zierlichste weise só um dafs er nun wie zur richtigen ergänzung sagt ihr anfang sei das strenge gebot *erwirb weisheit!* Das dort 1, 7 gesagte ist ebenso richtig wie das hier zu sagende: allein hier wo mit allen den worten v. 7—9 ammeisten hervorgehoben werden soll dafs die Weisheit zu erwerben keine mühe und kein äufseres vermögen zu hoch zu schäzen sei, beginnt die ermahnung eben am schärfsten mit dieser wendung des gedankens vom anfange.

2. Im näheren übergange zu der ersten einzelnen ermahnung kann 4, 10—12 nicht genug eingeschärft werden wie der vater diese wie alle seine früheren unterweisungen nur zu dém zwecke gebe damit der Jüngere zum ächten *leben* kommend (wie v. 10 und dann v. 13. 21 immer wieder aufs neue so wie v. 4 und 3, 2 hervorgehoben wird) auf einen *weg* komme wo er weder im gewöhnlichen lebens*gange* sich *beengt* fühle noch, wenn heftigere lebensstürme über ihn kommen im *laufen* anstofse und *strauchele*, wie dort in der sprache des Propheten Jes. 8, 14—16. 28, 13. Dies bild vom wege ist hier sogleich im eingange zu dieser ermahnung umso passender da der dichter im begriff ist vor dem halsbrecherischen wege der wüsten menschen zu warnen. Uebrigens hangen die worte v. 12 nach §. 338 *a* als den gedanken des zu thuenden schildernd noch ganz von v. 11 ab. — Nachdem aber dann mit den worten v. 13 noch einmahl die ermahnung in diesem sinne aufgenommen ist, geht die rede rasch zu dem eigentlichen gegenstande dieser wende über: den weg jener störer aller menschlichen gesellschaft zu meiden kann der redner nicht ernst und eifrig genug warnen, woraus sich die gehäuften worte v. 14 f. hinreichend erklären. Das פְּרַע v. 15 steht vom *wege* ganz in seiner ersten bedeutung des *loslassens* im sinne des *verwerfens* weil unter einem solchen wege doch nur der lebensgang und die lebensart gemeint ist; das wort ist ein auch nach 1, 25. 8, 33 bei unserm dichter beliebtes, übrigens von ihm nur aus den älteren sprüchen 13, 18. 15, 22 entlehntes. Die LXX mochten aber hier durch ein versehen פערהו finden und dafür, weil sie es nicht verstanden, מַעֲרָכוֹ vermuthen, was sie dann sehr frei mit *ἐν ᾧ ἂν τόπῳ στρατοπεδεύσωσι* wiedergaben. — Die lebensart der raubgesellen soll aber vermieden werden 1) weil solche menschen, gewöhnt durch frevelthaten sich beständig unterhalt zu verschaffen, dadurch in eine unbegrenzte gier nach bösen thaten und nach verleitung Jüngerer zu den gleichen thaten mit ihnen gerathen, eine gier die sie kaum schla-

fen läfst v. 16, und wo ist da eine rettung vor der völlig entarteten begierde? vgl. zu dem bilde v. 17 unten 9, 17 und Ijob 15, 16, und was die wendung v. 17 betrifft die worte oben 1, 16; 2) weil während der Gerechten lebenspfad dem gange der stets mit jedem weiter zum himmel hinauf gekehrten schritte mächtiger strahlenden vormittagssonne gleicht, dagegen der frevler weg wie ein weg in der finstersten nacht (אפלה) ist, wo sie unversehens straucheln und auf immer fallen müssen v. 18 f., vergl. dasselbe von denselben 2, 13; ein ausgang der schon 1, 17 f. weiter beschrieben war. Das grofsartige bild v. 18 ist schon entlehnt aus Richt. 5, 31.

3. 4, 20—27. Auch hier noch eine ähnliche vorbereitung v. 20—22, ein schon öfter ausgeführter gedanke in etwas neuer farbe. Aber an das hier gebrauchte bild vom *leben* und von dem *heilmittel* (vgl. oben s. 5) *für den ganzen leib* (wie 3, 5) schliefst sich nun sogleich leicht die hauptwarnung welche hier gegeben werden soll, die *vor aller hut* d. h. mehr als alles was man sonst sorgsam zu hüten pflegt, *das herz* vor schlechter gesinnung *zu hüten*, da vom herzen sowohl sinnlich als auch in dieser geistigen bedeutung *die enden des lebens* oder die verborgenen fäden säfte und triebe des lebens ausgehen, welches also selbst in gefahr kommt sobald jenes verschlechtert wird v. 23. Alle folgenden sprüche v. 24—27 führen diefs nur weiter aus, indem sich die gesunde gerade gesinnung sowohl im reden v. 24 als im urtheilen und sich entschliefsen v. 25 zeigen mufs. Was aber insbesondere das handeln betrifft als dás worin sich zulezt alles menschliche zusammenfafst, so beginnt zwar v. 26 f. eine dem gegenstande entsprechende ermahnung in worten welche den obigen 1, 16. 3, 6. 16. 26 sehr gleichen: allein man merkt leicht dafs ihr nach der gewohnten weise unsres dichters etwas zur vollen abrundung abgeht; und von der andern seite kommt hinzu dafs man zur vollendung dieser wende noch 2 verse mehr erwartet. Die LXX haben nun wirklich noch 2 verse mehr welche bei ihnen lauten: *ὁδοὺς γὰρ τὰς ἐκ δεξιῶν εἶδεν ὁ θεός, διεστραμμέναι δέ εἰσιν αἱ ἐξ ἀριστερῶν; αὐτὸς δὲ ὀρθὰς ποιήσει τὰς τροχιάς σου, τὰς δέ πορείας σου ἐν εἰρήνῃ προάξει*: und sosehr der leztere von diesen hier sehr passend klingt, so enthält doch der erstere eine zu den worten v. 27 so unpassende fortsezung dafs man ihn, wenn er wirklich eine genaue übersezung enthielte, völlig verwerfen müfste. Nimmt man aber an die Hebräischen worte hätten etwa só gelautet:

כִּי דֶרֶךְ מִימִין לְךָ יְהוָה | וְהַפְּכוֹת הֵם מִשְּׂמֹאלֶךָ
וְהוּא יְיַשֵּׁר מַעְגְּלֶיךָ | וַהֲלִיכֹתֶיךָ בְּשָׁלוֹם יְנַחֵם

d. i. „denn schreiten zur rechten wird dir Jahve (so dafs du dahin nicht abzubiegen brauchst), während sie (die wege) zur linken verkehrt sind (so dafs du doch gewifs deshalb dich auch dahin nicht neigen wirst), und Er wird deine bahnen ebnen und in frieden deine gänge leiten (nach 3, 6 und älteren sprüchen wie 11, 3): so wird man nichts dagegen einwenden können, die worte vielmehr auch nach stellen wie Ψ. 110, 5. 16, 8 und ammeisten hier zum schlusse sehr treffend finden.

4. und 5. C. 5. Die vorbereitung sinkt nun von den vier versen bei dem ersten gegenstande 4, 10—13 und den dreien bei dem zweiten 4, 20—22 hier schon zu zweien herab v. 1 f. Das טוב hinter מזמות welches die LXX haben können wir gut einsezen, verbunden nach §. 287 *b*. An die erwähnung der weisen lippen v. 2 schliefst sich aber gut sogleich die der gleifsnerischen v. 3 womit der redner zur hauptsache kommt, der warnung vor den lockungen eines süfsschmeichelnden aber zulezt nothwendig äufserst unglücklichen und alle ihre verehrer bald mit sich in das äufserste elend fortreifsenden weibes, welche schon so tief gesunken und der hölle anheimgefallen ist dafs sie nicht einmal mehr den weg des lebens frei bedenken oder abwägen und als bessern weg vorziehen kann, welche also, wie man kurz sagen kann, gleichsam *damit* sie jenen nicht abwäge, unversehends (לא תדע *sie weifs nicht*, zustandsaz §. 341 *b*) ihre bahnen schwanken fühlt und in die hölle sinkt v. 3—6. So ist diese warnung inderthat schon etwa ebenso kurz wie die vorigen vollendet, da die hauptsache gesagt ist: allein weil gerade diese anscheinend geringe gefahr unter einer verführerischen hülle das schlimmste verderben birgt, ein verderben welches der thörichte jüngling nirgends so leicht übersieht als hier, so beginnt der lehrer von der wichtigkeit der sache ergriffen aufs neue einen ausführlichern vortrag v. 7—23, indem er zuerst die warnung wiederholend die furchtbaren folgen dieses leichtsinnes ganz ohne bild nach der strengen wirklichkeit schildert v. 8—14, dann statt solcher tödlichen thorheit sich zu überlassen, vielmehr zur treuen ehelichen liebe ermahnt v. 15—20, endlich auch dieses einzelne verhältnifs mit einigen gewichtigen worten auf die ewige wahrheit des allgemeinen göttlichen verhältnisses zurückführt v. 21—23.

Um die schilderung der folgen des ehebruchs v. 9—14 zu begreifen, mufs man sich zuvor erinnern dafs der ehebrecher entweder nach öffentlicher anklage sogleich in der gemeinde gesteinigt wurde, welche alte strenge das gesez aufrecht erhielt Lev. 20, 10 vergl. Joh. 8, 5 und worauf als auf eine möglichkeit auch hier v. 14 angespielt wird, oder doch, wenn der mann der ehebrecherin sich besänftigen liefs, dann wenigstens entmannt und zum niedrigsten sklaven dieses mannes herabgewürdigt, ja völlig dessen willkür preisgegeben wurde, während sich vonselbst verstand dafs die ehebrecherin aus dem hause gestofsen wurde; denn dafs der beleidigte ehegatte blofs eine geldbufse oder ein lösegeld vom verbrecher annahm, galt als schimpflich vergl. 6, 26. 34 f.; vielmehr der mittlere von diesen drei möglichen fällen war der welcher nach der klaren schilderung unsrer stelle im 7ten jahrhundert oft vorkommen mochte und hier deutlich vorausgesezt wird. Und schwerlich konnte der dichter stärker warnen als indem er das traurige beispiel eines menschen vorführt der entmannt und aller ehre beraubt in niedrigster, mühseligster sklaverei vor der zeit alt und schwach geworden, nach verlust alles stolzes und aller kraft der jugend, bitter seufzt über den frühern leichtsinn seines einst jeder warnung abgewandten geistes, zufrieden nicht noch schimpflicher gleich nach der that von der gemeinde als ehebrecher gesteinigt zu seyn v. 14. Das הודך v. 9 die *hoheit* des mannes weist in diesem zusammenhange deutlich auf die mannheit hin. Auch die anderen worte v. 9—11 erlauben keine andere auffassung [1]).

Indem sich aber dadurch die rede über zwei wenden hinzieht und wesentlich zwei nach diesen sich trennende ermahnungen enthält, verschlingen sich wegen der ähnlichkeit der beiden gegenstände zwar auch die beiden wenden mehr in einander, doch beginnt die zweite dieser v. 12—14 treffend gerade mit dén worten womit der elende beklagt wie er früher der heilsamen zucht sich nicht fügte. Denn so entspricht der anfang der 5ten wende noch recht passend dem der drei vorigen, nur dafs diese ermahnung hier einmahl aus einem ganz andern munde und in anderer weise erschallt. — Umso rascher geht die rede v. 15 zur gerade entgegengesezten ermahnung über: und da jede sehnsucht oder liebe einem durste gleicht, so kann die aufforderung zur reinen liebe in der ehe vorherrschend unter dem bilde des trinkens aus einem brunnen gegeben werden; erst v. 18 *b* wird das bild verlassen. Indem vorausgesezt wird der junge mann dem diese lehren gegeben werden sei (nach der dortigen sitte) schon verheirathet, wird er also aufgefordert sich am lautern glücke des eignen hauses zu erfreuen v. 15, unter dér versicherung dafs wenn durch seine untreue das weib nicht selber zur untreue verleitet werde, oder nach dem bilde, wenn er den eignen schönen quell wohl verwahre damit er nicht nuzlos auf die strafsen fliefse, er dann allen göttlichen segen und alle menschliche erquickung genug an ihm haben werde v. 16—18, welches dann ohne dieses bild weiter gesagt

---

[1]) dafs die entmannung in diesen und ähnlichen fällen vorkam, ist bekannt; vgl. z. b. Grimm's D. Rechtsalterthümer s. 709 f.

wird v. 19 f. Man kann inderthat nicht zweifeln dafs kraft des bildes und des gedankens sowie dem fortschritt der rede gemäfs v. 16—18 so zusammenhangen müssen; denn unstreitig fehlt durch ein altes versehen אַל vor v. 16, welches noch die LXX nach ihrem ursprünglichen wortgefüge lasen, und welches man schon deswegen durchaus nicht entbehren kann weil v. 17 sichtbar nur verständlicher dasselbe aussagt was v. 16 bildlich gemeint war; v. 18 ist dann nachsaz wie 3, 8 nach §. 347 *b*. Der ausdruck *gesegnet* v. 18 spielt dann allerdings auf den kindersegen aber nur wie sonst im A. T. z. b. Ψ. 127 an; er ist in solchem falle dann überall als selbstverständlich vorauszusezen. Noch ist v. 16 nach den LXX מֵימֶיךָ für מים zu lesen; man müfste die worte sonst erklären *als wasserbäche*, was hier weniger pafst. — Denn auch das den ehebrecher treffende übel, heifst es zum schlusse v. 21—23, ist kein blindes und zufälliges: sondern da ehebruch wirklich die göttliche ordnung stört, rächt sich diese hier wie überall an dem frevler, der eben durch das absichtliche, thörichte verschmähen der wahren warnung, wenn dieses seinen gipfel erreicht hat, untergeht, die besinnung auf eine ganz andere art verlierend (שׁגה) als v. 19 gesagt war. — Ueber die wortverbindung *ihn den* frevler vgl. oben s. 6.

6. Indem nun in der 6ten wende der 5te und 6te gegenstand der ermahnung zusammengedrängt werden soll, nimmt der 5te gerade 5 zeilen ein 6, 1—5; und schon fehlt jeder allgemeinere eingang, indem die rede zu ihrem besondern gegenstande hineilt. Ueber die gefahren des bürgschaftsleistens welche gerade in jenen zeiten sehr häufig und drückend gewesen seyn müssen, vgl. die *Alterthümer* s. 246 der 3ten ausg. Gerade weil die jüngeren reicheren männer durch verkehrte begriffe von standesehre ebenso wie heute z. b. zum Duell sich zum unvorsichtigen bürgschaftsleisten so oft verleiten liefsen, sezt unser redner den fall als einen schon gegebenen voraus, und spricht nur seinen rath über ihn aus. Hat man unvorsichtig bürgschaft geleistet, so dafs sein ganzes vermögen nicht blofs sondern auch seine freiheit in der höchsten gefahr schwebt: so bleibt nichts über als ohne zeitverlust sich wieder davon loszumachen, indem man mit aller anstrengung den freund in dessen gewalt man durch die bürgschaft für ihn gekommen ist (denn der bürge wird der schuldner des schuldners), zum verzichtleisten auf das versprechen drängt. Dieser rath wird erst kürzer v. 3, dann weiter v. 4 f. gegeben. התרפס ist inderthat schon ziemlich aus diesem zusammenhange deutlich, Vulg. richtig *festina*, denn so wird es v. 4 erklärt, vgl. רהק, رفز, رمز *zittern*, rollen; das Hitp. sich zitternd, eilend bewegen. Für מִיַּד welches wohl aus dem zweiten gliede hier ein-

gedrungen, lesen LXX מִפַּח oder מִמּוֹקֵשׁ, welches wirklich sowohl ansich als auch wegen des entsprechenden bildes v. 2 besser paſst. Uebrigens konnten die worte *durch deines mundes worte* v. 2 in beiden gliedern ohne alle abwechselung wiederholt werden weil der ganze nachdruck der rede auf den an die spize beider gestellten begriffen *verstrickt* und *gefangen* liegt.

Kommt die rede aber in der zweiten hälfte v. 6—11 zur *faulheit*, so kann ihre einleitung hier sogar sehr treffend durch ernsten scherz abwechselnd werden. Sie wendet sich sofort zur anrede an den Faulen, und warnt rügend auf doppelte art: einmahl hinweisend auf das beschämende beispiel der ameise, welche ohne äuſsern antrieb durch einen herrscher fleiſsig für die zukunft sorgt v. 6—8; sodann mit neuer rüge v. 9 hinweisend auf die bittern folgen v. 10 f.: wohl möge der Faule, wähnend jezt wenigstens sei für ihn noch keine gefahr, sich immer wieder der trägheit überlassen, immer wieder wenn zum aufstehen ermuntert rufen man möge ihn nur noch ein wenig schlafen lassen, aber nur noch ein wenig dies leben fortgesezt, so komme unerwartet die volle noth des mangels selbst über ihn wie ein schwerbewaffneter räuber dessen plözlichem anfalle man nicht widerstehen könne (vgl. Ijob 15, 24). מְהַלֵּךְ im bösen sinne, LXX richtig *κακὸς ὁδοιπόρος*, wonach die Vulg. zu kurz *viator*; inderthat ist dieſs das wichtigste wort im saze, welches durch אִישׁ מָגֵן im zweiten gliede nur näher bestimmt wird, da doch der sinn fordert sich einen den einsamen wandrer überfallenden landstreicher zu denken. Woraus auch folgt daſs für כמהלך unten 24, 34 eine verdorbene lesart steht מתהלך, welches bloſs wäre: *es kommt einherschreitend.* — Die LXX haben hinter v. 8 noch 3 verse welche denselben gedanken mit dem beispiele der *biene* ausführen. Allein die art und kunst dieser verse ist deutlich von dér unsres dichters sehr verschieden; und sie stammen so deutlich von einem sehr jungen dichter und stören den ursprünglichen zusammenhang der rede unsres dichters so schwer daſs wir sie hier nicht weiter berücksichtigen. — Eher könnte der vers alt scheinen welchen sie hinter v. 11 haben: *ἐὰν δὲ ἄοκνος ᾖς, ἥξει ὥσπερ πηγὴ ὁ ἀμητός σου, ἡ δὲ ἔνδεια ὥσπερ κακὸς δρομεὺς αὐτομολήσει*: man müſste ihn jedenfalls só verbessern daſs man läse *πηγὴ ζωῆς*: allein er würde dichterisch überflüssig und nur eine abschwächung der vorigen worte und bilder seyn.

7. 6, 12—19. Der 7te einzelne gegenstand wird nun zwar ebenso kurz vorgeführt wie die beiden vorigen, nur in einer halben wende, und dazu nur in 4 versen 12—15, weil diese ganze lezte wende wie

oft kürzer bleiben und nur 8 verse umfassen soll. Hier ist jedoch nicht wie bei dem zweiten gegenstande 4, 21—27 von dér falschheit die rede welche sich erst im herzen allmälig einschleicht, sondern von der schon ganz vollendeten, deren sitte und vergnügen es ist unter der hand überall hals und feindschaft zu säen. Vor ihr glaubt der redner schliefslich nicht stark genug warnen zu können: zuerst malt er sie mit einigen sprechenden zügen ihrem wesen und ihren äufserungen nach, ihre verwerflichkeit v. 12*a* und ihre sichere strafe v. 15 kurz hinzusezend. Wessen herz einmahl voll sei von verkehrtheit oder von zerstörungslust, der lege, wie von einem unseligen dämon getrieben, in jedem augenblicke den samen zu hafs und hader aller art, indem alle unwillkürlichen bewegungen der seele und des leibes, zunge auge fufs und finger, bei ihm dazu dienen jene falschheit seines innern in zweideutiger rede im winken anstofsen und zeigen verstohlen wirken zu lassen: das ist das hier entworfene bild dieser falschheit; und damit ist diese rede völlig zu ende. Die worte v. 15 ähnlich wie 1, 27: aber *b* ganz entlehnt aus dem älteren spruche 29, 1 *b*.

Allein weil dieses lezte von den 6 lastern vor welchen der redner so ernst warnen will ihm das schlimmste aller ist, so hebt er es in der zweiten hälfte dieser wende v. 16—19 und zugleich wie zum passendsten schlusse der ganzen langen rede auf eine besonders schlagende neue weise hervor. Er zählt in rascher reihe sechs vor Jahve ewig verworfene laster auf, zu denen aber noch als das 7te und schwerste jene falschheit hinzukomme: eine etwas künstliche art etwas als das unter vielen ähnlichen wichtigste hervorzuheben, wie ein leicht auch als frage und räthsel einzukleidendes wort, indem die 6 ersten sachen genannt, die lezte und wichtigste erst nach einigem zögern (weil niemand es zu errathen scheint) hinzugesezt wird. Uebrigens kommt es bei den 6 ersten nicht sehr dárauf an dafs sie unter sich streng geordnet seien, es müssen nur einzelne stark hervorstechende fälle von lastern seyn: stolz, lüge, mord des Unschuldigen (nach 1, 11); hinterlistige gesinnung (nach 4, 23), lust zum räuberleben (nach 1, 16. 14, 14 ff.), falsches zeugnifs. Noch weniger wollte der redner hier etwa die in dieser rede oben genannten fünf laster besonders noch einmahl zusammenfassen und so ihren kreis mit diesem ärgsten schliefsen: vielmehr nennt er hier wie absichtlich noch drei der schlimmsten von welchen er oben gar nicht redete. Aber das ist allerdings deutlich dafs wenn der dichter nicht überhaupt schon die siebenzahl in seinen gliederungen liebte und wenn er nicht gerade auch in dieser rede alles nach ihr geordnet hätte, er nicht so leicht hier auf sie verfallen würde: so aber erscheint diese offene siebenzahl hier zum lezten ende der langen rede noch als ein ebenso nahe liegender wie munterer abschlufs.

3. C. 6, 20—9, 18.

Je vollständiger nun alle die einzelnen ermahnungen welche der vorredner für nöthig hielt in dem vorigen vortrage erschöpft sind, desto freier hebt sich die betrachtung in der lezten rede wieder ins allgemeine, um jezt erst ganz ungestört bei diesem zu verweilen. Da drängen sich denn die begriffe der thorheit und weisheit überhaupt nun in dichten bildern allein hervor, und alles wird noch zulezt aufgeboten um aufs kräftigste vor den verlockungen jener zu warnen, zum gehorsam gegen diese zu ermahnen. Also die thorheit und weisheit sollen hier als denkend-lebende gestalten oder personen, eine jede in ihrem innern wesen und wirken, ihrem leben und weben dargestellt werden; sie sollen sich selbst erklären um desto näher und vollkommner erkannt und richtig geschäzt zu werden. Doch wird es sichtbar dem dichter leichter die weisheit als die thorheit so versinnlicht zu schildern, wie es den Hebräischen dichtern älterer zeit geläufiger ist Jahve überall handelnd einzuführen als den Satan; auch hebt sich nach den einzelnheiten der vorigen rede passend erst allmählig die höhere darstellung, um im höchsten schwunge zu schliefsen. Wie es daher 1) darauf ankommt die gefahren und lockungen der thorheit in einem einzigen grofsen bilde zu zeichnen, wählt der redner lieber wieder ein einzelnes bild aus dem leben, das der buhlerin in der art wie schon oben 2, 16—19 und c. 5 von der schweren gefahr gehandelt wurde in die gewalt eines solchen gleifsnerischen weibes zu fallen: hier wo die rede sich höher zu heben strebt, wird nur alles, sowohl die gröfse der gefahren als der reiz der verlockungen, in einem lezten grofsen bilde zusammengefafst und in eindringlichster weise erschöpft, und schon geht die rede zulezt in die allgemeine schilderung der verführung aller thorheit über 6, 20—7, 27. Dagegen erscheint dann — 2) die weisheit selbst gleich von ihrer lichten höhe herab ihren sinn und ihre herrlichkeit und allgewalt in schwungvoller rede erklärend c. 8. So ist nun inderthat in diesen beiden stücken nur dasselbe was 1, 10—19 und 20—23 kürzer dargestellt war, zwar im grofsen wiederholt, jedoch fast in derselben losen weise: aber hier forderte doch strenger genommen der faden der rede, beide weisheit und thorheit schärfer einander gegenüberzustellen und auch diese vollkommen so allgemein wie jene einzuführen: also um alles mit schärfe sowohl als mit schwung abzuschliefsen, werden endlich — 3) beide weisheit und thorheit in einer straffen kräftigen schilderung ganz streng als personen, jede nach ihrer weise thätig, sich entgegengestellt (obwohl auch hier die thorheit nur kürzer gezeichnet wird), und zwar gerade in der lage wie eine jede zu ihrem schon bereit stehenden genusse die menschen ruft: nun wähle jeder! c. 9. So sind auch in diesem buche überhaupt die pforten zur weisheit oder zur thorheit geöffnet, beider genufs ist vorgelegt: welcher der beiden rufenden stimmen wird der jüngling folgen? — Mit eröffnung dieser aussicht hat denn wirklich die ganze einleitung zu dem buche ihr rechtes ziel erreicht; und der hörer fühlt sich am ende sanft aber unwiderstehlich zu der ganzen reinen höhe hinaufgeleitet zu welcher er hier geführt werden sollte, um den inhalt des folgenden weisheitsbuches ganz so wie es sich gebührt zu schäzen und sich anzueignen.

Wie diese dritte rede demnach doch wieder erst die krone der ganzen grofsen vorrede werden sollte und an gewicht beide vorigen überragt, so dehnt sie sich auch an umfang erst am weitesten aus und weitet sich aus sieben bis zu zehn wenden. Wie sie aber auch mit dieser gröfseren zahl nur einen ebenso altheiligen runden kreis umschreibt, so zerfallen in ihr die beiden grofsen gegensäze welche sie umspannen will sogleich wieder ebenmäfsig in die beiden hälften dieser wenden: in den 5 ersten wird vorwiegend nur die Thorheit und die Verführung, in den 5 lezten ebenso vorwiegend allein die Weisheit vorgeführt, bis beide auf ihrer höchsten spize sich in der schlufswende am engsten begegnen. Und dabei geben in der ersten hälfte die beiden ersten nur erst allgemeinere warnungen vor der verführung zur Thorheit, die drei folgenden entwerfen dagegen im engeren zusammenhange ihr bild in vollester lebendigkeit: während in der anderen hälfte die drei ersten im grofsartigsten zusammenhange einer einzigen erhabensten und strömenden rede das Innerste aller Weisheit aufschliefsen, und die beiden lezten mit den vollendetsten höchsten bildern beider gegensäze in ihrem beständigen leben und streben schliefsen. So vollkommen ist die gliederung des grofsen Ganzen.

Aber man merkt auch überall dafs unser lehrdichter doch erst mit den ebenso lebendigsten als erhabensten schilderungen dieser dritten und schönsten grofsen rede sich ganz wie in seinem liebsten stoffe bewegt. Und wenn er in der ersten hälfte die thorheit und verführung mehr nur in ihrer ganz irdischen gestalt mit aller kraft der rede und pracht der sprache vorführt, so bleibt es ewig wahr dafs ein Jüngerer der an dieser nächsten klippe strandet für alle ächte weisheit verloren ist, und dafs das Irdische in seinem ganzen verführerischen zauber zuvor richtig erkannt und richtig vermieden werden mufs wenn ein freieres und seligeres streben beginnen soll.

I. 1.

20 Bewahre, sohn, die vorschrift deines vaters,
verstofse nicht die lehre deiner mutter;
binde sie an dein herz beständig,
knüpf' sie an deinen hals und nacken!

* * * * *

Gehst du einher, wird sie dich führen;
schläfst du, wird sie bewachen dich,
und wachst du, wird *sie* mit dir sinnen.
Denn leuchte ist vorschrift, und lehre licht,
und lebensweg die züchtigenden rügen,
dich zu bewahren vor dem ärgsten weibe,
vor jener gleifsnerin, der Fremden.
25 Begehr' im herzen ihre schönheit nicht,
lafs sie durch ihre wimpern dich nicht nehmen!
denn für 'ne hure nur ein stückchen brod:
doch eines mannes weib — jägt eine theure seele.

2.

Holt einer feuer denn in seinem busen
und — seine kleider werden nicht versengt?
oder kann Einer trippeln über kohlen
und — seine füfse werden nicht gebrannt?
so wer da geht zu seines nächsten weibe;
keiner kommt frei der sie berührt.
30 Man übersieht's dem dieb nicht dafs er stiehlt
um seine gier zu stillen, weil er hungert:
getroffen, zahlt er's siebenfach,
gibt alle habe seines hauses hin.

Wer eine ehe bricht, ist sinnlos,
zerstörer eigner seele — der nur thut's:
schläge und schande wird er finden,
und seine schmach wird nie getilgt:
denn glüh'nder eifer ist des mannes grimm,
— er wird nicht verschonen an dem tag der rache;
wird nicht ansehen irgend lösegeld, 35
wird nicht einwill'gen, magst du schenken viel. — —

3.

Mein sohn, behalte meine reden, 7, 1
meine befehle magst du bei dir bergen!
meine vorschriften halt' — und lebe!
und meine lehre wie des auges apfel,
bind' sie an deine finger fest,
schreib sie auf deines herzens tafel!
(*Mein sohn! ehre Jahve'n und — du bist stark,*
und aufser ihm fürchte niemand!)
sage zur weisheit: „meine schwester du!"
und als bekanntin grüfse die vernunft,
zu wahren dich vor fremdem weibe, 5
der hausfremden welche glatte worte führt!
— Denn durch das fenster meines hauses,
hinter dem gitter blickt' ich aus:
da sah ich unter'n jüngern, bemerkte unter'n söhnen
einen sinnlosen jüngling
ziehnd durch die gasse neben einer ecke
und hin zu ihrem hause schreitend,
in dämmerung wenn sich der tag verliert,
in nacht und dunkels schwarzer mitte.

4.

Und sieh, ein weib begegnet ihm,
im hurenanzug und heimtückischen herzens 10
(die lärmend und bösartig war,
in ihrem hause nimmer ruh'nden fufses,

bald vor der thür, bald in den gassen,
    und neben jeder ecke lauernd):
die fasset ihn und küsset ihn,
    und frecher stirn sprach sie zu ihm:
„dankopfer hab' ich zu verzehren,
    heut löste ich meine gelübde:
15 drum ging ich aus entgegen dir,
    dein angesicht zu suchen — und fand dich!
Mit teppichen hab' ich geschmückt mein bette,
    mit bunten decken von Aegypt'schem garn;
habe besprengt mein lager mit Myrrhen,
    mit Aloe und Kinnamon:
auf, laſs uns liebetrunken bis zum morgen,
    vergnügt uns seyn in liebeleien!
Der mann ist ja im hause nicht,
    ist eines fernen wegs gezogen;
20 den beutel geldes nahm er mit,
    wird gegen vollmondstag heimkommen!"

5.

Sie beugte ihn durch ihrer lehre fülle,
    durch ihre lippenglätte treibt sie ihn,
der da ihr folgt auf einen ruck,
    so wie ein stier zur schlachtbank kommt,
    und wie fuſsangeln sind narren zu strafen,
bis daſs ein pfeil zerspaltet seine leber
    so wie der sperling eilt in schlingen
    nicht wissend daſs es um sein leben ist. —
Also, mein sohn, höre auf mich,
    und merk' auf meines mundes reden!
25 Nicht weiche ab dein herz zu ihren wegen,
    verirr' dich nicht in ihren stegen:
denn viel erschlagene hat sie gefällt,
    und zahlreich sind alle die sie gemordet;
wege zur hölle ist ihr haus,
    hinab in todes kammern fahrend. — —

II. 6.

Wie? ruft die weisheit nicht, 8, 1
und läfst vernunft nicht ihre stimme?
vorn auf den höhen an dem wege,
wo viele stege, hat sie ihren stand,
neben den thoren, wo die stadt sich mündet,
am eingang in die pforten wird sie laut:
„Euch rufe ich, ihr männer, zu,
und laut euch menschensöhnen:
verstehet, ihr einfält'ge, klugheit, 5
und thoren, fafst verständ'ges herz!
Hört! denn ich rede hellklare worte,
was meine lippen öffnen ist geradheit:
denn wahrheit sinnt mein gaumen,
und meiner lippen gräul ist frevel,
in recht bestehn all' meines mundes reden,
nichts falsches ist darin und nichts unredlich;
sie alle sind klar dem verständigen,
und grade denen welche wissen fanden.
Nehmt meine zucht an, und nicht silber, 10
und wissen lieber als das feinste gold!
denn besser ist weisheit als perlen,
und all' die liebsten sachen sind ihr nicht gleich. —

7.

Ich, die weisheit, bin gewöhnt an klugheit,
finde jeder vorsicht wissenschaft;
Jahve fürchten — das ist böses hassen:
hochmuth stolz und bösen wandel,
aller der verkehrtheit mund hasse ich.
Mein ist rath und feste einsicht,
ich, vernunft, mein ist die kraft:
durch mich sind die kön'ge kön'ge, 15
und entscheiden höchste herrscher recht,
durch mich sind die fürsten fürsten,
und sind edel alle erden-richter;

ich, die jene lieben, liebe,
die mich emsig suchen, finden mich.
Reichthum, ehre ist bei mir,
stolze schäze und gerechtigkeit;
meine frucht ist mehr als alles gold,
mein ertrag mehr als das feinste silber:
20 auf dem pfad des rechtes walle ich,
mitten auf geraden stegen,
dafs ich meinen freunden habe erbe
und anfülle ihre vorrathshäuser. —

8.

Jahve schuf mich anfangs seiner schöpfung,
noch vor seinen werken längst:
von Ur her ward ich gewirkt, von anfang,
von der erde uranfängen her;
ehe noch meeresfluthen entstand ich,
als noch keine wasserschwere quellen,
25 bevor die berge waren eingesenkt,
vor den hügeln entstand ich,
ehe er gebildet land und triften
und der fruchtbaren erdschollen haufen.
Als er die himmel stellte, da war ich,
als er zog den kreis auf meeres fläche;
als er wolken festigte da oben,
als der meerfluth quellen wurden fest,
als dem meere er sezte Seine grenze
und dafs das wasser Sein gebot nicht bräche,
als der erde gründe er bestimmte:
30 da war ich bei ihm als künstlerin,
war ihm ein vergnügen tag für tag,
spielend vor ihm alle zeit, —
die ich spiele nun mit seinem erdkreis,
mein vergnügen hab' an menschenkindern. —

9 *a*.

Also, ihr söhne, hört auf mich,
  und selig die bewahren meine wege!
höret die zucht und werdet weise,
  und werfet sie nicht ab! —
O sel'ger mensch der hört auf mich,
  an meiner thür zu wachen tag für tag,
  zu hüten meiner thore pfosten!
denn wer mich findet, hat gefunden leben 35
  und wohlgefallen von Jahve gewonnen:
aber wer mich verfehlt, schadet sich selbst;
  all' meine hasser lieben nur den tod!" — —

9 *b*.

Die weisheit hat gebaut ihr haus, 9, 1
  gehauen ihre sieben säulen;
ihr stück geschlachtet, ihren wein gemischt,
  gerüstet auch schon ihren tisch,
entsendet ihre mägde, also rufend
  über den rücken der höh'n der stadt:
„wer ist einfältig, kehr' hier ein!
  wer sinnlos" sagt sie ihm;
„kommt, speist von meiner speise, 5
  und trinkt vom weine den ich hab' gemischt:
verlasset kinderei'n und — lebt,
  und schreitet auf dem wege der vernunft!

10 *a*.

Wer spötter züchtigt, holt sich selber schande,
  wer frevler strafet, seine eigne schmach:
straf' nicht den spötter, dafs er dich nicht hasse,
  strafe den weisen: so wird er dich lieben;
dem weisen gib du, so wird er noch weiser,
  lehr' den Gerechten, so wird er weiter lernen!

10 der weisheit anfang ist die furcht Jahve's,
den Heiligen erkennen ist vernunft.
Denn durch mich werden deine tage mehr,
und wachsen lebensjahre dir;
bist weise du, so bist du's dir,
und spottest du, wirst du allein es tragen." —

10 *b*.

Das weib der thorheit, welche ohne ruhe,
der albernheit, und weifs nicht was?
die sezet sich vor ihres hauses thür,
hoch auf den thron der höh'n der stadt,
15 um einzuladen die des weges ziehn,
die ihre graden pfade gehn:
„wer ist einfältig, kehr' hier ein,
und sinnlos!" also sagt sie ihm.
Gestohlnes wasser ist so süfs,
und heimlich brod so lieblich:
und er weifs nicht dafs die Schatten dorten sind,
in der hölle thälern ihre eingelad'nen!

1. 6, 20—26. Der ruhige anfang v. 20 ist ganz so wie dér der ersten rede 1, 8; auch die bilder v. 21 ganz wie dort 1, 9. Allein vor v. 22 müssen deutlich einige zeilen ausgefallen seyn: denn die schöne und schon so belebte schilderung wie die weisheit den menschen in allen seinen lebenslagen wie die beste treueste und munterste freundin begleiten werde sobald der mensch (wie man ergänzen mufs) nur sie als solche freundin suche (vgl. 3, 24), steht v. 22 viel zu abgerissen um blofs aus den vorigen worten v. 20 f. leicht verstanden zu werden. Der begriff der freundin ist v. 20f. nicht gegeben: und dazu mufs man die worte v. 22 umso mehr auf die *weisheit* selbst und auf sie allein beziehen, da v. 20 zwar von einer *vorschrift* und einer *lehre* gesprochen wird, beide aber als die der beiden Aeltern vielmehr eng zu verbinden sind und daher auch v. 21 ebenso wie 7, 2 f. als eine mehrheit zusammengefafst werden. Zwar kehrt die rede dann v. 23 mit nachdruck auf diese vorn genannten zwei dinge vorschrift und lehre zurück, aber doch wieder nur so dafs sie enge zusammengefafst werden. Wir müssen daher annehmen dafs vor v. 22 mehere zeilen ausgefallen sind wo die rede auf

die weisheit überging: und dasselbe bestätigt sich vollkommen durch den ganz gleichen eingang 7, 1—5 vgl. hier mit v. 20—24; worte wie dort v. 4, nur hier als im anfange der rede wol noch etwas ausführlicher, mufsten vor v. 22 stehen. Von einer ganz anderen seite aus bestätigt sich dasselbe auch wenn man bedenkt dafs diese wende jezt nur 7 verse hat, während wir 10 zu erwarten haben. Das תְּשִׂיחֶךָ ist eig. *sie wird dich besinnen* (wie wir wenigstens sagen ich besinne *mich*) d. i. voll sinn, voll von rath und besonnenheit machen, dafs du nie gedanken und rathlos seiest.

Doch das doppelte grundwort *vorschrift* und *lehre* wird nun v. 23 aus dem anfange v. 20 sofort wieder aufgenommen um die rede auf das zu leiten was hier besonders gesagt werden sollte: sie seien mit allen den züchtigenden rügen besonders dázu erleuchtend und zum leben führend um den jüngling vor dem *ärgsten weibe* unter allen (§. 287 *b*), der *gleifsnerischen* ehebrecherin zu bewahren; denn dafs חֶלְקַת nicht von einem substantiv חֶלְקָה *glätte* herkomme, als wäre der sinn *vor der züngenglätte einer Fremden,* beweist ebenso der Parallelismus, wonach man hier kein Abstractum erwartet, als der *st. abs.* לָשׁוֹן; also kommt es nach §. 212 *c* vom Adjectiv חָלָק 5, 3 vergl. 7, 21: *vor der von glatter zunge* = der gleifsnerin, *der Fremden* d. h. frau eines andern mannes dem sie untreu wird, richtig Symm. Theod. *ἀπὸ λειογλώσσου ξένης;* anders aber die accente, wonach der sinn wäre: *vor glätte einer fremden zunge.* — So nun mitten in den gegenstand der rede gekommen, beginnt die ermahnung vor solcher thorheit zwar noch im umfange dieser wende, aber des hier noch übrigen engen raumes wegen nur noch mit einer kurzen und schärfsten ausmalung der nothwendig verderblichsten folgen v. 25 f. Um alles schlimmste gleich von vorn zu sagen, heifst es also v. 26, für eine blofse buhlerin gebe man *sogar* nur (עַד) ein bischen brod; sie sei wenn es seyn müsse, auch mit einem stückchen brod zufrieden, da sie nur elenden lebensunterhalt erjage: aber ein eheweib jage eine theure seele oder das kostbare, durch nichts einzulösende leben des von ihr getäuschten, wenn nicht immer ihrer nächsten absicht, doch den nächsten folgen nach, indem ihr mann (wie man schon aus 5, 9—14 des weiteren weifs) den thörichten jüngling entweder gleich tödten läfst, oder was eben so schlimm, ihn entmannt zu seinem niedrigsten sklaven macht, der sich mit keinem auch noch so hohem lösegelde loskaufen kann, sondern dessen seele ganz der willkühr des wüthenden ehemannes preisgegeben ist. Dafs diefs der allein richtige sinn der worte v. 26 sei, mufs jedem einleuchten der sie sowohl in ihrem zusammenhange ansich als in dém dieser ganzen rede zu verstehen sich bemühet; und schon die LXX gibt den sinn etwas frei aber richtig só *τιμὴ γὰρ πόρνης ὅση καὶ ἑνὸς ἄρτου, γυνὴ δὲ ἀνδρῶν τιμίας ψυχὰς ἀγρεύει*, was Hieronymus seiner gewohnheit nach zierlicher und etwas enger ans Hebräische sich anschliefsend só wiedergibt *pretium scorti vix est unius panis, mulier autem viri pretiosam animam capit*, lezteres wort aber ganz unpassend wählend.

2. Die folgende wende 6, 27—35 kann daher nun desto ruhiger beginnend zeigen wie es ja auch gar nicht anders seyn könne bei so nothwendig tödlicher sache: oder ob man unverlezt mit feuer (Jes. 30, 14) und glühenden kohlen spielen könne? v. 27—29; auch der blofs aus hunger stehlende dieb werde ja in viel geringerer ja vielleicht verzeihlicher sache empfindlich gestraft, er müsse siebenfach d. h. vielfach alles erstatten, oft seine ganze habe zusezend (vergl. das genauere geschichtliche in den *Alterthümern* s. 248 der 3ten ausg): wie viel mehr müsse der leichtsinnige ehebrecher aufs härteste gestraft werden! v. 30 f. Also der schlufs: nur wer sich selbst vernichten wolle, thue dergleichen v. 32—35. Mit den lezten worten v. 34 f. gibt der dichter beiläufig selbst die beste erklärung zu seinen früheren 5, 8—14; und das כִּי v. 35 *b* ist nach §. 362 *b* zu verstehen. Die worte dieser ganzen wende sind damit zwar deutlich genug, denn בּוּז לְ־ v. 30 steht hier eben nur in seiner nächsten bedeutung des *übersehens*, woraus erst die des *verachtens* folgt. Nur hinter v. 30 f. vermifst man eine nähere bezeichnung der stufe um wieviel weniger ein ehebrecher straflos bleiben könne; denn die worte v. 32 lauten in diesem zusammenhange dazu schon etwas zu kühl und zu abgerissen, während hier gerade der rechte mittelort der ganzen wende ist um den am ende der vorigen v. 26 hervorgehobenen gegensaz am schärfsten zu bezeichnen. Da nun die wende wie sie jezt ist nur 9 statt 10 verse umfafst, so haben wir auch deswegen grund den ausfall eines verses hinter v. 31 mit recht zu vermuthen.

3. Wie ergriffen von der vorstellung dieser schlimmsten folge und im begriffe nun in einer längeren ausführung dasselbe nur noch dringender einzuschärfen, fällt der redner in die warme empfehlung der weisheit zur verhütung solcher gefahr zurück 7, 1—5: und wie fast dieselben worte oben 6, 20—24 dienen auch diese nur zur einleitung der nun folgenden schilderung der verlockungen eines solchen weibes selbst. Diese verlockungen und die so nahe gefahr ihnen zu erliegen aus dem vollen leben zu schildern, wählt der redner die erzählung eines von ihm selbst erlebten einzelnen falles, dessen klare wahrheit statt alles andern dienen kann. Zum verführtwerden gehört aber wesentlich als erste bedingung jene zwar noch unent-

schiedene, aber schon von bösen vorstellungen gequälte, halbfinstere, nach einer gelegenheit der sünde lüstern umschauende gesinnung, jener verworrene mittelzustand der dem bösen entschlusse vorhergeht und ohne welchen auch die stärksten lockungen ohne erfolg wären. Also wird v. 6—9 ein jüngling vorgeführt zwar schon lüstern, am schon tief finster werdenden abend durch die gassen gehend, zuerst stehen bleibend neben einer ecke (wie ängstlich nach beiden seiten spähend, ebenso wie es nach v. 12 auch die ehebrecherin ihrerseits thut), dann aber wie mit rascher entschlossenheit (denn er sieht sie nun schon von ferne ihm entgegenkommend) hin auf ihr (der ihm schon bekannten ehebrecherin) haus langsam losgehend. — Diese malerische schilderung des verhaltens des jungen herrn ehebrechers v. 7—9 ist so ganz in sich vollendet; und es ergibt sich aus dem richtigen verständnisse der worte wie wenig man recht hat mit der Massôra v. 8 פִּנָּהּ zu lesen als solle es *ihre ecke* bedeuten, vgl. §. 257 *d*. Da nun v. 10 besser zu der folgenden wende gezogen wird als welche dann passend allein der vollkommensten schilderung des wesens und handelns der hier allein wichtigsten erscheinung gewidmet ist, so würde unsre wende nur 9 verse haben. Es liegt jedoch kein grund vor die zeile welche die LXX hinter v. 1 hatten *υἱέ τίμα τὸν κυριὸν καὶ ἰσχύσεις, πλὴν δὲ αὐτοῦ μὴ φοβοῦ ἄλλον* d. i.:

בְּנִי כַּבֵּד אֶת יְהוָה וֶחֱזָק | וּמִבַּלְעָדָיו אַל תִּירָא

(B. Jes. 45, 21) für unächt zu halten, da vielmehr der dichter hier als an passendster stelle auf die worte 1, 7. 3, 7 zurückkommt. Man könnte höchstens dagegen sagen die LXX übersezten יְהוָה in diesen reden meist durch *ὁ θεός*: aber sie haben auch 1, 7. 8, 22 und sonst *κύριος;* und חֲזַק finde sich sonst in c. 1—9 nicht: aber es ist ein in solchem zusammenhange zu gewöhnliches wort als dafs es dem dichter nicht ganz geläufig gewesen wäre. Doch würden die worte allerdings ihrer haltung nach noch besser hinter v. 3 passen. — Das bild vom *binden auf die finger* v. 3 ist von den fingerringen entlehnt, und wechselt so ganz treffend mit dem von den hälsbändern 3, 3; und die worte v. 4 *a* sind fast wörtlich aus Ijob 17, 14 entlehnt.

4. Ungemein lebhaft ist die schilderung wie die ehebrecherin den zögernden ebenso durch schmeichelnde freundlichkeit und das vorspiel der lust überrascht wie durch die fülle ihrer beredten vorspiegelungen verlockt: welches als munttheil des bildes hier am weitesten ausgeführt wird 7, 10—20. Sehr lebhaft ist schon die malerei ihres eiligen erscheinens: noch v. 13 *a* wird als fortsezung zu v. 10 *a* (nach §. 342 *b*) im *praes.* erzählt, erst v. 13 *b* fällt die gewöhnliche erzählungsfarbe wieder ein. Doch wird in der eile noch zuvor zur

erklärung des folgenden die beschreibung ihres zustandes eingeschaltet, zunächst wie sie damals war v. 10 *b:* im gewöhnlichen hurenanzuge (שית *accus.* nach §. 279 *d*) um unkenntlich zu seyn, aber *heimtückischen herzens*, weil sie wol weifs wie wenig sie eine gemeine hure sei wie sie sich kleidet, und doch den jüngeren mann welcher wie sie ebenso wohl weifs selbst ehemann ist durch vorspiegelungen aller art verführen will. Das נצורת verstehen die Alten activ נֹצֶרֶת *das herz* der jünglinge zu verführen *trachtend*, aber weniger passend nach worten und zusammenhang: es ist vielmehr nach §. 187 *b* von צרר (צור) stammend *versteckt* (eigentlich *eingeengt*) und erst daher *arglistig*, und ist dasselbe wort mit jenem Jes. 1, 8. B. Jes. 48, 6. 65, 4. Dann aber wird v. 11 f. noch zuvor eingeschaltet wie dieser fall bei ihr nicht (wie bei dem jungen ehemanne) der erste der art war, sondern wie sie gewöhnlich (vgl. v. 26) so lebte, unruhigen und bösartigen, unhäuslichen flatterhaften sinnes, schon geübt im laster. Die vorspiegelungen selbst v. 14—20 suchen ebenso zur lust zu stacheln wie jede etwaige bedenklichkeit zu entfernen: als wäre nicht die geringste gefahr, erklärt sie an einem freudentage wo sie nach lösung der gelübde das übrige opferfleisch in üppigem mahle zu verzehren habe, ihn gerade vor allen andern aufgesucht zu haben v. 14 f., schildert mit wollust wie alles bereit sei aufs beste v. 16—18 und fügt schliefslich noch, wie um etwas ziemlich unwichtiges nachzuholen, die versicherung hinzu der einzige der stören könne sei auf einer weiten geschäftsreise begriffen, von der er erst nach vielen tagen um den *vollmond* (vergl. zu Ψ. 81, wahrscheinlich war es damals im lezten viertel v. 9) zurückkehren werde v. 19 f.

6. 7, 21—27. Solchen vorspiegelungen nun kann der schon früher halb zur sünde geneigte dauernd nicht widerstehen: noch einen augenblick schwachen zögerns und unklaren bedenkens — und voll ist im nächsten das maafs der begier, indem er *der lehre* (o welche lehre!) der buhlerin folgt. Aber hier wo als das lezte und höchste zu schildern ist wie im erfolge die göttliche nothwendigkeit mit ihrer heiligen macht hervortrete, da weitet sich unversehens bild und aussicht: über das einzelne niedere oder irdische wird ein schleier geworfen und nur das reine göttliche leuchtet durch; da sehen wir nicht mehr das ende blofs dieses éinen thoren, sondern das eines jeden irgend wie der thorheit nachgebenden. Jeder der das volle maafs der thorheit in sich aufgenommen, rennt so augenblicklich in sein verderben, schon ganz blind und willenlos wie der zur schlachtbank geführte dumme stier, und unvorsichtig in die gefahr eilend wie wenn eine verborgene fufsangel plözlich sich aufthut zur strafe eines unvorsichtigen narren der geht wohin er nicht gehen

sollte v. 22 (fafst man so עכס, was man unstreitig der wurzel nach kann, von der fufsangel oder dem fufsneze für gröfsere thiere und menschen, so ist das bild deutlich) — bis unversehends *ein pfeil* vom himmel seine leber spaltet das leben endigend Ijob 16, 13. 20, 25, welches alles denn etwa so ist wie wenn ein vogel aus begierde nach der lockspeise 1, 17 ins nez eilt, ohne zu wissen dafs es mit gefahr seiner seele ist! v. 23. בנפשו ist *mit* seiner seele als dem mittel welches im kampfe draufgeht = mit gefahr seiner seele s. die stellen in der Kr. Gr. s. 607, ebenso oft ب bei Arab. dichtern. Ueber die fufsangeln vgl. *Rüppel's* reisen in Nubien s. 71; und über ihr bild auf alten kunstwerken *Otf. Müller's* Archäologie der Kunst s. 591 2ter ausg. Alle die worte v. 21—23 sind so vollkommen passend, und erlauben keinen andern sinn. Ja die drei verschiedenen bilder welche sich noch zum vollen schlusse aber jedes erst richtig an seinem orte folgend häufen, sind auch gerade in dieser aufeinanderfolge unübertrefflich malerisch treffend. Man sieht da zuerst den dummen stier der sich endlich auf einen ruck forttreiben läfst er weifs nicht wohin; man sieht alsdann wie bei dem eingange zum hause des weibes die fufsangel in welcher der betrogene schon gefangen wird; und man erblickt endlich den lezten todespfeil der ihn im inneren hause selbst erreicht als wäre er doch nicht blofs jener stier der sich treiben und jener unglückliche der sich fangen läfst sondern der durch eigne gier nach der lockspeise blind getriebene vogel im neze. — Und noch höher steigert sich nun v. 24—27 im lezten schlusse des ganzen wo der redner zur ermahnung zurückkehrt, dieser allgemeinere sinn; jenes weib ist das bild aller verlockenden thorheit geworden, und nur so kann es hier heifsen dafs sie viele schon erschlagen habe, sie deren haus niemand betrete ohne durch die dahin führenden wege zugleich in die hölle zu fahren, wie 9, 18; etwas schwächer dasselbe schon 2, 18 f. 5, 5 f.

Diese ganze erste hälfte der lezten grofsen rede gibt uns so auch ein denkwürdiges beispiel wie die rede von der schilderung ganz gemeiner irdischer und sinnlicher verhältnisse unvermerkt in das höhere gebiet allgemein gültiger und ewiger wahrheiten übergehen kann. Nichts ist geschichtlich wahrer und kann nach der wirklichen einzelnen erfahrung anschaulicher gezeichnet werden als jenes verhalten der alten verknöcherten buhlerin zu dem jungen unerfahrenen manne (vgl. auch ganz ähnliche beispiele in Hammer-Zinsenling's 1001 Nacht II. s. 225 f. III. s. 130): man wird hier ganz versenkt in die volle einzelne wirklichkeit, zumahl der dichter selbst beiläufig sagt er habe das alles selbst gesehen.

Allein kaum ist man dem dichter in dieses lebensbild tief genug gefolgt, so drehet er rasch den griffel um und führt uns unvermerkt aber unwiderstehlich in jenes höhere gebiet hinauf wo aller qualm der sinnlichkeit verschwindet und nur die reinste himmlische luft noch zu athmen ist, auch um von dieser höhe aus alles niedere einzelne desto reiner übersehen zu können. In dieser weise ist unser lehrdichter wirklich schon ganz der vorgänger des Evangelischen Parabelndichters: obwohl die weise wie die Propheten von dem einzelnen vorfalle den sie lehrartig einführen rasch zur vollen höhe der sache die zuhörer hinaufzuführen wissen (wie Jes. 5, 1—6; 7) auch hierin unserm dichter das beispiel geben konnte. Aber eben deshalb kann auch nichts so verkehrt seyn als hier ebenso wie in den NTlichen Parabeln die erzählung des einzelnen erlebnisses selbst in das höhere gebiet aufhimmeln zu wollen: die Allégorie weiſs nur beide verschiedene gebiete zu verwirren, zerstört sowohl das sinnliche mit seinem sinnlichen als das geistige mit seinem göttlichen reize, und läſst nichts übrig als allgemeine verwirrung.

Aber indem die rede gegen das ende der fünften wende sich weit über das einzelne bild zum allgemeinen aller ebenso verführerischen wie verderblichen Thorheit erhebt, ist auch der weg schon gebahnt um von derselben höhe aus ihr dás der Weisheit gegenüberzustellen. Sieht man welches weite unglück die Thorheit anrichtet, so drängt sich vonselbst die frage auf: ist keine Weisheit da? Aber sie ist da, und schon kann man sie reden hören. — Und indem so dieser ganze vortrag sich hier scharf in seine zwei hälften spaltet, kann die 5te wende als den schluſs der ersten bezeichnend, sehr wohl etwas kürzer bleiben, wie die schluſswende auch sonst nach I *a* s. 169 f. nicht selten etwas rascher zu ende kommt. Ja man kann sagen es sei das hier umso passender damit das zerfallen dieser rede in ihre zwei hälften an dieser stelle desto deutlicher werde.

Denn es ist wirklich als habe der dichter zulezt geeilt an diese stelle zu kommen wo er endlich ungestört sogleich vom höchsten standorte aus die Weisheit alles in reichster fülle aussprechen lassen kann was wie in ihrem tiefsten willen und in ihrem reinsten bewuſstseyn liegt. Daſs sie eine macht sei und dies noch in einem ganz andern sinne als die Thorheit, eine reine geistige macht, ja eine macht welche in die ewigen tiefen Gottes selbst zurückgeht und ohne welche die ganze welt weder geschaffen wäre noch jezt immerfort bestehen könnte, eine macht die troz aller ihrer höhe und herrlichkeit sich dennoch immer auch den menschen mittheilen möchte und die sie wohl zu leiten im vereine mit der wahren religion allein fähig ist — das alles hat er längst in sich aufs lebendigste erkannt: so läfst er sie denn hier mit aller dér lebendigkeit und wahrheit in welcher sie in ihm selbst lebt, aus ihrem eignen tiefsten willen und sinne heraus reden, und alles versuchen was sie vermag die menschen an sich zu ziehen. Wie aus der tiefe des ächten Propheten Gott mit seiner unhemmbaren macht und doch in aller ruhigen klarheit heraus redet, so strömt hier die stimme der Weisheit aus dem herzen ihres begeisterten dolmetschers, als habe er sie selbst gesehen wie sie einer Prophetin gleich mitten an allen orten redet wo ihre stimme ammeisten gehört werden sollte.

Allein so hoch die Weisheit steht, sie kann doch nur 1) sich mit aller ihrer lautern klarheit und gutem willen der freiheit der menschen darbieten, ob sie ihre güter sich aneignen wollen oder nicht; 2) diese ihre güter selbst näher darlegen, wie sie ewig allen freistehen welche sie gewinnen wollen; und 3) zurück in alle vergangenheit blickend ihre bedeutung vor aller welt und in Gott selbst sowie ihr göttlich-menschliches verhältnifs überhaupt erläutern. So zerfällt denn diese ihre lange rede vonselbst in drei wenden welche bei der ruhe die sie troz aller inneren bewegung behauptet so gleichmäfsig als möglich sind; und redet sie anfangs wo sie die menschen erst an sich ruft und zu fesseln sucht lebhafter ermunternd und antreibend, so zieht sie sich je länger sie redet und all ihr Innerstes zu erschöpfen sucht desto mehr in ihre höhere ruhe und würde zurück, als verlöre sie sich selbst immer tiefer in der seligen betrachtung ihres erhabenen ewigen wesens, und schwänge sich immer weiter über alle die menschen in ihre eigensten lichten räume empor, bis sie mit éinem schnellen sprunge wieder wie mit ihrem ganzen herzen mitten unter ihnen steht. Das ist die anlage und ausführung dieser rede.

6. 8, 1—11. Vergleicht man mit der beschreibung des standes welchen die redende Weisheit hier v. 2 f. einnimmt, die ähnliche beschreibung 1, 20 f., so findet man bei aller ähnlichkeit doch eine noch denkwürdigere verschiedenheit. Dort weisen alle worte, wiesehr auch durch den schwung der dichterischen rede sich häufend, nur auf die örter der gewöhnlichen volksversammlungen an den öffentlichen pläzen in Jerusalem hin: hier aber wird deutlich noch etwas mehr ausgesagt. Denn man kann nicht zweifeln dafs die worte

v. 3 zwar nur dieselben örtlichkeiten schildern welche dort gemeint sind, die andern aber v. 2 auf kreuzwege hinweisen welche vorne auf den höhen der stadt sich gebildet haben; und da nach dem zu 1, 21 bemerkten unstreitig Jerusalem gemeint ist, so denken wir treffend an die räume an den abhängen des Tempelberges wo auch nach anderen spuren Propheten gerne auftraten und Weise ihre schulen eröffneten; vgl. die *Geschichte des volkes Israel* V. s. 391. Zwar könnte man, da das wort בְּרֹאשׁ v. 2 dort 1, 21 wiederkehrt, vermuthen hier sei für מְרֹמִים vielmehr wie dort הֹמִיּוֹת zu lesen: allein schon die worte unten 9, 3. 14 würden eine solche auch nach dem ganzen zusammenhange unserer stelle unrichtige vermuthung widerlegen. Vielmehr wird es je besser man über alles nachdenkt desto einleuchtender dafs der dichter hier mit absicht etwas anders reden wollte als dort. Denn dort wo die Weisheit nur zu den Jüngeren überhaupt im gewühle des lebens reden will, nimmt sie passend an den öffentlichen märkten ihren stand: hier aber wo sie ihr höchstes und göttlichstes in ruhigster sammlung aussprechen will, wählt sie vor allem die pläze in der nähe des Tempels wo die weisheitsschüler sich zu versammeln pflegen; sodafs es nicht auffällt wenn in dem folgenden stücke 9, 3 vgl. 8, 34 wo sich alles noch höher hebt, nur noch von ihrem hause auf diesen höhen die rede ist. — Ueber das בֵּית v. 2 s. §. 217 *g*; noch die LXX übersezt es richtig *ἀνὰ μέσον*.

Sie wendet sich nun zwar nach v. 4 f. an solche Jünger welche noch einfältig ob auch wol schon durch die reize der welt etwas bethört sind: allein dafs sie damit nicht die entweder noch zu jungen welche die höhere lebensweisheit noch zu wenig begreifen können, oder die aus anderen gründen für sie schon ganz verlorenen meine, deutet sie v. 9 an; nur solche welche überhaupt schon eine lust nach Weisheit und einigen grund in ihr haben sodafs sie gerne weiter streben und auch die höheren stufen der erkenntnifs gewinnen wollen, kann sie sich als die rechten Jünger wünschen. Diesen aber kann sie auch mit recht verheifsen eine ebenso rein auf wahrheit und gerechtigkeit gegründete als verständige klare wissenschaft reichen zu wollen, da was auf der reinsten aufrichtigsten und gerechtesten erkenntnifs der dinge beruhet immer auch zugleich für lernbegierige am verständlichsten und klarsten ist v. 6—9; und in dieser gewifsheit kann sie dann alle umso zuversichtlicher auffordern die durch nichts anderes ersezbaren güter von wissenschaft und zucht sich zu erwerben welche sie bietet v. 10 f. Das wort נְגִידִים v. 6 wird hier noch in seiner nächsten jedoch geistig angewandten bedeutung als *klares* gebraucht (wie §. 172 *b* gesagt ist), und entspricht so dem נְכֹחִים v.

9; sofern es unserm *durchlauchtigen* (erlauchten) entspricht und daher gewöhnlich einen *fürsten* bedeutet, könnte man vermuthen es solle hier den begriff des *fürstlichen* d. i. erhabenen geben, wie Theod. wirklich *ἡγεμονικά* und die LXX ähnlich *σεμνά* übersezen, allein dieser begriff ist dem zusammenhange fremd, und läfst sich auch durch die worte 22, 20 nicht vertheidigen wie dort zu zeigen ist. Sehr richtig aber wird sodann v. 7 f. die klarheit und geradheit der gedanken und worte selbst erst auf ihre wahrheit und richtigkeit gegründet. — Die schilderung v. 10 f. ist ähnlich wie jene 3, 14 f. nur wie ein kurzer nachhall von Ijob 28, 12—19.

7. Auf die durch alle die vergänglichen schäze und genüsse nicht aufzuwiegenden unvergänglichen güter welche die Weisheit geben kann, hat die rede nun zwar am ende der vorigen wende schon hingewiesen: aber diese *güter* verdienen es weiter und bestimmter bezeichnet zu werden; und ihrem lobe dient diese ganze wende. Da sind zunächst zwei: *gottesfurcht* (religion) und *gerechtigkeit*, die zwei rein geistigen güter welche die weisheit zwar nicht schaffen aber auf das mächtigste fördern kann, so dafs man sagen mag wo sie fehle da seien auch diese beiden den menschen nicht möglich: erscheint sie aber mit diesen zugleich, so vermag sie in den verwickelten menschlichen dingen 1) den besten rath und entschlufs, aber auch 2) die beste kraft zum handeln und herrschen, und in weiterer folge davon 3) auch die ächten äufseren güter als ehre und reichthum zu geben. Das sind die 5 einzelnen güter welche sich hier um die Weisheit als das höchste reihen und die sich gerade in dieser reihe und folge richtig um sie drehen: und so verschieden jene gliederung der einzelnen kräfte des Geistes Gottes ist welche Jes. 11, 2 erscheint weil eben dort zunächst nicht wie hier von der Weisheit sondern von dem Geiste ausgegangen wird, so waltet dennoch im übrigen eine unverkennbare ähnlichkeit zwischen beiden. Und indem weiter unter jenen 5 selbst die 2 ersten als die rein göttlichen richtig als die höchsten oder als anfang und ende aller andern gesondert werden, rücken die 3 mehr menschlichen in ihrer trennung aber auch in ihrer rechten verkettung und folge só in die breite mitte dafs die ganze beschreibung des einzelnen von ihnen ausgeht. Also heifst es 1) v. 12 die Weisheit reiche in ihrer unzertrennlichen verbindung mit der ächten religion die göttliche besonnenheit in allem menschlichen denken und handeln, das gegentheil alles übermuthes und verkehrten handelns wie redens. So wird hier alles oben c. 2 ausführlicher gesagte noch einmal ebenso treffend als nachdrücklich zusammengefafst: ist Jahve'n fürchten einerlei mit dem hassen des Bösen, und diese ächte religion von der Weisheit

ebenso unzertrennlich wie durch sie gefördert und erleuchtet, so erhellet wie unentbehrlich die Weisheit sei sogar für dieses erste und nothwendigste in allen menschlichen dingen, das finden des besonnenen heilsamen rathes. Da nun aber ohne einen solchen rath auch alle ächte kraft zum handeln leiten und herrschen fehlen mufs, so heifst es — 2) weiter v. 14—17 dafs alle welche irgendeine macht richtend oder herrschend heilsam ausüben wollen, sie nur durch die Weisheit besizen, ja nur insofern wahrhaft als *Edle* als *Fürsten* und *Könige* oder wie sie sonst in der welt genannt werden gelten können als sie viel oder wenig vom mafse der Weisheit entweder schon haben oder immer wieder frisch zu gewinnen suchen. Wie aber die enge verkettung dieses zweiten gutes mit dem ersten durch den übergang v. 14 *a* sehr richtig bezeichnet ist, so reihet sich nun erst an diese beiden entsprechend — 3) der erwerb aller ächten äufsern güter, sei es des gesicherten reichthumes und vermögens oder der herrlichkeit und ehre unter menschen: da aber wird, je leichter dies wieder mifsverstanden werden kann, umso bedeutsamer die *gerechtigkeit* miterwähnt, welche so unter allen wieder den rechten schlufs machen und wie die religion von oben so von unten alles zusammenfassen mufs, obwohl sie passend auch in der mitte bei dem herrschen der Mächtigen erwähnt wird v. 15; wie zuerst kürzer v. 18, dann noch einmahl in bezug auf den dauernden gewinn von reichthum und ehre sehr nachdrücklich v. 19—21 gelehrt wird. Und so kann diese wende v. 19—21 ähnlich wie die vorige v. 10 f. schliefsen, nachdem alles hieher gehörende aufs vollkommenste erklärt ist.

Aber je mehr die Weisheit so ihre unzählbaren güter dennoch aufzuzählen und in die rechte reihe zu bringen versucht, desto mehr versenkt sie sich in die dinge selbst, sodafs sie wie sich in der eignen langen rede verlierend sogar von der weisheit auch wie von etwas aufser ihr daseiendem redet v. 17 ebenso wie schon am ende der ersten wende v. 11. Man kann so die lesart אֹהֲבֶיהָ v. 17 recht wol vertheidigen, und dafür mit dem *Q'rî* als wäre es fehlerhaft אֹהֲבַי zu sezen ist unnöthig. — Das נְדִיבִים v. 16 *b* ist nach dem zusammenhange aller worte unstreitig blofse aussage; und eben dadurch entsteht hier auch der treffendste sinn. Die lesart vieler handschriften und ausgaben צֶדֶק v. 16 *b* für ארץ alsob nur *alle gerechten richter* durch weisheit zugleich im ächten sinne Edle seien, ist jedoch unnöthig und zugleich unpassend weil das wort erst so eben am ende von v. 15 in einem bessern zusammenhange stand.

8. Aber noch weit mehr als in der vorigen wende fällt die redende Weisheit in dieser dritten die menschen sämmtlich zu denen sie reden wollte wie vergessend in sich selbst zurück, indem sie zu-

lezt wie um alles zu sagen was zur bestätigung des vorigen noch nothwendig ist am weitesten zurückgeht und ihren eignen ursprung berührt. Denn soll man ihr wesen ihren unvergleichlichen werth wie er oben berührt ist und woher sie ihre eben so hoch gerühmten güter habe richtig erkennen, so ist díe frage zulezt unumgänglich woher sie denn selbst sei und in welchem zusammenhange sie mit dém stehe welcher nach der alten lehre der wahren religion doch zulezt allein das höchste gut für alle menschen und der schöpfer von allem ist. So beginnt sie denn auch dás zu erläutern in welchem zusammenhange sie mit dem Schöpfer selbst und durch diesen mit allen seinen geschöpfen vorzüglich aber den menschen stehe; und was schon 3, 19 f. kurz über sie ausgesagt wurde, das beginnt sie selbst hier mit einer inneren glut und einer reinsten herzensfreude zu erklären wie solcher nur dér fähig ist welcher einmal am rechten orte auch das tiefste und geheimste ergiefst woran sein ganzes selbstbewufstseyn hängt. O wie verschwinden da vor dem blicke der Weisheit alle die kleinen vergänglichen menschen zu denen sie eben sprach, ja alles sichtbare und sinnlich geschaffene! Sie weifs sich unmittelbar und allein von Gott selbst abstammend, vor allem was man gewöhnlich schöpfung nennt schon dagewesen, aber wohl wissend wie alles geschaffen wurde; und kann in der ersten hälfte dieser wende v. 22—26 nicht worte genug finden eben nur erst dieses so wie es die höhe und die wichtigkeit der sache fordert auszusprechen. *Jahve'n* nennt sie v. 22 sogleich mit allem nachdrucke hier vorne: nur von ihm unmittelbar weifs sie sich wie geschaffen, aber ihm gegenüber als einzelnes wesen doch auch nur als geschaffen, da alles einzelne und wäre es das rein geistigste und gewaltigste doch erst von und aus Ihm seyn kann. Sie kann dies ihr verhältnifs zu Jahve, obwol es strenger gedacht allerdings wieder ein anderes seyn mufs als dás der einzelnen sichtbaren schöpfungen, doch nur durch schon sonst gegebene worte ausdrücken, wählt aber wenigstens seltene und alterthümlichere, vor allen das קָנָה in seiner dichterisch auch Gen. 14, 19 noch erhaltenen bedeutung *schaffen*, dann v. 23 das sehr seltene נִסַּךְ welches eigentlich ein *gewebt* oder *gewirkt werden* bedeutet [1]), und weiter v. 24 f. zweimal das חוֹלֵל welches obwohl etwas häufiger doch ebenfalls nur dichterisch ist und hier offenbar ebenso wie Ijob 15, 7. 39, 1 aus Ψ. 90, 2 entlehnt ward (vgl. oben s. 43).

---

[1]) ich habe längst erörtert dafs נִסַּךְ v. 23 so zu verstehen sei, vgl. auch §. 197 *b* und Ijob 10, 11. Allerdings bedeutet נָסַךְ Ψ. 2, 6 nur *salben*: allein der begriff des salbens d. i. einweihens der Weisheit wie in ihr amt ist hier fremd.

Aber der nachdruck liegt dabei überall nur darauf dafs sie sich *längst vor* allem sichtbaren geschaffen weifs, sodafs sie auch geradezu sagen kann sie sei *vor* den einzelnen werken Gottes v. 22 *b* ja schlechthin vor seiner schöpfung (bewegung, דֶּרֶךְ) selbst v. 22 *a* oder wie zu deren anfange geboren; ein anfang der insofern ein anderer ist als der Gen. 1, 1 beschriebene. Und nachdem dies v. 22 f. im allgemeinen so bestimmt als möglich behauptet ist, wird es v. 24—26 durch einige der hier hervorragendsten einzelnheiten erhärtet: sie war da *bevor* noch die ersten und gewaltigsten theile der jezigen erde dawaren, die brausenden fluten des meeres mit den noch brausenderen quellen auf dessen boden (Ijob 38, 16) v. 24, die ebenso tief eingesenkten berge und hügel v. 25, und die weiten ebenen meist unfruchtbaren landfluren zusammt dem wie zerstreut auf diesen liegenden haufen der vielen schollen des fruchtbaren ackerlandes v. 26 [1]). — Dafs in diesen schilderungen der schöpfung v. 24—26 und dann v. 27—29 schon eine ganz andere vorstellung herrsche als in jener uralten Gen. c. 1, ist bereits in den *Jahrbb. der Bibl. wiss.* I. s. 85 f. III. s. 108 ff. bewiesen.

Aber wie wenig genügt wiederum das so blofs verneinend über die einzelnheiten jener denkbar entferntesten urzeit vor der jezigen schöpfung gesagte! Noch weit wichtiger ist doch zulezt dafs, soll über jene einzelnheiten etwas gesagt werden, nichts anderes darüber sagbar ist als dafs die weisheit vor dem anfange der schöpfung nicht blofs dagewesen sei, sondern auch thätig in diese als ordnerin und werkmeisterin eingegriffen habe und daher noch jezt darin erhaltend walte: als wäre sie bei der schöpfung eine werkmeisterin und gehülfin gewesen die Gott als spielendes lieblingskind habe gewähren lassen, und die damals wie im spiele (denn nicht aus zwang oder finsterm ernste geht eine schöpfung hervor, sondern wie aus dem spiele der freien liebe) die welt nach Gottes willen geschaffen habe, an der sie noch jezt mit der frohscherzenden liebe einer mutter hange, insbesondre an den menschen das spiel ihrer wonne habend. Und alsob die Weisheit dieses ihr höchstes und liebstes verhältnifs so theilnehmend als möglich zu schildern brenne und durch das berühren von einzelnheiten selbst zeigen wolle wie gewifs sie damals alles mit geschauet und mit geschaffen habe, fährt sie nach kurzem stillstande in der zweiten hälfte der wende v. 27—29 wie

[1]) dafs ראשׁ in diesem zusammenhange vor der mehrzahl עפרות diese bedeutung haben müsse (vgl. Ψ. 139, 17) ist klar: und nirgends kann man so wie in jenen ländern und in Afrika leicht sehen dafs doch alles fruchtbare land nur wie ein haufen zerstreuter erdschollen zwischen den weiten wüsten (חצות) liege.

mit umgekehrtem griffel zunächst fort solche wunderbarste einzelnheiten jener urzeit weiter anzudeuten. Hatte sie aber eben nur erst die dinge der irdischen schöpfung von der äufsersten tiefe an berührt, so fängt sie jezt umgekehrt vom himmel an, und steigt in ihrem gemälde von da wieder bis zu der äufsersten tiefe herab v. 28 *b* um in der mitte der schöpfung bei der erde zu bleiben. Zur schöpfung des himmels gehörendes erwähnt sie dreierlei: 1) das *aufstellen* desselben seiner ganzen höhe nach; 2) wie er unten genau kreisrund über die fläche des die erde umfliefsenden tiefen weltmeeres gestellt wurde v. 27 *b* nach Ijob 26, 10; und 3) wie die flüssigen wolkentheile an ihm oben befestigt wurden v. 27 *a*, dies noch ammeisten nach der uralten vorstellung Gen. 1, 6—10. 7, 11. 8, 2. Indem aber dieses bild der befestigung der obern wasserhälfte vonselbst an die entsprechende der unteren erinnert, heifst es v. 28 *b* weiter *als fest wurden die* schon v. 24 genannten *quellen der meeresflut* (Ijob 38, 16) dafs sie nicht wieder zuviel der unterirdischen brausenden gewässer durchlassen, wodurch nur das Chaos wiederkehren würde Gen. 7, 11. 8, 2. Das עֲזוֹז ist ein *infin.* neuer starker bildung, als wäre er erst von einem מְעֹז *festung* abgeleitet; und die bedeutung kann nicht zweifelhaft seyn. Aber zulezt kehrt die rede v. 27 zur mittlern erde zurück: und indem sie mit den sehr allgemeinen worten *als er der erde grundlagen bestimmte* in *c* vollends abschliefst, geben *a* und *b* so klar einen blofsen wiederhall von der erhabenen schilderung Ijob 38, 8—11 dafs sich danach auch im einzelnen ihr sinn sicher bestimmt: es ist *seine* Gottes *grenze* die *das meer* weil Gott sie ihm gesezt einhalten mufs, er *dessen mund* oder befehl *das wasser nie übertreten sollte* nach §. 338 *a*.

Aber kaum sagt sie endlich v. 30 was sie damals bei dem schöpfer war, als sie auch sogleich die rede mit der kürzesten geschickten wendung zu den menschen noch in aller ewigen gegenwart umkehrt und damit rasch schliefst v. 31, weil sie inderthat alles gesagt was sie diesen zu sagen hatte. Aber es ist alsob sie gerade auf dieses gedrängte ende das schönste und göttlichste zu sagen aufgespart hätte: was ist wahrer und was zugleich erhabener und herrlicher zu denken als dafs es dieselbe zarte feine Weisheit ist welche vor aller welt schon da war uud mit Gott wie sein liebstes kind künstlerisch die welt selbst mit schaffen half und welche nun entsprechend ewig an dieser von ihr mitgeschaffenen welt, vor allem aber an den menschen gerne ihre heitre freude und wie ihr vergnügen findet! — Dafs aber משחקת v. 31 in ganz anderem zusammenhange stehe als v. 30, nämlich rein bezüglich im sinne von *die ich* jezt *spiele* . . ., ergibt sich schon aus der erwähnung der noch immer dauernden welt Gottes (während v. 30 vielmehr von der zeit des schaffens selbst die rede ist), und bestätigt sich als nothwendig sogleich weiter durch das ebenso bezüglich zu verstehende שַׁעֲשֻׁעַי im zweiten gliede; und nichts ist überraschender und treffend sprechender als dieses plözliche umwenden derselben worte מְשַׂחֶקֶת und שַׁעֲשׁוּעִים v. 30 in dem raschen schlufsworte v. 31 sowohl ihrer sachlichen anwendung als ihrer sprachlichen beziehung nach.

Das ist die dreigliedrige grofse rede der Weisheit: und so verschieden der inhalt jeder dieser drei wenden ist, so geht doch der gedanke ebenmäfsig genug von der einen zur andern über. Zwar meinte ein älterer leser, wie man aus der übersezung der LXX sieht, der übergang von der zweiten zur dritten wende sei zu steil, und sezte so worte ein welche Hebräisch etwa so lauten würden:

ἐὰν ἀναγγείλω ὑμῖν τὰ καθ' ἡμέραν γινόμενα, μνημονεύσω τὰ ἐξ αἰῶνος ἀριθμῆσαι	אִם אַגִּיד לָכֶם אֲשֶׁר לְיוֹם יוֹם וְאַזְכִּרָה אֲשֶׁר מֵעוֹלָם לְסַפֵּר „Meld' ich euch so das tägliche, so erwähn' ich auch uraltes zu erzählen“.

allein nichts kann undichterischer seyn als diese worte.

9*b*. 10*a*. 9, 1—12. Aber redet die Weisheit jezt vielleicht zum ersten male so und sucht weil sie die menschen wahrhaft liebt sie ansich zu ziehen? O nein! gewifs ist endlich dafs sie jezt längst wie ihre wohnung unter den menschen aufgeschlagen und alles in ihr sie zu erquicken und zu erziehen vorbereitet hat: mögen sie denn selbst zu ihr kommen, und wollen sie nicht durch eigne schluld in thorheit und unverstand sich den tod holen, von ihr sich mit dem rechten lebensbrode erquicken lassen, wie ächte schüler an ihren thüren warten und bei ihr einlafs begehren! Das ist deutlich der sinn der weiteren darstellung unsres dichters, wie es sich für das ende dieser ganzen grofsen einleitung schickt. Alle anfänglichen ermahnungen und lehren müssen einmal zu ende gehen, und es ist zulezt sache der menschen selbst wenn sie nicht zu grunde gehen wollen sie freiwillig zu suchen: nun so ist hier in diesem buche der lehre genug gegeben, die thüren sind geöffnet, möge man nun freiwillig kommen sie zu benuzen! Aber indem dieser gedanke sich hier der allgemeinen höhe gemäfs gestaltet zu welcher die dichtung sich schon in ihrem vorigen ergusse aufgeschwungen hat, schafft er ein leztes grofses bild welches uns schon ganz an die höhe des ausganges der Evangelien erinnert: ja zulezt kann alle ächte lehre und alles wahre göttliche leben sich nur vollkommen so klar und so selig wie es ist darlegen, ob man es ergreifen wolle oder nicht!

Das bild selbst vollendet sich im grunde schon in der ersten hälfte dieser wende 9, 1—6. Wir sehen da wie die Weisheit in ihrem herrlichen weiten reinen hause *auf den rücken der höhen* d. i. oben auf den breiten anhöhen *der Stadt* alles zum empfange von gästen schon aufs sorgsamste bereitet hat, wie sie sich ihrer würde als herrin bewufst durch ihre mägde zu ihrem mahle das heifst aber, wie zugleich ehrlich erklärt wird, zur lebenslehre alle die einladet welche der lehre bedürfen oder doch gut noch weiter lernen müssen. Das חסר לב v. 4. 16 gehört zur einladung, wie schon der gliederbau will; in weniger rascher erzählung würde אמרה oder vielmehr nach §. 346 *b* vollständiger ואמרה ganz vorn im verse stehen: doch da es nachgesezt wurde ist dann wegen des schon genannten wortes das *pron. sg.* לו hinzugefügt.

Doch das hier zum allgemeinen sinne wichtigste erklärt erst die zweite hälfte der wende v. 7—12. Mit verstockten spöttern, erklärt die Weisheit v. 7—8 ebenso aufrichtig, wolle sie nichts gemein haben, da diese jeden wohlgemeinten rath mit hafs und schmähung vergölten, und sie zu bessern unmöglich sei; nur die welche wenigstens schon im zuge zur weisheit und gerechtigkeit seien, lade sie ein und hoffe ihre liebe zu verdienen; denn allerdings sei furcht Jahve's der weisheit anfang und den Heiligen kennen schon so gut als verständig seyn v. 10: der saz steht hier also auch dem zusammenhange und zwecke nach ganz ebenso wie 1, 7. Auf die früchte der weisheit wird nur kurz hingewiesen v. 11 (und schon früher war von 2, 21 f. 3, 2 an genug davon die rede): doch im gefühle ihrer würde und weil die sache selbst es so fordert will sie niemanden zwingen oder auf unedle art überreden, stellt vielmehr ebenso wie Ijob 22, 2 f. den ewigen grundsaz auf weisheit und wissenschaft belohnen sich selbst und müssen vom menschen seines eignen vortheiles wegen gesucht werden v. 12 *a*, und fügt nur ganz kurz hinzu dafs das gegentheil sich selbst immer strafe v. 12 *b*.

9 *a*. Man könnte nun vermuthen die schlufsworte welche die Weisheit 8, 32—36 sagt, bildeten erst hier hinter 9, 12 den rechten schlufs. Sie preisen nach der allgemeinen ermahnung weisheit und zucht nicht zu verschmähen v. 32 f. dén glücklich welcher wie ein rechter verehrer und schüler jeden morgen frisch und gespannt an den thüren des palastes der Weisheit warte und um weiteren einlafs weitere belehrung und weitere wohlthat bitte v. 34: dies kann aber nur derselbe palast seyn welcher 9, 1 ff. beschrieben ist; und das bild von den glänzenden thüren selbst wird erst dadurch hinreichend klar. Sie weisen endlich nach v. 35 f. mit einigen treffenden säzen auf den ewigen selbstlohn der ächten weisheit ebenso

schlagend hin wie auf das ewige verderben der liebe zur thorheit und unweisheit (v. 35 aus 18, 22. 12, 2. 28; v. 36 *a* aus 20, 2): damit würden sie nur noch kräftiger auf dasselbe zurückkehren was 9, 12 gesagt wird; und der ganze schlufs würde sowohl dem obigen 7, 26 f. als insbesondere dem folgenden schlusse bei der beschreibung der thorheit 9, 18 auf das vollkommenste entsprechen. Da nun hinzukommt dafs dann die worte 9, 1—12 am reinsten die neunte wende darstellen, so könnte man auch deswegen unsre stelle besser als 10 *a* oder als die erste hälfte der lezten zählen. Indessen lassen sich diese worte, soll die Weisheit nicht mit der steilen höhe 8, 31 schliefsen, auch als der schlufs jener ihrer längsten rede denken; und die anrede *söhne!* v. 32 pafst sowohl zu dem bilde der muttergleich liebenden Weisheit v. 31 als zu dem besondern worte *menschensöhne* v. 4. 31 recht wohl; während das bild von den thüren des palastes der Weisheit nur eine kurze vorausnahme desselben alsbald weiter auszuführenden wäre. Von der andern seite vermifst man hinter 9, 12 nichts, zumahl wenn das bild von den mägden 9, 3 bleibt. Und da jede dieser wenden ammeisten aber die beiden lezten leicht in zwei hälften zerfallen, so kommt auch künstlerisch die sache fast auf dasselbe hinaus.

10 *b*. Jedenfalls ist es zum lezten schlusse von der schönsten wirkung dafs nun auch noch das haus der Thorheit kurz vorgeführt wird, wodurch der ganze grofse vortrag auch erst zu seinem anfange 6, 20 ff. völlig zurückkehrt. Aber nur kurzer worte bedarf es hier nach allem von beiden seiten oben so ausführlich gesagten noch v. 13—18. Die thorheit, hier noch fast wie c. 7 weib genannt, sizt auch um gesellschaft um sich zu haben *auf dem throne der anhöhen* (d. i. auf den obersten anhöhen) *der Stadt*; sie ladet auch öffentlich ein, als wolle auch sie díe leute denen es an wissen fehlt gut belehren: aber wie ganz anders! nicht ihre mägde schickt sie aus, sondern nach ihrer unruhigen, unsteten und nichts besonnen zu thun wissenden art (vergl. 7, 11, וּבַל ist fortsezung des relativen הֹמִיָּה) sezt sie sich selbst vor ihr haus, um — nicht wie sie sagt die der lehre bedürftigen, sondern jeden ruhig und scheinbar ohne solche böse gedanken vorübergehenden durch vorspiegelungen zu reizen v. 13—16. Und leider! nur zu leicht folgt ihrer lockung der unvorsichtige jüngling, da alles verbotene und heimliche einen eignen reiz hat v. 17, ohne zu wissen dafs er in die hölle gerathen, wo keine lernbegierige und lebenslustige jünglinge sondern todte Schatten sind! Der dichter fürchtet hier sichtbar weiter auszuführen was schon c. 7 so augenscheinlich gezeichnet war: seine ganze darstellung ist kurz, und v. 17 ist der eintritt des verführten kaum leicht-

bin, doch für jeden der nachdenkt verständlich genug angedeutet. Völlig falsch sowohl nach dem zusammenhange als nach dem sinne der worte ansich ist's, wenn man meint v. 17 seien worte der thorheit: so dumm ist diese wahrlich nicht dafs sie so sprechen sollte; und dann fehlte etwas in der erzählung das nicht fehlen darf.

Die LXX fanden und übersezten hinter v. 12 noch folgende zeilen:

ὃς ἐρείδεται ἐπὶ ψεύδεσιν οὗτος ποιμαίνει ἀνέμους,
ὁ δ' αὐτὸς διώξεται ὄρνεα πετόμενα.
ἀπέλιπε γὰρ ὁδοὺς τοῦ ἑαυτοῦ ἀμπελῶνος,
τοὺς δὲ ἄξονας τοῦ ἰδίου γεωργίου πεπλάνηται.
διαπορεύεται δὲ δι' ἀνύδρου ἐρήμου
καὶ γῆν διατεταγμένην ἐν διψώδεσι,
συνάγει δὲ χερσὶν ἀκαρπίαν

das ist etwa:

כְּשֹׁעֵן עַל שֶׁקֶר רֹעֶה רוּחוֹת
וְהוּא יִרְדֹּף צִפֹּרֶת כָּנָף
כִּי עָזַב דַּרְכֵי כַּרְמוֹ
וּמַעְגְּלֵי שָׂדֵהוּ תָּעָה
וַיַּעֲבֹר בִּישִׁימוֹן בְּלִי מָיִם
וְאֶרֶץ שְׁמָמַת צִיִּים
וְאָסַף בְּיָדָיו גַּלְמוּד

Wer sich auf lüge stüzt läuft winden nach,
verfolgend gefiederte vögel:
weil er verliefs die wege seines weinbergs,
sich um die gleise seines ackers irrte,
durch wasserlose wüste fuhr
und steppenödes land,
so erntet er mit eigner hand den kahlen fels
. . . .

wo man auch sieht inwiefern der übersezer etwa irrte, und dafs die lezte zeile nur halb erhalten ist. — Und hinter v. 18 haben sie ebenfalls etwa ebenso viele zeilen:

ἀλλὰ ἀποπήδησον μὴ ἐγχρονίσῃς ἐν τῷ τόπῳ αὐτῆς,
μηδὲ ἐπιστήσῃς τὸ σὸν ὄμμα πρός αὐτήν·
οὕτως γὰρ διαβήσῃ ὕδωρ ἀλλότριον,
καὶ ὑπερβήσῃ πόταμον ἀλλότριον.
ἀπὸ δὲ ὕδατος ἀλλοτρίου ἀπόσχου,
καὶ ἀπὸ πηγῆς ἀλλοτρίας μὴ πίῃς·

ἵνα πολὺν ζήσῃς χρόνον,
προςτεθῇ δέ σοι ἔτη ζωῆς.

oder Hebräisch:

כִּי אִם נַד אַל תְּאַחֵר בִּמְקוֹמָהּ
וְלֹא תָשִׁית עֵינֶיךָ בָּהּ
כִּי כֵן תַּעֲבֹר בְּנָהָר זָר
וְתִפְסַח עַל מַיִם נָכְרִים
וּמַיִם זָרִים הִנָּצֵל מֵהֶם
וּמִמַּעְיָן נָכְרִי אַל תֵּשְׁתְּ
לְמַעַן תִּחְיֶה יָמִים רַבִּים
וְיוֹסִיפוּ לְךָ שְׁנוֹת חַיִּים

oder Deutsch:

Sondern flieh fort, weil' nicht an ihrem orte,
noch richte deine augen auf sie hin!
Denn so kommst du fort über fremden fluſs,
und springest über wilde wasser.
Fremd wasser aber — rette dich vor ihm,
und aus der wilden quelle trinke nicht,
damit du viele tage lebest
und dir sich mehren lebenstage.

Allein diese lezten 4 zeilen geben deutlich nur eine sehr mäſsige fortsezung des gedankens mit rücksicht auf 6, 24 ff.; die ersteren sind zwar dichterisch viel ausgezeichneter und sichtbar aus der dichtung eines älteren spruchbuches entlehnt, stehen hier aber ganz unnöthig und mehr störend als fördernd. Wir ersehen also daraus nur was wir schon bei 6, 11. 8, 21 bemerkten, daſs diese Hebräische ausgabe von einer späteren hand viele vermehrungen litt.

II. C. 10, 1—22, 16.

Sprüche Salômo's.

1. C. 10, 2—12, 28.

10, 1 Ein weiser sohn erfreut den vater:
thörichter sohn ist seiner mutter gram. —

Nichts nüzen ungerechte schäze:
aber gerechtigkeit befreit vom tode.

Der sinn des zweiten gliedes ist hier unstreitig schon derselbe wie er Ψ. 49 weiter ausgeführt wird; vgl. auch unten 12, 28.

Nicht darben läfst Jahve Gerechter lust:
aber des frevlers gier schlägt er zurück.

Das bild des 2ten gliedes sehr malerisch: wie der höhere verstand des menschen die wuth eines in gier heranrennenden thieres ruhig zurückschlägt, ebenso Jahve die gier des frevlers, wenn er gerade seine beute schon gefafst zu haben meint.

Arm ist wer träger faust arbeitet:
aber der Fleifsigen hand macht reich.

Das העשׁיר ist unten 21, 7. 23, 4. 28, 20 unstreitig *ditescere* nach §. 122 *c*, behält aber hier wie v. 22 seine nächste bedeutung. — Die LXX haben hier noch den spruch *υἱός πεπαιδευμένος σοφὸς ἔσται, τῷ δὲ ἄφρονι διακόνῳ χρήσεται,* also etwa

בֵּן מוּסָר חָכָם יִהְיֶה | וֶאֱוִיל כְּעֶבֶד בְּיָדוֹ

Ein sohn der zucht wird ein Weiser werden,
aber ein narr wie sklave unter ihm.

in dém treffenden sinne: wer sich früh ziehen läfst, wird wie einer der hochgeehrten Weisen werden, ganz wie dies 15, 31 weiter ausgeführt wird; während ein unbesonnener sein vermögen leicht verliert und nach dem in den *Alterth.* s. 246 f. der 3ten ausg. bemerkten gar wohl in sklaverei gerieth; vgl. 11, 29.

Wer in dem sommer sammelt, ist ein weiser,
wer schläft in erntezeit, ein schlechter sohn. —
Segnungen treffen des gerechten haupt:
der frevler mund birgt grausamkeit.

Das lezte glied kommt offenbar in seiner ursprünglichen verbindung v. 11 vor; כִּסָּה unmittelbar mit dem gegenstande verbunden ist *bergen*, wie v. 18. 12, 16. 23. 17, 9 sehr ähnlich. Hier also ist das glied nur lose mit einem nicht ganz unähnlichen saze zusammengestellt, des sinnes: während alle den Gerechten als rathgeber und wohlthäter segnen, haben frevler welche nur grausame worte und gedanken in sich bergen, nie solche segnungen zu hoffen. Oft wird das versteckte unheimliche und boshafte der reden und gedanken solcher menschen mit ähnlichen bildern ausgedrückt, wie Ψ. 10, 7. Ijob 20, 12.

Andenken des gerechten ist in segen:
aber der frevler name wird verfaulen. —
Wer weisen herzens, nimmt gebote an:
aber wer dummer lippen, kommt zu fall. —
Wer geht in unschuld, gehet sicher:
wer seine wege krümmt, der wird es fühlen müssen. —

Die lesart יִוָּדֵעַ mufs bedeuten *er wird gewizigt werden* nach einer volksthümlichen redensart soviel als *er wird es fühlen müssen* wie wenig es helfe krumme wege zu wählen; Hos. 9, 7. Ijob 21, 19. Diese lesart hatten schon die LXX mit ihrem γνωσθήσεται. Allein nach den sprüchen 11, 15. 13, 20 könnte man eine lesart יֵרוֹעַ vermuthen *dem geht es schlecht*, und besonders ist dann hier ebenso wie 11, 15 der gegensaz zwischen dem *sicher gehen* und dem *schlecht gehen* sehr klar. Wirklich ist jedoch הִוָּדַע Jer. 31, 19 als nach §. 133 *a* reflexiv von Hif'il *zum selbstbewufstseyn kommen* und daher sovie als *bekehrt werden*; die lesart Rcht. 8, 16 ist unsicher.

10 Wer blinzelt mit dem auge, schafft unwillen,
doch wer mit lippen tadelt, frieden.

Im Massôr. text lautet das lezte glied wie v. 8: „wer dummer lippen, kommt zu fall". Allein dann ist weder vergleichung mit dem gegensaze sichtbar, noch gute zusammenstellung zweier ähnlicher gedanken. Der gegensaz und sinn des ganzen wird aber sofort deutlich, wenn man annimmt dafs hier eigentlich stand: הַמּוֹכִיחַ בִּשְׂפָתַיִם שָׁלוֹם, worauf etwa das ὁ δὲ ἐλέγχων μετὰ παῤῥησίας εἰρηνοποιεῖ der LXX führt. Denn עַצֶּבֶת ist aus 15, 13 deutlich; קרץ aber mit עין drückt zwar allgemein ein aus innerer falschheit und leidenschaft stammendes augenblinzeln aus 6, 13, allein besonders das schadenfrohe, hämische beim anblick des unglücks oder der fehler anderer Ψ. 35, 19. Wer fremde fehler sehend blofs seine hämische schadenfreude zeigt, macht nichts als unwillen; wer dagegen offen in liebreicher rede die fehler tadelt, frieden und freude.

Ein lebensquell ist des gerechten mund:
aber der frevler mund birgt grausamkeit.

Ueber das zweite glied s. oben zu v. 6.

Hafs störet streitigkeiten auf:
doch alle die vergehen deckt liebe zu. —

Deckt zu nämlich so wie feuer zugedeckt erstickt und unschädlich gemacht wird: welches bild hier umso näher liegt da das erste glied beschreibt wie der hafs das feuer der streitigkeiten aufstöre.

Auf des verständ'gen lippen trifft man weisheit:
ein stock gebührt dem rücken des sinnlosen.

Das zweite glied schreitet, wie oft, gleich um einen schritt im gegensaze weiter: bei dem sinnlosen trifft man nicht blofs keine weisheit und deren ehre, sondern er mufs auch noch für seine sinnlosigkeit gezüchtigt werden. Das zweite glied ist auch von dem verfasser des spruches 26, 3 so verstanden, und läfst sich nicht etwa mit dem ersten enger só verbinden dafs der sinn wäre in den reden des Verständigen treffe man weisheit und einen stock für den rücken des Sinnlosen. Dieser ausdruck wäre vollkommen unkünstlerisch und undichterisch, wie er an dieser stelle nicht zu erwarten ist.

Die weisen bergen tief das wissen:
des narren mund ein naher einsturz ist. —

Wie ein gebrechliches, fehlerhaftes gebäude stets nahen einsturz droht, so droht des narren mund stets zu plazen und zu bersten um unsinn zu reden.

Des reichen schaz ist seine feste stadt, 15
der dürftigen einsturz ihre armuth. —

S. oben s. 30; der spruch gehört zu v. 4—5.

Des gerechten lohn dienet zum leben:
aber gewinn des frevlers nur zur sünde. —

S. oben s. 22. Der spruch sezt v. 2 fort. Was der frevler gewinnt, dient ihm ebenso wie der welt nur zur fortsezung seines unheiles.

Ein wanderer zum leben ist wer zucht bewahrt:
wer warnung aufgibt, in die irre geht. —

ארח erwartet man als particip אֹרֵחַ aufgefaſst zu finden, welches sowohl zum ersten gliede als zu מַתְעֶה des zweiten vollkommen stimmt. Wenn die Massôra dennoch אֹרַח vorzieht, so muſs sie „gang, zug" für „reisegesellschaft, reisende" nehmen, wie dieſs wort und הליכה wirklich Ijob 6, 19. 31, 32 steht; welches denn auch wieder unbestimmt für einen wandrer stehen kann wie הֵלֶךְ 2 Sa. 12, 4 und زِيَر besuch = زائِر. Und wirklich ist dies vollkommen ausreichend.

Den hass verbergen des gerechten lippen:
doch wer den leumund aussprengt, ist ein thor.

Nach der Massôr. lesart lautet der vers: „wer haſs birgt oder überkleidet mit truglippen d. i. mit trügerischen worten (nach §. 283 *b*) und leumund aussprengt, der ist ein thor", sodaſs der seinen hass trügerisch verstellende mit dem leichtsinnigen verbreiter bösen gerüchtes zusammengestellt würde. Allein so fehlt die gleichmäſsigkeit der gedanken und der glieder, und es wäre nicht der mühe werth zu sagen beide seien gleicherweise thoren; ja selbst dieses würde nicht einmahl deutlich gesagt. Das *δίκαια* der LXX führt auf ein צֶדֶק oder lieber צַדִּיק für שֶׁקֶר, wodurch die vollkommenste gleichmäſsigkeit entsteht: des Gerechten lippen verbreiten nicht, wie der thor, den hass durch fortpflanzung des den hass nährenden und meist aus hass entsprungenen leumunds, sondern verbergen ihn lieber, decken ihn mit liebe zu. Vergl. 11, 13 mit 10, 12; und besonders 17, 9.

Bei wortschwall bleibt vergehn nicht aus:
wer seine lippen spart, der thut besonnen.
20 Fein silber ist die zunge des gerechten:
der frevler herz ist wenig werth.

Unter dem *herzen* versteht sich auch der ganze sinn und verstand.

Des gerechten lippen werden viele weiden:
doch narren sterben hin in unverstand. —

S. s. 32; vergl. 5, 23. Ijob 4, 21. *Weiden* = zu erquickung und heile leiten: dies herrliche vermögen die Unweisen nicht blofs nicht, sondern sie gehen durch den mangel an allem höheren d. i. göttlichen verstande auch selbst unter.

Der segen Jahve's — der macht reich;
und mühe sezt nichts neben ihm hinzu. —

יוסִף fassen zwar LXX Targ., auch Pesch. und Vulg. als „wachsen“, sodafs der sinn wäre: „und doch kommt mit ihm nicht mehr mühe“: allein diefs ist nicht der völlig passende sinn. עִם kann wohl mit יסף stehen, wie sonst עַל. S. oben s. 22; Ψ. 127. Vonselbst aber versteht sich dafs hier unter der *mühe* nur die unverständige überängstliche nach Gott nicht fragende gemeint ist.

Wie scherz gilt's thorem auszuüben schande,
und weisheit — dem verständ'gen mann. —

Sonst heifst es auch in beiden fällen eine *freude* sei es diesem und jenem so zu handeln wie jeder sich einmahl in seinem tiefsten wollen und behagen daran gewöhnt hat 15, 21. 21, 15.

Wovor's dem frevler graut, das wird ihn treffen:
doch der gerechten sehnsucht ist stets grün.

Da man יִתֵּן, wie die Massôra ausspricht, hier nicht nach §. 295 *d* als „es gibt“ auffassen kann: so könnte man meinen es auf Gott zu beziehen: „den wunsch gestattet Er.“ Indefs läfst sich eine solche beziehung auf Gott als den immer zunächst dem gemüthe des redenden und der zuhörer vorschwebenden hohen herrn kaum 13, 21 f. in diesem buche mit sicherheit nachweisen: diese zwei verse würden dann ganz wie aus einer längern stelle entlehnt aussehen, allein auch das ist unwahrscheinlich. Oder es scheint richtiger יֻתַּן zu lesen und nach §. 295 *b* só zu verbinden dafs der sinn wäre *ihre sehnsucht* oder ihr wunsch *wird gestattet* oder bleibt nicht eitel. Allein auch dies würde als gedanke und als bild wenig genügen. Darum mufs man annehmen das wort sei hier ebenso wie 12, 12 nach §. 155 *c* gebildet an bedeutung etwa dem אֵיתָן §. 162 *b* gleich und bezeichne nur das gegentheil von dem spruche *die sehnsucht der frevler geht unter* v. 28. Ψ. 112, 10. Die weibliche endung kann bei den beschreibewörtern stärkerer bildung nach §. 175 *a* allmälig aufhören.

Sobald der sturm hinfährt, ist hin der frevler: 25
doch der gerechte ist ein ew'ger grund.

Da der sturm eben den festen grund nicht umwirft, so fordert bild und sinn des ganzen verses, כַּ als die zeit bezeichnend zu verstehen §. 221 *a*, וְאֵין als nachsaz §. 348 *a*. Vergl. Matth. 7, 24—27.

[Wie essig zähnen, und wie rauch den augen,
so ist der faule seinem auftraggeber. —]

Der *pl.* in שֹׁלְחָיו weist nach §. 178 *b* auf das eigentlich zu verstehende אֲדֹנָיו hin, hier und 22, 21. 25, 13.

Die furcht Jahve's gibt längres leben:
aber der frevler jahre werden kurz.
Das harren der gerechten freude ist:
aber der frevler hoffnung gehet unter.

Ein spruch sehr ähnlich dem eben vorangegangenen v. 24.

Schuzwehr der unschuld ist der weg Jahve's,
aber erschütterung den übelthätern.

Ist 21, 15 só wiederholt dafs für den „weg Jahve's" als ziemlich gleich gesezt wird „recht zu üben": denn der weg oder die thätigkeit und das gericht Jahve's zwingt zwar zu zeiten auch die bösen recht zu üben: aber weil sie es innerlich und wahrhaft zu üben unfähig sind, sinken sie in der lezten gefahr erschüttert ohne feste und schuz dahin. Eben deshalb verbinden die Alten und die Massôra דרך richtig mit יהוה, nicht mit תם wie 13, 6. Doch ist der sinn unsrer lesart leichter: er ist einfach Messianisch.

30 Der gerechte wird auf nimmer wanken:
doch frevler werden nicht das land bewohnen.

Nicht das land bewohnen eine der vielen redensarten welche in diesen alten sprüchen noch ganz aus dem ächtesten alten volksgefühle fliefsen, wie sich dieses durch die alte geschichte Israel's seit Mose so fest ausgebildet hatte; vgl. 14, 22.

Des gerechten mund sprosset von weisheit:
doch der verkehrtheit zunge wird vernichtet.
Des gerechten lippen wissen zu gefallen:
aber der frevler mund verkehrheit ist. —

Die zwei lezten verse gehören offenbar nach ursprünglicher dichtung zusammen, sodafs das zweite glied des lezten verses das entsprechende des ersten erklärt; ähnlich erläutern sich die ersten glieder beider sprüche gegenseitig, ohne dafs man die reihe aller dieser glieder zu ändern nöthig hätte.

Trugwage ist ein gräuel Jahve's: 11 1
doch voll gewicht sein wohlgefallen. —
Kam übermuth, kam unmuth bald:
doch bei bescheidenen ist weisheit.

Unmuth ist, um ein den Hebr. wörtern ähnliches laut- und gedankenspiel wiederzugeben, für *schande* gesezt, da diese unstreitig auch jenen bringt.

Redlicher unschuld wird ihr leiter,
doch ungetreuer fehltritt ihr verwüster.

Das schwere סלף könnte nach 15, 4 als gegensaz von מרפא *härte* zu bezeichnen scheinen, und würde dann mit صلف, ظلف und ظلم zu vergleichen seyn: doch die bedeutung *stürzen* welche Pi'el unstreitig hat, so wie die des Chald. אסתלּיף *verkehrt seyn* würde dazu nicht stimmen. Darum mufs man es vielmehr mit لفت vergleichend als erste bedeutung *drehen*, *umkehren* annehmen, wovon in Pi. *stürzen*, und wovon סֶלֶף in geistiger anwendung *lapsus*, sturz, fall oder fehltritt, möglich als gegentheil sowohl der unschuld im allgemeinen, wie hier, als auch im besondern der gefahrlosen gelassenheit der friedliebenden zunge 15, 4.

Nichts nüzt vermögen an dem tag des grimms:
aber gerechtigkeit befreit vom tode.

Des grimms versteht sich dés grimms welcher allein so kurzweg genannt zu werden verdient, des göttlichen, sodafs er beinahe einerlei ist mit dem strafgerichte. Was aber *tod* in solchem zusammenhange bedeute, erhellt weiter aus 12, 28, aber auch der sogleich folgende spruch v. 8 gibt die herrlichste erläuterung.

Das recht des reinen ebnet seinen weg: 5
aber durch seinen frevel fällt der frevler.
Das recht der redlichen wird ihr befreier,
der Ungetreuen gier sie selber fängt.

Eigentlich: durch die gier der (gegen Gott) Treulosen werden sie gefangen. Denn obgleich die accentuation בהות zu trennen scheint, ist's zum sinn des ganzen doch passender es als *st. const.* zum folgenden nomen zu ziehen; ebenso v. 7 *b* u. s.

Wenn stirbt ein frevler, so verliert sich hoffnung
und schmerzensharren ist verloren.

Es will nicht gelingen in diese zwei glieder einen gegensaz des sinnes zu bringen; nach den LXX könnte man im ersten gliede — צדיק לא — für רשע vermuthen, so wie אולים für אונים, da diefs als = פֹּעֲלֵי אָוֶן zu verstehen ganz unsicher oder vielmehr unmöglich ist: allein eine so vollkommene änderung beider glieder müfste erst noch weiter handschriftlich bewiesen werden. Der *pl.* אונים von אָוֶן ist nach Hos. 9, 4 am sichersten von *schmerzen* zu verstehen: mit recht aber wird das ganze harren des bösen ein blofs schmerzliches und doch nichtiges genannt.

Der Gerechte aus der drangsal wurde frei
und frevler kam an seine stelle. —

Der sinn der sprüche wird 21, 18 durch ein dichterisch treffendes bild erläutert; vgl. oben s. 23.

Durch's wort legt ein unheil'ger andern schlingen,
doch durch Gerechter einsicht werden sie frei. —

So ist nach dem gegensaze des sinnes und nach dem lebendigern, ursprünglichern spruche 14, 3 vergl. 12, 6 zu erklären; da רעהו der anwendung nach ganz unbestimmt ist, so kann nachher dafür der *pl.* in יחלצו eintreffen. Aber für יַשְׁחִת *er richtet ihn zugrunde* welches in diesem zusammenhange zum bilde nicht passen und zu stark seyn würde, ist theilweise nach den LXX entweder יְפַח oder יְפַחֵת zu lesen; lezteres kommt zwar nicht weiter vor, hat aber eine sichere ableitung von פַּחַת *schlinggrube*, und pafst den buchstabenzügen nach am besten. Um den sinn solcher aussprüche zu verstehen, mufs man an das gerichtsverfahren jener tage denken. Ein vor dem gerichte verläumdeter war leicht verloren, wenn sich nicht jemand fand der ihn mit beredtem munde kühn und geschickt vertheidigte; vgl. die *Alterthümer* s. 414 der 3ten ausg.

10 Ob der Gerechten glück frohlockt die stadt:
und kommen frevler um ist jubel.

Durch's segenswort redlicher siegt die stadt:
aber durch frevler mund wird sie zerstört.

Das segenswort בִּרְכַּת ist das friedliche, frieden und liebe wollende und fördernde, sodafs es mit dem friedlichen sinne selbst gleichbedeutend wird in der redensart 2 Kön. 18, 31 (B. Jes. 36, 16). — Denkwürdig ist in beiden sprüchen v. 10 f. wie es sich hier schon vorzüglich nur um das wohl einer *stadt* handelt, freilich ganz so wie bei den Griechen und alten Römern von der *Stadt* alle *Politik* ausging; aber in welche zeit des volkes Israel diese zeichen hinweisen, ist oben s. 13 bemerkt.

[Wer andere verachtet, ist sinnlos:
doch ein verständ'ger mann hält schweigen. —

Zu בָּז לְ— in derselben verbindung vergl. 13, 13. 14, 21; offenbar keine zufällige ähnlichkeit.

Wer geht verläumden, deckt geheimnifs auf:
wer zuverläfs'gen geistes, birgt die sache. —]

Die anwendung ist: also traue nicht dém der gern auf sprechen ausgeht!

Wo keine leitung, fällt das volk dahin:
doch heil ist da, wo's nichts an räthen fehlt. —

Was dieser spruch für die volksverfassung bedeute, ist in den *Alterthümern* s. 334 angemerkt. Er steht hier sicher am ursprünglichsten, weniger schon 15, 22 und noch weniger 24, 6.

Schlecht schlecht wird ihm, weil er eintrat für Fremden: 15
doch wer da bürgen hafst, ist sicher. —

Hafst ist nicht mehr als wenn wir sagen *häfslich findet*, so dafs er die gesellschaft solcher leichtsinnigen flieht, welche unter andern auch durch voreiliges sich verbürgen ihre thorheit offenbaren, vergl. 22, 26. 23, 20; es scheint wenigstens zu kühn für תוקעים mit der einzigen Vulg. מוֹקְשִׁים *laqueos* zu lesen, obgleich diefs sehr gut zum sinne pafst und aufzunehmen wäre, wenn mehr beweise für das alter der lesart vorlägen. Vergl. oben 6, 1—5. Zwar könnte man nach §. 179 *a* vermuthen תּוֹקְעִים bedeute hier die *bürg-*

schaft oder das bürgschaftleisten selbst: allein die eben erwähnten sprüche 22, 26. 23, 20 beweisen dafs es genug ist einen jungen mann vor dér gesellschaft zu warnen aus welcher eine solche gefahr für ihn hervorgeht.

Ein weib von anmuth wird erhalten ehre:
doch der schande siz ist die so rechtthun hasset.
Am wohlstand werden Faule mangel haben:
doch fleifsige werden erhalten reichthum. —

In Massôr. lesart würde das zweite glied von v. 16 lauten: *wie gewaltthätige.* — Aber עריץ steht weder sonst wo noch insbesondre in diesem buche (wo es sich überhaupt nicht findet) von menschen in gutem sinne; auch pafst es nicht zu der betrachtungsart dieses buches dafs der tyrann reichthümer als bleibendes gut so erwerben soll wie ehre das sie verdienende weib. Darum is nach den LXX חרוצים zu lesen. So stimmen wenigstens die beiden glieder äufserlich im gedanken zusammen: doch da in diesem theile nach s. 42 das blofse ו— als zwei ähnliche gedanken verbindend fremd ist, da ferner dennoch keine bildliche vergleichung entstehen würde, so führt diefs weiter auf dic durch die LXX (*θρονὸς δὲ ἀτιμίας γυνὴ μισοῦσα δίκαια. Πλούτου ὀκνηροὶ ἐνδεεῖς γίνονται*) bestätigte vermuthung dafs in der mitte zwei glieder fehlen, welche etwa so zu ergänzen: וְכִסֵּא קָלוֹן שֹׂנְאַת צֶדֶק *aber ein siz der schande ist eine rechtthun hassende frau;* und dann הוֹן עֲצֵלִים יֶחְסָרוּ *an vermögen werden Faule mangel haben*, worauf als gegensaz: *doch Fleifsige —.* — Das bild vom size (*throne*) findet sich in aller ursprünglichkeit in dem liede 1 Sam. 2, 8: hier ist es in sein gegentheil umgekehrt, da es ursprünglich nur einen *stuhl der hoheit* (fürstlichen, königlichen) gibt, wie er in jenem liede gemeint wird.

Dem eignen selbst thut wohl ein mann von liebe:
doch trübt sein fleisch und blut ein grausamer. —

S. oben s. 25.

Ein frevler wohl erwirbt sich trug-gewinn:
doch wer da recht aussäet, sichern lohn.
Wer redlicher gerechtigkeit, mufs leben:
doch wer dem bösen nachjägt, selber sterben.

Wäre es wahrscheinlich dafs der lezte herausgeber einen vers hinzugesezt hätte, so könnte man erklären: *so führt gerechtigkeit zu leben*, als hätte jener den sinn des vorigen verses weiter angewandt. Doch bei der unwahrscheinlichkeit dieser annahme bleibt nichts übrig als כֵּן in der adjectivischen bedeutung „fest, zuverlässig“ Gn. 42, 11. 19 zu nehmen; לֹא כֵן das *unzuverlässige* Jes. 16, 6 und Spr. 15, 7 wo LXX richtig *οὐκ ἀσφαλῆς*. Das ־לְ ganz ebenso das lezte ziel anzeigend wohin etwas führen müsse v. 24. 19, 23. 12, 8. 16, 30. 18, 24. 19, 8. 21, 5. 22, 16. Die lesart selbst ist übrigens só sicher daſs schon die LXX für כֵּן weil sie es nicht verstanden בֵּן lasen: allein die redensart *ein sohn der gerechtigkeit* liegt nicht so nahe wie jene bei 10, 4.

Der gräuel Jahve's sind die herzverkehrten: 20
sein wohlgefallen die von reinem wege.
Die hand darauf! nicht kommet frei der böse:
doch der gerechten same rettet sich.

יָד לְיָד *hand der hand!* scheint eine alte betheuerung aus dem gemeinen leben zu seyn, wie wenn man für die wahrheit der sache einen handschlag thun, sich verbürgen wolle; so viel scheint der zusammenhang als das sicherste zu lehren. 16, 5 ist bloſs neue zusammenziehung aus v. 20. 21 hier.

[Ein goldner ring in eines schweines nase:
ein weib wohl schön, doch urtheilslos! —]
Gerechter sehnsucht ist nur gutes:
der frevler hoffnung — jäher zorn. —

Ein wechsel mit 10, 28: beides erklärt sich so gegenseitig noch leichter. *Jäher zorn* oder noch wörtlicher *grimm* in demselben sinne wie oben v. 4. Was die Gerechten ersehen ist nur gutes, und so kann ihnen dies zulezt wirklich zufallen; während die frevler auf glück hoffen und am ende nichts als die gerechte göttliche strafe empfangen.

Mancher zerstreuet — und doch mehrt sich's noch:
und sparet mehr als billig — nur zum mangel!
Die segen-seele — die wird reich gelabt: 25
wer regen aussprengt, wird auch selbst besprengt.

Die *segen-seele* etwa in dém sinne wie Abraham schlechthin ein *segen* genannt wird Gn. 12, 2 als schon durch sein leben und wirken segen verbreitend, ein unerschöpflicher segen für andere. Das zweite glied eigentlich: *wer benezt* (naſs macht, so daſs die dürftigen nicht wie in dürre und trockniſs dahinschmachten), *wird auch selbst naſs* wie durch wechselwirkung. יוֹרֶא = יוֹרֶה scheint doch eher Hof-al nach §. 131 f. zu seyn als part. Qal, da ihm ein Hif-îl entspricht. Den Geizigen einen mit dürren oder trocknen händen, den Freigebigen sogar wol selbst einen regen zu nennen, ist in jenen gegenden alte sitte, vgl. 25, 14.

Wer korn zurückhält, den verflucht das volk:
doch segen trifft das haupt des kornverkäufers.
Wer gutes aufsucht, wohlgefallen sucht:
aber wer bösem nachgeht, den trifft es.

Wohlgefallen hier wie 14, 9 und *εὐδοκία* Luk. 2, 14 im höchsten sinne des wortes, wonach es das göttliche wohlgefallen selbst oder die gnade und huld als eine göttliche macht bezeichnet welche auch unter menschen walten kann. Da heiſst es denn richtig daſs *wer gutes eifrig sucht*, eben damit diese göttliche macht der gnade und huld oder (wie man auch sagen könnte) der liebe sucht.

Wer traut auf seinen reichthum, wird verwelken:
doch immer höher blühen die Gerechten.

Das zweite glied lautet nach dem jezigen Hebräischen *doch wie das blatt werden Gerechte blühen:* aber das bild ist nicht recht treffend. Die LXX *ὁ ἀντιλαμβανόμενος δικαίων* lasen וּמְעַל הַצַּדִּ׳ *doch wer den Gerechten nüzt:* auch dies ist zu unklar gesagt. Man theilt die worte aber bei dieser lesart richtiger só: וּמַעְלָה צַ׳ was sehr wohl bedeuten kann *doch immer höher werden die Gerechten* anstatt (wie das erste glied sagt) zu verwelken und zu fallen *aufblühen*. Dann liest man in *a* besser יִבֹּל.

Wer trübe macht sein haus, wird erben wind:
doch des Gerechten frucht ist lebensbaum.

Wer sein haus dadurch daſs er ungerechtes gut hineinbringt trübt, wird zulezt das gegentheil von dem empfangen was er hofft; während die frucht welche das leben den Gerechten einträgt, ebenso unsterblich ist wie die des lebensbaums.

[Ein sklav der narre wird dem weisen sinnes: 30
seelenerobrer aber ist ein weiser. —]

Schon einige frühere ausleger haben vermuthet dafs die glieder v. 29 f. so umgestellt werden müfsten. Man sieht wirklich nicht wie die zwei ganz entgegengesezten säze von gerechtigkeit in der erwerbung der güter und von weisheit im umgange sich vereinigen lassen: dadurch mufs selbst der versuch scheitern die zwei verse nach der überlieferten ordnung in einem gröfsern gliederbaue só zu verstehen dafs das erste dem dritten, das zweite dem vierten gliede entspräche: denn indem dann der sinn des zweiten sich nach dem des ersten doch insofern richten müfste dafs der narr als auf thörichte art sich bereichernd zulezt diestbar werdend gedacht würde, weist das vierte auf eine ganz andre ursache hin; auch ist אויל immer zunächst ein narr im reden und denken. Die zwei glieder von der weisheit in worten scheinen auch den ursprünglichen zusammenhang zwischen v. 24—12, 3 zu stören, da ohne sie und 12, 1 alle säze von recht oder unrecht und dessen folgen handeln. Uebrigens ist hieraus das עכר ביתו 15, 27 entlehnt, wo es noch deutlicher den durch eingriffe in fremdes gut sein eignes haus in unruhe versezenden reichen bezeichnet. — Die gemeine redensart *die seele* oder *das leben jemandes nehmen* 1, 19. 1 Kö. 19, 4. 14. Ψ. 31, 14 ist gänzlich verschieden von dieser dichterischen *seelen nehmen* d. i. erobern, wie man sagt *die stadt nehmen* d. i. erobern Num. 21, 25 vgl. oben 6, 25. Hier ist vielmehr die redensart 14, 25 ähnlich und offenbar von demselben dichter.

Sieh, der Gerechte fühlt den lohn auf erden:
um wie viel mehr der frevler und der sünder!
[Wer liebet zucht, liebt wissen: 12, 1
aber wer warnung hafst, ist dumm wie vieh. —]
Ein guter Jahve'n abgewinnt gefallen:
ein ränkevoller nichts als — strafe.

Eig. *aber den ränkevollen erklärt er schuldig* eben indem er ihn der strafe bestimmt.

Niemand gewinnt durch frevel stand:
aber Gerechter wurzel nimmer wankt. —

Vgl. oben zu 10, 24.

Ein tücht'ges weib ist ihres gatten krone:
aber wie frafs im knochen eine schlechte. —

5 Die gedanken der Gerechten sind nie — unbill:
der frevler kluge leitung ist — betrug.

Wol reden frevler, nachzustellen blute:
jedoch redlicher mund befreiet sie.

Sie, nämlich die einfältigen unschuldigen, deren blute und leben die frevler am leichtesten nachstellen zu können meinen, zwar hier nicht so wie dort 1, 11 ff. (denn jene zeiten werden hier nochnicht vorausgesezt), aber doch durch böse anklagen vor gerichte. So wird in diesen kurzen sprüchen auf ein im sinne des ganzen liegendes nomen sehr oft nur durch sein *pron. suff.* hingedeutet, 14, 3. 26. 16, 23. 26, 26; auch gleich durch das *pron.* als subject oder im verbum 19, 23. 13, 10. Dafs die rettung vor dem gerichte geschieht, ist aus dem oben zu 11, 9 gesagten deutlich. Das *δόλιοι* der gewöhnlichen ausgaben der LXX ist blofs eine von Aq. und Symm. verbesserte schlechte lesart für *δόλιοι εἰς αἷμα*, was der sinn selbst fordert; der *infin.* ergänzt nach §. 338 *a* nur kurz den gedanken *sie wollen blute nachstellen;* und wiewohl ארב sonst mit לְ־ verbunden wird, so kann es doch nach §. 282 *a* zumahl im verse auch noch kürzer verbunden werden.

Nur umgewandt, sind schon dahin die frevler:
doch der Gerechten haus besteht. —

Ueber den saz mit dem *inf. abs.* s. §. 328 *c.* Darin liegt eben der nachdruck dafs ein einziger sturm der die frevler umkehrt genügt sie für immer zu stürzen, da sie einmahl im augenblicke umgewandt und zu boden geworfen, sich nicht wieder erheben können; zu vergleichen 10, 25. הָפוֹךְ ist also, ohne kraft gesprochen, = הִפְּכוּ: *man habe nur die frevler umgewandt — so sind sie dahin,* so dafs רשעים als gegenstand gilt, wie dieselbe verbindung 25, 4. 5.

Nach seiner einsicht maafs lobt man den mann:
doch wer verkehrten sinns, mufs sein verachtet. —

Besser wer niedrig lebt, für sich arbeitend,
als wer nach ehren strebt und brodlos [illegible]

Nach der Massôr. aussprache וְעֶבֶד wäre der [illegible]

(in verachtung, ohne öffentliche ehren) ***lebt einen sklaven habend,*** nicht so ganz arm und niedrig seiend als er scheint, da er noch sklaven halten kann. Allein sklaven haben gehört nicht dazu um glücklich zu seyn; und würde so etwas unwesentliches, theilweise unmögliches gefordert werden. Nun könnte man zwar versuchen לו reflexiv zu nehmen: ***wer niedrig lebt sklav sich selbst***, sich selbst bedienend: allein damit wäre weder etwas bedeutendes gesagt, noch gerade das was zum gegensaze durchaus unentbehrlich ist, nämlich dafs ein niedrig lebender, wenn er nur durch fleifs nicht brodlos sei, glücklicher zu nennen als einer der vor jagen nach äufseren ehren sein nächstes hauswesen vernachlässigt. Darum ist וְעֹבֵד ***und*** den acker ***bauend für sich*** zu lesen; עֹבֵד auch so allein steht Deut. 15, 19. Bestätigung gibt noch die sichtbare fortsezung dieses gedankens in v. 11, da man sich v. 10 ohne schwierigkeit als später eingeschoben denken kann.

[Gerechter weifs um seines viehes seele: 10
doch frevler mitleid ist nur — ein tyrann. —]

So אכזרי als selbständig zu fassen, ist nach allen umständen das sicherste. Die sprache dieses zweiten gliedes ist hier wie sonst so oft in diesen sprüchen äufserst spiz, aber in ihrem zusammenhange klar.

Wer seinen acker baut, wird satt an brod:
wer taugenichtsen nachläuft, ist sinnlos. —

רֵיקִים hier 28, 19 und sonst überall von menschen. Die LXX haben hier noch den spruch *ὅς ἐστιν ἡδὺς ἐν οἴνων διατριβαῖς, ἐν τοῖς ἑαυτοῦ ὀχυρώμασι καταλείψει ἀτιμίαν*, also etwa

מִתְנַעֵם בְּהַלִיכוֹת יַיִן | בְּאֵיתָנוֹ יַעֲזֹב קָלוֹן

Wer sich vergnügt an gängen hin zu weine,
wird in eigner wohnung schande hinterlassen.

ein spruch gegen die trinklust der in diesen zusammenhang nicht übel pafst, und dem zwar manche andere in unserm buche dem sinne nach gleichen, der aber doch im ausdruck so eigenthümlich ist dafs man ihn für ursprünglich halten kann. Für באיתנו könnte man auch בִּמְעֻנָּתוֹ vermuthen: wir wählen jenes noch seltenere wort weil die LXX auch v. 12 das יתן durch *ἐν ὀχυρώμασι* übersezen.

Des frevlers gier ist ein fangnez von übeln:
doch der Gerechten wurzel dauert.

Nach der Massôr. lesart würde das erste glied lauten: *es sehnt sich der frevler zu fangen die bösen*, da doch der frevel vieler sich auch gegenseitig immer wieder vernichtet. Allein es ist nicht abzusehen warum dann blofs die sehnsucht zu verderben angeführt werde, da vielmehr der untergang selbst hervorzuheben wäre; ferner wird in diesem abschnitt vielmehr immer der streit der frevler gegen die Gerechten geschildert; auch ist מצוד sonst nicht fang, sondern *nez*, für welche bedeutung aufserdem die ähnlichkeit des folgenden spruches stimmt. Darum scheint es besser zunächst חֶמֶד als substantiv, dann aber מְצוֹד רָע *ein böses nez* zu lesen, obgleich die veränderung der רָעִים in רָע sehr stark ist und sich nur das Targ. dafür anführen läfst. Dann wäre der sinn: seine gier die Gerechten zu umstricken sei zwar böse genug, aber diese haben doch nichts zu fürchten, da ihre wurzel unvertilgbar sei. Der spruch wäre dann nur, wie sonst oft, aus zwei schon sonst gegebenen säzen neu zusammengesezt. Allein da רָעִים nach §. 172 *b* auch sächlich stehen kann, so mag das erste glied vielmehr aussagen diese gier sei zwar ein fangnez aber nur ein solches worin sich für den frevler selbst allerlei übel fangen an denen er zeitig untergehen müsse. — יִתֵּן kann hier ebenso wie 10, 24 *b* nicht *er gibt* oder *es gibt* bedeuten. Da der sinn schon an sich darauf führt dafs der wurzel dauer oder nichtdauer zugeschrieben werde; da ferner der spruch nur ein wechsel von andern deutlichen wie 12, 3 *b* ist, so scheint es am leichtesten auch hier יָתֵן als ein dem אֵיתָן gleichbedeutendes adjectiv zu fassen, ohne dafs es nothwendig würde יֵתֵן zu lesen.

Im vergehn der lippen liegt ein böser fallstrick:
aber es kommt aus drangsal der Gerechte.

Jedermann kann zwar durch unbedachtsames reden leicht in schwere gefahr kommen: doch ist zu hoffen dafs der Gerechte einer solchen entkomme, weil er sich von anfang an vor bösem hüten wird.

Von des mundes frucht wird man genug gutes genieſsen:
doch was eines hand that, fällt heim auf ihn. —

Das zweite glied gibt auch hier einen gegensaz, da גְּמוּל יְדֵי nach Jes. 3, 11 auch von dem bösen thun gesagt werden kann. Der ganze spruch führt also den vorigen weiter: je bessere reden jemand führt, desto mehr guter frucht wird er davon genieſsen, aber das böse was jemand inderthat anrichtet wird auf sein haupt zurückfallen. Das Q'rî יָשִׁיב *wird er* Gott *ihm vergelten* ist minder gut. — Die LXX haben vor diesem noch den spruch: ὁ βλέπων λεῖα ἐλεηθήσεται, ὁ δὲ συναντῶν ἐν πύλαις ἐκθλίψει ψυχάς, was wahrscheinlich bedeuten soll

רַךְ עַיִן יְרֻחָם | וּמְקַדֵּם בִּשְׁעָרִים יַצִּיל נְפָשׁוֹת

Wer ist gutherzig, wird erbarmen finden,
wer hülfreich in den thoren, seelen retten.

wieder so wie v. 6 von denen gesagt welche aus seelengüte sich vor gerichte (*in den thoren*) der verfolgten annehmen: ihr lohn wird seyn dafs sie einst selbst auch erbarmen finden! Der רַךְ עַיִן zärtlich oder *gutmüthig blickende* wäre ebenso wie טוֹב ע׳ das gegentheil des רַע ע׳ 23, 6. 28, 22 (vgl. zu 22, 9); und das ἐκθλίψει weist wohl auf die redensart 14, 25 hin. Der spruch trennt jedoch die beiden ihn umgebenden übel, und pafst eben zu dem folgenden v. 17.

Des narren weg scheint ihm gerade: 15
doch wer da hört auf rath, ist weise,
Des narren groll wird kund desselben tags:
jedoch wer schande birgt, ist klug. —

S. oben s. 33.

Wer treue athmet, meldet recht,
aber ein lügenzeuge ist nur täuschung.

D. i. in der gefahr unzuverlässig, die auf ihn gesezte hoffnung bitter täuschend, wie in dem ähnlichen spruche 14, 25. Der spruch bezieht sich auf das gerichtsverfahren.

[Mancher wohl schwazt als wären's schwertesstiche:
aber der weisen zunge ist heilmittel. —]
Der treue sprache hält auf immer stand:
doch bis ich umschau' nur, die lügenzunge.

עַד אַרְגִּיעָה ist die freilich nur hier vorkommende, doch sichtbar älteste volle umschreibung dessen was sonst durch das adverbium רֶגַע ausgedrückt wird: *bis ich die augen bewege*, einen blick thue = einen augenblick lang; ähnlich ist כִּי אַרְגִּיעָה *wann ich* — Jer. 49, 19. Der cohortativ aber steht in solchen fällen wo die handlung nach freiem entschlusse kommen soll, ganz richtig; so wie beiläufig gesagt, der Sanskr. Imperativ der ersten person, dem überhaupt der Hebr. cohorhativ entspricht, ähnlich oft vorkommt.

20 Trug ist im herz derer die unglück pflügen:
aber die frieden rathen, haben freude.
Gerechten tritt kein unheil je entgegen:
doch frevler voll von unglück sind.
Der gräuel Jahve's lügenlippen sind,
aber die treue üben, sein gefallen. —
Ein kluger mann ist der das wissen birgt:
aber der thoren herz ruft narrheit aus. —

Das wissen birgt mit dem was er weifs und vielleicht wirklich besses erkennt nicht unvorsichtig hervorplazt.

Die hand der fleifsigen wird herrschen,
doch frohnen wird die trägheit müssen. —
25 Kummer in eines herz drückt es danieder:
doch ein frohes wort erheitert es. —

Obgleich לֵב sonst nie als *fem.* aufgefafst wird, so fordert doch eben der sinn der worte klar es hier wenigstens als *fem.* zu verstehen, da die *suff. fem.* auf nichts anderes sich beziehen können. Wirklich aber begreift sich diese möglichkeit aus der verwandschaft seines begriffs mit נֶפֶשׁ gerade an dieser stelle und aus der bildung des pl. לִבּוֹת; s. §. 174 *d.* 177 *d.* Das דְּאָגָה aber kann als *inf.* wohl einmahl mit dem *msc.* verbunden werden, vergl. unten zu 29, 25. Der zweck des ganzen spruches aber geht dáhin man solle den bekümmerten durch liebreiche worte zu erheitern sich bestreben.

Seine freunde weist zurechte ein Gerechter:
aber der frevler weg führt sie in irre. —

Diesen sinn des יָתֵר von תור = תיר hat wiewohl sehr frei schon Pesch. und wahrscheinlich nach richtigerer lesart die LXX ausgedrückt. Das wort מֵרֵעֵהוּ ist nach 19, 7 ganz richtig, aber nach §. 160 *b* von meheren freunden zu verstehen. Man muls sich aber hüten יָתֵר für das *imperf* Hîf. zu halten: mit dem blofsen *imperf.* beginnt nach s. 9 nie ein solcher spruch. Es ist vielmehr nach

§. 162 *a* gebildet *der zurechtweiser*, und das *â* vorne bleibt im *st. constr.* ähnlich wie in den fällen §. 212 *e*.

Die trägheit brät ihr wildpret nicht:
köstlicher schaz ein fleiſs'ger einem ist. —

Daſs יַחֲרֹךְ nicht mit حرك *bewegen*, *jagen*, sondern mit حرق vergl. חָרַךְ zu vergleichen sei, lehrt schon die richtigkeit des bildes, welche fordert sich zu denken wie der träge eben das was er schon hat nicht fertig zu machen und anzuwenden lust hat. Andere bilder geben ganz denselben sinn, 19, 24. 26, 15. 13, 4. Uebrigens s. §. 318 *a*. Das حرق ist zwar *versengen*: allein in einer anderen mundart konnte חרך auch recht wohl das bloſse *sengen* d. i. *braten* bedeuten.

Im pfade der gerechtigkeit ist leben,
und ihres weges steg — unsterblichkeit.

נְתִיבָה steht hier neben דֶּרֶךְ in seiner ersten und strengsten bedeutung wonach es *steg* ist, obgleich es dann auch wie unser *steg* von *steigen* dichterisch allgemeiner gebraucht wird; die beste erklärung dazu gibt die rede Jer. 18, 15. Das ה— aber von נתיבה muſs sich als *suff.* (vergl. §. 247 *d*, vielleicht hält es die Massôra auch dafür) auf צדקה beziehen: der schmale weg wo die gerechtigkeit wohnt. — Da jedoch in vielen handschriften אַל für אל gelesen wird, so hängt damit wohl die lesart נתיבה ohne *Mappîq* zusammen, als wäre der sinn *aber ein weg ist gebahnt zum Tode*, man weiſs welcher und wer auf ihm gerne geht, wie man dann halb scherzhaft hinzudenken müſste. Allein das räthselhafte wäre dann doch nicht so treffend wie 14, 12 und in ähnlichen fällen gezeichnet; dazu ist schon völlig ungewiſs ob נתיב noch als ein mittelwort möglich ist. — Aber es ist auch unnöthig vor dem zweiten gliede das בְּ— des ersten im sinne zu wiederholen: vielmehr wird der grundgedanke nur noch reicher ausgedrückt wenn es im zweiten gliede heiſst der steile weg wo die gerechtigkeit heranschreite sei selbst schon unsterblichkeit, weil diese ohne jenen gar nicht zu erringen ist.

2. 13, 1—15, 19.

Ein weiser sohn läſst sich vom vater ziehen: 13, 1
ein spötter ist wer nimmer rüge hörte. —

מוסר mufs ein passives *partic.* seyn, also *Hof.* Indem diefs nun mit אב in den *st. c.* tritt, entsteht der sinn eines vom vater gezogenen oder der sich ziehen läfst, vergl. §. 288 *b.* — Uebrigens mufs man wissen was damals *ein spötter* war; vgl. die *Jahrbb der Bibl. wiss.* I. s. 100 f.

Von des mundes frucht wird jeder gutes zehren:
doch ungetreuer lust nur — grausamkeit.

Das erste glied kehrt zwar häufig wieder mit geringer abwechslung 12, 14. 18, 20: doch scheint hier seine ursprünglichere stelle zu seyn, da ihm das 2te glied vollkommener entspricht. Denn da נפש hier unstreitig wie v. 4 von der lust zu geniefsen gesagt wird, so entsteht der volle gegensaz: während jeder so viel gutes geniefsen wird als er als frucht seiner besonnenen wohlmeinenden reden erwarten kann, wird die freche lust der frevler, welche nur andre zu verderben muthig war, zulezt zwar auch auf immer gesättigt, aber nur mit der härte von aufsen welche die nothwendige folge der eignen härte ist. חמס hängt also, obwohl im freiern sinne, von יאכל oder ישבע ab; und wie richtig dies zu denken sei, ergibt sich auch aus der ganz ähnlichen redensart 26, 6. Darum ist es auch unnöthig das zweite glied ganz zu sondern als wäre der sinn *aber die lust der Treulosen ist grausamkeit*, wobei man doch wieder hinzudenken müfste dafs sie weil sie nur nach grausamkeit lust haben dieselbe zulezt auch selbst leiden werden. — Durch die stellung des איש als abhängig vom *st. c.* wird der ganze saz bündiger: *von der frucht des mundes eines jeden wird er* (dieser jeder) —, wofür weitläufiger מִפְּרִי פִּיו אִישׁ.

Wer hütet seinen mund, bewahrt sein leben:
wer lippen aufreifst, dessen harret einsturz. —

Zum ersten gliede vgl. 12, 13. 29, 6. Dem lezten gliede schwebt 10, 14 *b* vor: aber der gedanke ist nicht blofs sehr frei, sondern auch im vergleich zum ersten gliede sehr treffend neu gebildet.

Wohl sehnt sich, doch umsonst, des faulen lust:
doch fleifs'ger lust wird reich gelabt. —

5 Trügerisches hasset der Gerechte:
doch frevler handelt schlecht und schändlich.

Zu יבאיש ויחפיר vergl. 19, 26, woraus so wie aus dem auch

allein oft vorkommenden מבישׁ erhellt daſs הבאישׁ = הבישׁ ist; s. §. 113 *b*. Wegen der allgemeinheit des sinnes im ganzen verse ist auch דָּבָר nicht besonders vom worte zu verstehen.

Gerechtigkeit behütet lebensunschuld:
doch bosheit stürzt die sünde nieder.

Gerechtigkeit, bosheit — die innere thätigkeit und kraft; lebensunschuld, sünde — die äuſsere that. Jene bedingt diese, schüzend oder verderbend, s. s. 22 und *Gött. G. A.* 1829 s. 1956 f.

Mancher sich stellet reich — und hat gar nichts:
und stellt sich arm — und hat doch viel vermögen.

Lösegeld für eines seele ist sein reichthum:
doch arm ward wer nie rüge hörte. —

Der fälle wo der saz des ersten gliedes eintrifft lassen sich nach den zuständen des Alterthumes viele denken, besonders bei dem sklaven- und gerichtswesen (s. die *Alterthümer* s. 228 der 3ten ausg.). — Da der sinn des ersten gliedes klar, der stoff des zweiten aber aus säzen wie v. 1 *b* deutlich entlehnt ist, so kann kein zweifel seyn daſs man לא שמע als das eigentliche subject dieses 2ten gliedes auffassen muſs. Es ist nämlich zwar unmöglich daſs ein ganz einzeln vorn stehendes *verb. fin.* einen relativen saz anfange: auch bei den am meisten künstliche kürze liebenden dichtern des 7ten und 6ten jahrhunderts findet sich das nirgends; יָפִיחַ 12, 17. 6, 19, welches man dahinziehen könnte, muſs sowohl dort als 14, 5. 19, 5. 9. Ψ. 12, 6 nicht als 3te person eines verbum, sondern als part. intrans. §. 169 *a* von יפח betrachtet werden, vergl. den *st. c.* יְפֵחַ Ψ. 27, 11; יוֹסִיף Qóh. 2, 18 vergl. Jes. 29, 14. 38, 5 ist ein nach §. 127 *b* in Qal tretendes *part.* für יוֹסֵף. Nur wenn die rede schon só angefangen ist daſs der begriff der ergänzung oder beziehung im zusammenhange versteckt liegt, ist die bezeichnung derselben unnöthig, also am leichtesten nach dem *st. c.* §. 333 *b*, auch wo das frühere wort den begriff des objects mit sich bringt, endlich wo die eine hälfte des sazes schon genannt ist, so daſs mit dem begriff der *Copula* zwischen subject oder prädicat auch der der bezüglichen person gegeben ist: lezter fall trifft nun hier v. 1 und 8 ein, dádurch erleichtert daſs das sonst überall stehende particip hier wegen לא nicht stehen konnte §. 320 *c*. Ein besonderer fall mit voraufgestelltem nomen ist noch Jes. 48, 14, wovon §. 333 *b*.

Da slicht Gerechter wird fröhlich brennen:
aber der frevler leuchte wird erlöschen. —

Bilder wie Ijob 18, 6. 29, 3 entlehnt von dem zeltleben der ältesten Hebräer. — Die LXX haben hinter diesem spruche einen andern: *ψυχαὶ δόλιαι πλανῶνται ἐν ἁμαρτίαις, δίκαιοι δὲ οἰκτείρουσι καὶ ἐλεοῦσι;* für das zweite glied geben sie aber hinter v. 11 die verschiedene und gewifs treuere lesart *δίκαιος δὲ οἰκτείρει καὶ κιχρᾷ;* und die Vulg. hat jene beiden glieder hinter v. 13. Das Hebräische könnte gelautet haben:

נפש מרמה תועה בחטאת | וצדיק חונן ומלוה

Die trugesseele irrt herum in sünde:
doch der Gerechte schenkt und leihet aus.

in dém sinne: der Gerechte lasse sich auch durch das abschreckende beispiel des gegentheils vom wohlwollen und wohlthun nicht abhalten, zumahl gerade das *ausleihen* nach den *Alterth.* s. 243 f. als besonders verdienstlich galt; vgl. unten 19, 17 und später fast wörtlich ebenso Ψ. 37, 21. 112, 5. Man kann nicht läugnen dafs dieser spruch ebenso gut ist wie manche andere in diesem zusammenhange.

10 Bei übermuth nur gibt es zank:
aber bei wohlberathenen ist weisheit. —

יתן kann nicht bedeuten *macht er*, der übermüthige, als läge dies schon im zusammenhange: der ausdruck wäre zu unbeholfen. Vgl. vielmehr oben zu 10, 24.

Erschwindeltes vermögen wird abnehmen:
wer sammelt auf die hand, hat immer mehr. —

Auf die hand, also soviel als er halten, fassen und behaupten kann: wer so sammelt, sammelt sowohl aus eigner arbeit als auch klug und sicher, und mufs so fortfahrend immer mehr haben. Nach dem klaren sinne dieses 2ten gliedes kann das erste nach der jezigen lesart nicht só gefafst werden wie die accente zu wollen scheinen: *Vermögen nimmt* (schneller) *ab als ein hauch*, weil הון so allein gesezt noch nicht ein entweder unrechtmäfsig oder unklug und unsicher erworbenes vermögen bedeutet, wie denn auch der gegensaz zwischen *abnehmen* und allmählig *immer mehr haben* verschwände; wozu kommt dafs vom hauche wohl *verfliegen* und dergleichen leicht gesagt wird, nicht aber langsam *abnehmen*. Man müfste also die worte só verbinden: *ein vermögen aus hauch* d. i. etwa ein windiges vermögen. Aber die LXX welcher die Vulg. folgt las noch richtiger מְבֹהָל vgl. 28, 22 und zu 20, 21: *übereilt erworbenes* oder wie wir kürzer sagen können *erschwindeltes.*

Zu langes harren macht das herze krank:
doch lebensbaum ist ein erreichter wunsch. —

Also lasse man die bittenden und hülfesuchenden nicht zu lange warten!

Wer das wort verachtet, wird verpfändet ihm:
doch wer da scheut gebot, der wird bezahlt.

Wie der gegensaz zwischen frecher verachtung und scheuer achtung klar ist, so der zwischen *verpfändet* und *bezahlt* oder belohnt seyn. Das bild ist also deutlich vom schuldwesen bei den Alten entlehnt: wer das wort, die offenbarung und ihre lehre verachtet, der verliert ihm gegenüber seine wahre freiheit, indem er sogar durch dasselbe wort, das er durch seine verachtung erzürnt, in immer tieferes elend stürzt, ohne sich dennoch je der herrschaft desselben entledigen zu können: wogegen wer es achtet, von ihm sogar zahlung seiner schuld, gnade und lohn empfängt. Wie bedeutsam hier und 16, 20 (s. auch unten hinter 24, 22) die hervorhebung des *Wortes* d. i. des Logos sei, ist in der *Geschichte* V. s. 98 gezeigt. — Hinter diesem verse haben LXX Pesch. einen andern: *υἱῷ δολίῳ οὐδὲν ἔσται ἀγαθόν, οἰκέτῃ δὲ σοφῷ εὔοδοι ἔσονται πράξεις καὶ κατευθυνθήσεται ἡ ὁδὸς αὐτοῦ*, welches Hebräisch etwa wäre (da das zweite glied im jezigen Griechischen nur doppelt wiedergegeben wird):

בֵּן מִרְמָה אֵין לוֹ טוֹב | וְעֶבֶד מַשְׂכִּיל יַצְלִיחַ דַּרְכּוֹ

Ein sohn des truges hat nichts gutes:
aber ein weiser knecht hat glück im wege.

d. i. während ein ränkevoller nie etwas gutes erreicht, kann sogar ein weiser knecht auf seinem lebenspfade sehr wohl ein immer höheres glück haben: ein spruch welcher zu 17, 2 und ähnlichen dieses buches zu gut stimmt als dafs er nicht ächt seyn sollte.

Eines weisen lehre ist ein lebensquell,
zu weichen aus des todes nezen.
Guter verstand verleiht anmuth: 15
doch ungetreuer weg ist — öder fels.

איתן *dauernd* nach dem was zu 12, 12 gesagt ist; daher aber auch *hart*, welches wo vom wege die rede ist, nichts als einen unfruchtbaren öden weg bezeichnen kann, der keine wahren früchte und vortheile trägt, vergl. גלמוד Ijob 15, 34.

Ein jeder kluger handelt einsichtsvoll:
aber ein thor breitet nur narrheit aus.

Weil der thor zugleich ebenso geschwäzig als unvorsichtig ist, vgl. 12, 23. 15, 2.

Ein frevelnder gesandter fällt in übel:
aber ein treuer bote ist heilmittel.

Gesandte oder *bote* ist nach altem sprachgebrauche überhaupt einer dem schwierige geschäfte übertragen werden.

Armuth und schande wer da zucht abwirft!
doch wer warnung beachtet, wird geehrt.

Da das allein gesezte *part.* in einem allgemeinen saze nur einen möglichen fall sezt, also einem bedingungssaze gleichkommt (*wer da abwirft* = wenn einer abwirft) 14, 22. 27, 7. §. 357 *c*, so kann allerdings in der kernvollen kürze dieser sprüche so abgerissen wie im ausrufe gesagt werden: *armuth* (ist da,) *wenn man* —*!* Dafs armuth und schande dann da sei wenn die bedingung eintritt, liegt schon im zusammenhange. פרע aber als *abwerfen* die zucht wie eine lästige fessel ist sicher aus 15, 32; 1, 25. 8, 33.

Gestillte lust ist süfs der seele,
aber ein gräul der thoren, böses lassen. —

Allgemein zwar gewährt der seele des menschen die stillung ihrer lust die süfseste freude: aber eben deshalb ist es alsob die Thoren sich bitterlich sträubten die bösen pläne an deren ausführung sie ihr heil und ihre lust gehängt haben und überhaupt das böse selbst aufzugeben. Dies ganz so wie es auch Gen. 4, 7f. Jac. 1, 14f. in anderer weise beschrieben wird.

20 Geh du mit Weisen um — so wirst du weise!
mit thoren wem's ist recht, dem geht es schlecht. —

So etwa ist das wortspiel des lezten gliedes nachzuahmen: eigentlich *wer zu freunden nimmt Thoren, wird beschädigt werden.* Im ersten gliede aber ist keine nothwendigkeit mit dem *Q'rî* die anrede zu verlassen, da deren sinn ganz allgemein seyn kann: allerdings ist hier keine solche besondere anrede wie bei dem lezten vorredner c. 1—9. Zu lesen also הָלוֹךְ־ יְהַלֵּכֵם nach §. 328 *c* und 347 *b;* denn der sich an den ersten schlieſsende *inf. abs.* enthält zugleich die folge der ersten handlung.

Die sünder wird übel verfolgen:
 doch die Gerechten wird gutes erreichen.
Der gute macht zu erben kindeskinder;
 und erspart ist dem Gerechten sünders macht. —

Nach der gewöhnlichen lesart müſsten diese beiden sprüche lauten:

Die sünder wird übel verfolgen:
 doch den Gerechten vergilt Er Gutes;
Er lässet gutes erben kindeskinder,
 und erspart ist dem Gerechten sünders macht.

Sie würden dann beide sehr eng só zusammenhangen daſs das 3te glied dem 2ten, das erste dem 4ten näher entspräche; und dazu würde gut stimmen daſs טוב in jenen beiden gliedern dasselbe bedeutete. Allein man müſste annehmen daſs mit dem bloſsen *Er* auf Gott hingewiesen würde: und dies ist nach dem zu 10, 24 gesagten schwer zu denken. Da nun aber die LXX für ישלם vielmehr ישיג lasen und dieses zumahl nach dem vorigen רדף und nach vorgängen wie Ψ. 7, 6 vortrefflich paſst, so muſs man dem entsprechend auch die worte v. 22 verstehen. In der gegenwart haben so oft weder die Ungerechten noch die Gerechten was jedem gebührt: aber verfolgen und erreichen wird von beiden jeden dás was ihm von anfang an zukommt. Der spruch v. 22 *a* noch ganz nach dem uralten worte Ex. 20, 5. — Nach diesen 2 sprüchen hat die LXX statt v. 23 den im Hebräischen fehlenden: *δίκαιοι ποιήσουσιν ἐν πλούτῳ ἔτη πολλά, ἄδικοι δὲ ἀπολοῦνται συντόμως,* also etwa:

צַדִּיק יַרְבֶּה בְהוֹן שָׁנִים | וְרָשָׁע פֶּתַע יֹאבֵד

Der Gerechte wird in wohlstand jahre häufen,
 der Ungerechte plözlich untergehn.

ein spruch welcher sich an die vorigen treffend genug anschlieſst. Das *συντόμως* sezen die LXX sonst 23, 28, aber in einem spruche welcher dem Hebräischen übel entspricht.

Speise genug der armen neubruch ist:
doch mancher schwindet hin durch unbill.

Mancher schlechte und ungerechte, obwohl reiche mann. Ueber das erste glied s. s. 30. Neubruch ist ansich das schwerste stück feld zu verarbeiten und fruchtbar zu machen: auch so kann es dem fleifsigen und biedern manne genügen. Sonst vgl. v. 25.

[Wer seine ruthe spart, hafst seinen sohn:
doch wer ihn liebet, sucht sie auf, die zucht. —]

So ist unstreitig das *suff.* zu fassen hier und v. 4. 14, 13. 22, 11, vergl. 5, 22 und §. 309 *c*. *Hafst* ist blofs *liebt nicht.*

25 Gerechter isset bis satt wird die lust:
aber der frevler leib wird darben.

Während der Gerechte, auch wenn er nach dem v. 23 eben gesagten arm ist, noch immer leicht genug zum lebensunterhalte hat, verlieren reiche frevler leicht alles auch das zum leben nothwendigste, sodafs ihr feister bauch ganz abgemagert wird; wie dies Ijob 18, 12 f. weiter geschildert ist.

14, 1 [Der weiber weisheit hat ihr haus gebauet:
narrheit zerstöret es durch eigne hand. —]

Wie im ersten gliede das wort *weisheit* den hauptbegriff ausmacht, so ergänzt sich im zweiten bei dem worte *narrheit* leicht die beziehung *der weiber* aus dem ersten. Wie ein hohes stolzes haus sieht man hie und da neu vor sich, und fragt man wer es gebauet so erfährt man die weisheit dieses oder jenes weibes welches darin waltet, während manches einst glänzende blofs durch ihre thorheit zerstört wird.

Wer geht in seiner gradheit, ist Jahve's fürchter:
doch wer querwege liebt, ist sein verächter.

S. oben s. 19. Der spruch ist sehr wesentlich gegen die heuchelei gerichtet. Frägt man woran man erkenne ob einer wirklich Gott fürchte: so ist die antwort, man sehe auf sein leben, ob er gerade oder schiefe wege einschlage.

[In des narren mund ist eine hochmuthsruthe:
jedoch der Weisen lippen schüzen sie. —

Die hochmüthige rede des muthwilligen narren trifft zwar empfindlich verwundend die bescheidenen frommen: aber sie können sich trösten. in der gefahr werden sie von der beredsamkeit der Weisen geschüzt (und jeder wahre Weise findet in diesem schuze die beste anwendung seiner beredsamkeit); s. oben s. 32.

Wo keine stiere, ist die krippe leer:
doch gnug ertrag ist durch des rindviehs kraft. —

Also erwerbe man sich wenigstens erst einen geringen festen besiz, um dann die freude ihn wachsen zu sehen zu haben! s. oben s. 28. Man sieht dafs dies ein alter spruch seyn mufs, aus jener zeit wo ackerbau noch die hauptbeschäftigung jedes bürgers war.

Ein treuer zeuge ist der nimmer lüget:
wer lügen athmet, ist trüglicher zeuge. — 5

Das erste glied so nach dem zu 13, 8 bemerkten zu fassen räth der gesammte sinn des spruches in seinen beiden gliedern und sein zweck: er soll lehren nur dem der nach allgemeiner erfahrung nie zu lügen pflege auch in einer besondern sache als zeugen glauben zu schenken.

Ein spötter suchte weisheit — nur umsonst:
doch wissen ist dem einsichtsvollen leicht.

Das bild jenes weisheitsuchenden spötters ist hier ebenso wie 17, 16 von den weisheitsschulen und ihren öffentlichen ehren entlehnt, vgl. die *Jahrbb. der Bibl. wiss.* I. s. 99 f.

Geh grade los auf einen thörichten —
und doch erfährst du keine einsichts-worte! —]

Ueber מִנֶּגֶד לְ s. §. 292 *d;* das *perf.* von ידע aber kann sehr wohl hier wie sonst für unser *praesens* stehen. Die schärfe des spruchs würde verlieren, wollte man מנגד anders verbinden: „geh weg aus des thoren gegenwart, da du nicht erfahren hast — (zustandssaz)“: so wäre die ursache ihn zu meiden viel zu schwach erwähnt. Die LXX lasen כל für לְךָ und כְּלֵי דַעַת für ובל ידעת: allein dadurch entsteht kein besserer sinn.

Des klugen weisheit ist: verstehen seinen weg:
aber der thoren narrheit ist — täuschung.

Das leben ist der beste prüfstein von weisheit und thorheit eines menschen. Ob jemand wirklich klug oder thöricht sei, ist dáran zu erkennen ob er in den wahren schwierigkeiten und verwickelungen des lebens entweder aufrecht bleibe oder sich täusche und falle; s. oben s. 24.

Der narren spottet doch zulezt die schuld:
doch zwischen redlichen ist wohlgefallen.

S. oben s. 21. Der hier nur etwas freier wiedergegebene saz des ersten gliedes *der Narren wird die schuld* (die göttliche strafe) *spotten* erinnert ganz an einen grundgedanken der Griechischen Nemesis ähnlich wie das *Wohlgefallen* der zweiten nach dem zu 11, 27 bemerkten in solchem zusammenhange fast eine besondre göttliche macht darstellt. Dafs die LXX für beide glieder einen ganz anderen sinn voraussezten, ist für die wahrheit des ursinnes gleichgültig. Vgl. 19, 28. Nachgeahmt ist dies schon vom späteren dichter 3, 34 vgl. 1, 26.

[Das herz kennt seine eigne trübnifs wohl:
10 in seine freude auch mischt sich kein Fremder. —]

So nach der gewöhnlichen lesart; s. oben s. 25. Wie der einzelne eine seelentraurigkeit haben kann welche kein anderer zur selben stunde ebenso tief empfinden mag, ebenso auch eine seelenfreudigkeit die kein fremder mit ihm theilen kann: man dränge sich also weder dort noch hier ihm mit untreffenden worten auf! Man könnte zwar fragen ob man nicht für יוֹדֵעַ lesen könne: יוֹרֵעַ: ein ירע ورع vgl. mit وَرَأَ kann ein zurück ins dunkle gehen und thätig daher ein verschliefsen bedeuten, wovon das alte יריעה der *zeltvorhang* als der verschlufs seinen namen hat. Dann könnte man den sinn só fassen:

Ein herz das seine eigne trübnifs in sich schliefst,
in dessen freude auch mischt sich kein fremder.

als ein spruch gegen den närrischen welt- und menschenhasser: dieser sieht sich dádurch gestraft dafs auch in seine laute freude die er einmahl haben könnte kein anderer sich mischt. Doch ist lesart und wort zu wenig gesichert.

Der frevler haus wird umgeworfen werden:
aber das zelt der redlichen wird blühen.

Wohl scheinet einem mancher weg gerade:
jedoch sein ende todes-wege sind.
[Im lachen auch das herz empfindet schmerz:
und ihr, der freude, ende ist der gram. —]

S. oben s. 30.

Von seinen wegen satt wird wer falsch sinnt:
von seinen edelthaten auch ein guter. —

סוג לב eig. *der* (von Gott) *abtrünnigen herzens* ist. Aeusserst schwer ist aber מעליו, worin die Massôra die präposition על findet. Hängt das 2te glied mit dem ersten nicht zusammen: so müfste man es so deuten: und *ab von zu ihm* d. i. ab von seiner freundschaft und liebe wendet sich der gute, vergl. so über מעל 5, 8 und §. 219 *a*: allein diefs ist schon deswegen zu verwerfen, weil es weder an sich würdig gesagt ist, noch im vergleich zum ersten gliede passend. Lezterer grund spricht auch gegen den versuch einer deutung: „und über ihn kommt, sein herrscher wird ein guter", wo man dann auch eher „ein Gerechter" erwartete. So viel scheint vor allem gewifs dafs nach dem baue des verses מן dem מן ישבע des vorigen gliedes entsprechen mufs: aber was ist dann עליו? Ist es präposition, so müfste man erklären: *von* (dem) *was ihm obliegt*, also von seinen pflichten, als ob schon das pflichtgefühl ihn belohne. Ein solcher gedanke ist nicht recht alterthümlich und zur farbe dieser sprüche passend: auch sprachlich läfst sich zweifeln ob in den oben zu 13, 8 angegebenen grenzen auch der kürzeste ausdruck so weit gehen könne, sogar vor einer schwachen präposition den begriff des allgemeinen אשר *was* auszulassen; auch Ijob 24, 9 ist diefs bei על nicht sicher. Nach dem verhältnisse des sinnes beider glieder erwartet man hier ein wort wie *thaten*; und schwerlich findet sich ein hiehergehöriges ohne annahme früher verderbung des textes: denn עֲלָיו, als käme diefs von עוֹלֵל *thun*, ist kein sicheres wort. Man könnte also ein wort wie מִמַּעֲלָלָיו vermuthen, oder vielmehr ein ם sei ausgefallen: ממפעליו *von seinen thaten*; doch diefs wort ist für den guten zu allgemein, besser wäre auch nach 19, 17 an מִגְּמֻלָיו zu denken.

Leichtsinn'ger glaubet jedem wort: 15
aber ein kluger merkt auf seinen schritt.

D. i. merket wie er gehe, und ob er sicher gehe wenn er den worten eines Leichtsinnigen glauben beimifst.

Ein Weiser scheuet sich und weicht von bösem:
ein thor ereifert sich und wird sorglos.
Wer ist kurzmúthig, übet narrheit aus:
aber der mann von überlegung duldet.

Wie das lezte glied nach der Massôra lautet: *und ein ränkevoller wird gehafst,* bildet es mit dem ersten weder, wie man zunächst erwartet, einen gegensaz noch einen ähnlichen saz, da ein ränkevoller mit einem jähzornigen nichts gemein hat. Diefs so wie die spuren andrer lesart in LXX, Pesch. und sogar Targ., führt auf die vermuthung der fehlerhaftigkeit dieses textes. איש מזמות oder בעל— ist nun allerdings aufser als in schlechtem sinne zu fassen nicht möglich: „einer von mancherlei überlegung und plänen" ist dem sprachgebrauche nach beständig so viel als ein ränkevoller, der andre schlau zu verderben sucht 12, 2. 24, 8: aber אִישׁ מְזִמָּה „ein mann von überlegung" würde in gutem sinne zu verstehen seyn, wie der *sg.* mehr als der pl. auch aufser dieser verbindung mit איש im guten sinne steht 1, 4. 2, 11. 3, 21; 5, 2. 8, 12. Die verwechslung dieses sinnes scheint dann weiter die lesart des folgenden wortes entstellt zu haben: für ישנא würde nun vielmehr יְשַׁוֶּא = ישוה zu lesen seyn, genommen von der redensart שִׁוָּה נַפְשׁ „die seele eben, ruhig, geduldig machen" Ψ. 131, 2. So entsteht der vollkommenste sinn dieses aufserdem offenbar mit v. 1 zusammenhangenden verses.

Leichtsinn'ge haben narrheit in besiz:
doch klügere umschliefsen einsicht. —

Da הכתיר hier nicht wohl *erwarten* bedeuten kann, wie Ψ. 142, 8 und wie die Vulg. es fafst (denn die einsicht kann nicht blofs als zu hoffendes Etwas hier beschrieben werden): so bleibt nichts über als הכתיר eig. umgeben, umschliefsen, hier im sinne von „umfassen, erhalten" zu verstehen, wie LXX richtig *κρατήσουσιν,* wodurch der beste einklang zwischen den gliedern entsteht.

Stets sanken böse vor den guten,
und frevler an den thoren des Gerechten. —

An den thoren zu welchen sie zulezt kommen, um frieden und einlafs bittend.

Auch seinem nächsten wird verhaſst der arme: 20
doch viele sind des reichen freunde.

Die anwendung bei dieser traurigen erscheinung des gemeinen lebens ist:

Wer nicht den nächsten achtet, sündiget:
aber wer leidendem ist hold, dem heil!
Ja! irren werden die da böses pflügen:
doch gnad' und treue, wenn man gutes pflügt! —

Pflügen, *einackern* wird hier nur des gegensazes wegen einmahl vom guten zu sagen gewagt: sonst vom bösen, dessen samen man ausstreut, damit die frucht andern schade, Ijob 4, 8. Aber die andern so schaden wollen, müssen zulezt selbst hoffnungslos herumirren: während gnade und treue von Gott da sind, wo gutes ausgestreut ist; die verbindung im lezten gliede ganz wie 13, 18 *a*, und die thätigkeit der zwei göttlichen mächte wie die jener eben v. 9 *b* genannten. Das *irren* ist noch sehr aus jenem alten grundgefühle des volkes heraus gesprochen wonach es wohl wuſste wie es das schöne vaterland gewonnen habe und dasselbe auch leicht wieder verlieren könne, vgl. oben zu 10, 30.

In aller mühe wird ein vortheil seyn:
doch lippen-reden führet nur zum mangel.

Lippen-reden leeres gerede mit den bloſsen lippen, ohne herz und sinn, Ijob 11, 2. 15, 3.

Der Weisen krone ist ihr reichthum:
aber der thoren narrheit — narrheit ist. —

Sind die Weisen reich, so sind sie dadurch geziert, und ewig zu hoffen ist daſs die weisheit nicht ohne gute frucht auch für das äuſsere gut bleibe s. 22: aber die thorheit ist unfruchtbar und leer, ewig bleibend was sie ist, thorheit und nichts als thorheit. Dieser sinn wird noch deutlicher wenn man bedenkt daſs אִוֶּל wahrscheinlich = אוֶן vergl. אָוֶן *nichtig* bedeutet: aus nichts wird nichts; nichtigkeit bleibt nichtigkeit. Wie in diesen wörtern אִוֶּל und אוֶן das *l* und *n* leicht wechseln konnten, erhellt aus §. 320 *a anmerk.* Der sinn des spruches ist vollkommen klar (vgl. auch 10, 29 und besonders 16, 22): nur weil in dem wortgefüge der LXX das שׁ von

עשרם durch versehen fehlte, übersezten sie *πανοῦργος* עָרֻם und suchten in den worten einen unmöglichen sinn.

25 Ein seelenretter ist ein treuer zeuge:
doch wer da lügen athmet, eine täuschung, —

Da nämlich יפיח כזבים auch nach 12, 17. 19, 5. 9 das gegentheil vom treuen zeugen seyn kann und in diesem verse dem prädicat „seelenretter" des ersten gliedes etwas nicht unpassendes im 2ten entsprechen mufs, so bleibt nichts über als מרמה in dem sinne von „täuschung d. i. bei gefahr unzuverlässig" zu nehmen; und mag diefs eine abwechslung des spruches 12, 17 seyn. עד vor מרמה im *st. c.* aus dem ersten gliede zu wiederholen ist also unnüz, widerstrebt auch der sprachart dieser sprüche, da so künstliche wortkargheit erst bei etwas spätern dichtern aufkommt. *Ein seelenretter* durch sein muthiges zeugnifs für einen unschulig angeklagten vor gerichte.

In Jahve's furcht ist stolze zuversicht,
und seine söhne werden zuflucht haben.

Man könnte vermuthen in *b* sei zu *seine* aus *a* hinzuzudenken *des Jahve fürchtenden:* doch würde dadurch schon die einheit des gedankens leiden. Es ist aber sehr wol möglich dafs die treuen diener Gottes hier wie Deut. 14, 1 als seine *söhne* aufgefafst werden, zumal wo es sich wie hier dárum handelt ob sie in der noth wie söhne vom vater geschüzt werden. Damit diefs nicht mifsverstanden werde, heifst es sogleich weiter in geringer abweichung von 13, 14:

Die furcht Jahve's ist eine lebensquelle,
zu weichen aus des todes nezen. —

Zwar hatte ein alter leser der LXX hier nach 13, 14 תורת lesen wollen und *πρόςταγμα* übersezt: aber offenbar willkürlich und unrichtig.

In volkes fülle liegt des königs pracht:
wo das volk hinschwindet, ist einsturz des fürsten. —

Langmüth'ger reich ist an vernunft:
wer ist kurzmüthig, hebet narrheit auf.

Hebt sie *auf:* denn narrheit oder weisheit liegt jedem auch ganz ungesucht gleichsam vor den füfsen auf seinem lebenspfade, und es kommt auf ihn an ob er diese oder jene aufheben und sich als ein gut aneignen wolle. Das מרים in der stelle oben 3, 35 ebenso wie רוֹמֵם hier in dem alten spruche v. 34 steht in ganz anderm zusammenhange, nämlich nicht von sachen sondern von menschen gesagt: danach ändert sich vonselbst auch seine bedeutung.

Leben der leiber ist ein lindes herz: 30
doch knochenfrafs die eifersucht. —

Die mehrheit בשרים *leiber* ist im Hebräischen so ganz ungewöhnlich dafs sie hier offenbar absichtlich gewählt ist um anzudeuten wie allgemein dieses eintreffe.

Wer drückt den niedern, schmähet dessen schöpfer:
doch wer ihn ehrt, ist dem bedürft'gen hold. —

Vgl. Ijob 31, 15. Für das *perf.* חֵרֵף ist aber hier und 17, 5 zum baue der glieder des verses und zum gedanken passender nach §. 170 חֹרֵף zu lesen.

In sein unglück gestofsen wird der frevler:
doch zuversicht hat sterbend der Gerechte. —

Kein spruch kann schöner als dieser den schon in v. 26 liegenden gedanken ausführen, und stimmt doch im wesentlichen ganz mit 12, 28. Num. 23, 10 und anderen schon aus früheren zeiten abstammenden überein. Wenn die LXX בְּתֻמּוֹ lesen als wäre der sinn *es vertraut auf seine unschuld der Gerechte*, so ist das ebenso willkürlich unrichtig wie sie das erste glied übersezen *ἐν κακίᾳ αὐτοῦ ἀπωσθήσεται ἀσεβής*, während der sinn von חָסָה — בְּ nicht zweifelhaft ist.

Im herzen des verständ'gen ruht die weisheit:
doch unter thoren wird sie kundgethan.

Man könnte vermuthen es fehle hinten אִוֶּלֶת: „doch unter thoren wird narrheit kund“ nach 12, 23. 13, 16. 15, 2: das Targ. hat wirklich diese ergänzung. Die lesart wäre des einfachen sinnes wegen unstreitig vorzuziehen, wenn sie mehr geschüzt wäre: so aber mufs man den spruch nach s. 29 erklären.

Gerechtigkeit erhöhet ein volk:
doch schimpf aller gemeinden ist die sünde. —

Ueber das mundartige חֶסֶד als *schimpf* s. §. 51 *c*; es findet sich nur noch 25, 10 und Lev. 20, 17.

35 Des königs gunst hat der besonnene diener:
aber sein grimm wird seyn ein schlechter.

Wie vonselbst verständlich: der gegenstand seines grimmes.

15, 1 Gelinde antwort dämpfet hize:
aber unwillig wort lockt zorn hervor.
Der Weisen zunge gutes wissen schafft:
aber der thoren mund von narrheit sprudelt.
[An jedem ort sind Jahve's augen,
erspähend böse so wie gute. —]
Lindrung der zunge ist ein lebensbaum:
doch damit fallen, ist den geist verwunden. —

Vergl. oben zu 11, 3. 13, 3; eigentlich: ein fall (ein vergehn) mit der zunge ist eine wunde am geist, da doch auf jeden starken fall eine wunde folgt, während dieser fall leicht den geist und das bessere leben des menschen selbst trifft; im Hebräischen wird dies aber wegen des doppelten ־בְּ noch schärfer gesagt; über den sinn s. weiter s. 29 unten. Die übersezung der LXX *ὁ δὲ συντηρῶν αὐτὴν πλησθήσεται πνεύματος* führt auf eine lesart שֹׁמֵר־ יִשָּׂבַע welche doch weit ungenügender ist.

5 Ein narr verschmähet seines vaters zucht:
doch wer beachtet warnung, handelt klug. —

Man könnte vermuthen schon hier sei nach s. 40 ein neuer abschnitt anzusezen: allein passender geschieht das doch gewifs bei v. 20.

Bei dem Gerechten grofser vorrath ist:
doch im gewinn des frevlers liegt nur trübung. —

Vgl. v. 27 und 11, 29.

Der Weisen lippen streuen wissen aus:
der thoren herz unzuverlässig ist. —

לא כן kann nämlich nicht wol bedeuten: *nicht also* ist, wissen ausstreuend: diese unbeholfene ärmliche fassung wäre bei den sprüchen dieses abschnittes unerwartet und ohne ähnlichkeit. Sondern es ist nach dem zu 11, 19 gesagten zu fassen: ist der thoren herz unzuverlässig (LXX *οὐκ ἀσφαλής*), so kann man von ihm auch keine weisheit erwarten. Auch ist so nicht ganz gleichgültig dafs nur im 2ten gliede nun das herz selbst und nicht mehr der blofse mund genannt wird.

Der frevler opfer ist ein gräuel Jahve's:
  doch redlicher gebet sein wohlgefallen.
Ein gräuel Jahve's ist des frevlers weg:
  doch den dem recht nachjagenden liebt er.
Eine böse zucht hat wer den pfad verläfst: 10
  wer warnung hasset, stirbt. —

Welche *böse* zucht oder unwillkommene züchtigung von oben in *a* gemeint sei, erklärt sofort das zweite glied, vgl. 12, 28.

[Hölle und untergang sind klar vor Jahve:
  um wie viel mehr der menschenkinder herzen! —]
Kein spötter liebt's dafs man ihn warne;
  zu Weisen geht er nicht!

Dasselbe ist schon oben 13, 20 viel kräftiger gesagt: weil aber dieser dichter offenbar an die Weisheitsschulen dachte, so sezte er אֶל für אֵת, welches man hinwegzuräumen kein recht hat.

[Ein frohes herz gibt heitres angesicht:
  durch herzeleid wird auch der geist gebeugt.]
Des verständ'gen herz sucht wissen auf:
  aber der thoren blick labt sich an narrheit.

Die Massôra will hier zwar lesen: „der thoren *mund*", so dafs auch hier das unüberlegte reden getadelt würde. Doch nach dem ersten gliede sollte man vielmehr die innere verfassung der betrachtung der menschen hier geschildert glauben vergl. 17, 24, wofür denn ganz das K'tib פְּנֵי spricht; über dessen verbindung mit dem *sg. m.* im verbum s. §. 318 *a.*

15 [Des bedrängten tage alle böse sind:
wem's gut um's herz, ein stetes gastmahl ist. —]

Ein stetes gastmahl = der lebt beständig in äufserlich sich kundthuender zufriedenheit und lust. Dieser spruch macht sichtbar den gegensaz zu v. 13; s. über den sinn beider oder vielmehr ihre anwendung s. 25.

Besser ein wenig bei der furcht Jahve's,
als grofser vorrath und — unruh' dabei.
Besser ein kohlgericht — und liebe da,
als ein mastochse — und nur hafs dabei. —
Ein hiziger reizt an den streit:
langmüth'ger aber stillet hader. —
Des Narren weg ist wie ein dorngehege:
aber der pfad der redlichen ist gebahnt.

Im dorngehege kommt man nicht weiter: ebenso kann der *Faule* עָצֵל zulezt im leben nicht weiter. Statt der *Redlichen* im Massôretischen wortgefüge des zweiten gliedes müfste man dann aber nach den LXX חָרֻצִים lesen (vgl. 10, 4. 12, 24. 13, 4 vgl. 21, 5), obwohl schon die übrigen Griechischen übersezer jenes haben. Allein auch zum bilde des weges d. i. der bewegung pafst besser nach 14, 9 im ersten gliede vielmehr אֱוִיל zu lesen.

3. 15, 20—17, 24.

20 Ein weiser sohn erfreut den vater:
ein thor von mensch verachtet seine mutter.

Vergl. §. 287 *a* über כְּסִיל אָדָם hier und 21, 20.

Die narrheit freude ist dem sinnlosen:
doch ein verständ'ger nimmt geraden weg.

D. h. er läfst sich durch das böse beispiel jenes nicht verführen.

[Gebrochne pläne, da wo's fehlt an rath!
wo's nicht an räthen fehlt, bestehen sie.

So etwa ist im ersten gliede der nachdruck des *inf. abs.* auszudrücken, dessen wortfügung hier ebenso ist wie die oben zu 12, 7 bemerkte: *man bricht pläne!* Zu חקים vgl. §. 317 *a*. Ueber den geschichtlichen sinn dieses spruches s. die *Alterthümer* s. 334 der 3ten ausg.

Freude hat man an seines mundes antwort;
ein wort zu seiner zeit — wie schön! —]

Zu *a* kann am nächsten und besten v. 28 *a* verglichen werden.

Der lebenspfad geht aufwärts für den Weisen —
zu weichen von der hölle unterwärts. —

Was so oft in diesen sprüchen auf die mannichfaltigste weise angedeutet wird, dafs es nur zwei wirklich verschiedene wege für den denkenden und handelnden menschen gebe, und dafs der eine richtig eingeschlagen sicher nach oben zum ewigen leben der andere nach unten führe, das wird in diesem nur am treffendsten und kürzesten gesagt. Er wirft daher sein licht auf viele andere.

Der stolzen haus reifst Jahve aus, 25
und stellt der witwe grenze fest.

Die farbe auch solcher worte erklärt sich am nächsten aus den geschichtlichen verhältnissen des alten volkes, vgl. die *Alterthümer* s. 236. 492 ff.; 249. 415. Ueber יצב s. §. 343 *b*.

Ein gräuel Jahve's sind des Bösen pläne,
doch rein vor ihm des Redlichen worte.

Da das bild dieses spruches ebenso wie oben v. 8 und sogleich weiter v. 29 von der opfersprache entlehnt ist, so genügt zwar in *b* der kurze ausdruck *rein* ohne das in der übersezung blofs zur verdeutlichung hinzugesezte *vor ihm*: aber *die worte der anmuth* sind blofs 16, 24 am plaze, nicht hier; und kaum läfst sich bezweifeln dafs für נעם vielmehr ישר zu lesen sei, auch ganz abgesehen von dem *ἁγνῶν δὲ ῥήσεις σεμναί* der LXX.

Sein haus macht trübe wer nach gelde geht:
doch wer geschenke hafst, wird leben.

Vgl. oben s. 31. Er macht sein haus nur scheinbar hell leuchtend, inderthat trübe.

[Der Gerechten herz sinnt tief auf antwort:
der frevler mund von lauter bosheit quillt. —]

Es sinnt wol immer tief wie es antworte, antwortet aber nach v. 23 erst zur rechten zeit. Wie ganz anders gebrauchen die Leichtsinnigen das wort! Danach ist nicht nöthig mit den LXX אֱמֻנוֹת für לַעֲנוֹת zu lesen.

Fern steht Jahve von frevlern ab:
doch das gebet gerechter höret er.
30 [Der augen strahlen macht das herze froh:
gutes gerücht reichlich den körper labt. —

Wie jede von aufsen kommende und zuerst sichtbar sich äufsernde freude alsdann nachhaltig nach innen wohlthätig und befriedigend wirkt: so erquickt auch aufs wohlthuendste ein gutes gerücht das man von sich hört; man rede daher (sofern es mit der wahrheit bestehen kann) nur gutes vom nächsten, und mache ihm durch böse nachrede keinen kummer! So hängt dieser spruch etwas mit v. 13. 15 zusammen: obgleich der sinn des ersten gliedes hier mit recht umgekehrt ist, weil dort aus dem traurigen aussehen eines armen auf sein leidendes innere hingewiesen und zur mildthätigkeit ermahnt werden sollte.

Ein ohr das lebens-warnung hört,
wird mitten unter Weisen weilen.

Man sieht wie hoch damals die *Weisen* öffentlich galten. Was *Lebenswarnung* sei, ist schon aus allem vorigen hinreichend klar: sprüche wie v. 24. 12, 28 wollen immer nur den menschen warnen und treiben dás leben zu ergreifen welches allein diesen namen verdient; wie schon das folgende wieder so schön sagt:

Wer warnung abwirft, der verschmäht sich selbst:
aber wer warnung hört, erwirbt verstand.
Die furcht Jahve's die zucht zur weisheit ist:
der ehre geht demuth voraus. —]

Das zweite glied erklärt am kürzesten aber auch am besten wie das erste gemeint sei, vgl. 11, 2. 16, 5. 18 f. und besonders 22, 4. Doch steht dieses glied am ursprünglichsten 18, 12, und die LXX lasen hier ראשית *der anfang der ehre ist demuth*, was übrigens auf denselben sinn zurückkommt.

Des menschen sind des herzens anordnungen:
doch von Jahve erhörung kommt der zunge. 16, 1

Eine gute erläuterung zu diesem spruche über gesinnung und gebet gibt sogleich der folgende:

Ein jeder weg scheint einem rein zu seyn:
doch der die geister wägt, ist Jahve.

S. s. 18. Der spruch hat hier eine mehr ursprüngliche farbe als 21, 2: dennoch ist nach §. 317 *c* für דרכי besser דֶּרֶךְ zu lesen. Die unrichtige lesart entstand wahrscheinlich aus einem spruche den die LXX in ihrem zwischen 15, 27 und 16, 10 äufserst veränderten wortgefüge hier noch mit andern mehr hatte. Sie hat nämlich hinter 15, 33 die beiden sprüche: *ὅσῳ μέγας εἶ, τοσοῦτον ταπείνου σεαυτόν, καὶ ἔναντι κυρίου εὑρήσεις χάριν. Πάντα τὰ ἔργα τοῦ ταπεινοῦ φανερὰ παρὰ τῷ θεῷ, οἱ δὲ ἀσεβεῖς ἐν ἡμέρᾳ κακῇ ὀλοῦνται* d. i.

כגדלך ענה נפשך | ולפני יהוה תמצא חן
כל דרכי ענו נכח יהוה | ורשעים ביום רעה יאבדו

Je gröfser du, demüthige dich mehr:
so wirst du gnade finden vor Jahve.
Alle wege des Demüthigen sind vor Jahve:
doch frevler gehen am unglückstage unter.

Der erste dieser beiden findet sich nur in wenigen handschriften. — Und hinter v. 5: *ἀρχὴ ὁδοῦ ἀγαθῆς τὸ ποιεῖν τὰ δίκαια, δεκτὰ δὲ παρὰ θεῷ μᾶλλον ἢ θύειν θυσίας. Ὁ ζητῶν τὸν κύριον εὑρήσει γνῶσιν μετὰ δικαιοσύνης, οἱ δὲ ὀρθῶς ζητοῦντες αὐτὸν εὑρήσουσιν εἰρήνην* d. i.

ראשית היטב עשות צדק | נבחר ליהוה מזבח
מבקשי יהוה ימצאו דעת | ומישרי לבקש שלום

Anfang des wohlthuns ist rechtthun:
das ist Jahve'n lieber als opfer.
Die Jahve suchen werden weisheit finden,
und die ihn richtig suchen frieden.

Vgl. 21, 3. Diese vier sprüche stehen etwa den jüngsten dieser sammlung an werth gleich. Den vorlezten hat auch die Vulg. beibehalten.

Wirf nur auf Jahve deine werke:
so werden schon gelingen deine pläne.

Vergl. über die wortfügung §. 347 *b*.

Alles hat Gott gemacht zu seinem zwecke:
und auch den frevler für den unglückstag.

Der artikel ist in לַמַּעֲנֵהוּ vergl. §. 290 *d* deswegen beibehalten um eine verwechslung mit dem gewöhnlichen לְמַעֲנֵהוּ „seinetwegen" zu vermeiden. *Seinen eignen* zweck hat Gott mit allem was er als schöpfer zuläſst: so hat er auch bei dem Frevler dén zweck daſs dieser die strafe erlebe. Aehnlich der folgende spruch:

5 Ein gräuel Jahve's ist jeder der hochmüthig;
die hand darauf! nie wird er freigesprochen.
Durch huld und treue wird gesühnet sünde:
in Jahve's furcht liegt es zu meiden böses.
Wenn Jahve gern hat eines wege,
versöhnt er seine feinde auch mit ihm.
Besser ein wenig mit gerechtigkeit,
als fülle von einkommen mit unrecht.
Des menschen herz ergrübelt seinen weg:
doch Jahve richtet seinen schritt. —

S. oben s. 18.

10 Ein Götterspruch auf königslippen liegt;
in dem gericht trügt nicht sein mund.

S. über diesen und die ähnlichen sprüche s. 27.

[Gerecht gewicht und wage Jahve's ist;
sein werk sind alle beutel-steine. —]

Beutel-steine die verschiedenen gewicht-steine welche in einem beutel aufbewahrt und aus ihm horvorgeholt zu werden pflegten.

Ein gräuel von königen ist's frevel üben:
denn durch gerechtigkeit hält sich der thron.
Eine lust von kön'gen sind gerechte lippen;
wer redet redliches, den liebt er.

Zorn eines königs todesengeln gleicht:
doch weiser mann versöhnet ihn.

Die *todesboten* heifsen 17, 11 *unerbittliche boten*, ganz einerlei sinnes. Obwohl der zorn des königs furchtbar kommt wie ein ganzer haufen von todesengeln: so kann doch nicht selten eines Weisen wort versöhnend den sieg darüber gewinnen; solche weisheit bilde man, schäze und suche man!

In königs heiterm blicke leben liegt, 15
und seine gunst ist wie späten regens wolke. —
Erwerb von weisheit — wie mehr werth als gold,
vernunft erwerben — köstlicher als silber! —

קְנֹה und קְנוֹת wechseln nach §. 238 *c* nur des wechsels der beiden glieder wegen.

Redlicher bahn ist böses meiden;
und lange leben ist im rechte wandeln.
[Wer zucht annimmt, wirh glücklich seyn,
und wer da rügen achtet, weise werden.]
Wer wahrt die seele, hütet seinen weg, 17
und wer sein leben liebt, schont seinen mund.

So sind diese drei sprüche nach den LXX herstellbar. Zwar läfst sich nicht läugnen dafs die beiden glieder v. 17 auch im jezigen Hebräischen gut zu einander passen: allein eben dies verführerische konnte zum abkürzen verleiten. — Die fehlenden worte sind Griechisch: *μῆκος βίου ὁδοὶ δικαιοσύνης. Ὁ δεχόμενος παιδείαν ἐν ἀγαθοῖς ἔσται, ὁ δὲ φυλάσσων ἐλέγχους σοφισθήσεται. — ἀγαπῶν δὲ ζωὴν αὐτοῦ φείσεται στόματος αὐτοῦ*, und Hebräisch:

וְאֹרֶךְ יָמִים דֶּרֶךְ צְדָקָה |
לֹקֵחַ מוּסָר יִהְיֶה בְּטוֹב | וְנֹצֵר תּוֹכָחוֹת יֶחְכָּם
וְאֹהֵב חַיָּיו חֹשֵׂךְ פִּיהוּ |

שֹׁמֵר נַפְשׁוֹ hat als vorn stehend den nächsten antheil darauf als subject zu gelten, und mufs wirklich näher betrachtet hier so gut wie 22, 5 danach erklärt werden, obwohl es 13, 3 in einem übrigens sehr ähnlichen saze als prädicat nachgesezt war. Denn hier kommt es darauf an dafs die redlichen, denen ihr seelenheil am herzen liegt, nicht anders können als vom bösen weichen, sorgfältig auf ihren weg achtend: der spruch will nichts als die rechte lebensart, die sorgfalt des Gerechten schildern.

Vor schiffbruch übermuth,
 und vor dem straucheln hochmuth!
Besser demüth'gen sich bei duldern,
 als beute theilen bei hochmüthigen.

Beute theilen häufige redensart bei dichtern für *siegen*.

20 Wer achtet auf das wort, wird gutes finden,
 und wer vertraut auf Jahve, glücklich der!

Das wort wie 13, 13: hier wird es sogar im 2ten gliede durch hinweisung auf Jahve als die quelle des wortes oder der offenbarung noch bestimmter erklärt.

[Wer weisen herzens, wird begrüfst als kluger;
 der lippen süfse lehret desto mehr.]

Wird v. 23 f. fortgesezt. Das *herz* bedeutet hier und v. 23 recht die unerschöpfliche wärme der tieferen erkenntnifs im gegensaze zu der blofsen lippensprache Ijob 11, 2. Vgl. wie derselbe sinn später sehr geschmückt vorgetragen wird 25, 11.

Ein lebensquell die einsicht ist des klugen:
 jedoch der narren strafe ist narrheit.

Eigentlich „die einsicht seines herrn" d. i. dessen der sie hat, besizt, also allerdings des klugen. Diefs so kürzer gesagt für: הַשֵּׂכֶל לִבְעָלָיו, wie oben s. 146. Während so die einsicht für den sie anwendenden nicht unnüz und fruchtlos ist, ist die strafe der Nichtigen eben ihre nichtigkeit, leerheit, ihr unfruchtbares wesen, wie 14, 24.

[Des weisen herz macht seinen mund besonnen,
 und lehrt auf seinen lippen desto mehr.
Ein honigseim sind angenehme worte,
 was süfs der seele, lindrung ist dem leibe. —]

Wohl scheinet einem mancher weg gerade: 25
aber sein ende — todeswege sind.

S. oben 14, 12.

[Arbeiters lust für ihn arbeitet,
weil bürden ihm hat aufgelegt sein mund. —]

Wie der dem man bürden aufgelegt hat, sie tragen mufs: so arbeitet man, drückt die bürde des hungers, rasch und als merke man von der arbeit nichts, fort, um der bürde los zu werden: der hunger gibt lust und hebt alle mühe, s. s. 30.

Ein verderber ist wer übel gräbt,
auf dessen lippen ist wie sengend feuer.
Ein störenfried läſst los den streit,
und ohrenbläser trennt vertraute.
Ein wilder mann bethöret seinen freund,
und leitet ihn hin zu nicht schönem wege.
Wer augen schlieſst — verkehrtes will ersinnen, 30
die lippen kneift — hat schon vollbracht das böse.

Diese vier sprüche stehen, obwohl jeder für sich einen vollen sinn gibt, insofern in einer wechselbeziehung als sie in éiner sprache und farbe, sichtbar auch von éinem dichter nach einander geschrieben, vier der wichtigsten arten von schädlichen bösen menschen mit genauer unterscheidung schildern: 1) das erste bild v. 27 ist das des *verderbers*, der absichtlich mit that und wort andre zu verderben sucht, kennbar dáran dafs er *übel gräbt*, andern eine grube bereitend worin sie fallen sollen Ψ. 7, 16, und heftige reden voll glühender verläumdung führt. Ueber צרבת s. zu Ijob 6, 17. — 2) Das zweite bild v. 28 ist das des mehr unabsichtlich, muthwillig schädlichen verkehrers der ordnung und *ohrenbläsers*, der durch unachtsame, übelbedachte reden überall den frieden stört und streit losläfst. — 3) Das dritte v. 29 das des *wilden*, grausamen verächters aller bürgerlichen ordnung, der andere zu raub und mord zu verleiten sucht vergl. 1, 10 ff. — 4) Zulezt v. 30 das bild des seine leidenschaften schlecht verstellenden, den man eben deswegen meiden mufs. Wer seine augen vor plözlicher schadenfreude schliefst weil ihn ein böser gedanke überrascht und in sich kehrt (vergl. 10, 10), von dem kann man schon wissen dafs er in seiner auflodernden leidenschaft verkehrtes ersinnen wolle; wer gar in höchster wuth seine lippen kneift und die zähne weist, der hat schon so gut wie vollendet das böse, dem er nicht mehr widerstehen kann. So drücken die beiden glieder eine steigerung aus. Ueber לְחַשֵּׁב s. §. 237 *c*.

[Ein schmucker kranz ist graues haar,
auf pfaden der gerechtigkeit zu finden. —]
Besser ein langmüthiger als ein held,
wer sich beherrscht als wer erobert städte.
[In den schofs zwar wirft man hin das loos:
doch von Jahve kommt all sein entscheid. —]

Ueber das geschichtliche verhältnifs worauf dieser spruch anspielt s. die *Alterthümer* s. 385. 390 der 3ten ausg.

17, 1 Besser ein trocken stück — und ruh' dabei,
als ein von hader-opfern volles haus. —

Schliefst sich an 15, 16 f. Zu verstehen sind im zweiten gliede solche fette opferstücke wie etwa auch 7, 14 angedeutet werden, aber die in einem unruhigen, zänkischen hause verzehrt werden sollen.

Ein weiser sklav wird schlechten sohn beherrschen
und mitten unter brüdern erbe theilen. —

Ueber den fall wo dieses möglich war, s. die *Alterthumer* s. 240.

Silber hat einen tiegel, ofen gold:
doch der die herzen prüft, ist Jahve. —

S. oben s. 17.

Die bosheit merkt auf nichtige worte,
der trug nur horcht auf zunge von verderben.

מֵרַע scheint richtiger hier als substantiv nach §. 160 *d* denn als particip zu gelten: einmahl wegen der gleichen stellung mit שֶׁקֶר, dann aber auch weil der sinn des ganzen spruches dádurch an kraft und bedeutsamkeit gewinnt dafs die gesinnung selbst als thätig und leitend eingeführt wird. Die alten übersezer, in solchen dingen weniger genau, übertragen auch שקר gleich persönlich. S. oben s. 19 f.

Wer armen spottet, schmähet dessen schöpfer, b
wer froh ob unglücks, wird nie freigesprochen. —

Ueber *a* s. zu 14, 31; über *b* zu 11, 21, und über die schadenfreude oben s. 25.

Der greise kranz sind kindeskinder,
aber der schmuck der söhne ihre väter. —

Der ausdruck hat ähnlichkeit mit 16, 31, aber die wichtigste abzielung des spruches liegt im zweiten gliede. — Hinter diesen sprüchen hat die LXX dén *τοῦ πιστοῦ ὅλος ὁ κόσμος τῶν χρημάτων, τοῦ δὲ ἀπίστου οὐδὲ ὀβολός* d. i.

לְאִישׁ אֱמוּנִים כֹּל תְּכֻנַת הוֹן | וְלִרְחַב נֶפֶשׁ אֵין גֵּרָה

Der Treue hat die ganze welt des geldes,
der Gierige nicht einen heller.

wenn man nämlich wie 28, 25 *ἀπλήστου* verbessern will; und man sieht nicht warum der spruch nicht ächt seyn sollte.

Dem dummen ziemet hohe rede nicht:
wie nun dem edeln trügerische lippe? —

Noch ungereimter als ein dummer welcher erhabene reden über erhabene gegenstände führen will, handelt ein edler der auf unedle art lügen redet: das eine stimmt so wenig zusammen wie das andre. יֶתֶר ist die *erhabenheit*, welche im vergleich mit niedern dingen solche ist.

Ein holder stein bestechung scheint dem nehmer;
wohin sie sich nur wendet, hat sie glück. —

Ueber den sinn des spruches s. oben s. 30 f.

Wer sünde zudeckt, suchet liebe:
wer worte nachträgt, trennt vertraute. —

Dafs es die liebe und nicht der hafs sei welche sünde zudecke und vergebe, ist 10, 12 belehrt: hier aber wird ebenso richtig der nachdruck dárauf gelegt dafs wer in einer besondern sache wirklich versöhnlich sei auch das allgemeine gebiet der liebe mehre, nicht hafs sondern liebe suche: was namentlich für den undankbaren wohl zu verstehen nüzlich genug ist. Das gegentheil sagt dann das zweite glied, wo das שׁנה als neu activ völlig dem Lat. *altercari* (eigentlich es *anders* wollen) zu entsprechen scheinen könnte vgl. 24, 21. Doch pafst in diesen zusammenhang besser die erklärung „wer wiederkommt mit einem worte, es aus böser absicht wiederholt, statt es aus liebe und nachsicht zu verbergen"; vgl. 26, 11.

10 Sinke der tadel auf verständ'ge tiefer
als wenn man gibt dem thoren hundert schläge! —

S. oben s. 33. Das תֵּחַת würde man nach dieser aussprache zunächst von dem dichterischen חָתַת *packen* ableiten welches wie אָחַז mit בְּ verbunden seyn könnte: aber wiewohl man ansich wohl sagen könnte *der tadel packe einen an*, so pafst doch zum bilde des zweiten gliedes besser die ableitung von נחת vgl. §. 139 *c*. Allein oben s. 9 ist schon gezeigt dafs keiner dieser sprüche mit dem gemeinen *imperf.* beginnen kann: man mufs das wort also für den *vol.* und den spruch für eine aufforderung halten: möge der welcher als Verständiger gelten will wol bedenken dafs wenn man ihn einmal zu tadeln hat, dies tiefer auf ihn wirken müsse als wenn ein Thor 100 schläge empfange.

Kaum sucht empörung böses auf,
wird drauf gesandt ein bote unerbittlich. —

Nimmt man אַךְ in seiner häufigsten bedeutung wonach es blofs das nächste wort des sazes hervorhebt, so würde man zunächst mit LXX und Vulg. מְרִי als object fassen: *nichts als* widerstreben, *widerspruch sucht ein Böser:* indefs dazu stimmt nicht die harte strafe des 2ten gliedes, welches doch den haupt- und schlufsgedanken enthalten mufs. Versucht man es mit מְרִי zum subject zu ziehen: *nur die widerspenstigkeit*, nicht die liebe und schonung, *sucht böses*, wonach hier das gegentheil von v. 9 *a* gesagt wäre: so stimmt auch dazu nicht leicht die art der scharfen drohung des 2ten gliedes, weil dann eine blofse gesinnung beschrieben wäre. Darum scheint אַךְ vielmehr das ganze erste glied als vordersaz hervorzuheben, in der bedeutung *kaum*, wo es zwar sonst vor dem *perf.* steht, wenn der sinn dies verlangt, aber doch auch sehr wohl vor jedem zustandssaze §. 341 *d* denkbar ist. So erst bekommt dieser alle zeichen der ursprünglichkeit an sich tragende spruch vollen sinn an sich und im zusammenhange mit den übrigen, s. s. 27. (Ich lasse diese ganze auseinandersezung bei der neuen ausgabe stehen, weil sie mir unverbesserlich scheint). Ueber den *unerbittlichen boten* s. zu 16, 14 und Ijob 18, 14.

Mag eine verwaiste bärin auf dich stoſsen:
doch nur kein thor in seiner narrheit!

Wie דֹּב subject seyn könne, s. §. 328 *c*; unstreitig steht איש in derselben bedeutung, die es so oft in diesen allgemein zu fassenden sprüchen hat; דב ist aber bloſs dem sinne nach *fem.* §. 175 *b.*

Wer da vergilt statt guten böses,
von dessen haus wird nie das übel weichen. —
Ein wasserdurchbruch ist des streites anfang;
eh' du die zähne weisest, laſs ab zu hadern!

פּוֹטֵר ist eigentlich *was* wasser *durchläfst.* Sehr zweifelhaft ist dagegen das nur hier und 19, 1. 20, 3 vorkommende התגלע. Sieht man zunächst bloſs auf den zusammenhang dieser stellen, so scheint für alle die bedeutung „ereifern" sehr wohl zu passen. Indeſs hält es schon schwer dieſs dem laute nach zu beweisen: man müſste annehmen גלע als = لعج oder als = קדח sei „brennen", während die wurzel גלע wenigstens nach den sichersten beweisen auf ganz andre bedeutungen hinweist. Sodann ist auffallend daſs die alten übersezer fast an allen stellen deutlich und einstimmig eine bedeutung wie „schmähen, spotten" der wurzel unterlegen. Dieſs wenn es auch noch nicht völlig paſst, führt doch näher auf die sichere ableitung. גלע جلع als mit גלח verwandt, ist eigentlich *bloſs, offen,* wird aber besonders von gefletschten zähnen (wo es dann selbstverständlich mit كلح zusammenfällt), gezücktem schwerte, von offen ausbrechender, höhnender erbitterung gesagt, wonach das reflexive wort im Hebräischen so viel zu sein scheint als: „sich bloſs geben, sich offen ereifern, ohne scham und ohne mäſsigung einen streit anfangen"; daher wie alle begriffe der erbitterung, des zorns möglicherweise mit בְּ— verbunden 18, 1. Da das wort 18, 1 und 20, 3 vom menschen selbst steht, welches auch dem begriffe am nächsten entspricht: so hat die accentuation hier vollkommen recht es nicht mit הריב zu verbinden, als wäre der sinn: ehe der hader sich erhizt, laſs (ihn)! vielmehr hängt הריב von כמוש ab. Man kann nicht sagen daſs dann das *suff.* ךָ— am infinitiv nicht vermiſst werden dürfe, da der inf. sehr oft so allgemein steht ohne nähere beziehung, mehr als substantiv. Das הָרִיב aber hält man nach dem s. 6 erörterten und nach *LB.* §. 127 *a* besser für einen *inf.*

15 Wer schuldige rein spricht, wer schuldlose schuldig —
ein gräuel Jahve's sind zugleich die beiden. —

Da die schlechten richter jener zeit eher versucht wurden den *reichen* schuldigen freizusprechen als dem *armen* verfolgten sein recht zu geben: so ist der sinn des ganzen deutlich; s. s. 26.

Wozu das geld doch in des thoren hand
weisheit zu kaufen — wo's an geist gebricht! —

Hinter diesem spruche hat die LXX den sinnverwandten *ὃς ὑψηλὸν ποιεῖ τὸν ἑαυτοῦ οἶκον ζητεῖ συντριβήν· ὁ δὲ σκολιάζων τοῦ μαθεῖν ἐμπεσεῖται εἰς κακά*, d. i.

מַגְבִּיהַּ פִּתְחוֹ מְבַקֶּשׁ שָׁבֶר | וְנָלוֹז לָדַעַת יִפּוֹל בְּרָעָה

Wer seine thüre erhöhet, sucht zu stürzen:
wer linkisch ist zu lernen, wird in übel fallen.

worte die zu v. 19. 20. 14, 2 und dazu in diesen zusammenhang só gut passen dafs man keinen grund sieht sie demselben dichter abzusprechen. Es ist doch bei den reichen sinnlichen leuten mehr nur der hochmuth der sie zur wissenschaft theils so faul (wie im vorigen spruche gezeigt) theils so linkisch macht und sie thoren zu bleiben verleitet. Wenn das glied v. 19 *b* jezt in den LXX fehlt, so kann das verschiedene ursachen haben, beweist aber nicht dafs es nicht auch hier ursprünglich seinen plaz haben konnte.

Zu jeder zeit magst einen freund dir nehmen:
doch ein bruder wird für drangsal erst geboren. —

S. oben s. 28. Man darf das erste glied schon wegen des s. 6 bemerkten nicht só fassen *zu aller zeit liebt der freund*; vielmehr ist הֵרֵעַ *inf. const.*, hier abhängig vom vorigen: *zu aller zeit ist ein freund zuzugesellen*, da לְ— vor ihm nach §. 185 *c* nicht nöthig ist. Die LXX drückt den sinn beider glieder sehr frei aber richtig aus.

Sinnloser mensch ist wer die hand einschlägt,
wer eine bürgschaft leistet vor dem freunde. —

S. oben s. 97. 135 f.

Wer sünde liebt, der liebt den zank;
wer seine thür erhöhet, sucht zu stürzen.

Das 2te glied bringt nur einen bedeutsamen vergleich: wer stolz seine pforte erhöht damit er recht weit und herrlich einziehe (vgl. Bd. I *b* zu *Ψ*. 24, 7—10), der stöfst und verwundet sich nur zu leicht in sicherheit und stolz auf seine hohe thür, also der sucht doch eben wegen seines stolzes vielmehr einen *bruch*, sturz, untergang. Ohne hochmuth kein fall: eben so ist die liebe zum hochmüthigen zanken und besserwissen strenger genommen liebe zu dem daraus nothwendig entspringenden vergehen selbst. Aber die fassung des ersten gliedes ist wie bei v. 9.

Wer krummen sinnes, wird nie gutes finden; 20
wer ist verkehrter zung', in übel fallen. —

Der hauptsinn fällt hier dem des vorigen spruches gemäfs auf das zweite glied.

Wer einen thoren zeugt, dem wird's zum grame,
und nie wird froh der vater des einfält'gen. —

Es ist nicht nöthig das erste glied só zu erklären als wäre das prädicat unvollständig: *wer — zeugt*, zeugt ihn *zum kummer sich*; vergl. vielmehr 18, 13.

Ein frohes herze gute heilung schafft,
aber zerknickter geist verdorrt gebein. —
S. oben s. 25.

Bestechung aus dem busen nimmt der frevler,
zu beugen nur des rechtes pfade. —
Vor des vernünftigen blicken weisheit ist:
des thoren auge streift an erdegrenzen. —

S. oben s. 33 und vgl. als ganz hieher gehörend die grofsartige ausmalung dieses gedankens Dt. 30, 11—14.

4. 17, 25—19, 19.

A e r g e r dem V a t e r ist ein a l b e r n s o h n 25
u n d b i t t e r k e i t s e i n e r e r z e u g e r i n. —
Auch nur zu büfsen schuldlose, ist schlecht,
dafs fürsten zücht'gen mehr als billig! —

ענש durch ־ל mit der person verbunden in der bedeutung: „schaden" d. i. eine bufse an geld jemandem auflegen; obgleich es als „bestrafen" kürzer auch gleich mit dem object stehen könnte. על־ישר ist unstreitig nach 11, 24 und nach dem hier nothwendigen sinne selbst zu verstehen: *über billigkeit* hinaus, vgl. Ψ. 16, 2. 89, 8. Dafs aber נדיבים dem צדיק entspreche, also etwa „edle" wiewohl niedre menschen bedeute, ist gänzlich gegen den sprachgebrauch auch dieser sprüche (vergl. nur 17, 7. 19, 6), wonach es nie blofs innern adel ausdrückt, sondern den äufserlich gültigen. Darum mufs man es als dem sinne nach subject des sazes denken, da doch solche geldbufse von niemand als eben von den fürsten aufgelegt werden kann. הַכּוֹת aber *schlagen, züchtigen* ist nur allgemeiner gesagt als ענש. ל vor dem inf. im zweiten gliede dient zur straffern verbindung, wie 18, 5. Am deutlichsten jedoch wird auch dieser spruch erst wenn man zugleich erwägt dafs erst die könige häufige geldstrafen einführten, s. die *Alterthümer* s. 417 der 3ten ausg.

Wer seine worte spart, ist wissender,
wer kühlen geistes, ein vernünftiger mann.

ידע דעת tritt zu ידע um den begriff blofs so im allgemeinen zu vollenden: *wer wissen weifs* = ein wissender, vergl. 21, 26 und *gr. ar.* §. 548. — Wenn die Massôra יְקַר vorzieht, so scheint sie zu erklären: *wer selten ist des geistes* = selten aus sich redet, als entspräche diefs mehr dem seine *worte sparenden* Doch diese zusammensezung wäre seltsam; das K'tîb reicht auch zur gleichheit der glieder hin.

Ein narr auch welcher schweigt, für weise gilt,
wer seine lippen zustopft, für verständig. —

Eine anwendung dieses spruches s. schon Ijob 13, 5.

18, 1 Nach gelüste sucht wer spaltung liebt;
gegen allen guten rath weist er die zähne.

תּוּשִׁיָּה hier in demselben sinne wie 8, 14; und da der sinn von בִּקֵּשׁ ־ל auch aus Ijob 10, 6 erhellt, so kann die bedeutung dieses ganzen spruches gar nicht so zweifelhaft seyn: wer sich vereinzelt oder einseitig macht (נפרד der spaltung liebt vgl. das active 16, 28. 17, 9) sucht nicht nach weisheit, deren zeichen und leben das allgemeine ist, sondern nach lust, gelüste und leidenschaft, deren zeichen das Beschränkte, blofs Persönliche ist. Darum weil das gelüste oder der niedre finstre trieb des einzelnen menschen, der zur herrschaft kommend ihn in sich selbst versinken läfst und gegen alle vernunft verstockt, hier als grofse gefährliche macht der überlegung und weisheit entgegengesezt wird: wird es hier so selbständig für sich genannt und nicht auf das subject begrenzt; es heifst schlechthin תאוה wie תבונה v. 2, nicht etwa תַּאֲוָתוֹ. Die LXX denken mit ihrem *προφάσεις* zwar an תֹּאֲנָה *gelegenheit* zu streit und hader: allein der sinn wäre schon viel zu unklar und zu schwach auch nach dem zweiten gliede so wie nach dem folgenden spruche:

Gefallen hat der thor nicht an vernunft,
sondern an seines herzens offenbarung. —

S. oben s. 19.

Wenn frevel kam, kam auch verspottung,
und mit der schande schmach. —

Frevel und schande d. i. frevelhaftes und schändliches leben finden immer noch früh genug auch in ihrer allgemeinen verspottung und schmähung ihre gerechte strafe. Man liest daher besser auch nach 11, 2 רֶשַׁע für רָשָׁע. Das ganze ist freilich nur weitere ausführung von 11, 2 1*a*.

Tief wasser sind die herzensworte manches,
sprudelnder bach der weisheitsquell. —

Wie dieses tiefe wasser am besten angewandt werde, erklärt sodann der spruch 20, 5 welcher sichtbar von demselben dichter ist. Allein da der dichter auch nach diesen worten 20, 5 sowie nach 16, 21. 23 alles auf das herz nichts auf den blofsen mund gibt, so liest man hier mit den LXX besser לֵב für פִּי.

Einseitig seyn für frevler — ist nicht gut,
zu beugen den schuldlosen im gericht! —

Die wortverbindung hier ganz ebenso wie zuvor bei 17, 26 erklärt ist.

Des thoren lippen bringen hader,
sein mund nach blauen schlägen ruft.

Des thoren mund ist ihm gefahr,
und seine lippen seiner seele fallstrick. —

Wie 15, 4 und sonst so mancher ähnliche spruch.

Des ohrenbläsers worte sind wie brennend,
sind sie hinabgedrungen in leibes kammern. —

מתלהם blofs hier und in der wiederholung 26, 22. Die Schultens'ische erklärung: *wie leckerbissen* vgl. لهم *verschlingen* pafst schon deswegen zum sinne nicht weil das 2te glied weder einen gegensaz machte, was man dann erwartete um וְהֵם verstehen zu können, noch einen ähnlichen gedanken gäbe: denn dér sinn des ganzen spruches könnte doch nur dér seyn dafs sie anfangs zwar solange sie noch auf der zunge sind wie leckerbissen schmecken, nachher aber ganz anders. Denn man erwartet vor allem dafs hier wie sonst 16, 28. 26, 20 die bösen wirkungen des ohrenbläsers zur trennung zwischen freunden beschrieben werden; und so könnte man unter voraussezung eines gegensazes im 2ten gliede erklären: *sie sind wie zitternd*, zwar mit schwacher, ungewisser, heimlicher stimme gesprochen, dringen aber doch tief ein; להם wäre mit רעם *zittern* zu vergleichen. Noch sicherer wäre dann anzunehmen dafs התלהם mit Aram. אֶתְרְעֵם, so wie mit נהם, ܪܛܢ verglichen *murmelnd* oder lispelnd bedeutet: denn diese bedeutung des worts würde gut zu der art solcher worte passen, auch das γοητικοί Aqu. 26, 22 führt auf dieselbe; und der gedanke wäre dann dieser: die worte des spaltung suchenden ohrenbläsers werden zwar mit flüchtiger furchtsamer stimme kaum hörbar gesprochen, so dafs man denken sollte sie verflögen ohne wirkung: aber umgekehrt, schnell sind sie (das *perf.*) in das innerste herz gedrungen und wirken da gleich den gewaltigsten worten. Allein am einfachsten ist gewifs anzunehmen dafs מתלהם *sich entzündend* von להם = להב bedeute, der folgende saz aber nach §. 341 *a* blofs den zustand beschreibe in welchem sie so wirken: zuerst ganz weich und sanft wie hinuntergleitend, werden sie sobald sie einmahl fest im Innern liegen, wie sich entzündende giftstoffe die dem menschen der sie in sich aufgenommen keine ruhe mehr lassen. — Die LXX haben 26, 22 jenes schwere wort wahrscheinlich nur dem gleichlaute mit נעם nach rathend durch *μαλακοί* gegeben; hier lassen sie den ganzen vers aus und haben dafür diesen: *Ὀκνηροὺς καταβάλλει φόβος, ψυχαὶ δὲ ἀνδρογύνων πεινάσουσιν,* welcher wesentlich mit dem andern 19, 15 einerlei ist.

Auch wer nur lässig ist in seinem auftrag,
ist ein bruder des zugrunderichters. —
Ein fester thurm der name Jahve's ist; 10
in ihn Gerechter läuft und wird geschüzt.

Durch das zweite glied vollendet sich nur der sinn des bildes; in diesem *namen* aber lag damals längst der inbegriff aller wahren religion.

Des reichen schaz ist seine stolze stadt,
eine hohe mauer, bildet er sich ein. —

Das בְּמַשְׂכִּיתוֹ haben die Alten lieber בְּמַשְׂכֻּתוֹ ausgesprochen: *mit seiner umzäunung*, ihm schuz gebend, Vulg. circumdans eum, oder *als seine hütte* Targ. Indeſs wäre dieser begriff, wenn auch erträglich, doch neben der „hohen mauer" überflüssig; richtiger daher die Massôra: *in seinem bilde*, seiner einbildung. Offenbar nämlich hat eine andere hand die erste hälfte von 10, 15 losgerissen und in diesem neuen abweichenden sinne bearbeitet, auch des hiezu nun passenden gegensazes wegen v. 10 hinzugesezt.

Vor schiffbruch bläht sich eines herz:
aber der ehre geht demuth voraus. —

Vgl. oben zu 15, 33.

Wer auf etwas erwidert eh' er's hörte,
dem wird zur narrheit das und tiefen schmach.
[Der geist eines hält seine krankheit aus:
aber geknickter geist — wer trüge den? —]

Zwar hat der geist Eines die kraft den siechen leib wunderbar lange zu halten und zu tragen: aber wird auch der geist selbst durch rohheit anderer geknickt, wo ist da noch hoffnung und ertragen möglich? wo die kraft zu tragen wird diese kraft selbst zerrüttet? — Die anwendung ist leicht: s. s. 25.

Des klugen herz erwirbt sich wissen, 15
und ohr der weisen suchet wissen. —

Der Weisen im sinne von 1, 5. 9, 9. Aber unverkennbar wird damit auf die damals bestehenden öffentlichen weisheitsschulen angespielt.

Die gabe eines schafft ihm bahn
und leitet vor die Grofsen ihn. —

S. oben s. 26.

Schuldlos der erste ist in seinem streit:
da kommt der andre dann und prüfet ihn.

S. oben s. 29 f.

Streitsachen macht das loos verstummen,
und bringt Gewalt'ge von einander los.

S. oben zu 16, 33. *Gewaltige* weil diese art von entscheid nur in den hohen streitigkeiten z. b. zwischen fürsten angewandt wurde wo das gemeine gericht nicht hinreicht.

Ein bruder sperrt sich mehr als feste stadt;
streitsachen sind wie eines palasts riegel. —

Das נפשע welches die accente sehr richtig zum prädicate ziehen, ist vollkommen unser *sich sperren*, die wurzel steht so in *Nif.* in ihrer nächsten bedeutung; das Qal aber hat immer schon die so häufig und einfach gewordene geistige bedeutung *sündigen*, eig. sich sperren, ungehorsam seyn. Hier nun steht das wort in Nif. noch mehr bildlich in sinnlicher bedeutung, von der vergeblich belagerten, sich hartnäckig hinter festem schlofs und riegel nicht ergebenden und keine versöhnung suchenden festung. Der ganze spruch aber soll nur den vorigen v. 18 erklären; vgl. oben s. 30.

20 Je von des mundes frucht wird satt der leib,
vom ertrage seiner lippen wird man satt.
Tod so wie leben hält die hand der zunge;
wer sie anfafst, wird zehren ihre frucht. —

Das אהביה des Massôr. textes ist schon an sich verdächtig, da man weder sieht was das sei *die zunge lieben*, noch insbesondre was das in diesem zusammenhange wolle. Das im ersten gliede angefangene bild wird inderthat erst vollendet durch die lesart אחזיה

oder vielmehr תֹּמְכֶיהָ LXX *οἱ κρατοῦντες αὐτῆς*. Wir sehen dann von der einen seite die zunge als tod und leben in ihrer hand habend und jedem darbietend: von der andern, wie jeder der diefs zwiefältige lockende wesen, die zunge, wirklich anfäfst oder jene hand ergreift und sich mit der zunge in eine gemeinschaft einläfst also tod oder leben von ihr annehmen will, auch nothwendig die frucht dieses doppelte früchte tragenden baumes zehren wird, entweder tod gewinnend als frucht der grausamkeit oder leben. So erklärt dieser spruch den vorigen v. 20 noch schlagender und malerischer: unstreitig schwebte dem dichter das sonst hier so häufige bild vom lebensbaume vor, das er nur anwendet und weiter ausführt. Auffallend ist jedoch der gebrauch desselben thatwortes שׂבע in beiden gliedern v. 20: sonst ist die sprache dieser sprüche nicht so einartig; aber der ganze spruch ist auch blofs eine weitere ausführung von 12, 14 *a*.

Er fand ein weib — er fand ein gut,
gewann so gunst von Jahve sich. —

S. oben s. 15. 27. — Im wortgefüge der LXX sind durch versehen v. 23—19, 2 ausgefallen: dagegen findet sich bei den LXX (und diesen wie so oft, folgt Vulg.) ein spruch hinter v. 22 der als gegensaz zu v. 22 hier wohl passen würde: *ὃς ἐκβάλλει γυναῖκα ἀγαθὴν, ἐκβάλλει τὰ ἀγαθά· ὁ δὲ κατέχων μοιχαλίδα ἄφρων καὶ ἀσεβής*. Doch ist er wahrscheinlich von späterer hand erst eingesezt um das scheinbar zu grofse lob des hausweibes v. 22 zu beschränken: denn darin gingen die Späteren leider immer weiter, wie man am grellesten aus Sir. 25, 20—25 sieht. Es ist dieselbe spätere hand welche auch im vorigen spruche hinter *γύναικα* ein *ἀγαθὴν* einsezte.

Flehworte redet wohl ein armer:
doch reicher harte antwort gibt. —
S. oben s. 25.

Wer freunde hat, mufs freund seyn ungemache:
doch mancher freund liebt treuer als ein bruder. —

Das spiel der Hebräischen worte im ersten gliede könnte richtig gefafst scheinen wenn man das sonst nicht vorkommende התרועע mit Theod. in den Hexapla Pesch. Targ. Vulg. von רֵעַ ableitete, welches als neue bildung denkbar wäre, obgleich die lezte wurzel רעה ist: *wer freunde hat, mufs sich als freund beweisen*, folglich auch die vielfachen mühen ertragen die ihm die freunde machen. Doch so wäre der gegensaz zum zweiten gliede, welches offenbar den hauptsinn enthält, nicht deutlich und leicht genug. Es scheint also doch von רע *böse* zu stammen, nicht sehr verschieden von נרוע 11, 15 und mit ähnlichem wortspiele 13, 20: „sich übel behandeln lassen, sich von freunden übel mitspielen lassen." Doch wenn diefs übel ist, so gibt es dagegen auch einzelne wenige unschäzbare freunde: darum lasse man sich von der freundschaft überhaupt nicht abschrecken! Diefs ist der gedanke des spruches.

19, 1 Besser ein armer, seiner unschuld lebend,
denn wer unredlich redet als ein thor. —

Der sinn des 2ten gliedes wird allerdings sogleich deutlicher nach der lesart 28, 6: „denn wer unredlich redet als ein *Reicher*": der gegensaz zu allen andern worten fordert diefs so sehr dafs man diefs allerdings wenigstens für die ursprünglichste lesart halten mufs. Indefs fallen schon ziemlich früh die begriffe eines reichen und eines übermüthigen, durch allerlei unrecht sein vermögen erwerbenden *thoren* oder Gottesverächters zusammen, obwohl die stelle Jes. 53, 9 wie ich schon 1840 in den *Propheten des A. B.* II. zeigte, nicht hieher gehört. Nothdürftiger weise gibt also auch diefs einen sinn: *denn wer als Gottloser falsch redet* (und dadurch reichthümer gewinnt); und wird durch den sehr ähnlichen ausdruck v. 22 *b* bestätigt.

Auch in dem unbewufstsein liegt kein gutes;
und wer da eil'ger füfse ist, der fehlt.

נפש hängt, wie leicht deutlich, von דעת ab. Zu sehr zu zaudern und nichts zu wagen kann nicht empfohlen werden: aber auch von der andern seite liegt dárin nichts gutes sich só eilig und unvorsichtig in die thaten zu werfen dafs die seele selbst in dem gewirre und drange ihr bewufstseyn verliert: das selbstbewufstseyn darf durch die eile nie leiden; denn nur zu leicht fehlt der welcher nichts thut als eilen, wie das 2te glied erläuternd hinzusezt. Vgl. s. 29.

Die narrheit eines stürzt um seinen weg
— und auf Jahve unmuthig wird sein herz! —

S. oben s. 24.

Der reichthum gibt viel neue freunde:
doch ein elender wird vom freund getrennt!

Nämlich eben auch durch den neuen reichthum dessen der sich eben noch freund nannte! Die fortsezung dieses spruches folgt sogleich v. 6 f.

[Trüglicher zeuge wird nie freigesprochen,
wer lügen athmet, nie sich retten. —]

Die uralte redensart in *a* (vgl. oben s. 5) wird in *b* schon durch eine leichter verständliche wie erläutert. Mit einer noch gemeineren redensart erscheint sodann dieser selbe spruch sogleich wieder v. 9.

Gar viele schmeicheln einem Edeln offen,
und jeder ist ein freund des gabenreichen.

Für כָּל הָרֵעַ kann man, weil nach s. 6 der Artikel unerwartet ist, leicht כֻּלֹּה רֵעַ nach §. 286 *e* lesen: dadurch bessert sich auch der sinn etwas.

Des armen brüder alle hassen ihn:
wie viel mehr meiden seine freunde ihn!

Das jezige lezte glied v. 7 mufs, soll es überhaupt in diesem zusammenhange einen sinn haben, mit hülfe des Q'ri לוֹ so erklärt werden: *wer worten nachgeht*, sich mit vielversprechenden und doch leeren worten begnügt ohne entsprechende thaten und hülfen zu verlangen, *dessen* sind sie, die schlechten freunde welche den armen verlassen blofs weil er hülfe, nicht leere worte von ihnen verlangt; מֵרֵעַ kann als eigentlich *Abstractum* (krit. Gr. s. 245) sehr wohl mit dem *pl.* verbunden werden. So entsteht zwar ein nicht undenkbarer sinn, aber ein hier sehr gezwungener, da nicht was der spruch fordert, die traurige lage des armen beschrieben, sondern die rede auf etwas ganz anderes, auf die gesinnung schlechter freunde hingeleitet würde; es wäre so ein neuer gedanke angefangen, aber zu flüchtig gezeichnet. Dazu kommt als entscheidend dér grund dafs in diesem theile des buches ein dreigliedriger vers und spruch gänzlich unerhört, man kann sagen vonselbst verdächtig ist. Der verdacht nun dafs dieses 3te glied vielmehr der rest eines ganzen spruches sei, wird durch die LXX bestätigt, welche hier sogar zwei sprüche mehr haben als der Massôr. text. Der erste: *ἔννοια ἀγαθὴ τοῖς εἰδόσιν αὐτὴν ἐγγιεῖ· ἀνὴρ δὲ φρόνιμος εὑρήσει αὐτήν*, also etwa:

דַּעַת טוֹב לְיוֹדְעָיו תִּקְרָב | וְאִישׁ תְּבוּנָה יִמְצָאֶנָּה׃

solchen sprüchen wie 17, 24. 20, 5 ähnlich. Der andere: *ὁ πολλὰ κακοποιῶν τελεσιουργεῖ κακίαν· ὃς δὲ ἐρεθίζει λόγους, οὐ σωθήσεται.* In den Griechischen worten des lezten gliedes schimmert deutlich das K'tib jenes 3ten gliedes im Massôret. texte hindurch, wenn etwa für המה ursprünglich יִמָּלֵט stand. Leider ist aber das erste glied offenbar so schlecht übersezt, daſs es nicht leicht ist, den Hebr. text darin sicher wiederzufinden. Vielleicht lautete der spruch nach 13, 20 so:

רֹעֶה רַבִּים יֵרוֹעַ | וּמְרַדֵּף אֲמָרִים לֹא יִמָּלֵט׃

Das דעת טוב nach §. 287 *b.* So würden sich die zwei sprüche ergeben:

Die beste einsicht ist dem Weisen nahe:
wer hat vernunft, der wird sie finden.
Wer zu viel freunde hat, hat viele übel,
wer worten nachjägt, wird verloren gehen.

d. i. wer leeren worten heuchelnder freunde nachgeht.

Wer sinn erwirbt, liebt seine seele;
wer wahrt vernunft, muſs gutes treffen. —
Trüglicher zeuge wird nie freigesprochen,
wer lügen athmet, untergehn. —
10 Dem thoren ziemet nicht wohlleben:
wie nun dem sklav zu herrschen über fürsten? —

S. oben s. 27 und die *Geschichte des volkes Israel* III. s. 370 f. der 3ten ausg. Die fassung des doppelsazes ist ganz wie 17, 7.

Eines besonnenheit ist's langmuth üben,
und seine zierde ist's, verzeihn vergehen.

Hört man auf gemeine reden, so wäre die langmuth und verzeihung welche ein Mächtiger übt etwas unkluges und ihm unrühmliches weil er dadurch seinem ansehen etwas zu vergeben scheint: inderthat aber ist es vielmehr seine weisheit sowol als seine zierde. So entsprechen sich auch die beiden glieder völlig. Ueber הַאֲרִיךְ als *inf.* s. §. 238 *d.*

Wie des löwen brüll'n ist königs unmuth:
aber wie thau auf kraut sein wohlgefallen. —

S. oben s. 27.

Unheil dem vater ist ein albern sohn,
beständige traufe eines weibs zankworte.

Wie treffend hier das bild einer beständigen dachtraufe sei welcher man nicht entfliehen kann, ist leicht deutlich.

Wohl haus und gut der väter erbe ist:
doch von Jahve zur ehe kommt ein weib. —

Nach der Massôra *von Jahve kommt ein besonnenes weib*, was als gegensaz zum vorigen spruche gut zu passen scheint. Die LXX übersezen aber *ἁρμόζεται* welches im Griechischen das eigentliche wort für *angetraut* oder *verehelicht werden*; und da שֵׂכֶל sehr wol das *in einander fügen* bedeuten kann, so mag man besser מְשֻׂכֶּלֶת sprechen. Dem sinne nach stellt sich der spruch dann vollkommen dem andern 18, 22 só zur seite daſs er wie sein zwillingsbruder wird und beide desselben dichters seyn müssen.

Faulheit versenkt in tiefen schlaf, 15
und träge seele hungern wird. —

Versenkt so daſs der mensch am ende wie schlafsüchtig d. i. gegen alles unempfindlich wird. Vgl. später 23, 21.

Wer wahrt gebot, wahrt seine seele:
wer seiner wege nicht achtet, kommt zu tode. —

Das Q'ri *er wird sterben* ist eine wenigstens unnöthige änderung des im K'tib יוּמָת *wird zu tode gebracht werden* (unbestimmt wie?) viel stärker gesagten. Wie richtig das בּוֹזֶה oder בֹּזֶה ein *übersehen* oder *nicht achten* ausdrücke, ist schon bei 6, 20 augenscheinlich geworden. Der sinn ist klar: wer nicht achtet welche wege er einschlage und auf welchen er sei.

Wer Jahve'n leihet, schenkt dem elenden:
und seine wohlthat wird er ihm vergelten. —

Wer Jahve'n leihet also wer wenn er geld hingibt auch wol die handgreiflichste sicherheit dabei worauf der Geizige vor allem sieht, einmahl im blicke auf Gott und ein göttliches werk übersehen kann, der schenkt auch im besondern falle wol einem Armen gerne und nicht ohne den erwarteten lohn. So kann auch hier das grundwort vorne stehen. Vgl. Qoh. 11, 1.

Züchtige deinen sohn, weil hoffnung ist:
doch ihn zu tödten habe nicht die lust! —

S. oben s. 32. Die *hoffnung* ist die der jugend, des alters aller hoffnung; vgl. sogleich v. 20.

Wer häufig zürnt, die buſse trägt,
du müſstest ihn sonst immer wieder retten.

Dieſs ist ein spruch wo man wirklich in verlegenheit kommt den sinn ganz sicher anzugeben. Zwar scheint das Q'ri mit den alten übersezern ein recht zu haben גְּדָל für das unverständliche גרל zu wählen; denn gesezt auch גרל hieſse *hart*, wie Schultens vermuthet, so wäre doch die redensart dadurch weder besser noch verständlicher als die: *wer groſsen zornes ist.* Ueberhaupt ist der sinn der worte sowohl des ersten als des 2ten gliedes an sich klar; und obwohl die alten übersezer beim 2ten gliede sehr stark abweichen, zeigt sich doch kein grund zu vermuthen daſs sie einen andern text gehabt hätten. Das eigentlich schwere ist hier nur die verbindung des ersten und 2ten gliedes zu einem ganzen. Machen die zwei glieder wirklich ein ganzes aus und sind nicht etwa (was wenigstens die alten übersezer nicht bestätigen) mehere glieder hier ausgefallen: so bleibt nichts über als כִּי אִם für aus כִּי אִם אִם *auſser wenn* §. 356 *b* zu fassen [1]): *auſser wenn du* ihn *immer wieder rettest,* was du müſstest wenn der jähzornige keine buſse leiden soll: aber eben weil ein solcher stets aufs neue sich vergiſst, und man ihn nicht immer wieder aus der gefahr worin er sich thöricht stürzt retten kann, muſs man ihn die buſse tragen lassen, damit er klug werde. So entsteht zwar ein denkbarer sinn: aber um ihn ohne zwang zu finden, erwartet man dann nothwendig daſs auch im ersten gliede nicht von der einmaligen gröſse oder stärke des zorns (גְּדָל חֵמָה kommt übrigens sonst nicht so vor), sondern von der häufigkeit dieser leidenschaft die rede sei. Daher liegt denn endlich die vermuthung nahe die ächte lesart sei dennoch das K'tîb גרל in der bedeutung *häufig*, so daſs גְּרָל = جزيل wäre, mit dem sonst im Semitischen ungewöhnlichen, jedoch nicht unmöglichen übergange des *s* in *r* (vgl. غمس und غمر, נתץ und נתר zu 25, 20. *LB.* §. 51 *d.* Am vollkommensten leuchtet jedoch der sinn des spruches erst ein wenn man bedenkt daſs er dem obigen 17, 26 wie zur ergänzung dienen soll, wie so oft zwei sprüche sich gegenseitig erläutern. Jener spruch

---

1) ähnlich kann im Arabischen kein إِنْ vor إِنْ oder أَنْ stehen.

lehrte auch die leichtere öffentliche strafe eines bürgers z. b. die geldstrafe könne durch einen unbilligen richter mifsbraucht werden: dieser lehrt dafs es freilich auch fälle gebe wo sie gut anwendbar sei.

5. 19, 20—22, 16.

Höre den rath und nimm an zucht, 20
damit du weise seist in deiner zukunft! —

D. i. im spätern leben, wenn es darauf ankommt die erworbene weisheit zu zeigen. Vgl. Ijob 8, 7. 42, 12.

Viele gedanken sind in eines herzen:
doch Jahve's rath, der wird bestehn. —

S. oben s. 17 f. Die worte brauchen nicht erst aus Jes. 7, 7. 8, 10 entlehnt zu seyn.

Der gewinn des menschen ist seine fromme liebe,
und besser ist ein armer als ein lügner.

Da חסד־ hier wie 20, 6 und sonst immer die treue liebe seyn mufs, so verstände sich schon daraus dafs תאות־ *die lust* wie jezt im Hebräischen steht hier nicht, wie da wo von schlechten leuten mancherlei art die rede ist 18, 1. 21, 25 u. s., in schlechtem sinne stehen könnte; sondern es wäre hier ebenso wie 10, 24. 11, 24 in unschuldigem sinne *lust*, und seine nähere beziehung würde aus dem zusammenhange des sazes deutlich. Von jener liebe würde gesagt dafs sie nicht die qual und das unglück des menschen sei, wie man wohl meinen könnte, sondern seine lust, das woran er seine wahre freude habe: woraus denn folgt dafs jemand der, obwohl arm, doch jene liebe habe oder eben wegen dieser arm sei, dennoch glücklicher zu preisen sei als wer durch lügen reich ward. Doch gibt die lesart תבואת welche die LXX vor sich hatten einen noch leichteren und doch recht scharfen sinn: wie oft hört man in gemeiner rede die frömmigkeit sei ohne frucht und gewinn; aber umgekehrt kann man viel richtiger sagen sie sei der einzige wahre gewinn, namentlich wie sie sich in bezug auf die irdischen schäze äufsern mufs. Schlösse sich so der spruch unmittelbar an jenen v. 17 an, so würde dieser sein spizer sinn noch viel leichter einleuchten.

Die furcht Jahve's zum leben dient:
satt bleibet der, nicht heimgesucht vom bösen. —

Der, welcher wie aus dem ersten gliede erhellt, Jahve fürchtet; vergl. zu 12, 6. Ueber die sehr seltene verbindung des accusativs רע· mit dem passiv יפקד s. §. 279 *c*.

In die schüssel hat die hand gesteckt der faule:
nicht mal zu seinem mund zieht er sie um. —

25 Den spötter schlag' du: so wird einfalt klug;
und zücht'ge klugen: so versteht er wissen!

Wechselnd mit 21, 11. Hieraus und aus der sache selbst ist deutlich dafs wie יבין dem יערם entspricht, so הוכיח dem תכה: nur die form des הוכיח kann zweifelhaft seyn. Für den *inf.* kann man es nicht wohl halten: weder für den *inf. abs.* nach §. 351 *c*, noch für den *inf. c.*: *wenn man züchtigung gibt* dem verständigen, weil dann das ב־ 21, 11 nicht fehlen könnte. Da das entsprechende תכה nur weil nicht im anfang stehend nicht *imper.* ist, so scheint allerdings הוכיח hier *imper.* zu seyn, und es läfst sich nach §. 224 *b* gerade bei einem Guttural diese aussprache für הוֹכַח rechtfertigen, vergl. Ψ. 94, 1; 55, 16. 141, 4. Dafs aber יבין als *vol.* gelten und im nachsaze ohne copula sein kann, erhellt aus §. 224 *b*. 347 *b*. Der sinn des lezten gliedes wie oben 17, 10.

Wer vater quält, fortjägt die mutter,
ein sohn ist schimpf und schande machend.

Fortjägt aus seinem hause. S. s. 28.

Hör' auf, mein sohn, zu hören zucht,
um — von den weisheitsworten abzuirren! — •

Es versteht sich aus dem gedanken selbst und aus der stellung der worte, dafs nur לשמע von חדל abhängt, לשגות aber vom ganzen ersten saze. So gibt sich der spruch als eine blutige ironie: höre nur auf zur zeit da du lernen mufst, die zucht zu hören — nicht etwa um die zucht verachtend klug und selbständig zu werden, sondern zu keinem andern zweck und ziel als — um von der weisheit worten abzuirren, folglich unglücklich zu werden! — Und wolltes du wirklich das? Vgl. 20, 16.

[Ruchloser zeuge spottet des gerichts;
der frevler mund verschlinget unheil.]

Verschlinget, zieht gierig in sich hinein das unheil und damit die strafe; als könnte dieser lästermund nicht genug unheil sich selbst schaffen. Denn unheil (und strafe) liegt wie heil (und gnade) frei *vor* jedem, ob er es anrühren und in sich aufnehmen will (s. zu 14, 29): je mehr also einer mit dem munde das gericht verspottend sündigt, desto gieriger nimmt er und verschluckt gleichsam mit diesem munde unheilvollen lebensstoff, der ihn quälen und vernichten mufs, wie der folgende spruch mit neuen bildern sagt; vgl. Ijob 20, 14 ff. Anders etwas die bilder 26, 6. Ijob 15, 8. 16. Man könnte versucht werden און für das wirkende zu halten, zumal da בלע sonst mehr bildlich für „vernichten" steht: „den lästermund vernichtet das unheil selbst das aus ihm hervorgeht"; allein dann hiefse es אונו oder רשעו, auch führt die erwähnung des mundes bei בלע nicht auf die bildliche bedeutung. Am leichtesten liest Pesch. einfach יבלענו „der mund der f. vernichtet *ihn*, den frevler selbst, oder *die* frevler überhaupt" (über ܒܠܥ Pesch. s. Hex. Iobi 2, 3): aber kein andrer zeuge spricht für diese lesart. Die lesart דין für און bei den LXX bringt hier keinen passenden sinn, weil menschlicher frevel des ewigen gerichtes wohl spotten aber es nicht verschlingen d. i. aufzehren, vernichten kann.

Bereit den spöttern sind schon strafen;
und blaue schläge für der thoren rücken.
Ein spötter ist der wein, ein stürmler meth: 20, 1
und je wer darin schwärmt, wird nimmer weise. —

Wein und meth sind wie zwei lärmende leichtfertige böse geister, in deren lärm sich verlieren heifst alle weisheit verlieren. Ueber den Artikel היין s. oben s. 6.

Wie des löwen brüllen ist königs finstrer schreck:
wer eifernd ihn reizt, sündigt an sich selbst.

Blofs weitere ausführung von 19, 12 *a*. Ueber מִתְעַבְּרוֹ s. §. 282 *a*.

Ehre dem manne ist's, abzustehn vom streite:
doch jeder narr die zähne weist. —
Wegen des winters pflügt der faule nicht:
wird betteln dann in erntezeit — vergebens! —

Vergebens weil jeder ihn als einen faulen kennt der kein mitleid verdient. יִשְׁאַל K'tîb ist hier sprechender und stärker als das bloſse וְשָׁאַל und *wird bitten.*

5 Tief wasser ist der rath in eines herzen:
doch ein verständ'ger schöpfet ihn heraus. —

S. oben s. 32 und zu 18, 4.

Gar viele rühmen, jeder seine liebe:
doch einen treuen mann — wer findet? —
Wer als gerecht in seiner unschuld wandelt:
heil dessen söhnen hinter ihm! —

Seine liebe vorzüglich im geben und helfen, wie 19, 22. יקרא *ruft aus*, preist laut. — Das צדיק steht unstreitig hier so als untergeordnetes, die handlung weiter erklärendes adjectiv wie ähnliches 22, 11. 24, 15: denn daſs auch die söhne des Gerechten nach seinem tode glücklich zu preisen, ist der eigentliche inhalt dieses spruchs.

Ein könig, sizend auf dem richterstuhl,
sichtet mit seinen augen alles böse. —

Nach s. 27. *Sichtet* wie der drescher die menge des schlechten tauben getreides wegwirft, um die guten körner zu sondern: doch wenn der drescher schon vorher die dreschwalze über das getreide gezogen hat, so kann der könig vielmehr erst nach dieser sonderung des bösen die walze der strafe darüber ziehen, wie v. 26 genauer erklärt wird.

Wer sagte wohl: „ich reinigte mein herz;
bin rein von meiner sünde!" —

Wie Ijob's freunde so nachdrücklich und doch gegen ihn unrichtig lehren wollen.

10 Doppelter stein, doppeltes maaſs —
ein gräuel Jahve's ist zusammen beides. —
In spielen schon gibt sich der knabe kund,
ob rein und ob redlich seyn wird sein thun. —

S. oben s. 31. Das מְעַלֵּל steht (ebenso wie עֲלִילָה nirgends) innerhalb unsres buches blofs hier, aber hier eben noch in seiner urbedeutung.

Das ohr das hört, das auge welches sieht,
— Jahve hat beide zusammen geschaffen. —

Spätere dichter wie Ψ. 94, 9 ff. führen dies dann weiter aus: in welchem zusammenhange es aber bei unserem stehe, erhellt aus s. 17 ff.

Lieb' nicht den schlaf, damit du nicht verarmest;
thu' auf die augen — und hab' brodes satt! —
„Schlecht, schlecht!" so spricht der käufer wohl:
doch fort sich machend, rühmt er sich hernach. —

Das particip אֹזֵל steht allerdings hier auf eine zwar unsern sprachen ähnliche, aber im Hebr. sehr seltene art, einfach eingeschaltet, als zustandssaz vor dem hauptsaze; vergl. §. 341 *b*. Ueber die anwendung s. s. 29.

Wohl gibt es gold und gibt gar viele perlen: 15
doch köstlichster hausschmuck sind weise lippen. —
Nimm hin sein kleid, weil fremden er vertreten!
um andrer leute wegen pfände ihn! —

נכריה *eine Fremde* s. 47 gehört weder in diesen spruch, noch überhaupt leicht in diesen abschnitt. Diesem *Q'ri* welches aus der veränderung eines spätern dichters 27, 13 entstanden scheint, ist also vorzuziehen das K'tîb נכרים. Der spruch selbst ist eine מְלִיצָה 1, 6; ähnlich wie jener 19, 27.

Süfs ist wohl einem brod des trugs:
doch später füllet sich sein mund mit steinchen. —

Als verwandelte sich diefs süfse brod in spize harte steinchen, ein bild das Ijob c. 20 weiter ausgeführt wird.

Gedanken nur durch rath bestehen;
mit weiser lenkung führt man krieg. —

Die Massôra will עֲשֵׂה als *imper*. fassen: führe krieg! Allein eine aufforderung krieg zu führen bezweckt weder der dichter überhaupt irgendwo noch der ächte sinn dieses spruches im besondern; und der gedanke wird dem des ersten gliedes entsprechender wenn man die seltene, doch in diesem abschnitte zu erwartende infinitivform עֲשׂת 21, 3 annimmt: „mit lenkung ist's dafs man krieg führt"; oder man kann auch in etwas anderer weise עֲשׂת nach §. 328 *c* sprechen, was zu 15, 22 am besten stimmt und wie auch Vulg. Targ. nur freier übersezen. Die nachgebildete stelle 24, 6 würde sich nicht mit recht dagegen anführen lassen; auch 4, 7 ist nicht ähnlich.

Geheimnifs wer aufdeckt, der gehet lauern:
wer offner lippen, mit dem misch' dich nicht! —

Das 2te glied gibt schon die anwendung vom ersten.

20 Wer seinem vater flucht und seiner mutter,
defs licht erlischt im schwarzen schoofs der nacht. —

Dafs das bild vom erlöschen des lichtes vom alten zeltleben entlehnt ist, zeigt am deutlichsten Ijob 29, 3: aber auch unser spruch redet noch ganz aus dem alten gefühle. — אִישׁוֹן K'tîb ist das schwarze im auge, daher dichterisch die schwarze mitte oder das allerschwärzeste z. b. der nacht, der finsternifs, welche seltene redensart, da sie sogar von hier in die stelle 7, 9 übergegangen und dort beibehalten ist, vom *Q'ri* ohne ursache in ein übrigens in Buxtorfs Chald. lex. schwerlich richtig erklärtes אֱשׁוּן *schwärze* verändert ist.

Ein erbe, von anfang verwünscht,
dess ende auch wird nie gesegnet werden. —

Das *Q'ri* will מְבֹהֶלֶת *übereiltes* erbe: doch diefs ist in solchem zusammenhange wenig sagend, da es dem *gesegnet* des 2ten gliedes nicht gegenübersteht. Man gewinnt aber den gegensaz wenn man בחל im K'tîb entweder mit ܒܚܝܠܐ *nauseans* vergleicht (die wurzeln מחל, חבל, فخل bezeichnen ein verderben, krank und schwach werden, daher wohl בחל so viel als *eckel* haben, *verabscheuen*), oder eher] mit بهل *verwünschen*, worüber mehr in den *Alterthümern* s. 23 der 3ten ausg.

Sag' nicht: „vergelten will ich böses!"
warte auf Jahve, dafs er helfe dir!

[Gräul Jahve's ist doppelter stein;
trügliche wage ist nichts gutes. —]
Von Jahve sind des mannes schritte:
der mensch — wie mag er seinen weg verstehn?

S. oben s. 17.

[Fallstrick für einen ist's heil'ges zu faseln, 25
und nach gelübden erst zu untersuchen. —

Die wurzel ילע mufs mit לעו Ijob 6, 3 übereinstimmend die irre, unbesonnene, übereilte rede bezeichnen, da der sinn nur seyn kann: etwas *heiliges*, das mit höchster besonnenheit will bedacht und gesprochen seyn, unüberlegt aussprechen, welches denn, wie das 2te glied näher angibt, besonders bei den gelübden leicht vorkommt; vgl. die *Alterthümer* s. 28. Wahre schwierigkeit macht nur die gestalt des wortes. Als 3te person hat das wort hier só wenig seine stelle dafs alle versuche es so zu erklären scheitern. Nach dem zusammenhange mufs es ein *inf.* oder ihm ähnliches substantiv seyn, obgleich die accente ילע als verbum zu behandeln scheinen; zu lesen wäre also ילע.

Es sichtet frevler erst ein weiser könig
und zieht dann über sie das rad dahin. —]

S. zu v. 8. Wie der spruch hier lautet, warnt er vor unüberlegter strafe ganzer haufen, wie bei den Römischen *proscriptiones* u. s. w. — Ueber das geschichtliche welches dem schweren bilde vom *ziehen des rades über die niedergeworfenen* zu grunde liegt, vgl. die *Geschichte des v. Israel* III. s. 203 f. der 3ten ausg.

Eine leuchte Jahve's ist des menschen geist,
durchforschend alle leibeskammern.

S. oben s. 17—19.

[Huld so wie treue hüten einen könig,
und stüzen wird er seinen stuhl durch huld. —

Die beste und offenbar nicht unabsichtliche fortsezung zu v. 26. Sonst vgl. 14, 22.

Der jungen männer zier ist ihre kraft,
aber der greise schmuck ihr graues haar. —

Etwa in demselben sinne wie 17, 6.

30 Wund-striemen gleicht die puzung eines Weisen,
und schlägen auch der leibeskammern. —

Wäre die jezige lesart richtig, so müſste man erklären: durch *reibung* תמריק am metall wird das rostige, schlechte, welches sich angesezt hat, abgerieben und fortgeschafft: eine solche reibung am bösen, wodurch das was sich im laufe der zeit am leichtsinnigen schlechtes festgesezt hat, gereinigt wird, sind die (zeitig angebrachten) scharfen züchtigungen z. b. des miſsrathenen sohnes, welche darum nicht zu scheuen sind; רע ist *der böse*. Wie dieſs offenbar bidlich gesagt wäre, ebenso das folgende: es sind schläge welche nicht, wie man fürchten sollte, bloſs die oberfläche treffen, sondern das innerste des menschen heilsam durchzittern und läutern; und jedenfalls schwebt dem dichter bei חדרי בטן eigentlich dasselbe vor was er sich v. 27 darunter gedacht hatte. Allein wenn man bedenkt daſs der dichter mit solchen bildern offenbar nur etwa dasselbe sagen wollte was er 17, 10 andeutet, so muſs man sich doch 1) entschlieſsen für ברע zu lesen יוֹדֵעַ welches wie 17, 27 und noch mehr 28, 2 den Weisen oder wie wir sagen würden den Gebildeten bedeuten kann; und 2) תַּמְרִיק wie unser *puzen* im sinne von *tadeln* und zurechtweisen verstehen, eine gerade in diesem falle bei Gebildeten passende redensart.

21, 1 Bächen gleicht königs herz in Jahve's hand:
je wohin er beliebt, leitet er es. —]

S. oben s. 27. Das bild vom gartenbaue in jenen ländern entlehnt, vgl. Ψ. 1, 3.

Ein jeder weg scheint einem wohl gerade:
doch der die herzen wägt, ist Jahve.

S. oben s. 18.

Vollbringen recht und billigkeit
ist Jahve'n lieber noch als opfer.

Der augen stolz und herzens schwellen —
der frevler neubruch ist — vergehn.

Das erste glied welches für sich keinen vollen sinn gibt, nennt bloſs die zu allen bösen dingen leitende gesinnung, den hochmuth und die selbstsucht wie Ψ. 101, 5 und unten 28, 25. Die gesinnung ist solange die Ungerechten noch selbst mächtig dastehen wie ein frisches, eben erst urbar gemachtes und mit samen befruchtetes feld, ein נִר *neubruch* vgl. Hos. 10, 12. Aber schon dieser samen und sein feld, schon die gesinnung selbst ist sünde, wie wird nun die auf diesem jungen acker aufgegangene frucht seyn? — So ist der sinn dieses spruches richtig, ohne daſs man mit den alten übersezern נֵר *leuchte* zu lesen brauchte. Aber es ist hier auch gar nicht von der *leuchte* oder dem glücke der frevler die rede, sondern wesentlich nur von ihrer gesinnung.

[Des fleiſs'gen pläne — nur gewinn wird d'raus,
doch wenn man eilig drängt — nur mangel.

Der gegensaz ist hier ganz wie bei demselben dichter 14, 23; und der sinn des zweiten gliedes ganz wie 19, 2.

Wer schäze schafft durch truges zunge,
jägt einem hauche nach in todes neze. —]

Das מְבַקְשֵׁי מָוֶת macht bei dem Massôrethischen פֹּעַל *erwerb von schäzen — ist flüchtiger hauch* groſse schwierigkeit. Dieses halbe glied mit dem vorigen als im *st. c.* zu verbinden, hat nach §. 289 *a* ein starkes bedenken: aber auch der sinn „ein flüchtiger hauch derer die den tod suchen“ ist schwerlich richtig, weil das unzusammenhangende so eng verbunden wäre: denn das bild vom hauche hat mit dem des todes nichts gemein. Diese schwierigkeit bleibt auch, wollte man es allein sezen: *sie* (die so schäze erwerben) *suchen den tod*, wodurch das gefüge der glieder zerstört wäre. Ganz eben scheint dagegen und zum sinne herrlich stimmend die lesart der LXX: פֹּעַל— הֶבֶל רֹדֵף אֶל מוֹקְשֵׁי מָוֶת „wer schäze durch zunge des truges erwirbt, jägt einem hauche nach bis in des todes neze.“ Zwar scheint das נִדָּף zu gut zum bilde des hauches zu passen; und wenigstens מוֹקְשֵׁי müſste man dann aus LXX Vulg. aufnehmen, es bezöge sich auf אוֹצָרוֹת: *sie sind des todes neze.* Doch konnte auch ein abschreiber bloſs durch erinnerung an stellen wie Ψ. 68, 3. B. Jes. 41, 2 darauf verfallen.

Der frevler wüste that rafft sie hinweg,
weil sie sich weigerten zu üben recht.

Eine gute erklärung dazu gibt sogleich der folgende spruch:

Gewunden ist der weg des schuldbeschwerten:
der reine aber, grade ist sein thun.
[Besser auf einer dachecke zu wohnen,
als zänkisch weib und ein gemeinsam haus. —]

Vgl. zum bilde *Wilkinson's* customs and manners of Egypt II. p. 108 f. Wie eine fortsezung dieses spruches ist jener 19, 13: aber auch unser spruch erscheint v. 19 schon wie in einer nachbildung.

10 Des frevlers seele wünscht das böse;
begnadigt wird vor ihm auch nicht sein freund.
[Büfset ein spötter, wird die einfalt weise;
und weist man einen weisen, lernt er wissen. —]

Ein blofser nebenspruch zu 19, 25. Die *infinitive* sind nach §. 304 *b*, das לְ— bei הַשְׂכִּיל nach §. 283 *c* zu verstehen.

Ein Gerechter achtet auf des frevlers haus,
stürzt frevler nieder in das übel.

Der Gerechte welcher auf des frevlers haus achtet auch wenn dieser sich unbeachtet glaubt, welcher alle frevler dahin stürzt wohin sie kommen müssen — der kann, wie aus der beschreibung selbst erhellt, niemand seyn als Gott selbst; vergl. 23, 11. Ijob 34, 17 vgl. 22, 11. Man denkt hier umso leichter an Gott da man auch bei dem folgenden spruche an ihn denken mufs:

Wer's ohr verstopft vor des elenden klage,
auch der wird rufen einst ohne erhörung.
[Geheime gabe beugt den zorn,
Bestechung in den busen argen grimm. —]

S. oben s. 30 f.

15 Freude ist's dem Gerechten recht zu üben,
aber erschütterung den übelthätern.

S. zu 10, 29.

[Ein mensch der irrt vom wege der besinnung,
wird in der Schatten finsterm kreise ruhn. —

Hier ist deutlich das alte vorbild zu den späteren schilderungen 7, 27. 9, 18.

Ein mann des mangels wird wer freude liebt;
wer wein und salbe liebt, wird nimmer reich. —]

Das 2te glied erklärt die *freude* des ersten genugsam als die freude des üppigen, prächtigen tisches. Sichtbar wird der gedanke v. 20 *b* fortgesezt und näher bestimmt.

Lösgeld für den Gerechten wird der frevler,
anstatt der redlichen der ungetreue.

Vgl. oben s. 23.

[Besser zu wohnen in der wüste land,
als zänkisch weib und ärger. —
Kostbarer schaz und öl ist in des Weisen wohnung: 20
aber ein thor von mensch verschlingt's. —]

Vergl. 15, 20. *Verschlingt's*, bringt das alles in seiner unmäſsigkeit und unvorsichtigkeit schnell durch, so daſs er nichts hat. Warum auch öl hier genannt werde, erhellt aus v. 17.

Wer nachjägt der gerechtigkeit und huld,
wird finden leben gerechtigkeit und ehre.
[Der helden stadt erstieg ein Weiser
und stürzte ihre sichre feste.

Diesem aus damals bekannten geschichten erwähnten beispiele der macht der Weisheit fügt sich viel später Qoh. 9, 14 f. erst ein anderes an. In unsrer ältesten sammlung aber ist dies das einzige beispiel eines aus der bloſsen kriegsgeschichte abgeleiteten spruches. Doch ist der sinn des spruches zulezt allgemeiner: auch das schwerste vermag der Weise.

Wer wahret seinen mund und seine zunge,
der wahrt vor nöthen seine seele. —

Eine nähere verbindung dieses spruches mit dem vorigen wonach jener nur das beispiel für die lehre dieses wäre, ist unbeweisbar.

Ein übermüthiger der sich bläht, heifst spötter,
wer handelt in des übermuthes wüthen.

זד *übermüthig* ist mehr etwas inneres, unsichtbares: aber wenn der geheime heftige übermuth auch hervortritt sich blähend und wüthend gegen Gott und mensch, dann ist vollendet der gefährliche mensch da, den man von seinen wahnwizigen reden, womit er sich gegen die stimme der wahrheit zu schüzen sucht, *spötter* zu nennen pflegt. Aber die besondere fassung dieses spruches ist zu auffallend als dafs er nicht zugleich aus der geschichte jener zeiten erklärt werden müfste. Nach dem was in den *Jahrbb. der Bibl. wiss.* I. s. 95 f. gezeigt wurde, gab es um jene zeiten wo dieser spruch entstand längst eine grofse schule von Weisen die man *Spötter* nannte und die diesen bösen namen im allgemeinen mit recht verdienten. Allein nun mochte im treiben der verschiedenen schulen mancher auch wol mit diesem schimpfnamen verfolgt werden der es am wenigsten verdiente: und erst gegen einen solchen mifsbrauch richtet sich fühlbar unser spruch.

25 [Des faulen sehnsucht tödtet ihn,
weil seine hände nicht arbeiten wollen;
Beständig hegt er sehnsucht nur:
doch der Gerechte gibt nicht sparend. —]

תאוה ist als allgemeines object so hinzugesezt wie bei einem andern beispiele gezeigt wurde 17, 27. Denn sichtbar hängt v. 26 mit v. 25 aufs engste zusammen, indem ausführlich das nicht beneidenswerthe loos des nur immer sich sehnenden und von leerer sehnsucht z. b. nach den schäzen reicherer leute aufgezehrten, nie durch fleifs die sehnsucht stillenden Faulen beschrieben wird, und dem gegenüber nur kurz das glück des Gerechten vom fleifsig erworbenen gute stets freudig geben zu können.

Der frevler opfer ist ein gräuel,
geschweige wann man es mit schandthat bringt.

Z. b. wenn ein grofser räuber oder mörder von dem ungerechten gute das er so erworben ein glänzendes opfer bringen will, meinend damit vor Gott und welt wieder gerecht zu werden.

Ein lügenzeuge geht zu grunde:
doch einer der da hört, wird immer reden.

Der da hört (1 Kö. 3, 9. Hez. 2, 5 f.), zucht, weisheit, und warnungen annimmt, sodafs er unter andern nie in das vergehen falsch zu zeugen fallen kann, der wird stets gern als zeuge und sonst gehört werden, glücklich lebend stets reden können.

Die 3 folgenden sprüche hangen sichtbar zusammen: der frevler nimmt zwar, um sich gleich zu bleiben und der drohenden strafe zu trozen, freche miene an: doch der redliche, in der gewifsheit dafs weder einsicht noch hülfe ohne und gegen Jahve etwas vermag, geht durch diesen schmählichen anblick nicht gestört seines geraden weges.

Frechheit ein frevler zeigt in dem gesichte:
doch Redlicher, er macht recht seine wege.
Es gibt nicht weisheit, nicht vernunft, 30
es gibt nicht rath vor Jahve.
Das rofs bereit steht für den tag der schlacht:
doch Jahve's ist der sieg. —

Die LXX las mit dem *Q'rî* v. 29 יָבִין *versteht seine wege*, oder wie er zu handeln habe. Allein dies gibt hier einen zu geringen sinn. — Das bild vom rosse v. 31 erinnert ganz an jene zeiten wo etwa Ψ. 20 gedichtet wurde, und unsre sprüche athmen keinen geringeren geist als jener Tempelgesang.

Erwünschter ist ruhm als viel reichthum; 22, 1
als silber und als gold ist besser gunst.

Der saz *a* wird Qoh. 7, 1 weiter aber anders ausgeführt; und die *gunst* steht hier in demselben sinne wie 13, 15 vgl. 3, 4.

Reicher und armer sich begegnen:
ihr aller schöpfer ist Jahve. —

S. oben s. 17 und weiter unten zu 29, 13.

Ein kluger übel sehend birgt sich wohl:
einfält'ge gehn vorüber — um zu büfsen.

S. oben s. 29 und unten zu 27, 12.

Die folge von demuth, von furcht Jahve's
ist reichthum ehr' und leben.

Da die furcht Jahve's etwas inneres, ursprüngliches, schaffendes ist, so versteht sich von selbst, dafs sie hier nicht, wie die mehr äufsern güter im 2ten gliede, als folge erst erscheinen kann: sondern sie steht der demuth wesentlich gleich, und ist mit ihr ohne copula nach §. 349 *a*, 2 eben so verbunden wie v. 5 zwei andre ähnliche dinge. Woran um so weniger zu zweifeln, da v. 4—5 sichtbar zusammengehören: wonach übrigens auch der saz v. 5 só zu verstehen ist dafs, da doch eigentlich nur was der Fromme thue beschrieben werden soll, das erste glied keinen saz für sich geben darf.

5 Die dornen, schlingen auf dem weg des falschen —
wer seine seele wahrt, bleibt fern davon. —
Gewöhn' den knaben an seine lebensweise:
auch wann er altert, weicht er nicht davon. —

Dafs diese seine lebensweise an die man ihn gewöhnen soll die des fleifses und der furcht Gottes sei, wird hier als aus allen andern sprüchen selbstverständlich vorausgesezt.

Ein reicher wird beherrschen arme;
sklav wird der leiher dem verleiher. —

S. oben s. 30: die anwendung des spruches ist danach leicht zu ziehen.

Wer unrecht säet, der wird unheil ernten,
und seiner strafe stab wird sicher kommen.

Da hier das gewisse ende des bösen beschrieben werden soll, so sagt das 2te glied deutlich: der stab, die züchtigung seines zorns = seiner göttlichen strafe werde, obwohl zu zögern scheinend, doch schon zu rechter zeit sich vollenden, *in erfüllung gehen*, gerade so wie sie gedroht immer zu fürchten seyn. Die LXX verlasen עֲבֹדָתוֹ, mufsten danach יְכַלֵּר sprechen und übersezten daher *πληγὴν δὲ ἔργων αὐτοῦ συντελέσει* als könnte man hier *Gott* hinzudenken. Andere lasen שׁוא für שׁבט, und übersezten *ματαιότητα δὲ ἔργων συντ.*: doch gibt das alles keinen sinn.

Wer milden blicks, der wird gesegnet werden,
weil er von seinem brod elendem gab. —

Das gegentheil רע עין für *invidus* findet sich 28, 22. 23, 6 vgl. Marc. 7, 22. Matth. 20, 15. Die LXX haben aber hier noch den spruch *νίκην καὶ τιμὴν περιποιεῖται ὁ δῶρα δούς, τὴν μέντοι ψυχὴν ἀφαιρεῖται τῶν κεκτημένων* d. i.

נֵצַח וְכָבוֹד יִקְנֶה נֹתֵן מַתָּן | וְנֶפֶשׁ בְּעָלָיו יִקָּח

Ehre und glanz erwirbt der gaben spendet,
und erobert des beschenkten seele.

und man kann nicht läugnen dafs dieser spruch nach den ähnlichen worten 11, 30. 16, 22 sowie nach dem ähnlichen sinne von 18, 16 und anderen sprüchen von demselben dichter sei.

Vertreib' den spötter, dafs der zank ausgehe, 10
dafs streit und schande höre auf! —
Wer liebt mit reinem herzen,
wess lippen lieblich, ist des königs freund. —

רעהו מלך ist unstreitig *sein, des königs freund,* weil der nachdruck eben auf dem begriff könig ruht; wie oben 13, 4. 24. 14, 13; vgl. auch oben s. 6. Zu טהור לב vergl. 20, 7.

Der blick Jahve's behütete stets den Weisen,
und stürzte hin des Ungetreuen worte. —

Die lesart דָּעַת *das wissen* müfste, wie überall in solchen allgemeinen aussprüchen, das reine und starke, das stets rege und fruchtbare bedeuten, welches nach s. 24 die furcht Jahve's so wie die gerechtigkeit begleitet und fördert. Allein schon weil im folgenden gliede vom *Ungetreuen* die rede ist, fiel hier vor דעת wahrscheinlich יוֹדֵעַ nach 17, 27 aus.

Der faule sprach: „ein löw' ist draufsen,
mitten in der gasse wird man mich ermorden!" —
Eine tiefe grube ist der huren mund:
wen Jahve hat verflucht, fällt da hinein. —

Die lesart זָרוֹת *die Fremden* müfste nach s. 47 erklärt werden: allein jener sprachgebrauch ist unserer alten sammlung fremd; und auch aus der nachbildung 23, 27 erhellt dafs זנות ursprünglicher ist. — Die LXX haben hier noch die worte *εἰσὶν ὁδοὶ κακαὶ ἐνώπιον ἀνδρός, καὶ οὐκ ἀγαπᾷ τοῦ ἀποστρέψαι ἀπ' αὐτῶν, ἀποστρέφειν δὲ δεῖ ἀπὸ ὁδοῦ σκολιᾶς καὶ κακῆς.* Allein obwohl sie etwa einen dreizeiligen spruch bilden sollen, so sind sie doch so undichterisch dafs sich eine Hebräische rückübersezung nicht verlohnt.

15 Ist gebunden narrheit an des knaben herz,
— der stab der zucht entfernet sie. —

Die sazverbindung nach §. 306 *o*.

Drückt man den niedern — zum gewinn ihm dient's;
gibt reichen man — zum mangel nur.

להרבות לו eigentlich: das dient nur *um ihm mehr zu geben* als man ihm entreifst, wie man auffallend aber wahr sagen kann die sache vom göttlichen ende aus betrachtet. Eben so das gegentheil bei dem so häufig ungerechten reichen der gerne sich noch immer weiter bestechen läfst und doch am ende für alle seine frevel nur desto tiefer gestraft wird. Der ausdruck wie 11, 24. 14, 23. 21, 5.

III. Cap. 22, 17—25, 1.

1. 22, 17—24, 22.

Wie die entstehung dieses dritten haupttheiles des jezigen buches zu denken sei, ist oben s. 54. 58 f. gesagt. Wir haben hier auszüge aus einer einst selbständigen schrift welche die aufschrift *Worte der Weisen* getragen haben mufs: diese auszüge gehen jezt deutlich wenigstens zunächst nur bis 24, 22. Der ursprüngliche verfasser mochte vieles lehrhafte hier von sich selbst aus dichten, sehr vieles aber und (wie er sich wol selbst sagte) das beste entnahm er früheren schriften, und so mochte er es aus allen gründen für geeignet halten sein neues werk unter diesem allgemeinen namen zu veröffentlichen, von welchem sich sogar noch Qoh. 12, 11 eine spur findet. Nun herrscht hier zwar die lehrart durch längere schilderungen der gegenstände oder doch engere zusammenstellungen von sprüchen vor: allein eine so grofsartige zusammenfassung eines erhabenen lehrinhaltes wie dort in der herrlichen vorrede des jezigen buches c. 1—9 findet sich hier nicht. Hier sollte vielmehr ein bei aller geringheit des umfanges doch möglichst allgemein belehrendes buch von *Worten der Weisen* gegeben werden; und nach welchem loseren zusammenhange und fortschritte sie an einander gereihet wurden, erhellet aus dem oben s. 52 gesagten. Eine gliederung dieses inhaltes nach wenden, welche schon in der kunstbildung des zeitalters unsres dichters lag, ist aber damit nicht ausgeschlossen; und sie erweist sich aus einzelnen spuren unverkennbar genug. Denn von der einen seite erstrecken sich auch die längsten der lehrreichen sittenbilder welche hier als die beliebtesten stücke der lehrdichtung jener zeit erscheinen, nicht über 7 bis 8 (oder 10) doppelzeilen hinaus (vgl. 23, 1—8. 29—35). Von der andern war das ganze buch nach der s. 40 f. 52 erwähnten sitte jenes zeitalters von seinem verfasser an einen *sohn* d. i. jüngeren mann gerichtet: und indem dieser ähnlich wie in der vorrede c. 1—9 am anfange einer neuen wende immer wieder gerne in geeigneter weise aufs neue angeredet wird 23, 12. 15. 19 (26). 24, 10, bestimmt sich auch dadurch oft die abgrenzung der wenden. Wir können nun nach allen solchen spuren annehmen dafs die wenden bei diesem dichter im ganzen zwar denen des dichters der vorrede c. 1—9 ähnlich jedoch eher etwas kürzer gehalten waren, só nämlich dafs jede 7—10 doppelzeilen enthalten sollte. Sind in dem uns jezt erhaltenen wortgefüge einige kürzer, so kann das nur von der abkürzung des ganzen kleinen buches bei seiner aufnahme an diese stelle kommen. Aber indem sich in dieser weise noch jezt gerade 10 wenden zeigen von welchen wenigstens 5 vollständige sind, hat sich offenbar der grundstock des ganzen kleinen buches noch hinreichend erhalten; und wir können mit recht annehmen dafs der s. 58 f. beschriebene sammler und neue herausgeber des grofsen buches gerade nur solche sprüche vorzüglich ausliefs welche er im wesentlichen schon in den vorigen theilen des jezigen buches fand. Manches aber kann auch noch später abgekürzt seyn.

Lezteres trifft sichtbar bei der vorrede dieses kleinen werkes ein, von welcher sich jezt nur die worte 22, 17—21 erhalten haben, während eine menge zusammentreffender anzeichen dárauf hinweisen dafs an dieser stelle einige stärkere verkürzungen eingedrungen seyn müssen. Wir wollen kein gewicht dárauf legen dafs hinter 22, 16 offenbar noch mehere andere sprüche aus der ältesten sammlung stehen konnten und dafs ein klarer schlufs dieser sammlung fehlt. Aber warum sich nicht die ursprüngliche aufschrift des hier angeschlossenen werkes *Worte der Weisen* vor 22, 17 ebenso wie jene bei 10, 1 erhalten haben sollte, sieht man nicht ein: allein aus der vor 24, 23 erhaltenen ansich durchaus unverständlichen überschrift *Auch diese* (folgende sprüche) *sind von Weisen* folgt nothwendig dafs jene überschrift ursprünglich vor 22, 17 stand, weil diese sonst unklar wäre. Auf die weit entfernten *Worte der Weisen* 1, 6 können sich vor 24, 23 gesezten nicht zurückbeziehen, weil sie dort garnicht für sich eine überschrift bilden, vielmehr die dortige überschrift nur *Sprüche Salômo's* nennt. Nur wenn ein späterer sammler vor 22, 17 *Sprüche von Weisen* hinzufügte, konnte er bald darauf 24, 23 und dann 25, 1 sich so ausdrücken wie wir dies jezt sehen. Ferner erwartet man vor den worten 22, 17 zu anfange der dichterischen einleitung in dieses kleine werk nothwendig eine anrede an den *sohn*, welchem das ganze wie oben gezeigt zugeeignet wird und der nachher an geeigneten stellen immer wieder angeredet werden soll. Wie diese einleitung jezt vorne sich zeigt, ist sie offenbar unvollendeter und unklarer als die ähnlichen 1, 8 ff. 4, 1 ff. 6, 20 ff. Und so mag diese einleitende wende statt der jezigen 5 ursprünglich wenigstens 7 verse gehabt haben, wodurch sie ja auch erst den folgengen 10 ähnlich werden konnte. Noch andere gründe welche zu demselben ergebnisse hinführen, liegen in dem richtigen verständnisse dieser einleitenden zeilen selbst, welche nach dem gegenwärtigen wortgefüge ziemlich dunkel sind, noch am wahrscheinlichsten aber folgenden sinn geben:

Neige das ohr und hör' der Weisen worte,
dein herze richt' auf wissen, weil es lieblich,
damit sie, wann du tief sie in dir wahrest,
zugleich seien bereit auf deinen lippen!
Dafs nur auf Jahve dein vertrauen sei,
belehre ich dich jezt, ja dich!
20 *Schrieb ich dir doch erst neulich rathschläge,*
und wissen grub ich in deine herzenstafel,
um dich zu lehren die richtschnur treuer worte,
zu erwidern wahrheit deinen fragestellern.

Das schwierigste wort ist hier zunächst das שלשום v. 20. Dies kann nach dem *K'tib* nur *ehegestern* d. i. allgemeiner gefafst *neulich* bedeuten, gebildet nach §. 269 *c* wenn es nicht geradezu aus שְׁלֹשׁ

יום wie im Lateinischen *nudius tertius* zusammengezogen ist. Da das wort dann in diesem zusammenhange keinen sinn zu geben scheint und das τρισσῶς *dreifach* der LXX nicht weniger dunkel bleibt, so will das *Q'ri* dafür שָׁלִשִׁים lesen: dies könnte nach dem in der *Geschichte des v. I.* III. s. 190 erörterten in solchem zusammenhange nur *vorzügliches* oder *fürstliches* (τρισμέγιστα der *Ven.*) bedeuten und würde dem נְגִידִים 8, 6 entsprechen: allein oben s. 116 f. ist schon gezeigt dafs auch dieses eine andere bedeutung haben mufs. Inderthat aber wird jenes *neulich* doch umsomehr in den zusammenhang der rede sich fügen müssen da ihm ja deutlich das הַיּוֹם *heute* v. 19 entspricht: denn für dieses lesen die LXX mit einigen andern alten Griechischen übersezern zwar τὴν ὁδόν σου, Aq. und Symm. aber ζωήν, allein dafs dies nur auf rathen beruhet ist leicht einleuchtend. Nun kann zwar das *perf.* הוֹדַעְתִּיךָ v. 19 nach §. 135 *b* in diesem zusammenhange unserer gegenwart entsprechen, nicht aber das *perf.* כָּתַבְתִּי v. 20 nach הֲלֹא und vor jenem *neulich*. Darum bleibt denn nichts übrig als die annahme unser dichter weise hier auf ein früheres buch für Jüngere hin welches er zu ihrem besten neulich veröffentlicht habe und dem er hier ein ähnliches aber anderen inhaltes anschliefsen wolle.

Von welchem inhalte nun unser buch seyn solle, erhellt zwar aus der kurzen andeutung v. 19 hinreichend: der Jüngere soll durch es lernen sein vertrauen auf Jahve allein zu sezen; und da alle sprüche sowohl dieses kleinen werkes als der übrigen in unserm buche jezt vereinigten stets auf den wahren Gott selbst als die einzige lezte stüze des denkenden wie des handelnden menschen zurückweisen und die ganze ächte spruchdichtung des A. Ts. von der wahren religion unzertrennlich ist, so pafst diese bezeichnung des zweckes unseres werkes hinreichend: es wird damit zulezt nur etwa dasselbe gesagt was der vorredner der ältesten sammlung in seiner weise 3, 5 ff. lehrt. Doch ist wahr dafs kein anderer spruchdichter darauf so viel nachdruck legt als unser, wie er sich hier 22, 17—24, 22 zeigt. Allein desto dunkler ist jezt für uns der inhalt des früheren werkes unsres dichters, wie er ihn v. 20 f. bezeichnet. Hier kommt es nämlich vor allem auf das wort שֹׁלְחֶיךָ v. 21 an: ist dieses richtig wie es der dichter schrieb, so hätte jenes werk eine anweisung enthalten wie man seinen *auftraggebern* treu erwidern oder wahre treue berichte erstatten könne. Allein wollte man dies auch in seinem höchsten sinne als eine ermahnung zum treuen geschäftsdienste verstehen und erwägen dafs ein solcher geschäftsdienst auch die höchste bedeutung im reiche haben kann, so würde der gegenstand doch immer für ein solches werk zu gering seyn. Wir suchen daher, trozdem dafs שֹׁלְחֶיךָ ansich nach 10, 26. 25, 13 in den sprachgebrauch unsrer sprüche gut pafst, eine andere lesart: und das τοῖς προβαλλομένοις σοι (wie in den meisten und besten hdschr. für προβ. σε steht) d. i. *denen die dir schwere fragen* (probleme) *vorlegen* führt uns auf שֹׁאֲלֶיךָ. Dabei können wir treffend an die verfänglichen fragen über die räthsel der gottheit und der welt denken welche die *Spötter* jener zeiten ausgedacht hatten und womit sie die einfältigeren geister zu verwirren und zu verleiten suchten. Wir haben ja in dem stücke 30, 1—14 ein klares beispiel sowol von solchen fragen als von der rechten antwort darauf welche nach dem sinne der besseren Weisen die in versuchung geführten geben sollten; und wir können weiter den sinn von sprüchen wie 26, 4 f. 11 vergleichen. Der dichter hatte demnach in jenem werke die spizen schulfragen der wahren religion behandelt, und es ist denkwürdig genug dafs schon damals Apologetiken geschrieben wurden. Aber ein solcher inhalt bildet auch sehr gut wie die erste hälfte zu dém unsres zweiten werkes; und wir begreifen zugleich wie der dichter es für passend halten konnte hier darauf zurückzuweisen.

Aber das jezige wortgefüge ist auch sonst noch dunkel. Die LXX haben v. 17 blofs לְדַעַת für לְדַעְתִּי, und dieser allgemeinere ausdruck pafst sowol ansich als nach dem besondern sinne des bei unserm dichter sehr beliebten דעת (v. 20. 23, 12. 24, 4. 5) am besten in diesen zusammenhang. Dann aber ist mit den LXX das כִּי נָעִים aus v. 18 zum ende von v. 17 zu ziehen (die wortverbindung wie v. 22) und וְכִי für כִּי zu lesen: beide verse stehen dann erst enger zu einander, und geben den doppelsinn worauf unser dichter auch 24, 13 f. sehr ähnlich gewicht legt: dafs solche weise worte ansich lieblich seien und dafs es sehr nüzlich sei sie nicht blofs im herzen sondern auch nöthigenfalls sogleich auf der zunge zu haben, eben den vielen zweiflern und versuchern gegenüber, wie er dies nach v. 21 bei dem vorigen werke noch weit mehr bezweckt hatte und es auch hier nach 23, 15 f. noch weiter bezweckt. Wenn er aber v. 19 *b* nachdrücklichst hervorhebt dafs er *gerade ihn* diesen Jünger so belehre, so hatte er dazu gewifs besondere ursachen, die etwa in den jezt verlorenen ersten versen dieser vorrede näher bezeichnet waren; der gegenschlag dazu folgt 23, 15. — Die worte v. 20 sind só herzustellen dafs das zweite glied lautet:

וְדַעַת הֲקוֹתִי עַל לוּחַ לִבֶּךָ

denn hierauf führen die LXX; und zugleich pafst das bild von der herzenstafel nicht blofs gut zu 3, 3 sondern auch zum zusammenhange aller worte an dieser stelle v. 20 f. und zum sinne der eben vorangegangenen v. 17 f. — Für אִמְרֵי אֱמֶת v. 21 *a* steht der abwechselung wegen in *b* אֲמָרִים אֱמֶת: möglich ist dies nach §. 287 *h*, umso leichter da אֲמָרִים nach §. 283 *d* auch mit הָשִׁיב leicht enger sich verbindet.

1.

Beraube nicht den niedern weil er niedrig,
und tritt den dulder nicht im thor:
denn ihren streit wird Jahve führen,
den sie beraubenden das leben rauben. —

Der erste einzelne spruch fast wie 3, 27. *Im thor* d. i. vor gericht. קבע, قبع = קבץ, קבד eig. zurückziehen, entziehen, daher täuschen durch entziehen, heimlich rauben.

Befreunde dich nicht mit dem zornigen,
darfst mit dem hiz'gen nicht zusammenkommen,
dafs du nicht lernest seine pfade 25
und nehmst gefahr für deine seele. —

Das מוֹקֵשׁ *fallstrick* ist hier deutlich soviel wie unser *gefahr.*

Sei du von denen nicht die sich verbürgen,
denen die da vertreten schulden:
wenn du nichts hast um zu bezahlen,
was soll man unter dir dein bett wegnehmen? —

Vgl. oben s. 29 und besonders zu 11, 15.

Verrücke nicht die alte grenze,
die deine väter haben aufgestellt. —

Ein spruch der hier etwas zu kurz und ohne nähere anwendung gegeben bald noch einmal vollkommener wiederkehrt 23, 10 f., vergl. Ijob 24, 2.

Schautest du einen fertig im geschäft:
vor königen mag der sich stellen,
nicht stellen sich vor unberühmten!

Sich stellen als diener, um geschäfte zu übernehmen. Ausgezeichnetsten fähigkeiten gebührt ein geeigneter wirkungskreis in der nähe der herrscher; und ohne neid soll man dazu mitwirken dafs sie diesen erhalten. Aber wie nun ein so in des herrschers nähe und vertrautheit gekommener vorsichtig seyn müsse, erklärt der folgende lange spruch: dieser steht also blofs wie eine einleitung dazu.

2.

23, 1 *Sezest du dich zu tisch mit einem herrscher,*
so mufst du merken wohl was vor dir steht:
wirst dir das messer an die kehle sezen,
wenn du begierde hegst;
sehne dich nicht nach seinen leckerbissen,
da es ist täuschend brod!
bemüh' dich nicht um reich zu werden,
deinen verstand lass ruhen:
5 *soll fliegen drauf dein blick — und 's ist verschwunden?*
denn machen machen wird sich's flügel
wie adlers und der himmelsvögel.
Iss nicht das brod des neidisch-blickenden,
und sehn' dich nicht nach seinen leckerbissen:
denn gleich als wär' die seele ihm gespalten,
so ist's: „iss, trink!" so sagt er dir,
aber sein herz ist nicht mit dir;
den bissen den du afsest, wirst du ausspei'n,
verloren haben deine schönen worte.

Ein vertrauter des herrschers kann durch seine günstige stellung leicht zu habgier und unrecht verführt werden, nicht sowohl vermittelst eigner heimlicher betrügerei, sondern indem er jenem auf befehl die besten auch wohlgemeinten und redlichen rathschläge einen gewinn zu erzielen gibt, unter der stummen voraussezung dafs er mit jenes einwilligung am ende doch wol auch am gewinne oder genusse etwas theil nehmen werde. Das ist denn alsob sich beide zu einem gemeinschaftlichen genusse niedersezten. Doch gar leicht wird der herrscher, neidisch und geblendet von der glänzenden aussicht auf den gewinn, zur tödlichen ungunst gegen den diener bewogen der etwas mitgeniefsen will, der für seine schönen rathschläge schon im begriff ist sich zu bereichern. Darum wenn schon überhaupt, auch bei einem gewöhnlichen gastmahle, behutsamkeit und bescheidenheit in den nähern beziehungen zum herrscher zu empfehlen ist, so ist doch ganz besonders für diesen fall jedem zu rathen eben so enthaltsam im wünschen und begehren als vorsichtig in worten zu seyn, damit der ausgang dieses ganz eigenen zu tische gehens nicht sehr traurig für den werde der zu unvorsichtig nach den lockenden leckerbissen dieses mahles greift. Wirklich läfst sich das gefährliche einer solchen stellung nicht besser schildern als im bilde eines mahles dessen leckerbissen den eingeladenen reizen, aber ihm nicht zu theil werden sollen. Mitten aus diesem bilde heifst's also v. 1—3, wer sich mit einem herrscher zu tische seze, der möge wohl merken was vor ihm stehe, nämlich wie gefährliche speisen nach denen man nicht unvorsichtig die hand ausstrecken dürfe, da er zu begierig danach greifend sich selbst das messer an die kehle seze; er möge nicht zu gierig nach seinen leckerbissen seyn, da diese ein täuschendes brod seien, das im augenblicke wo man es fasse entfliehe! Und zur weitern erklärung: nicht ängstlich solle man mit seinem verstande reich zu werden sich bemühen: oder ob man sich gerne täuschen lassen wolle? denn kaum fliege der blick auf jenes brod es zu nehmen, so fliege dieses selbst fort als hätt' es sich schnell flügel gemacht wie ein adler unerreichbar hoch zum himmel v. 4 f. (das erste Q'rî v. 5 ist nicht nöthig, wohl aber das zweite); also nicht mit einem neidischen Grofsen möge man so zu tische gehen, denn ein solcher, doppelsinnig wie immer (*als wäre er gespalten in seiner seele*, hätte zwei seelen statt einer, vergl. שֹׁעַר *thor*, eig. spalte, Ψ. 12, 3), könne immerhin aufs freundlichste zum mitessen einladen und sei doch innerlich der feindseligste, sodafs der ausgang der übelste sei v. 6—8. Vergl. was ich schon in den *theol. Stud. und Krit.* 1828. s. 338 ff. erörterte: auch jezt noch behaupte ich dafs die worte dieser ganzen wende keinen andern sinn haben können. Uebrigens kann man nach dem schon §. 131 *d* gegebenen beispiele das שֻׁעַר als *shoʿar* d. i. als Puʿal aussprechen.

3.

Vor eines thoren ohren rede nicht,
weil er verachtet deiner worte sinn.
Verrücke nicht die alte grenze, 10
und in der waisen felder dringe nicht!
denn ihr erlöser ist ein starker:
führen wird ihren streit der gegen dich.

Man könnte vermuthen troz des anfanges einer neuen wende werde hier der grundgedanke der vorigen nur nach anderen entfernteren seiten hin erweitert. Weil zugleich die guten rathschläge die man gegeben vereitelt werden, werde der spruch v. 9 hinzugefügt; und da die pläne eines herrschers die man durch rath unterstüzt so oft ungerecht und grausam sind, so werde schliefslich v. 10 f. der obige spruch 22, 28 wiederholt und vollkommner ausgeführt. Das חָזָק ist absichtlich unbestimmt gelassen: kennst du diesen Starken nicht?

4.

Bring' her zur zucht dein herz,
und deine ohren zu den weisheitsworten!
Entzieh' dem knaben nicht die zucht:
schlägst du ihn mit dem stab, wird er nicht sterben;
du schlägst ihn mit dem stabe zwar,
doch seine seele rettest vor der hölle. —

Der spruch v. 13 f. wiederholt den ältern 19, 18 nach den umständen dieser spätern zeit verändert. Uebergrofse strenge war jezt nicht mehr so wie vordem im höhern Alterthume zu fürchten, vielmehr zu grofse nachsicht: darum heifst's nun, der sohn werde nicht gleich von der züchtigung sterben, und auch die strengste, schmerzlichste züchtigung sei seiner seele wenigstens nüzlich.

5.

15 *Mein sohn, wenn weise ist dein herz,*
so freuet sich auch mein, mein eigen herz;
und jubeln sollen deine nieren,
wenn deine sachen redlich du vertheidigst.
Dein herz beneide nicht die sünder,
sondern es sei in Jahve's furcht beständig!
vielmehr, es gibt noch eine zukunft,
und deine hoffnung wird nicht ausgerottet. —

Allen streit in der welt zu meiden ist kaum möglich: sich gegen ungerechte eingriffe zu vertheidigen, ist gut und auch dazu ist die weisheit nüze. Immer ist's untadelig sich so gegen die herrschaft des bösen gerüstet und kampflustig zu erhalten, nichts dagegen so thöricht als wegen scheinbaren glückes der sünder in mifsmuth und neid zu verfallen, statt das herz in der furcht Jahve's allein beständig zu erhalten: vielmehr (כי אם v. 18 wie v. 17 §. 356 *b*), froh kann man sagen, es gibt noch eine zukunft, etwas worauf der gegenwärtig unglückliche Treue sicher hoffen kann; verzweifeln mufs nur der untreue. So nachdrücklich steht אחרית auch 24, 14, 20:

und man merkt auch daraus wie weit sich die Messianischen hoffnungen damals schon ausgebildet hatten. Die verbindung *sei in religion* v. 17 liebt unser dichter nach 24, 5 auch sonst.

6.

Hör' du, mein sohn, und werde weise,
und leite grade auf dem weg dein herz!
sei nicht von denen welche saufen wein, 20
denen die ihren eignen leib verwüsten:
denn säufer und wüstlinge werden arm,
in lumpen kleidet fauler schlaf.
Hör' deinem vater, der dich hat gezeugt,
verachte nicht, weil sie alt ist, deine mutter!
wahrheit erkaufe und verkaufe nicht,
weisheit und zucht und einsicht!
hoch hoch frohlockt der vater des Gerechten,
wer einen Weisen zeugt, der freut sich dessen:
es freue sich dein vater und die mutter, 25
frohlocke die so dich geboren!
Gib du, mein sohn, dein herze mir,
und deine augen hüten meine wege!
denn tiefe grube eine hure ist,
und enger brunnen eine fremde;
ja gar, wie räuberbande lauert sie,
vermehrt die welche menschen meucheln.

Um vor den verwandten lastern der schwelgerei und buhlerei eindringlicher zu warnen, schildert der dichter nicht nur gleich bei der ersten allgemeinen ermahnung kurz ihre traurigen folgen v. 19—21, sondern hebt auch vor der weitern auseinandersezung jedes dieser laster erst noch einmahl an im allgemeinen zur folgsamkeit gegen die eltern und zum sorgsamen erwerben jeder weisheit zu ermahnen v. 22—25. Nun das einzelne: Wie der vater sich von buhlerei frei weifs und sofern seinen sohn auffordern kann mit *herz* und *augen* an ihm zu hangen d. i. liebevoll seinem beispiele (oder *seinen wegen*) zu folgen (das *Q'ri* תצרנה v. 16 ist doch auch nach 22, 12 richtig), so ermahnt er ihn dringend alle buhlerei sorgfältig zu fliehen v. 26—28, weil die buhlerin einem abgrunde gleiche woraus niemand sich wieder emporheben und retten könne (v. 27 nach 22, 14 weiter ausgeführt), oder vielmehr, da sie doch eigentlich selbst

14*

das verderben herbeiführt, einem meuchlings den sichern anfallenden räuber und todtschläger; die anzahl solcher mörder vermehre sie noch durch ihre verführung. Das abstractum חֶתֶף *ein rauben* kann von menschen gesagt eine räuberbande oder unbestimmt einen räuber bezeichnen: eine redeart wo man mehr die blofse erscheinung als den menschen hervorhebt, vergl. oben zu 10, 17. Das בֹּגֵד בְּ־ ist der eigenthümliche ausdruck vom mörderischen räuber Jes. 33, 1. Uebrigens kann nicht der mindeste zweifel dáran gelten dafs זֹלְלֵי בּ׳ ל׳ v. 20 die sind welche *den eignen leib verwüsten*, בְּשָׂר לָמוֹ ist wie חֲמַת לָמוֹ §. 332 *c* und könnte auch in engster anlehnung בְּשָׂר lauten. Wenn aber unser dichter nach v. 27 *die Fremde* schon der hure gleichsezt ganz anders als nach dem s. 47 erläuterten sprachgebrauche, so kann man auch daraus erkennen dafs er ein anderer und späterer dichter ist als der von c. 1—9. — Vor der völlerei aber wird zwar viel ausführlicher, jedoch fast nur durch ein ergreifend wahres gemälde der abschreckenden folgen derselben gewarnt in der folgenden wende:

7.

Wessen ist O, und wefs Oweh!
wefs zanken, wefs geseufz, wefs eitle wunden?
wessen sind dunkle augen?
30 *— Deren die spät am weine sizen,*
die kommen würzwein zu versuchen!
Schau' nicht den wein wie er sich röthet,
wie er im becher seine augen macht,
sich schleicht gerad' hinunter:
sein ausgang gleicht beifsender schlange,
einem basilisken welcher sprüht;
dein auge wird fremdart'ges sehen,
dein herze wird verkehrtheit reden,
du gleichst dem welcher schläft im herz des meeres,
und dem der schläft am steuerruder vorne.
35 *„Man schlug mich — fühle keinen schmerz,*
prügelte mich — ich merke nichts!
wann steh' ich auf, suche noch einmal ihn?“

Frage man wer am meisten ach! und weh! rufe, oder am meisten zanke und seufze über leichtsinnig erhaltene wunden, wer am meisten dunkle, von innerer verworrenheit und trübnifs zeugende augen (Gn. 49, 12) habe? — so müsse man sagen, ein so unglücklicher mensch könne niemand seyn als ein säufer! v. 29 f. Wohl sei der anblick des im einschenken sich röthenden, im becher perlenden, die kehle leicht hinunterfahrenden weines verführerisch, aber eben deswegen solle man ihn meiden, da er zulezt wie gift wirke v. 31 f., sinne und herz verwirrend v. 33, in die augenscheinlichste gefahr den der besinnung beraubten Trunknen ziehend (eine gefahr wie eines der mitten im augenblicklich stürmischen meere vorne am steuerruder sizend einschlafe den wellen preisgegeben v. 34), endlich den menschen so unrettbar verwöhnend dafs er mitten unter strafe und schande doch von ihm nicht lassen kann; das lezte konnte nicht abschreckender gesagt werden als mit den gräulichen worten eines trunknen selbst am ende eines tages v. 35.

8.

Beneide nicht boshafte leute, 24 1
noch sehne dich zu seyn mit ihnen!
denn nur verwüstung sinnt ihr herz
und unheil reden ihre lippen.
Durch weisheit wird ein haus gebaut,
und durch vernunft wird's festgestellt;
durch wissen füllen sich die kammern
mit allen kostbaren und schönen schäzen.
ein weiser mann im festen ist, 5
ein mann von wissen starke kraft gewinnt;
denn mittelst lenkung wirst du krieg dir führen,
und sieg ist wo es nicht an räthen fehlt.
Etwas zu hohes ist dem narren die weisheit:
im thore thut er seinen mund nicht auf.
Wer grübelt bös zu handeln,
den nennt man einen ränkemacher.
Der narrheit schande ist die sünde,
und ein gräul den leuten ist ein spötter. —

Zur warnung vor nachahmung der glücklich scheinenden betrüger. Mögen sie glücklich scheinen: doch ist allein die weisheit das mittel sowohl ein dauerndes reiches hauswesen zu gründen v. 3 f. (aus 14, 1 und 3, 10), als auch kraft und sieg in der gesellschaft zu erreichen v. 5 f. (v. 6 aus 11, 14. 20, 18). Gerade da wo man durch weisheit besonders bei der vertheidigung unschuldig angeklagter *im thore* d. i. im gerichte (22, 22) öffentlich sich ruhm und ehre erwerben kann, bleibt der narr zurück, weil sie ihm etwas zu hohes ist das er nicht erreichen und anwenden kann v. 7: während der betrüger öffentlich mit unliebenswürdigen namen gebrandmarkt wird v. 8 (איש מזמות aus 12, 2. 14, 17), und während die thorheit nie unschuldig oder unbestraft bleibt sondern durch die sünde als ihr kind sowohl ansich als in den augen der welt genug geschändet wird v. 9 vergl. s. 32. ראמות v. 7 ist vielleicht, da חכמות sonst immer mit dem *sg. fem.* verbunden wird §. 165 *c.* als *neut. pl.* mehr selbständig zu fassen.

9.

10 *Warst lässig du am tag der enge,*
ist enge deine kraft.
Errette die zum tod geschleppten,
zur schlachtbank wankende — o schüztest du!
Sagst du: „kennen wir doch diesen nicht!" —:
wie, der die herzen wägt, wird der's nicht merken,
der deine seele bildete, es nicht wissen,
und je nach seinem thun dem menschen zahlen? —

Der mensch vermag, muthig seine kräfte zusammenraffend, in zeiten der gefahr viel mehr als er gewöhnlich glaubt. Erst wenn man in der gefahr einmal schlaff war, ist die kraft in neuer enge (gefahr) selbst enge oder beschränkt, schwach v. 10. Insbesondere aber sollte man in solchen zeiten wo die falsche anklage sich nicht scheuet Unschuldige bis auf den tod zu verfolgen (die *peitsche* welche durch das land streicht Ijob 5, 21. 9, 23) für die rettung unglücklicher, so oft ohne schuld zum (schnellen) tode verurtheilter mitmenschen alles wagen: das wäre das beste was man rühmliches thun könnte! v. 11 (אם תחשך ist nach wunschweise gesprochen wie Ψ. 81, 9. 139, 19: *wenn du* doch die zum schlachten *wankenden*, in todesfurcht schon schwebenden *zurückhieltest*, dafs man sie nicht tödtete! wie schön wäre das! vergl. *εἴθε*). Zwar entschuldigen sich viele die in solchen fällen wohl hätten ein leben retten oder die etwas anderes gutes hätten thun können, nachdem es zu spät zum helfen ist, mit ihrer unwissenheit (*wir kennen ja diesen* unglücklichen menschen *nicht!* ganz wie Mark. 14, 71), und wer kann unter menschen darüber immer richten? aber dafs diefs keine wahre, göttliche entschuldigung sei, mögen sie wohl bedenken! v. 12. Kennen sie den Unglücklichen dennoch und verläugnen ihn nur aus bequemlichkeit und menschenfurcht, so wird Gott sie seiner zeit dafür strafen. **Das** יִצֵר welches die LXX v. 12 für נֹצֵר (der deine seele *hütet*) lasen, paſst besser in diesen zusammenhang.

10.

Iss, sohn, den honig, weil er lieblich,
und honigseim, der süſs auf deinem gaumen!
so nimm die weisheit auch für deine seele:
findest du sie, ist zukunft da,
und deine hoffnung wird nicht ausgerottet.
Als frevler stell' nicht nach der aue des gerechten, 15
und nicht verwüste seine ruhestätte:
denn siebenmal Gerechter fällt und steht,
doch frevler straucheln hin in übel.
Ob deiner feinde fall freue dich nicht;
ob seines strauchelns frohlocke dein herz nicht!
daſs Jahve dieses sehend nicht miſsbillige
und ab von ihm rückwende seinen zorn.
Erzürn' dich nicht ob übelthäter,
beneide nicht die frevler!
denn keine zukunft wird der böse haben, 20
der frevler leuchte wird erlöschen.
fürchte Jahve, sohn, und den könig:
mit Zänkischen laſs dich nicht ein!
denn augenblicks erhebt sich ihre noth,
ihrer zänkischen feinde untergang — wer kennt?

Was ist überhaupt zu thun um stets eine zukunft, eine frohe aussicht und hoffnung zu haben? einige schöne sprüche dieſs zu lehren werden hier noch zusammengestellt. Wie man immerhin honig soviel nur gut ist essen mag, so nehme man die weisheit für den wahren honig der seele, wovon diese nie genug genieſsen kann: so hat man eine zukunft! v. 13 f.; דְּעָה (oder דְּעָה vgl. §. 228 *c anmerk.*) wird hier verbunden wie: *sic* (talem) *scito sapientiam* (esse) *animae tuae.* Dann im einzelnen: 1) man gebe sich nicht dazu her die gesellschaft durch räuberei zu stören vergl. s. 48 f., da ein Gerechter, wenn auch noch so unglücklich, sich stets wieder erholen kann, dem ruhestörer aber ein einziges unglück schon besinnung und rettung nimmt v. 15 f. Die farbe der worte v. 15 bestimmt sich bei unserm dichter nach 1, 11. 3, 33; und um den scharfen gegensaz noch stärker hervorzuheben, sezt er רָשָׁע ein: *lauere nicht als ein frevler auf eines gerechten aue.* — 2) Man hüte sich vor schadenfreude, wodurch man sich nur von der bösen gesinnung die man bei andern tadelt, selbst ereilen läſst, was nicht ohne die folge seyn kann daſs man nun die besonnenheit verlierend in dasselbe übel fällt, als wenn Gott die strafe nun billiger weise vom feinde dem sie schon drohete auf den schadenfrohen zurückwendete v. 17 f. — 3) Man beneide nicht das äuſsere glück der frevler, das nur scheinbar und unbeständig ist v. 19 f. v. 20 *b* aus 13, 9; und beseelt von der scheu die göttliche auch im menschlichen reiche erstrebte ordnung zu stören, lasse man sich nicht mit ruhestörern ein, da deren untergang, scheinen sie auch zu zeiten glücklich, jeden augenblick schnell kommen kann v. 21 f. Die lesart שְׁנֵיהֶם müſste man so deuten: *der untergang beider*, die entweder Gott oder den könig nicht fürchten: allein gerade diese strenge sonderung will offenbar unser dichter nicht machen, wie sie auch gegen den sinn der wahren religion seyn würde. Man liest daher besser שֹׁנֵיהֶם, wie schon in den *Jahrbb. der Bibl. wiss.* XI. s. 17 weiter bewiesen ist. Doch ist dieser sprachgebrauch wie so vieles andere unserm dichter eigenthümlich, und nicht auf den spruch 17, 9 überzutragen.

Der spruch v. 17 f. war nach *M*. Abôth 4, 19 der liebling des R. Shemûel des Jüngeren: dort findet sich auch das *Q'rî* אוֹיִבְךָ für אוֹיְבֶיךָ, obwohl der wechsel der mehrzahl mit der einzahl hier sehr gut zum wechsel der glieder passt.

2. Cap. 24, 23—34.

Hier finden sich nach Massoretischer zählung 12 zeilen (verse): dem inhalte nach aber treten 6 sprüche hervor welche sehr verschiedenen umfanges sind und in der weise wie sie hier stehen unter sich keinen fortschritt und zusammenhang in den gedanken zeigen. Das verhältniſs ist also hier doch ein etwas anderes als in dem vorigen abschnitte, obgleich sonst die art und gestalt dieser sprüche die gröſste ähnlichkeit mit denen des vorigen abschnittes trägt. Dort waren doch nur einzelne sprüche unter sich ohne engeren sinnzusammenhang, hier sind es alle. Hätte nun der sammler diese ganz einzelnen sprüche etwa aus demselben werke geschöpft welches wir dort kennen lernten, so läge keine ursache für eine besondere überschrift vor: denn als bloſse auszüge aus einer längeren schrift gaben sich die stücke auch dort. Man nimmt also richtiger an der sammler habe diese 6 stücke aus einem andern werke *Worte der Weisen* hieher übergetragen, welches übrigens an zeitalter und art dem vorigen sehr ähnlich war.

Auch diese sind von Weisen.
1. *Einseitig im gericht seyn, ist nicht gut.*
wer spricht zum schuldigen „du bist gerecht“,
der wird verflucht von völkern,
der wird verwünscht von nationen;
doch denen welche strafen, wird es wohl, 25
und auf sie kommt der beste segen.

Sonst und am stärksten in dem kurz zuvor v. 11 f. aufgenommenen spruche wird zur muthigen vertheidigung der unschuldig angeklagten aufgefordert: es kann nicht schaden daſs hier auch die pflicht im entgegengesezten falle das richtige zu thun hervorgehoben wird. Aber denkwürdig ist wie dieser spätere spruch sich von dem älteren 17, 15 dadurch unterscheidet daſs dort auf Jahve's hier auf der völker verwünschung das gewicht gelegt wird. Man sieht auch hieran wie mächtig in den späteren zeiten das volksthümliche gefühl sich erweitert hatte. — Der allgemeine saz welcher an der spize v. 23 ganz allein steht, ist wie wir aus dem unstreitig älteren spruche 28, 21 ersehen ursprünglich nur die hälfte eines spruches: das glied konnte aber hier für sich allein gebraucht werden weil es eine längere dichterische rede nur einzuleiten dient, wie I *a* s. 115 f. weiter erörtert ist. Denn mit den undichterischen worten davor welche nur der sammler hinzufügte, hat dieses glied selbstverständlich keinen zusammenhang.

2. *Die lippen küsset*
wer richtige erwidrung gibt. —

Man könnte diesen spruch dem sinne nach mit dem vorigen in eine wenigstens entferntere beziehung zu sezen versuchen, nämlich so daſs er andeutete überhaupt könne man nicht angenehmer berührt werden als durch das hören einer redlichen, richtigen erwidrung, insbesondere wenn diese in einer wichtigen sache, z. b. vor gerichte, gegeben werde. Doch ist ein solcher sinnzusammenhang nicht beweisbar. Der einfache sinn dieses spruches besteht vielmehr ebenso gut für sich wie der jenes 25, 11 und vieler ähnlicher.

3. *Richte aus drauſsen dein geschäft,*
und mach' es fertig auf dem felde dir:
nachher — dann bauest du dein haus!

Ehen sind nicht früher zu schliefsen und kinder sind nicht eher zu zeugen als nach wohlbestelltem, von aufsen durch fleifs und arbeit gesichertem hause. Zu diesem spruche als einleitung stimmt so wohl die weitre ausführung desselben gedankens oder die ermunterung zum fleifse im felde v. 30—34 dafs man mit recht annimmt v. 28 und v. 29 seien gegen die ursprüngliche ordnung hier eingesezt.

4. *Kein eitler zeuge sei für deinen nächsten,*
dafs du verrath mit deinen lippen übst!

Das וְהֲפִתִּית ist nach dieser punctation ein auffallendes wort, indem sich zwischen *vav conseq.* und seinem *perf.* das fragende הֲ eindrängt, ein sonst unerhörter fall (vgl. §. 348 *b*): indefs scheint er doch denkbar, es entspräche dem أَوَ— oder أَفَ— vor dem worte wie es so oft im Qorâne sich findet, und dem sinne nach dem فَهَلْ *ergo num* —? Allein dann müfste man eben diefs Piel in seiner beständigen bedeutung „bethören" fassen, so dafs der sinn wäre: „willst du bethören denn durch deine lippen?" oder die lippen solle man nicht durch betrug, betrug ist aber ein unüberlegtes leichtsinniges zeugnifs gegen andre, entweihen! Aber das schlichte „bethören" wäre zu wenig, sollte von einem falschen zeugnifs die rede sein. Es scheint vom unberufenen, leichtsinnigen zeugnifsablegen die rede zu seyn, indem man ohne grund geheimnisse verräth; besser also וְהִפְתֵּית „weit machen" d. h. öffnen ein geheimnifs, verrathen, offenbar nach 20, 19; so auch die LXX.

5. *Sag' nicht: „wie er mir that, will ich ihm thun,*
dem mann vergelten je nach seiner that!"

Dichterischer und zugleich dem sinne nach etwas schöner ausgeprägt findet sich der spruch 20, 22.

30 6. *Vor eines faulen feld ging ich vorüber*
und vor dem weinberg eines sinnlosen:
sieh, ganz war er in disteln aufgeschossen,
bedeckt mit nesseln seine fläche,
und seine steinmauer zerstört.
da schaute ich, ward aufmerksam,
ich sah's, nahm eine warnung:
„Ein wenig schlaf, ein wenig träumereien,
ein wenig händefalten um zu schlummern:

so kommt daher geschritten deine armuth,
und all dein mangel so wie ein schildträger."

Das bild der folgen der trägheit, welches hier fast ebenso ergreifend mit ausführlichen grellen farben gezeichnet wird wie das der völlerei 23, 29—35. Kann man mehr zum eignen ernsten nachdenken aufgefordert werden, sich leichter eine warnung nehmen, als indem man die traurige zerrüttung sieht welche die folge der trägheit? So macht sich der dichter durch die erzählung seiner eignen erfahrung v. 30—32 zum spiegel des geistes der Jüngern, und fügt zulezt in den lehrton zurückfallend v. 33 f. die treffenden worte 6, 10 f. hinzu, womit jede warnung vor trägheit geschlossen werden kann. Dafs nämlich die worte c. 6 ursprünglich seien und nicht hier, erhellt schon dáraus dafs sie dort mit 6, 9 einen ungezwungenen, offenbar ursprünglichen zusammenhang haben; auch stehen dort die bessern, ursprünglicheren lesarten für מתהלך und מחסריך, welche hieher wohl nicht blofs durch schuld späterer abschreiber kamen.

3. Cap. 25, 1.

Auch dies sind sprüche Salômo's, gesammelt von den männern Hizqia's königs von Juda. 25, 1

IV. Cap. 25, 2—c. 29.

Wir stellen jedoch aus den s. 41 ff. 58 f. entwickelten gründen die von diesem herausgeber hier aufgenommene sammlung als eine selbständige schrift her, da sie dies doch ursprünglich war. Und wir können aus dem spruche 27, 11 schliefsen dafs diese sammlung welche sich offenbar jezt nur abgekürzt erhalten hat, von ihren herausgebern ganz ebenso wie die ältere nach s. 40 in mehere abschnitte zerfällt war, von welchen sich jezt noch zwei erhalten haben.

1. C. 25, 2—27, 10.

Die ehre Gottes ist's, etwas verbergen,
der kön'ge ehre, etwas untersuchen. —

S. oben s. 44.

Der himmel nach der höh', die erd' nach tiefe —
also der kön'ge herz ist unerforschlich. —

Für das den sprüchen dieses abschnittes eigene וְ— *und* zur verknüpfung von bild und sache s. 42 ist hier einmal der deutlichkeit wegen gleich *also* gesezt. Es leidet nämlich keinen zweifel dafs das erste glied als saz unvollständig sei und sein prädicat erst im 2ten erhalte. Wie der himmel an höhe, die erde an tiefe (unerforschlich ist), so unerforschlich ist der könige herz. Vergl. 26, 2. Spätere haben dies oft wiederholt, wie Buzurg'mihr bei Fakhreldîn in Freyt. chrest. v. 93, 5. Aber höchst frei ist der gedanke umgedrehet Tob. 12, 7. 11.

Man scheide nur die schlacken von dem silber,
so geht dem goldschmied ein gefäfs hervor:
5 *man scheide nur den frevler vor dem könig,*
damit durch recht sich stüze fest sein stuhl! —

Der frevler vor dem könige, der stets vor dem könige ist, also ihm dient als sein nächter freund und diener. Vom gerichte bei welchem der könig schuldige und unschuldige scharf sondert ist hier nicht wie 20, 26 die rede, sondern von der gesellschaft um ihn, wovon auch der folgende spruch handelt:

Mach' dich nicht breit vor einem könig,
und nicht betritt den plaz der Grofsen:
denn besser sagt man dir: „komm hier herauf!"
als dafs man dich vor einem herrn demüth'ge
den deine augen sahen. — —

Vgl. Luk. 14, 8 f. Der נָדִיב *Edle, Herr* wechselt nur dichterisch nach dem tanze der glieder mit dem könige: diesem einmal nahe gekommen zu seyn sodafs man ihn mit eignen augen sah, und von demselben dennoch zurückgewiesen zu werden ist eben das empfindlich beschimpfende. Dafs der *inf.* אֱמָר־ stehen könne für: *dafs man dir sage* s. §. 304 *b*; aber eben so in der fortsezung הַשְׁפִּילְךָ, obgleich ein pronomen als object sich angehängt hat.

Zieh nicht zum streit zu eilig aus,
damit du nicht was thu'st bei seinem ende
wenn dich beschämt dein nächster!

Deinen streit führe mit deinem nächsten:
doch anderer geheimnifs deck' nicht auf,
damit dich nicht beschimpfe wer es hört, 10
und nie dein böser leumund weiche! —

Mit ahnungsvoller, bedenklicher miene heifst es v. 8: *damit du nicht was thuest* (und was wird das seyn als etwas was du nicht thun solltest?) *am ende davon* (הָ— als *neutr.*). Die farbe des ausdrucks erinnert an die leichte warme art der umgangssprache: wie man denn gerade diesem sehr ähnliches in gewissen schriften der Araber liest. Läfst man sich übereilt in einen streit ein ohne die eigne blöfse welche man sich geben kann zuvor richtig zu bedenken, so wird man am ende wenn man sich besiegt und beschämt sieht leicht zu den verzweifeltsten schritten getrieben. Mufs man aber einmahl streiten, hebt die rede in einem zweiten spruche v. 9 f. wieder an, so führe man ihn in edler weise, ohne durch ausschwazen von blöfsen die sich der feind gegeben sich verhafst zu machen.

Die LXX bei welchen v. 9 *a* fehlt, haben dagegen hinter v. 10 einige zeilen mehr, von denen die erste ἀλλὰ ἔσται σοι ἴση θανάτῳ noch zu v. 9 gehören würde. Ein folgender dreigliedriger spruch lautet bei ihnen χάρις καὶ φιλία ἐλευθεροῖ, ἃς τήρησον σεαυτῷ ἵνα μὴ ἐπονείδιστος γένῃ, ἀλλὰ φύλαξον τὰς ὁδούς σου εὐσυναλλάκτως. Das schlechte Griechische weist hier allerdings auf übersezung aus dem Hebräischen hin, und sowol dem sinne als dem versbaue nach würde der spruch sich nicht uneben an die vorigen drei anschliefsen. Allein das erste glied ist hier zu unklar übersezt um eine rückübersezung zu ertragen.

Goldene äpfel in silbernen körbchen —
ein wort gesprochen flink und schön.

Fafst man hier das מַשְׂכִּיּוֹת nach seiner sonstigen bedeutung als *bilder*, so müfsten die *goldenen äpfel* ebenfalls künstliche seyn und diese *mit silbernen bildern* würden irgendeinen schönen schmuck, etwa vergoldete knäufe mit daran hangenden zierlichen silberbildern bedeuten müssen. Allein bei der unsicherheit dieser worte hängt ihr ächter sinn doch ebensosehr von dem richtigen verständnisse der sache selbst ab von welcher hier im zweiten gliede geredet werden soll: und eben dárin dafs auch dessen worte schwieriger zu verstehen sind, liegt das dunkel welches sich noch immer über den ganzen spruch lagert. In diesem gliede ist עַל אָפְנָיו só dunkel dafs die LXX es ganz auslassen, andere Alte dafür etwas so allgemeines sezen wie „zu seiner zeit“; Aq. Theod. ἐπὶ ἁρμόζουσιν αὐτῷ. Der spruch von dem *zu seiner zeit gesprochenen* worte würde mit jenem 15, 23 *b* übereinstimmen: allein der versuch die bedeutung *zeit* durch أفّان = إبّان *zeit* zu erhärten, ist zwar dádurch nicht unsicher dafs, wie das gleichbedeutende أفاف und أبّ *sich bewegen* zeigt. die wurzel davon nicht wie man nach dem Hebräischen wort glauben könnte אפן, sondern אף oder אב ist: eine wahre schwierigkeit liegt aber aufserdem dafs על dann unerwartet ist noch dárin dafs das wort sichtbar ein Dual ist, dieser aber bei der schlichten bedeutung *zeit* sich nicht denken läfst. Eben des Duals wegen würde man אָפְנַיִם am leichtesten als *räder* auffassen, nach der art der ältesten zweirädrigen wagen oder ähnlicher werkzeuge wie der töpferscheiben Jer. 18, 3; der Dual von einer ältern form אֹפֶן entspräche dem gewöhnlichen אוֹפָן *rad.* Diefs vorausgesezt, würde sich die redensart *auf seinen rädern* als eine sprichtwörtliche vollenden wenn דָּבֻר zwar im wortspiele zu דָּבָר stände aber nach der nächsten bedeutung der wurzel, und *ein wort auf seinen rädern getrieben* wie der töpfer auf seinen rädern (scheiben) rasch und zierlich ein gefäfs bildet würde das geschickt und flink fertige wort bedeuten (vgl. *LB.* §. 170 *anmerk. Geschichte des v. I.* II. s. 22 f. der 3ten ausg.). Dann aber kann man מַשְׂכִּיּוֹת doch am besten als von שָׂכַךְ *flechten* nach §. 114 *d* abgeleitet und dann wol מְשֻׂכִּיּוֹת auszusprechen von *flechtkörben* verstehen, und mit den wirklichen schönen aber dichterisch so genannt *goldenen äpfeln in* zierlichen *silbernen körbchen* dargereicht liefse sich gut ein geschicktes flugs fertiges wort vergleichen welches doch auch dem für den es gesprochen wird dargereicht werden soll ob er es gerne annehmen wolle oder nicht. Man kann zum bilde auch die beschreibung in Freyt. chrest. p. 74, 3 f. vergleichen. — Wirklich entspricht der folgende spruch v. 12, welcher auch dem bilde nach diesem gleicht, einem solchen sinne noch am meisten.

Ein goldner ohrring und kostbarster schmuck
der weise tadler ist am ohr das hört. —

Das hört in jenem besondern sinne auf welchen schon der spruch 21, 28 hinwies. Will sich ein weiser tadler (24, 25) an dein ohr hängen und es in besiz nehmen, so halte ihn für dessen schönste zierde, sobald du nur hören willst!

Wie abkühlung von schnee am erntetage
ein treuer bote seinem schicker ist,
und seines herren seele labet er. —

Das bild wird dann recht treffend wenn man die ***schnee-abkühlung*** von dem bekannten Sorbet versteht, welcher genufs ohne zweifel schon früh in heifsen ländern gebräuchlich war. Denn an einen plözlich in die erntezeit fallenden zerstörenden schnee kann man hier, wo von erquickung die rede ist, nicht denken; anders 26, 1.

Dünste und wind — doch ohne regen —
ist wer sich trügerischer gabe rühmt. —

Der geizige wird nach dem zu 11, 25 gesagten ganz gewöhnlich ***trocken***, dürre, keine wahre erquickung gebend genannt, der freigebige ***nafs***, fliefsend gleichsam an den händen von erquickendem regen. Doch der sich blofs freigebig stellt, ist wie ein umsonst erwarteter regen.

Durch langmuth überredet wird ein Grofser, 15
und weiche zunge knochen bricht. —

Ein sprechendes beispiel davon s. *Geschichte des v. I.* III. s. 235 f.

Du fandest honig? iss soviel dir gut,
damit du, seiner satt, ihn nicht ausspeiest!
nicht allzuhäufig such' des freundes haus,
damit er niemals, deiner satt, dich hasse! —

S. oben s. 44. Der erste spruch wird hier zu einer blofsen einkleidung des zweiten.

Keule und schwert und spitzer pfeil
ist wer da gegen nächsten falsches zeugt. —

Die starken bilder des ersten gliedes wollen nichts als den begriff des verderblichen, zerstörenden und daher zu meidenden ausdrücken; vergleiche über diese redefarbe s. 42.

Ein morscher zahn und ein gelähmter fufs
ist Ungetreuer hort am tag der angst. —

Dafs מוּעָדֶת nicht als part. Qal für מוֹעֶדֶת stehen könne, ist aus allem gewifs. Haben wirklich die besten handschriften hier *ū*, so würde man an ein part. Pu. nach §. 169 *d* denken müssen, nämlich só dafs מוּעָד = מְמוּעָד nur andere schreibart wäre für מְעָד wie רֻחָם; denn mit völliger aufhebung der verdoppelung müfste es מוּעָד lauten. Sonst könnte man auch an ein *part. Hof.* von غيد denken: doch dessen bedeutung führt nicht so leicht wie מעד auf den begriff *wanken*.

20 *Wer den mantel ablegt an dem tag der kälte,*
essig auf eine wunde —
und — wer dem kranken herz zusingt mit liedern! —

Das erste bild — plözliches entkleiden und kälte — gibt leicht die vorstellung des unangenehm empfundenen. Welche unangenehme wirkung aber essig auf נֶתֶר in der bedeutung *nitrum* geschüttet habe, müssen wir genauer zu bestimmen den Chemikern überlassen: allein sollten auch diese stoffe sich nicht vertragen, so leuchtet doch ein dafs daraus, was hier der sinn nothwendig fordert, für den menschen keine unangenehme empfindung hervorgeht. Bei essig als dem gegentheile von öl (vgl. 10, 26) denkt man in solchem zusammenhange von selbst an menschliche wunden, wie die LXX hier haben ὥσπερ ὄξος ἕλκει ἀσύμφορον; נתר, vielleicht anders als נֶתֶר *nitrum* auszusprechen, ist also zu vergleichen mit نَتَر in der bedeutung *reifsen, zerreifsen* = verwunden, verwandt mit נתץ, נתש vgl. oben zu 19, 19. Die worte wenigstens lassen sich nicht wohl anders verstehen; und ebenso sagen die Araber sprichwörtlich ملح على قرح *salz auf wunde* Arabs. Fâkih. p. 241, 9 v. 4. Vgl. auch die *Jahrbb. der Bibl. wiss.* VI. s. 77. Auch ist kein grund hier an verdorbenheit des textes zu denken, obwohl die Alten hier einen ganzen spruch einschieben der nach den LXX lautet: ὥσπερ σὴς ἐν ἱματίῳ καὶ σκώληξ ξύλῳ· οὕτως λύπη ἀνδρὸς βλάπτει καρδίαν, und der diesem zusammenhange und diesem abschnitte nicht eben fremd scheint:

סָס בְּבֶגֶד רָקָב בָּעֵץ | וְתוּגַת אִישׁ מַכַּת לִבּוֹ

Mücken im kleide, moder im holze —
und der kummer eines herz zerschlagend.

Hungert dein hasser, speise ihn mit brod,
und wenn er durstet, tränke ihn mit wasser:
denn glühende kohlen raffst du auf sein haupt,
und Jahve wird's vergelten dir! —

Glühende kohlen: du wirst ihn dann in kurzem só mächtig beschämen dafs sein haupt wie vor scham brennt und er keine ruhe mehr hat unter der bisherigen feindschaft. Das *carbones ignis super caput* 4 Ezr. 16, 54 wird v. 66 durch *confusi eritis* erklärt. Vgl. auch *die rose auf Ghadd-kohlen geworfen* Koseg. chre. ar. p. 171, 4.

Der nordwind schaffet starken regen,
— verdriefsliches gesicht die winkelzunge. —

Das bild ist um so schlagender da der nord im Hebräischen gewöhnlich die traurige dunkle gegend ist, wie ähnlich die winkelzunge aus dem unheimlichen dunkel heraus unangenehm wirkt.

Besser auf einer dachecke zu wohnen,
als zänkisch weib und ein gemeinsam haus. —

Aus 21, 9; vergl. s. 31.

Ein kühles wasser auf erschöpfte seele — 25
und gute kunde aus dem fernen lande! —
Ein verschlammter quell, verderbter born
ist der Gerechte vor dem frevler wankend! —

Gibt's einen traurigern anblick als den einer muthwillig verderbten quelle, die so viel nüzen könnte? aber nicht minder traurig ist der eines von menschlichem gericht und frevel vernichteten Gerechten.

Honig in übermaafse essen, schadet:
verachten ihre ehre, ehre ist.

Dafs חקר in der bedeutung *erforschen* und den ähnlichen hier sinnlos sei, leuchtet inderthat leicht ein. Da nun der sinn des ersten gliedes sowohl an sich als auch nach v. 16 f. deutlich fordert dafs im 2ten gliede vor einer sache gewarnt werde welche eben so angenehm, aber auch ebenso gefährlich sei als zu viel genossener honig; da ferner im 2ten gliede von äufserer ehre die rede ist, welche allerdings ebenso süfs als mit zu grofser lust wie verschlungen schädlich ist: so kommt man von selbst darauf hier die bedeutung حقر *verachten* anzuwenden: die wurzel bedeutet eigentlich *klein* seyn, daher activ eben sowohl etwas *klein machen* durch feine untersuchung, als etwas *für gering ansehen.* Das *ihre* ◌ָם aber steht hier eben so allgemein dafs es nur auf menschen überhaupt hinweisen kann, s. zu Ψ. 4, 8. Also wird gleich passend nicht blofs sondern auch sehr scharf fortschreitend gesagt, zu viel äufsere ehre zu geniefsen sei nicht blofs gefährlich sondern bringe auch unruhe, vielmehr die ehre der menschen zu verachten sei die wahre, innere ehre. Von solcher äufsern falschen ehre handelt sofort weiter 26, 1. 8.

Eine stadt durchbrochen ohne mauer,
ist dessen geiste selbstbeherrschung fehlt. —

Treffend in zeiten gesagt wo jede stadt feste mauern hatte nach deren mühsamer durchbrechung der feind widerstandslos eindringt. Der ärgste feind des menschen ist seine eigne leidenschaft.

26, 1 *Wie schnee im sommer, regen in der ernte,*
so pafst für thoren keine ehre. —

Dies für Palästina passend gesagt wo die jährliche regenzeit erst im November wieder beginnt.

Wie der sperling flüchtig, wie die schwalbe fliegend,
so trifft der eitle fluch nicht ein. —

Wie ein flüchtiger vogel davonfliegt, so trifft auch der eitle fluch nicht ein, sondern verfliegt gleichsam wirkungslos in die leere luft. Die farbe der rede ist also ganz so wie 25, 3: das erste glied gibt für sich keinen vollen sinn. Vgl. die *Alterthümer* s. 26 f. der lezten ausg.

Eine peitsche für das rofs, ein zaum für esel —
und eine ruthe für der thoren rücken!
Aus 10, 13 *b*. 19, 29.

Antworte nicht dem thor nach seiner narrheit,
dafs du nicht ebenfalls ihm ähnlich werdest!
5 *antworte du dem thor nach seiner narrheit,*
damit er sich nicht selber weise scheine!

Der 2te spruch v. 5 ergänzt also und beschränkt zugleich den ersten v. 4, damit man nicht etwa meine man dürfe gar nicht, auch nicht zum nuzen der sache, sich mit der thorheit einlassen. Die LXX wollten den scheinbaren widerspruch só lösen dafs sie v. 4 *πρὸς τὴν ἀφροσύνην* (als wäre בַּ־ für כְּ־ richtig) u. v. 5 *κατὰ* .... sezten: doch ist das offenbar willkürlich.

Beraubt der füſse ist, unrecht verschlingt,
wer worte sendet mittelst eines thoren.

מקצה רגלים so zu fassen: *er schneidet ab die füſse,* oder „er nimmt sich selbst die möglichkeit zum gehen und handeln“ ist unsicher, sowohl weil man dann רגליו *seine füſse* erwartete, als wegen der ähnlichkeit des diesem gleich gestellten ausdrucks *er trinkt* (erfährt) *grausamkeit,* womit also auf ein leiden mehr als auf ein thun hingewiesen wird. Die Vulg. hat nicht übel zum sinne passend *claudus pedibus:* aber es frägt sich wie dieſs in den worten liege. Inderthat zeigt sich keine möglichkeit wie das active מְקַצֵּה hieher gehöre, da קָצַץ das eigentliche wort ist vom abhauen der gliedmaſsen; richtig scheint daher die passive aussprache מְקֻצָּה, und die möglichkeit eines קָצָה neben קָצַץ ist §. 114 *d* dargethan. So ist der sinn: wer durch thoren aufträge besorgen lasse die doch miſslingen müſsten, sei unrecht in menge duldend oder gleichsam vollen zuges eintrinkend, zugleich wie verstümmelt an den füſsen, selbst der mittel beraubt durch eignes handeln sich zu helfen, da ja eben seine sache schon verderbt sei.

Zu schlaff die schenkel sind dem lahmen:
und weisheitsspruch im mund der thoren!

Nach der Mâssora ist דַּלְיוּ *imper.* von דָּלָה *schöpfen,* der sinn also dieser: *schöpft schenkel aus dem lahmen,* der doch keine hat, wenigstens keine brauchbare, *und einen spruch in der thoren munde!* wo ebenso keiner ist. Allein dann erwartet man wenigstens מִפִּי, nicht בְּפִי, das bild wäre sehr gezwungen, und v. 9 wo offenbar dieser spruch einen ähnlichen sinn haben haben muſs, widerstreitet völlig. Alles überlegt, scheint es am besten דַּלְיוּ in *Qal* zu lesen von דלה = דלל *schlaff,* schwach seyn, dann dessen verbindung mit מִן zu beachten, worin eine art von vergleichung liegen muſs, und danach das ganze so zu fassen: *zu schlaff sind die schenkel als daſs sie der lahme gebrauchen könnte,* also für ihn entweder unnüz, oder wenn er sie einmal gebraucht schmerzlich: ebenso ist der weise spruch im munde der thoren entweder unnüz, oder vielmehr wenn sie ihn gebrauchen, schmerzlich wirkend. Daher es dann gleich v. 9 weiter heiſst: wie der trunkene sich durch den wie zufällig in seine hand hineingedrungenen dorn schmerzlich verwunden müsse, ebenso der thor durch den thöricht gebrauchten spruch. V. 8 aber würde passender nicht hier, sondern hinter v. 1 stehen.

Solche sprüche wie v. 7. 9 zeigen aber aus dieser späteren nicht minder als solche wie 17, 16 aus der früheren sammlung wie mächtig gelehrte (philosophische) bildung und kunstdichtung alle jene jahrhunderte hindurch in dem alten volke herrschte, sodafs jedermann sich mit ihnen schmücken wollte und die verschiedensten geistesbetrebungen wenigstens darin übereinstimmten.

[*Als bände man den stein fest an die schleuder,*
so ist wer thoren ehre gibt.]

Bindet man den stein, den man doch eigentlich werfen will, an die schleuder fest, so ist alles werfen und zielen umsonst: ebenso ist's umsonst dem thoren eine ehre zu geben die ihn nicht trifft, die ihm nicht zukommt und die inderthat doch nie zu ihm kommen und ihn schmücken kann. Der sinn des spruches ist höchst klar und schon die LXX haben ihn richtig gefafst. מרגמה ist unstreitig *schleuder* von رجم *schleudern.* — Ueber den sinn der übersezung der Vulg. *sicut qui mittit lapidem in acervum Mercurii* vgl. Selden *de dîs Syris* p. 350 ff. der Leipz. ausg.

Ein dorn gewachsen in des trunknen hand —
und weisheitsspruch im mund der thoren!

S. zu v. 7. Der ausdruck *hineingewachsen* versteht sich als scherzhaft vonselbst.

10 *Ein schüze der verwundet jeden —*
und wer da thoren dingt und gassenläufer!

Ein jedermann aus unachtsamkeit verwundender schüze (רב wie Ijob 16, 13) handelt thöricht und schädlich genug, weil der schaden auf ihn kommt: aber nicht minder thöricht und zu seinem eignen grofsen schaden handelt wer die ersten besten leute dingt. Einen andern sinn kann das im ersten gliede sichtbar enthaltene bild nicht haben; nicht unähnlich ist das bild v. 18 f.

Wie ein zu dem gespei rückkehr'nder hund
ein thor ist, wiederholend seine narrheit. —

Vgl. oben zu 17, 9.

Sahst einen der sich weise dünkte?
hoffnung hat mehr ein thor als der! —

Der faule denkt: „ein löw' ist unterwegs,
ein wildes thier zwischen den gassen!“

Aus 22, 13.

Die thür sich dreht auf ihrer angel,
und fauler auf dem bette sein.

Er dreht sich zwar, aber unbeweglich immer nur im bette, als wolle er sich nie aus dem weichen bette erheben und arbeiten.

In die schüssel hat die hand gesteckt der faule, 15
zu müde sie zum mund zurückzuziehn.

Etwas vermehrt und verändert aus 19, 24.

Noch weiser dünket sich ein fauler
als sieben die gescheidt antworten. —
Wer in eines hundes ohren greift —
und wer auf gassen geifert ob fremden streites! —

Das עבר ganz wie v. 10: dem aber schliefst sich in מתעבר sogleich im treffenden wortspiele ein ähnlich lautendes und doch hier wichtigstes wort an.

Wie ein unsinn'ger welcher wirft brandpfeile,
geschosse und den tod:
so einer der betrogen hat den nächsten
und spricht dann: „scherz' ich nicht?“ —

מתלהלה, blofs hier vorkommend, haben schon Symm. und Ven. richtig von einem geisteskranken erklärt, und die LXX meinen mit *ἰώμενος* wohl dasselbe; eigentlich von نبه, وله, لخّ *dunkel, verwirrt,* seiner sinne nicht mehr mächtig, aber in das reflexivum tretend wie sehr viele verba innerer empfindung und gerade von dieser wurzel ebenso تَلَخَّخَ. Der spruch v. 18f. warnt also vor dem muthwilligen betruge aus blofsem scherze, der aber ebenso traurige folgen haben könne wie die teuflische raserei eines tollen mit tödlichen waffen zu spielen.

20 *Wo's fehlt an holz erlischt das feuer:*
wo keine ohrenbläser, schweigt der hader.
Zu glüh'nden kohlen schwarze, holz zu feuer —
und zänkischer — um anzuzünden streit!
Des ohrenbläsers worte sind wie brennend,
sind sie hinabgedrungen in leibes kammern.

Ein schlackensilber scherben aufgezogen —
glühende lippen und ein böses herz!
mit seinen lippen sich verstellt der hasser:
in seinem inneren legt er trug an;
25 *wählt weiche stimme er, so glaub' ihm nicht,*
denn sieben gräuel sind in seinem herzen!

Verstecken will sich der hafs durch heuchelei:
offen wird seine bosheit in dem rath.
Wer eine grube gräbt, fällt da hinein,
wer einen stein wälzt, zu dem kehrt er sich.
Die lügenzunge hasset ihren herrn,
und glatter mund bereitet niederlage. —

Der alte spruch v. 22 vergl. 18, 8 ist hier von v. 20 an in vielfacher weise weiter ausgeführt, sodafs zuerst die ganze schlechtigkeit des ohrenbläsers warnend geschildert wird v. 20—25, dann wie zum troste die wahrheit in einigen sprüchen nachgeholt dafs er sich doch eigentlich vom ende aus die sache besehen selbst den untergang bereite v. 26—28. Allein ebendefshalb kann man mit recht sagen in diesen 9 versen sei eine ganze wende enthalten, von jener art wie wir sie oben in den *Worten der Weisen* s. 202 ff. sahen: ähnlich wie kurz zuvor die 5 verse v. 13—17 enger zusammenstehen. Ja man kann weiter erkennen dafs hier gerade 3 verse immer am engsten zusammenstehen, zuerst v. 20—22. V. 21 führt nur das bild v. 20 auf eine etwas andere weise aus. Wie es bei wenigen glühenden kohlen nur vieler schwarzen, bei feuer nur holzes bedarf, um schnell das gröfste feuer lodern zu sehen: ebenso bedarf es nur des hinzutretens eines streitsüchtigen, um den verborgenen, ohne ihn kalt daliegenden stoff des streites in helle lohen zu verwandeln. Mag auch ein solcher mann äufserlich noch so sehr glühende liebe heucheln, innerlich ist er desto verderblicher v. 23—25. Doch so wird v. 26 der übergang gebahnt, nicht für immer läfst sich der hafs durch täuschung verbergen: in einem unbemerkten augenblicke, in der hize der reden und berathungen der volksversammlung, verräth sich gar leicht was *er* (der hassende, s. zu 12, 6) eigentlich für bosheit hege. So kehrt sich also die böse zunge verderben bringend wider ihn selbst v. 27—28; v. 27 *a* aus Ψ. 7, 17; das 2te bild in *b* zeigt ein wälzen eines steines nach oben hin um oben etwas damit zu treffen, doch mit desto gröfserer gewalt fällt der stein auf seinen wälzer zurück. דַּכָּיו v. 28 gibt nur sehr gezwungenen, unpassenden sinn, mag man es von דָּךְ ableiten: *die lügenzunge hafst ihre zertretenen*, die welche sie zertritt, oder es für ein steigerungsadjectiv *den elenden* halten, gegen welche form sich indefs viel sagen läfst; in beiden fällen ist hier ganz unpassend von dem leiden der unglücklichen durch die zunge anderer die rede, da doch die sache selbst, das 2te glied und der ganze zusammenhang dieser sprüche fordern dafs hier diese zunge als ihrem eignen herrn verderben bereitend, dieser hafs als gegen seinen eignen herrn sich kehrend betrachtet werde. Darum scheint דכיו eine falsche lesart für אֲדֹנָיו, indem das א nach ישנא leicht abfallen konnte. Freilich haben die alten übersezer schon die unverständliche lesart gehabt, da sie offenbar nur rathend *wahrheit* übersezten, als sollte man אמת lesen. — Ueber die im Hebräischen seltene bildung מַשָּׁאוֹן v. 26 vgl. das in den *Gött. Gel. Anz.* 1865 s. 1029 f. bemerkte. Die *glühenden lippen* דלקים v. 23 braucht man auch nach 27, 6 *b* nicht mit den LXX in חֲלָקִים *glatte* zu verwandeln.

Rühme dich nicht morgenden tages: 27, 1
da du nicht weifst was bringen wird der tag.

Der tag, wie vonselbst deutlich, der nächste, heutige. — Aber auch hier schliefsen sich ähnliche sprüche an einander:

Es rühme dich ein fremder, nicht dein mund,
ein andrer, ja nicht deine lippen! —
Des steines schwere und des sandes last —
doch des thoren ärger ist schwerer als beides.
Der hize härte, zornes überfluthen —
doch wer wird eifersucht bestehn? —

Das erste glied jedes dieser zwei verse wirft wie versuchsweise einige ähnliche erscheinungen hin, die aber verschwinden vor der am ende folgenden wichtigsten erscheinung. Daher das abgerissene im ersten gliede, als eilte die rede schnell zur hauptsache: eine etwas künstliche redefarbe, welche diesem abschnitte eigen ist.

5 *Besser geoffenbarte rüge*
als die verhehlte liebe.
treu sind des freundes wunden,
doch falsch des hassers küsse. —

Dafs das Nif. נעתר hier gar nichts mit dem aus עתר *flehen* gemein hat, versteht sich vonselbst. Die schon aus dem gegensaze zu errathende bedeutung *lügnerisch* gewährt nun wirklich عثر *anstofsen, fallen,* woher der begriff des *falschen* vergl. *fallere* mit *σφάλλω,* מִרְמָה *trug* und andres, im gegensaz von dem redlichen = geraden. So Vulg. fraudulenta, Targ. zu allgemein בִּישׁן *böse.*

Die seele satt, tritt nieder honigseim:
hungert die seel', ist alles bittre süfs. —

Tritt nieder stark gesagt für *verachtet,* zumal das gewöhnliche wort für dieses בּוּז ähnlich klingt. — Wegen der wortstellung des 2ten gliedes vgl. oben zu 13, 18.

Wie ein vöglein, irre flieh'nd aus seinem nest,
so einer irre flieh'nd aus seinem ort. —

Man könnte hier an den 28, 17 beschriebenen fall denken: allein dazu wären hier die worte zu schwach und zu gewöhnlich. Besser also denkt man an die seit dem 9ten und 8ten jahrh. vor Chr. rasch zunehmenden politischen verfolgungen und verbannungen.

Salbe und weihrauch wohl das herz erfreut:
doch freundes süfse stammt aus seelenrath.

Eig. *die süfse seines freundes,* des freundes den man hat. Der *seelenrath* aber ist sichtbar ein aus tiefer, voller seele geschöpfter biederer rath, durch den also der freund einem noch viel süfser werden mufs als alle äufsern genüsse, so sehr diese auch das herz erfreuen mögen. So ist zwischen den gliedern oder vielmehr den gedanken ein gegensaz. Die LXX zwar welche *καταῤῥήγνυται δὲ ὑπὸ συμπτωμάτων ψυχή* haben theilen die worte so: וּמִתְקָרְעָה מֵעַצֶּבֶת נָפֶשׁ *aber zerrissen wird von bekümmernissen* (den עַצֶּבֶת müfste man nach dem zu Ψ. 13, 3 gesagten lesen) *die seele.* Das מִן für בְּ— wäre hier nach §. 295 *c* vielleicht erträglich, aber der sinn weit unbedeutender als in fällen wie 12, 25; und dafs hier vom ächten freunde die rede seyn soll, zeigt auch der folgende spruch:

Deinen und deines vaters freund lass nicht, 10
besuch nicht bruders haus am tag der noth:
besser ein naher freund als ferner bruder! —

Das lezte glied erklärt hinreichend den sinn der beiden ersten; vgl. auch oben s. 28. Hier ist noch dazu von einem alten hausfreunde die rede, etwa einem guten nachbar den schon der vater hatte. Ueber das רֵעֶה des K'tîb s. §. 211 *c*.

2. C. 27, 11—29, 27.

Sei weise, sohn, erfreu' mein herz,
dafs ich etwas erwidre meinem lästrer! —
Ein kluger übel sehend sich verbarg:
Einfältige vorübergehend büfsten. —

Aus 22, 3, äufserlich etwas abgerundeter gefafst. Zwar ist auch dort das K'tîb יסתר nicht als Qal, welches nie vorkommt, sondern als Nif. יִסָּתֵר zu lesen: aber die verbindung der tempora ist seltener, s. §. 285 *b*.

Nimm hin sein kleid, weil fremden er vertreten!
und einer fremden wegen pfände ihn!

Vergl. oben zu 20, 16. Unser dichter dachte bei *der Fremden* wol ebenso wie jener 23, 27 an die hure.

Wer seinen nächsten segnet lauter stimme, am morgen früh:
als fluch wird es dem angerechnet. —

S. oben s. 44.

Drängende traufe bei dem regenschauer, 51
und zänkisch weib — das gleicht sich aus;

wer sie zurückdrängt, drängte wind zurück,
und öle kommt entgegen seine rechte. —

Diese zwei verse führen den kurzen gedanken 19, 13 *b* weiter aus. Dafs zunächst v. 15 bild und sache durch den zusaz נִשְׁתָּוָה (vgl. über die wortbildung §. 132 *c. d*) *das gleicht sich aus* so blofs äufserlich verbunden werden, ist gerade in diesem abschnitte weniger auffallend; denn wir haben hier eben nicht so viel ursprüngliche kraft und gedrungenheit im ausdrucke. Andre erklärungen aber dieses wortes gelangen zu keiner gewifsheit. Das neue dieses dichters kommt erst v. 16: *wer nur sie* (das zänkische weib) birgt, zurückhält und verhindert, dafs sie nicht offen streite, *der hat wind geborgen* oder zurückgehalten was doch unmöglich ist, *und öle kommt dessen hand entgegen* das sich doch durch die hand nicht begegnen und fassen läfst, der hat also umsonst gearbeitet. יקרא = יִקְּרֵה. Ueber den wechsel der zahl in v. 16 *b* vgl. §. 319 *a*.

Eisen mit eisen zusammen!
und einer zusammen mit des andern gesicht!

Wenn die Massôra יָחַד liest, so will sie das wort für *zugleich* fassen, und der weitere sinn des spruches mufs sich dann danach bestimmen. Man kann aber um den sinn des spruches desto sicherer zu erkennen, sogleich von vorne an hinzunehmen dafs der nur durch v. 18 jezt getrennte spruch v. 19 offenbar mit unserm ursprünglich enger zusammengehörte und seinen sinn irgend wie fortsezte. Nun weifs schon Homer dafs eisen sich gegenseitig anzieht: ebenso sollen sich die menschen nicht gegenseitig abstofsen sondern gesicht auf gesicht gerichtet d. i. sich richtig gegenseitig erkennend sich anziehen und zusammenwirken! Vgl. *LB*. s. 559 der 7ten ausg. Weil aber dabei ein blick in das gegenseitige herz doch auch sehr nüzlich ist, so heifst es v. 19: *wie es beim wasser ist* dafs *das gesicht dem gesichte* im spiegel begegnet (dafs כַּמַּיִם dies bedeuten kann, erhellet aus §. 221 *a*), so begegnen sich die menschenherzen, dafs sie sich doch wohl gegenseitig erkennen sich anziehen und sich lieben können. Zwar scheint der begriff des eisens auch zu dem des schärfens leicht zu führen, so dafs man v. 17 theilweise mit den LXX verstehen könnte: *eisen wird durch eisen geschärft* יָחַד Hof.: allein das zweite glied liefse sich nur schwer übersezen *und einer schärft sich bei dem andern* und müfste auch dann eher *durch* oder *an dem andern*.

Wer schüzt den feigenbaum, ifst seine frucht:
wer seinen herrn behütet, wird geehrt. —

So billig wie das erste, ist das zweite: allein dieser herr des einzelnen kann sehr verschieden, er kann auch Gott selbst seyn! Lafs dir den als deinen herrn nicht nehmen!

Wie im wasser das gesicht gegen gesicht,
so ist des menschen herz gegen den menschen. —

S. oben s. 28.

Hölle und untergang nicht werden satt — 20
und menschenaugen werden nimmer satt! —

S. oben s. 30; zu *a* vgl. 30, 16. — Der spruch welchen hier die LXX noch haben *βδέλυγμα κυρίῳ στηρίζων ὀφθαλμόν, καὶ οἱ ἀπαίδευτοι ἀκρατεῖς γλώσσῃ* d. i.

תּוֹעֲבַת יְהוָה עֹצֵה עֵינָיו | וּכְסִילִים עַזֵּי לָשׁוֹן

Ein gräuel Jahve'n ist wer schliefst die augen,
und Thoren haben freche zunge.

(vgl. 16, 30), enthält nichts der kunst und dem geiste dieser sprüche fremdes, und hat aufserdem in diesem zusammenhange einen so selbständigen sinn dafs man ihn auch deshalb für ursprünglich halten kann.

Silber hat tiegel, einen ofen gold —
der mensch den maafsstab seines rühmens.

Das aus 17, 3 wiederholte bild erhält hier eine völlig verschiedene anwendung im 2ten gliede. Hier aber kann לְ— nicht in derselben verbindung stehen wie im ersten: denn sollte der sinn seyn, wie für das gold ein läuterungsmittel, so sei *für den mund* לְפִי des einen lobpreisenden eben der lobgepriesene zum läuterungsmittel bestimmt, indem der gelobte immer das ihm gemachte lob erst prüfen müsse: dann stände nicht so schlechthin אִישׁ, sondern etwa מְהֻלָּל *der Gepriesene* oder dergleichen bestimmteres; doch auch so bliebe der ausdruck unbeholfen und dunkel. Also duldet das 2te glied nur folgende anwendung: *so* wird geprüft *ein jeder nach dem maafse seines rühmens*, ob er das leiste dessen er sich rühmt; daher sich jeder mit selbstlob vorsehen möge, wie V. 2 gewarnt war. Vgl. sowohl wegen des לְפִי als wegen des sinnes den spruch 12, 8.

Zermalmest du den narren auch im mörser,
unter den körnern mit der keule:
wird seine narrheit doch nicht von ihm weichen. —

Dieser spruch schliefst sich nun nicht uneben dem vorigen an, sofern er andeutet für den Thoren der einmal in thorheit selbstsucht und selbstlob untergegangen, sei freilich alles prüfen und zurechtweisen womit man ihm beikommen wolle umsonst. Aber auch der spruch welchen die LXX vor diesem haben *καρδία ἀνόμου ἐκζητεῖ κακά, καρδία δὲ εὐθὺς ζητεῖ γνῶσιν* d. i.

לֵב רָשָׁע יְבַקֵּשׁ רָעוֹת ׀ וְלֵב יָשָׁר יִדְרֹשׁ דָּעַת

Des frevlers herz sucht böses auf,
das herz des Redlichen geht wissen nach

pafst nicht uneben in den sinn dieser sprüche.

Wissen mufst du das aussehn deiner schafe,
richte den sinn hin auf die heerden!
denn nicht auf immer dauert der vorrath,
oder die krone auch für alle zeiten. —
25 *Das gras ist eingebracht, es zeigt sich junges,*
es kommen ein die kräuter von den bergen;
Lämmer sind da dich zu bekleiden,
und einen acker werthe böcke;
es ist genug der ziegen milch
um dich zu nähren und dein haus,
dafs leben können deine mägde. —

Die verse 23—27 geben eine schöne ermahnung auf des ackerbaues blüthe sorgfältig zu achten, damit bei der unbeständigkeit der äufsern menschlichen güter, da ja sogar in höhern kreisen die dauer der krone ungewifs sei, doch jedes jahr dem fleifsigen ackerbauer neue mannigfache früchte und vortheile aus der ersten quelle bringe. Um den reiz der ermahnung hinzuzufügen, entwirft der dichter v. 25—27 ein lockendes bild von des einmal in blüthe stehenden ackerbaues herrlichen erfolgen; er führt demnach eine reizende herbstlandschaft vor, wo man nach reichlich eingekommenem heue wieder junges grün die wiesen überziehen sieht, wo die feldfrüchte der fruchtbaren berge eingeerntet sind und vielfach zur kleidung, zum verkaufe und zur nahrung nüzliche heerden zahlreich die thäler bedecken, wo das ganze hauswesen in überfluſs lebt; *einen acker werthe böcke*, durch deren verkauf man sogar einen neuen acker kaufen kann; *mägde* wie Ijob 40, 29. Nach diesem klaren zusammenhange ist נגלה V. 25 *fortgewandert seyn vom felde*, in die scheunen gekommen, wozu auch der gegensaz zwischen הציר und דשא, so wie das entsprechen des נאספה stimmt. Zu den *kräutern* v. 25 gehören nach Gen. 2, 5 auch alle getreidearten: daſs diese aber vorzüglich den *bergen* beigelegt werden, weist recht auf das südliche und mittlere Palästina hin. Gleicher art und gleichen alters ist Ψ. 65.

Geflohn, ohne verfolger, sind die frevler: 28, 1
aber gerechte sind wie ein sichrer löwe. —

Da der ausspruch allgemein ist, so kann auf den *pl.* נסו um so leichter der *sg.* רשע folgen, weil ein zwischensaz die engere verbindung schon aufgehoben hat §. 319 *a*. Hingegen יבטח ist ein den כפיר beschreibendes wort; und die zahl wechselt wie sonst nicht selten so sogleich wieder v. 2 nach der jezigen lesart:

Wenn sich ein land vergeht, hat's viele fürsten,
doch sind die menschen weise, lebt er lange.

כן kann unstreitig wie unser *so* zur schärfern anschlieſsung des nachsazes dienen, zumal hier nach dem mit schwachem בְּ־ eingeleiteten saze: *sind die menschen einsichtsvoll — so*, unter solcher bedingung *lebt er lange*, der fürst nämlich des landes, welcher begriff aus dem ersten gliede noch deutlich ist: das auffallende ist nur daſs so im 2ten gliede nur ein einzelner von der im ersten gliede genannten menge zu denken ist; indeſs fällt dieſs doch ziemlich unter den bei 12, 6 erklärten fall, wonach ein im zusammenhange liegender nominalbegriff bloſs durch sein pronomen angedeutet wird. Die worte wenigstens des jezigen Hebräischen wortgefüges erlauben keinen andern sinn; und man hat keinen geschichtlichen grund für כן etwa מֶלֶךְ oder ein ähnliches wort zu vermuthen. Allein die LXX welche auch hier was sie nicht verstanden frei erriethen, lasen für ידע (welches doch nur dem vorigen מבין gleichbedeutend seyn könnte und daher dichterisch schon ansich verdächtig ist) mit dem anfangsbuchstaben des folgenden כן vielmehr ידעך; und liest man dann für יאריך vielmehr מֶרֶד oder (was bildbar ist und hier den raum voller ausfüllt) מִמְרָד, so lautet das zweite glied zum ersten viel treffender:

doch sind die menschen weise, erlischt der aufruhr.

Das feuer des aufruhrs erlischt und statt der aus dem abfalle des volkes von seinem rechtmäfsigen könige hervorgegangenen gräuelvollen vielherrschaft wird eine rechtmäfsige herrschaft wiederhergestellt. Dies ist ganz nach den erfahrungen des Zehnstämmereiches gesprochen (vgl. *Geschichte des v. I.* III s. 646 der 3ten ausg.); ebenso wie der folgende spruch:

Ein mann arm und bedrückend die Elenden,
ist ein regen der alles wegspült dafs brod fehlt. —

Ein doppelt, einmal durch eigne armuth so dafs er desto gieriger ist sich zu bereichern, dann durch unrecht gegen hülflose gefährlicher statthalter oder fürst gleicht einem alles wegspülenden, eine hungersnoth bewirkenden plazregen. Vgl. unten v. 15. 16 und Jes. 3, 6 f. woraus erhellet dafs es auch sehr arme häuptlinge geben konnte.

Die das gesez verlassen, loben frevler:
die wahren das gesez, hadern mit ihnen.
5 *Boshafte menschen verstehen nicht das recht:*
die Jahve suchen, die verstehen Alles. —

S. oben s. 22. Beide sprüche stehen in sinnverbindung: aber der zweite erhebt sich schon ganz zu jener höhe welche wir 1 Cor. 2, 10. 16. 3, 21 vollendet sehen.

Besser ein armer seiner unschuld lebend,
denn wer auf doppelweg sich dreht als reicher. —

Vergl. 19, 1: jedoch das wortspiel mit dem neugebildeten dual hier und V. 18 ist eine eigenheit dieses abschnittes, rührt also hier von der neuen farbe her welche diesem spruche später gegeben ist.

Wer das gesez hält, ist verständ'ger sohn:
wer an wüstlingen hängt, schimpft seinen vater. —

S. oben zu 23, 20 f.

Wer sein vermögen mehrt durch zins und wucher
— damit man's armen schenke, sammelt er's.

S. oben s. 23. Man mufs nämlich bedenken dafs der *infin.* לחונן nach §. 304 *b* zu verstehen ist.

Wer's ohr wegzieht — nicht das gesez zu hören,
— dessen gebet auch ist ein gräuel.

Theils nach 21, 23 theils nach 15, 8. Nirgends wird die תורה so häufig erwähnt wie hier v. 4. 7. 9. 29, 18.

Wer redliche irrführt auf schlechten weg, 10
wird in die eigne grube fallen;
doch die unschuld'gen werden gutes erben. —

Lezteres etwa auf dieselbe art wie eben v. 8 gesagt war.

Sich weise dünkt ein reicher mann:
doch ein verständ'ger armer prüfet ihn. —
Siegen Gerechte, gibt's viel off'ne freude:
stehn frevler auf, verstecken sich die menschen. —

תפארת *Glanz*, der sich offen zu erkennen gibt in der freude, dem schmuck und den aufzügen der menschen: *viel pomp*, es kann daher kaum kürzer als *offne freude* wiedergegeben werden. Zur sache vgl. v. 28. Richt. 5, 6. Jes. 33, 8. 'Amos 5, 13.

Wer seine sünden heimlicht, hat nie glück:
wer sie bekennt und läfst, findet erbarmen;
o heil dem manne der stets lebt in scheu!
doch wer sein herz verhärtet, fällt in übel. —

Auch diese beiden sprüche erläutern sich gegenseitig. *Scheu* ist was wir heute religion nennen.

Ein löwe knurrend und ein gier'ger bär — 15
ein armer herrscher über elend volk!
O häuptling arm an gut, reich an erpressung:
wer hafst schlechten gewinn, wird lange leben! —

Im 2ten gliede v. 16 ist das K'tib שׂנאי nach §. 319 *a* sehr wohl möglich. Dagegen ist das erste glied der wortverbindung nach etwas schwer. Nach dem klaren sinne des 2ten gliedes sollte man erwarten die unvernunft des erpressers hier beschrieben zu sehen, da er sein ganzes dasein ungewifs und unsicher mache: es würde also blofs רב מעשקות subject des sazes seyn: *sinnloser häuptling ist wer viel bedrückt.* Doch da widerstrebt das ו־ vor רב: denn dafs der zu Ijob 4, 6 erklärte fall hier nicht eintrifft, erhellt aus der ruhe womit nach dem substantiv נגיד 2 blofse adjective folgen die man sich in bezug auf jenes nur als gleichgesezt denken kann, wie auch die accente wollen. Wollte man aber mit der Vulg. den sinn so fassen: dux indigens prudentiâ multos opprimet, als zeigte ו־ nach einem zustandssaze den nachsaz an: so würde der saz nicht recht zum zwecke des ganzen spruches passen, da doch gewifs die unvernunft hervorgehoben werden soll; und auch hier widerspricht die einfache verbindung zweier adjective durch ו־ nach dem substantiv. Darum bleibt nichts übrig als den saz wie einen ausruf der empörung zu fassen: O häuptling der arm an verstand ist und reich an erpressungen! Das 2te glied spricht dann ruhiger. Stände freilich יש vorn wie so oft im 2ten abschnitte: *mancher* häuptling ist arm an sinn (seinem unglück entgegengehend) und reich an erpressungen! so wäre alles noch leichter. Allein noch deutlicher wird der sinn beider sprüche und zugleich dem des vorigen v. 3 ähnlicher wenn man mit dem LXX v. 15 für רשע *frevler herrscher* liest רש *armer*, und v. 16 für תבונת *dürftig an sinn* (vernunft) vielmehr תבואת *dürftig an einkünften* aus eignen gütern und äckern.

Ein mensch beschwert mit dem blut einer seele,
flieht bis zur gruft: man halte ihn nicht an! —

S. oben s. 21 und die *Alterthümer* s. 231 der 3ten ausg.

Wer einfach wandelt, wird gerettet werden:
wer schwanht auf doppelwege, fällt auf einem. —

S. eben vorher bei v. 6.

Wer seinen acker baut, wird satt an brod,
wer taugenichtsen nachläuft, satt an armuth. —

Hier steht der spruch sogar noch ursprünglicher als 12, 11, wo der gegensaz nicht so scharf ausgedrückt ist.

20 *Der mann von treue ist reich an segen:*
wer eilt nach reichthum, wird nie freigesprochen.

S. oben s. 30. Aber *b* ist hier nur nach 21, 5 neu gebildet. Der sinn des zweiten gliedes wird in dem folgenden doppelspruche weiter verfolgt:

Einseitig seyn ist nimmer gut:
doch um ein stückchen brod wohl sündigt einer.
Wer stürmt nach gütern, ist ein neidischer,
— und weifs nicht dafs ihn mangel treffen wird! —

Beide sprüche geifseln die bei der habsucht immer vorwaltende kurzsichtigkeit. Denn V. 21 hat unstreitig den sinn: so schlecht es in vieler hinsicht seyn mag einseitig zu richten, so gibt es doch fälle wo einer um ein stückchen brod oder um des geringsten verdienstes willen fehlend sich die gröfste verantwortlichkeit und schuld zuzieht. Vgl. zu 24, 23. V. 22 ist ebenfalls wie v. 20 nach 21, 5 vgl. 22, 9 weiter gebildet.

Wer einen rügt, wird später gnade finden
mehr als wer glatte zunge führt. —

אחרי ist ein merkwürdiges beispiel eines adverbs welches aus einer präposition hervorgehend zwar noch die endung des *st. c* behält, aber diese als für sich stehend länger auslauten läfst, wie ܒܬܪ neben ܒܬܪ §. 220 *a*.

Wer seinem vater und der mutter stiehlt
und denkt: „'s ist kein vergehn!“ —
der ist genosse des zugrunderichters. —

Das lezte glied aus 18, 9 nur leicht verändert.

Wer schwellender seele, zettelt an den hader: 25
doch wer auf Jahve traut, wird reich gelabt.
wer auf sein herz vertraut, der ist ein thor:
doch wer in weisheit wandelt, wird gerettet.

Schwellender seele wie 21, 4; und da beide sprüche hier enger zusammenstehen, so ist hier am deutlichsten dafs *das schwellen des herzens* oder der seele nichts als die selbstsucht ist, welche ihrerseits mit dem verkehrten selbstvertrauen so nahe verwandt ist.

Wer gibt dem armen, ist ohne mangel,
doch wer verhüllt die augen, vielverflucht. —

Würde ursprünglicher hinter v. 20—22 stehen.

Stehn frevler auf, verbergen sich die menschen:
und gehn sie unter, mehren sich Gerechte. —

Gehört eigentlich hinter v. 12.

29, 1 *Ein mann der strafen würdig, der halsstarrig,*
wird schnell zertrümmert werden ohne heilung. —

איש תוכחות *ein mann von züchtigungen*, der züchtigungen verdient (wie בן הכות Deut. 25, 2) und folglich auch wirklich erhält, weil hier von göttlicher strafe die rede ist welche beschlossen sogleich kommt. Die spize des spruches liegt eben dárin dafs der vor Gott strafwürdige, wenn er bei den ersten strafen hartnäckig werde, dann den plözlichsten unrettbarsten untergang zu fürchten habe.

Werden Gerechte stark, freut sich das volk:
doch herrscht ein frevler, seufzt das volk. —

Gehört zu 28, 12. 28.

Wer weisheit liebt, erfreuet seinen vater:
doch wer an huren hängt, verschwelgt die güter. —

Mit 28, 7 zu verbinden.

Ein könig macht durch recht das land bestehn,
aber ein gabensüchtiger zerstört es. —

Die beste erklärung zu den sprüchen 28, 2. 3. 15. 16.

5 *Ein mann der seinem nächsten schmeichelt,*
spannet ein nez aus seinen tritten. —

Also höre man auf schmeicheleien nicht!

Im vergehen eines liegt ein böser fallstrick:
aber Gerechter wird sich jubelnd freu'n. —

Wohin das adjectiv רע zu ziehen ist zweifelhaft, wie die accente selbst hier abweichen. Nach der gewöhnlichen stellung der adjective sollte man es zu איש ziehen: *im vergehen eines bösen menschen* liegt *ein fallstrick*, allein da ist רע überflüssig, da man doch vielmehr erwartet dafs die gefährlichkeit dieses fallstrickes hervorgehoben, רע also zu מוקש gezogen werde. Wirklich geschieht diefs in der stelle welche offenbar hier das muster war, 12, 13: und obgleich die stellung des adjectivs vor dem substantiv gegen das gesez ist, kommt sie doch vor theils bei aufserordentlichem nachdrucke der rede Jes. 28, 21, theils bei einem ganz kleinen worte, nämlich schon früher bei רב Ψ. 32, 10, und wie aus dieser stelle erhellt (wenn nicht mit den LXX hier רב zu lesen ist) auch bei רע, obgleich diefs in der ältern stelle 12, 13 noch nachstand; vgl. § 293 *b*. Der sinn des ganzen spruches ist also: man kann durch vergehen höchst unglücklich werden, doch der Gerechte (der sich vor solchen vergehen hütet) hat nichts zu fürchten, wird zulezt siegen und dann dauernd froh seyn. — יָרוּן nach §. 114 *a*. 138 *a* später für יָרֹן.

Der Gerechte weifs um der Gebeugten sache:
der Ungerechte versteht kein wissen. —

S. oben s. 22. Der ausdruck in *a* ist nach 12, 10 gebildet, der in *b* entspricht dem in 28, 5. Aber merkwürdig hatten die LXX hier noch ein drittes glied *καὶ πτωχῷ οὐκ ὑπάρχει νοῦς ἐπιγνώμων* und da der ganze spruch sehr gut zunächst auf einen gerechten oder ungerechten herrscher sich beziehen läfst, so stimmt dieses lezte glied vollkommen zu dem oben erläuterten sinne von 28, 2 f.

Die herren spötter blasen an die stadt:
doch weise leute dämpfen zorn. —

Blasen an: bringen sie durch niedrige reden in zorn unruhe und aufruhr. *Die herren spötter* ist in diesem zusammenhange selbst etwas spöttisch gesagt, vgl. §. 289 *c* und Jes. 28, 14. *Die stadt* vgl. oben s. 13.

Rechtet ein weiser mann mit dummem manne,
so ist, tobt oder lacht der, keine ruhe. —

Nach dem zustandssaze im ersten gliede kann ו *consequ.* folgen §. 341 *e*. 342 ff.: da die zwei handlungen aber, welche nun mit diesem ו folgen, sich widerstreiten, so versteht sich nach §. 361 *a* dafs zwei verschiedene mögliche fälle dadurch verknüpft werden, die wir deutlicher durch *oder* sondern können. Vgl. die *Jahrbb. der Bibl. wiss.* XI s. 28.

10 *Blutgier'ge hassen den einfältigen:*
redliche aber suchen seine seele. —

Suchen seine seele ist an sich sehr zweideutig, da diese redensart sonst so oft vom trachten nach dem leben eines unglücklichen vorkommt: doch in diesem zusammenhange soll sie deutlich den versuch die seele zu retten bezeichnen, und schweben dem dichter ältere sprüche vor wie 14, 3 und redensarten wie Ψ. 27, 8. 142, 5.

Seinen ganzen gluthauch lässet aus ein thor:
aber ein weiser später sänftigt ihn. —

Gebildet nach solchen älteren sprüchen wie 16, 14; das באחור ist einerlei mit אַחֲרִי 28, 23 sowie mit der wieder etwas anderen wendung v. 21.

Ein herrscher der auf lügenworte horcht
— *all dessen diener sind nur frevler.* —

D. i. er verderbt seine diener, macht sie zu bösewichtern wenn sie es nochnicht sind; s. s. 44. Der spruch selbst sezt jene bei v. 4 erwähnten fort, vgl. v. 14.

Armer und zinsherr sich begegnen:
doch wer erleuchtet beider blick, ist Jahve. —

Das blofs hier vorkommende תככים verstehen am richtigsten schon die LXX von *zinsen*, תֹּךְ = נֶשֶׁךְ, vgl. die *Alterthümer* s. 243 *anmerk.* Denn die spize des spruches liegt dárin dafs die weltliche abhängigkeit des einen vom andern und die gleichheit aller vor Gott recht anschaulich dargestellt werde: wie man also zwei menschen sich begegnen sehe die an stellung und erscheinung in der welt nicht ungleicher seyn können, die aber doch dárin sich wieder ganz gleich stehen dafs beide nur durch Jahve belebt und erleuchtet wie überhaupt handeln so auch sich begegnen können. Woraus folgt dafs der spruch hier doppelt bestimmter und ursprünglicher erhalten ist als 22, 2, wo zwei gedanken allgemeiner, also hier unbestimmter mehr zur erklärung verändert werden.

Ein könig richtend treu gebeugte —
deſs stuhl wird immer bleiben. —

Ursprünglich zu v. 12 gehörend; umgebildet aus 16, 12.

Ruthe und rüge weisheit leiht: 15
ein wilder knabe macht der mutter schande. —

Die beste fortsezung dazu folgt sogleich v. 17.

Mehren sich frevler, mehrt sich das vergehn:
doch Gerechte werden ihren fall erschaun!

Am verständlichsten als fortsezung von 28, 2. 29, 1 f., sowie dann v. 18 am nächsten hieher gehört.

Züchťge den sohn, daſs ruhe er dir gebe
und wonne mache deiner seele! —
Ohn' offenbarung werden schlaff die leute:
wer wahret das gesez, heil dem! —

Schlaff, aufgelöst, zügellos, ohne mäſsigung und ordnung, ganz so wie es geschichtlich Ex. 32, 25 beschrieben wird. Daſs עם nicht im engeren sinne *das volk* sondern im allgemeinen *leute* sei, zeigt schon der allgemeine ausdruck des zweiten gliedes. Uebrigens vgl. *s*. 33.

Durch worte wird ein sklave nicht gebessert:
sondern verständig wird er ohne antwort! —

Verständig wird der sklav *ohne antwort werden*, ohne daſs er sich erst weitläufig verantworte und dadurch die züchtigung lähme. יבין braucht nicht wie andere wörter der art als jussiv zu stehen, ohne daſs es nöthig wäre יָבֵן zu sprechen. Die weitre erklärung kommt v. 21.

Schautest du einen übereilig redend? 20
hoffnung hat mehr ein thor als der! —

Nach 19, 2 gebildet vgl. 28, 20.

Verzärtelt wer von jung an seinen sklaven,
so ist deſs ende: er wird undankbar seyn. —

Dessen ende, des jungen sklaven nämlich: *anfang* und *ende* bezeichnen hier wie 19, 20 und sonst die vergangenheit und die zukunft eines lebenden menschen. Sonst vgl. über den sinn des מָנוֹן und der alten übersezungen des spruches die *Jahrbb. der Bibl. wiss.* XI. s. 10—12.

Ein zorniger zettelt hader an,
ein hiziger vergeht sich viel. —

Aus 15, 18 *a* weiter gebildet.

Der hochmuth eines wird ihn niedrig machen:
aber demüth'ger wird erhalten ehre. —

Neugebildet nach 11, 2. 16. 16, 18 f., aber fortgesezt hier sogleich v. 25.

Wer mit dem dieb theilt, hafst die eigne seele:
den fluch hört er — und meldet's dennoch nicht! —

Weil der mit dem diebe *theilende* nicht selbst gestohlen hat, sondern nur den diebstahl befördert und um ihn weifs: so kann im zweiten gliede zur erklärung wie ein solcher eigentlich gegen sein wahres lebenswohl handle, auf die halsstarrigkeit hingewiesen werden mit der ein solcher hehler auch wol den in der gemeinde über den dieb und seine helfer gesprochenen heiligen fluch (Lev. 5, 1) ohne gerührt und zur anzeige bewogen zu werden hört: obgleich doch die tödliche wirkung eines solchen fluches ihn nothwendig zulezt treffen müsse. Vgl. die *Alterthümer* s. 25 ff.

25 *Vor menschen beben machet wohl gefahr:*
doch wer auf Jahve traut, der wird geschüzt.
Viele wohl suchen eines herrschers blick:
aber von Jahve kommt jedes entscheidung.
Der Gerechten abscheu ist ein Ungerechter:
des frevlers abscheu wer gerade wandelt. —

Diese drei sprüche bilden endlich noch eine gute folge, und geben schon jeder für sich einen so selbständigen und herrlichen sinn dafs man sie alle für der ältesten sammlung entlehnt halten kann. Das חרדת mufs ein *inf.* seyn §. 238 *a*: woher es sich leichter versteht, wie dann das *masc.* יתן folgen könne (wie 12, 25. 16, 16 und oft bei דַּעַת); *beben vor menschen — das* macht gefahr, weil man aus menschenfurcht zu leicht in allerlei sünden fallen kann. So entsprechen sich v. 25 und 26 in jedem gliede vollkommen só dafs der 2te spruch nur den ersten bestimmter erklärt, da doch niemand unter menschen so leicht und so gefährlich gefürchtet wird als der herrscher. Ja man kann mit recht sagen dafs diese sprüche das was in 16, 10 leicht zu allgemein gesprochen scheinen kann vollständig auf das lezte richtige mafs zurückführen.

Die vier sprüche welche hier ursprünglich noch folgten und die sich in den LXX erhalten haben, sind schon in den *Jahrbb. der Bibl. wiss.* XI. s. 18 ff. erklärt. Zu v. 4 dort kann man noch die worte bei Manu 7, 9 vergleichen.

V. Cap. 30, 1—31, 9.

Worte Agûr's Jaqe's sohnes.

Dafs dieser s. 59 f. schon etwas näher beschriebene lehrdichter erst nach den vorigen lebte, ist aus allen zeichen gewifs. Namentlich läfst sich überall nachweisen dafs er die spruchvorrede c. 1—9 schon wie ein längst vielgebrauchtes und hochgeachtetes weisheitsbuch benuzte. Weniger kann man nachweisen dafs er auch die bücher der *Worte der Weisen* s. 202 ff. schon benuzte: allein seine ganze dichterische stufe führt uns auf eine jüngere zeit. Er mag etwa zu Habaqqûq's zeit oder kurz zuvor gedichtet haben: das Deuteronomium galt ihm schon als h. Schrift, und im gebrauche des אֱלוֹהַּ 30, 5 begegnet er sich mit dem B. Ijob und mit Hab. 3, 3. Jedenfalls ist auch von einer andern seite aus einleuchtend dafs er noch während des bestandes eines königreiches in Israel schrieb. Keine spur führt über dessen zeit herab: aber der ganze hochspruch Lemôel's 31, 1—9 hat nur für einen könig in Israel sinn und zweck. Ja wir sehen daraus wie Agûr noch auf eine bessere gestaltung des königthumes und reiches in Israel gläubig hoffte: und wie er darin mit dem dichter von Ψ. 72 zusammentrifft, so ist auch die schilderung der lage des damaligen reiches wie sie aus 30, 14. 31, 4—9 hervorleuchtet ganz dieselbe welche Ψ. 72 entwirft. — Uebrigens konnte Agûr's buch ganz neuer zierlicher lehrdichtung viel mehr stücke enthalten. Erhalten haben sich hier aus ihm drittehalb [1]).

1. C. 30, 1—14.

Wenn nach s. 33. 108. 149 in den frühern sprüchen von offenbarung kaum die rede ist: so mufste diefs verhältnifs seitdem das geschriebene gesez im 7ten jahrhundert feste gültigkeit erlangt hatte, allmählig merklich sich ändern. Einen höchst merkwürdigen anfang des neuen einflusses der vollendeten offenbarung auch auf die spruchdichtung zeigt dieses stück, welches recht eigentlich geschrieben ist um den segen dieser offenbarung zu lehren. Der dichter ist voll von seliger ruhe und zufriedenheit durch den besiz dieses gutes: aber um sich erblickt er noch so viele der offenbarung durch ein verworrenes hochmüthiges und wüstes treiben entfremdete, darunter zum theil auch solche die auf ein eignes leeres grübeln stolz, eigentlich aber nur durch üppiges ungerechtes leben verblendet sich klüger dünkten als die offenbarung und die Treuen zu verwirren suchten. Das entsezliche einer solchen gesinnung im gegensaze mit der ruhe und seligkeit des treuen zu zeigen, führt hier der dichter beide ihre gedanken aussprechend ein; er dichtet also wie ein wüstling sein wüstes verworrenes thörichtes herz eröffnet v. 2—4 dem der gleich bedeutsam *Mit-mir-Gott und ich-bin-stark* genannt wird, und wie dieser durch Gott starke treue dage-

---

[1]) die richtige ansicht über Agûr's dichtungen (und namentlich über die erste) welche ich in den Theol. Stud. und Kr. 1828 s. 342 ff., dann in der ersten ausgabe dieses bandes und weiter in den *Jahrbb. der Bibl. wiss.* I. s. 108 f. gab, habe ich hier nur noch weiter bestätigen können; und dafs man sie so schwer verkannte, gehört mit zu den trüben blättern der neuesten geschichte der Bibelerklärung. Doch sei hier auch noch auf das in den *Jahrbb. der B. w.* IX. s. 175—178 gesagte hingewiesen, wo s. 175 z. 11 von unten für *vorne* zu lesen ist *worte.* — Wie wenig schon die Alten übersezer und erklärer den sinn richtig erkannten, zeigen alle schriften aus jenen zeiten; man vgl. nur die neulich veröffentlichten erklärungen solcher wie Origenes und Chrysostomos in Mai's *Nova Patrum bibliotheca* IV. 2. p. 198 f. VII. 2. p. 43 ff. und in Tischendorf's *Notitia editionis cod. Sin.* (1860) p. 110 ff. Wie wenig auch die Qaräer hier etwas leisten konnten, sieht man jezt aus *Jepheti ben Eli Karaitae* in Proverbiorum Salomonis caput XXX *commentarius* ed. Zach. Auerbach. Bonnae 1866.

gen seinen glauben froh erklärt v. 5 f., seine dadurch angeregten wünsche bescheiden offenbart deren einziger inbegrift wenigstens in diesem augenblicke mit recht ist nie in solchen unglauben zu verfallen v. 7—9, und sich endlich voll heiligen eifers unwillig gegen ein so verderbtes hochmüthiges geschlecht erhebt v. 10—14.

Unstreitig ist *Itiel* oder länger אִתִּיאֵל = אִיתִיאֵל וְאֻכָל וְאֻכָל ein name den blofs die dichtung zu ihrem zwecke braucht. Derselbe dichter bildet auch in dem dritten hier erhaltenen stücke 31, 1 einen solchen reinen dichternamen; und wir werden dann im B. Qôhélet vielen ähnlichen begegnen. Aber solche namendichtung entschuldigt sich bei unserm dichter desto leichter je deutlicher er hier nur wie in einem kleinen lebensspiele (*Drama*) den zweck verfolgt welchen er erreichen will: und als eine solche kunstdichtung gefafst ist dieses kleine stück in sich selbst vollendet und herrlich genug. Die sprache eines hochmüthigen *spötters* (um nach s. 12 f. zu reden) der einen von ihm etwa auch sonst abhängigen schwachen aber einfach frommen mann verführen will, kann nicht treffender dargestellt werden als in den worten v. 2—4: aber auch (was viel schwerer ist) die antwort dieses. Diese antwort kann, wenn sie genügen soll, weder so kurz noch so leicht und so einfach seyn wie jene übermüthig höhnende anrede: aber sie entwickelt sich dennoch in drei immer länger werdenden absäzen (2, 3 und 5, zusammen 10 verse) immer voller und sicherer, ja schliefslich mit einer siegesgewifsheit und einer unerwarteten neuen kraft sich nicht sowol gegen den einzelnen angreifer als vielmehr gegen alle leute seiner art zurückwendend dafs dem hohlen zweifler und spötter die lust noch einmal einen solchen so schwachen und doch so tapfern streiter der wahren religion anzugreifen wol vergehen soll. Und wer will nun noch wie jener herr spötter reden und handeln? wer nicht vielmehr diesem so treuherzigen so bescheidenen und doch so tapferen und so selbstbewufsten Geringen des landes und dulder gerne folgen? Zur verherrlichung dieser schon im 8ten und 7ten jahrh. soviel genannten *dulder* ist das ganze gedichtet, wie sie auch zulezt v. 14 wie unwillkürlich genannt werden: aber wie kann sich die dichtkunst auch besser üben als so? Wir können sicher behaupten dafs es im fache der kleinen lebensspiele (der *Dramatien*) nichts schöneres gibt als ein solches stück.

Der hochspruch welchen sprach der Held zu Mit-mir-Gott,
zu Mit-mir-Gott und ich-bin-stark:
„Ja dümmer bin ich als ein mensch,
und habe keine menschen-vernunft,
noch habe weisheit ich gelernt,
ein wissen von dem Heiligen hab' ich nicht.
Wer stieg zum himmel auf und ab?
wer sammelte den wind in seinen fäusten?
wer band das wasser in das kleid?
wer stellte alle erdengrenzen auf?
wie heifst er und wie heifst sein sohn, dafs du's wüfstest?"

(Antwort:)

5 „Alle die worte Gottes sind geläutert;
schild ist er den an ihn sich schliefsenden!
thu' nichts hinzu zu seinen worten,
dafs er's an dir nicht strafe und du zum lügner werdest! —
Ein doppeltes hab' ich von dir erfleht,
weigre mir's nicht, bevor ich sterbe!
Eitles und lügenwort von mir entferne!
armuth und reichthum gib mir nicht,
gib mir zu zehren mein genügend brod!
damit ich nicht, zu satt geworden, läugne — und sage: „wer ist Jahve?"
und dafs ich nicht, zu arm geworden, stehle
und mich vergreife an meines Gottes namen! —
10 Reiz' nicht den diener wider seinen herrn,
dafs er nicht fluche dir und du dann büfsest!
O geschlecht das seinem vater flucht
und nimmer seine mutter segnet;
o geschlecht nach seinem dünkel rein,
von seinem schmuze nicht gewaschen;
o geschlecht, wie stolz sind seine augen
und seine wimpern hochgetragen;
o geschlecht defs zähne schwerter sind — und messer seine beifser,
die dulder zu verzehren aus der erde — und die hülflosen aus den menschen!"

1. In welchem geiste das folgende gespräch gehalten werde, deutet der dichter selbst sogleich v. 1 in den namen án welche er den beiden gibt deren reden folgen. Den ausgelebten reichen hochmüthigen spötter nennt er *den Mann* oder *den Helden*, wie solche wüstlinge in jenen zeiten wol mit herbem spotte genannt wurden

Jes. 22, 17. Ψ. 52, 3. Der dulder dagegen bekommt den namen *Mitmirgott:* dieser ist fast wie jener name Immanuel Jes. c. 7 f. gebildet, hat auch keine ganz unähnliche bedeutung, und beschränkt sich doch bescheiden genug auf den Einzelnen; aber reicht er nicht aus, fordert irgend etwas z. b. hier der antrieb der vollendung des versbaues und wie der nothwendige zweite schritt des gedankens seine ergänzung, so heifst derselbe mann auch sofort *Mitmirgott-Sobinichstark*, etwa wie auch dort Jes. 8, 3 der junge sohn zwei lange namen empfängt. Die laute dieser beiden namen weichen von den sonstigen der entsprechenden wörter etwas ab: aber eigennamen haben auch sonst leicht etwas besondere wiewol keineswegs willkürliche laute; und eigennamen sollen hier erscheinen. Das alles ist nichts als dichterisch, und dichterisch ist auch dafs die rede dieses reckens der spötterei ein *hochspruch* genannt wird. Denn wir sahen s. 12 und sonst wie gerne solche hohe spötter selbst als in wissenschaft und kunst ausgezeichnet gelten wollten: der einfache lehrspruch genügt aber diesem recken nicht einmal; er gebraucht den prophetisch gefärbten, welcher von oben herab redete und wahrscheinlich auch mit einer besonderen art des vortrages und der stimme erschallte, zumal wo es sich wie hier um göttliche dinge handelt. Dafs im 7ten jahrh. eine solche besondere spielart des lehrspruches viel angewandt wurde, ersehen wir auch aus 31, 1, und wissen aus Jer. 23, 33—39 wie überhäufig ja wie mifsbraucht dieses stolze wort und seine kunstart in jener zeit schon geworden war. Für נְאֻם ist aber besser נָאַם zu lesen, vgl. Jer. 23, 31. Jedenfalls müfste man das המשא gegen die Accente aufs engste mit dem folgenden worte verbinden: da wir aber wissen dafs ein thatwort נָאַם noch gebraucht wurde, so pafst dieses dann am besten in den zusammenhang.

2. Der spötter meint höchst aufrichtig zu reden und durch seine zur schau getragene aufrichtigkeit den meisten eindruck zu machen wenn er versichert (v. 2 f.) obwohl er (wie jedermann wisse) viel gelernt und geforscht habe, so fühle er sich doch dümmer als dumm und tief nicht nur unter den gemeinsten menschen mit ihrer vernunft sondern auch unter allen den hochweisen und hochvernünftigen Gelehrten stehend — versteht sich in der éinen sache in welcher die welt leicht alles längst vollkommen zu wissen meint und derer sicherster erkenntnifs sich die schulen und hochschulen rühmen, in der sache Gottes. Er tritt also auf wie bei uns heute so mancher der- sich wie ein Sokrates als nichtwisser anstellt, versichert sein kopf sei völlig *tabula rasa*, und er wolle alles glauben wenn man ihm nur etwas glaubwürdiges zeige. Die sprache dieses herrn philosophen aus jener zeit ist umso kennzeichnender da er mit dem

ausdrucke דַּעַת קְדֹשִׁים worauf am ende alles was er sagen will hinauskommt, offenbar auf 9, 10 anspielt, alswenn er gerade auch jenes schulbuch mit seiner weisheit meinte. Dieses geständnifs der eignen dummheit ist aber wahrlich ein anderes als jenes bei dem dichter von Ψ. 73, 22: der Bramarbas stöfst es nur heraus um nun mit der raschen frage sich an den Frommen zu wenden ob er vielleicht von Gott mehr und gewisseres wisse? v. 4. Man rede immer von einem wesen genannt Gott; auch die schönsten dichter und tiefsten Weisen reden von ihm, und die ihn am nächsten kennen wollen schildern ihn wol so wie etwa der dichter des B. Ijob c. 38 oder unser weisheitsdichter 8, 22 ff., oder auch jener Prophet B. Jes. 40, 12 ff., als ob er einst bei der schöpfung *zum himmel auf- und abgestiegen sei* um ihn in seiner geschiedenheit von der erde festzustellen, *den wind* der aus dem Chaos wild brauste wie *in seinen fäusten festgenommen* um ihm gewiesene wege und richtungen anzuweisen (Ijob 38, 24 wo רוּחַ für אוֹר zu lesen ist), *die wasser* welche im Chaos wild durch das feste hinwogten wie *im weiten* wolken*gewande gebunden* um es in seine geeigneten örter zu giefsen (Ijob 38, 8—11) und durch ähnliche wundermittel *alle die enden der erde festgestellt habe.* Allein diesen wundermann der so gehandelt habe sehe ja niemand, und ob er wirklich dasei wisse man nicht: so frage er *wer* das alles gethan habe, *und wie er heifse* (denn der name eines nie gesehenen und erkannten ist unsinn, allerdings auch nach Gen. 2,19 f.) *dafs du's wüfstest* (wörtlich aus Ijob 38, 5. 21 und wie das dortige wort Gottes verspottend angewandt).

Unser zweifler schliefst also vollkommen wie der Ludwigsburger Straufs weil man sinnlich von Gott rede den doch niemand sehe, so sei er nicht wirklich da: und weil man damals gewifs auch schon vom Logos als dem ersten *sohne* Gottes ähnlich sinnlich redete (vgl. die *Geschichte des v. I.* V. s. 96 der 2ten ausg.), so kann er seine höhnende frage auch auf diesen ausdehnen und dadurch den armen Frommen nur noch ärger zu verwirren hoffen, da doch eine der ersten säze aller wahren religion ist dafs Gott nicht wie der mensch zeuge handle u. s. w. Der mann sagt kalt: was die leute von Gott schönes sagen und was die h. Bücher im einklange mit den Schulweisen über ihn behaupten, ist mir zu hoch und ist auch wol zu abgeschmackt; ich kann eine solche person nicht fassen und habe sie nie gesehen, frage dich also *wer* ist's wirklich und *wie* heifst er oder sein sohn dafs du's wüfstest?

3. Es verdient hier beachtung dafs unser Fromme nicht etwa so wie jener im B. Henókh 93, 10—14 die beantwortung solcher fragen rein von einem unklar gedachten Jenseits erwartet, damit also

halb und halb der gewalt der zweifelsfragen nachgibt und vor ihnen wie erstarrt: hier erkenne man wie weit unser dichter noch von dem verwirrten sinne der Späteren absteht. Eins ist vielmehr zu allernächst zu thun wenn solche fragen und zumuthungen sich erheben, und das kann auch der einfachste treue mann in der gemeinde der wahren religion: die ewigen wahrheiten welche in ihr schon gegeben sind, kann und soll er ihnen gegenüber desto fester halten, in dém frohen glauben dafs nur wer an Gott glaube auch von ihm wieder gehalten und geschüzt werde. Und so ist denn auch das erste wort welches unser Fromme v. 5 jezt ausruft jenes doppelwort welches ihm hier aus Ψ. 18, 31 entgegenkommt; aber weil die gedanken des spötters wie er wol fühlt neben dieser längst feststehenden beseligenden Offenbarung ganz fremd und ungehörig sind, fällt ihm wie aus dem Deuteronomium 4, 2. 13, 1 (5, 29) der andere spruch ein *Füge nichts hinzu zu seinen worten*, indem er lebendig auch von sich aus dem zustimmend sich weiter zuruft *damit er es an dir nicht strafe und du so zum lügner werdest* wenn du gegen die anerkannte wahrheit etwas behauptest.

Aber einen zu tiefen eindruck hat doch jene versuchung mit ihrem nackten hohne auf ihn gemacht als dafs er sich mit diesem kurzen abweisen schon beruhigen könnte. Wem nahen nicht in dieser oder in jener gestalt solche versuchungen? und schaudern möchte er schon bei dem gedanken dafs er in solche verkennung und läugnung Gottes fallen könnte. So wendet er sich denn nach kurzer besinnung v. 7—9 im gebete zu Gott, von ihm erflehend ihm nur zweierlei zu geben *ehe er sterbe* d. i. solange er lebe, denn ohne dieses doppelte möchte er nicht leben und insbesondere nicht sterben: 1) Gott möge ihn vor jedem eiteln und insbesondere jedem lügenworte bewahren: der gedanke daran ist der nächste, weil der versucher ihm mit der läugnung Gottes selbst nahete; und 2) Gott möge ihn in einer lebenslage erhalten wo er mit dem täglichen brode weder durch zu grofsen überfluss zum übermuthe noch durch zu schweren mangel zur verzweiflung, durch beides aber zur verkennung und läugnung Gottes leicht verführt werden könne, sowie dieser üppige spötter ihn verführen will und wie er von der andern seite weifs dafs manche auch durch so schweren mangel und tiefstes elend zu einem ähnlichen antasten der einzigen ewigen Hoheit kommen. Der ausdruck v. 8 am ende erinnert schon ganz an die vierte bitte des Vaterunsers.

Aber durch gebet so gestärkt blickt er endlich v. 10—14 auch noch freier um sich, und nun erst entströmen seinem munde schliefslich einige worte an jenen versucher und mehr noch an die ganze art von menschen zu welcher dieser gehört und die leider in der gegenwart nur zu herrschend ist. Für jenen hat er, ohne ihn bestimmter anzureden, nur das éine wort v. 10 wie unedel es sei den diener z. b. diesen einfachen Frommen durch allerlei falsche vorspiegelungen gegen seinen herrn z. b. gegen Gott aufreizen zu wollen (vgl. Qoh. 7, 21): o da könnte dieser dieser diener, liefse er sich wirklich verführen, später zu grunde gerichtet zu einem fluche gegen den lügenhaften aufreizer selbst gereizt werden der wie der lezte fluch eines gemordeten ihn ewig verfolgen würde! Weiter kein wort hier unmittelbar gegen ihn: aber um so weniger mag er seinen unwillen gegen das ganze geschlecht derer zurückhalten zu denen er gehört, das die gegenwart beherrscht und ohne dessen häusliche unfrömmigkeit selbstheiligkeit übermuth und grausame vertilgungssucht der Schwächeren auch eine solche verläugnung Gottes und verführungssucht der Frömmern nicht möglich wäre wie sie hier vorliegt; und indem am ende v. 14 die *Dulder* erwähnt werden zu denen der redende sich zählen kann, wissen wir vollends genug wer er sei. So hat sich der schwache einfältige fromme mann den jener stolze spötter leicht zum falle zu bringen meinte, selbst zu seinem siegreichen angreifer umgewandelt: und wo bleibt nun noch das rohe gerede jenes? — Die worte v. 14 ähnlich wie Mikha 3, 2. Ψ. 52, 4.

In diesem zusammenhange mufs man das sonst nicht vorkommende *Hif.* הַלְשֵׁין v. 10 nothwendig doppelt thätig »Jemanden zur verläumdung eines andern reizen« nehmen, so dafs der sinn des spruches v. 10 ist: man solle nicht den diener gegen den herrn, den Treuen gegen Jahve aufreizen; sonst treffe den leichtsinnigen der schwere fluch des aufgereizten und verführten, wenn er seinen fehler erkannt habe. Wäre der sinn blofs: »verläumde nicht den diener bei seinem herrn«, so würde der spruch hier ganz fremd seyn und man müfste annehmen er sei irrig hieher gekommen. Aber das wäre cap. 30. 31 ohne beispiel.

2. Cap. 30, 15—33.

So treffend der gedanke des vorigen stückes ausgeführt ist, so läfst sich doch nicht läugnen dafs der inhalt dieses ganzen kleinen lebensspieles in früheren zeiten auch durch einen einzigen kräftig kurzen spruch wie 18, 2 oder durch ein sprüchepaar wie 26, 4 f. hätte hinreichend ausgedrückt werden können. Aber je weniger die wahrheiten auch wenn sie schon klar und richtig ausgesprochen sind allgemeinen eingang finden wollen, desto mehr bemächtigt sich ihrer allmälig die kunstdichtung auch mit den reizen ihrer höchsten ausbildung und allen mitteln die ihr zu gebote stehen.

Wir sehen dies sogleich weiter bei dem folgenden stücke desselben dichters. Hier ergreift er das wiz- und räthselspiel, wie es längst seit Simson's und noch älteren zeiten im volke üblich war und selbst wieder sich in hundert verschiedenen gestalten fassen kann. Eines dieser spiele ist dafs eine runde zahl von ähnlichen dingen zusammengesucht und treffend aufgezählt werden soll. Als solche runde zahlen gelten seit alten zeiten aufser 5 und 10 besonders 3 und 7: man hebt sie auch wol durch einen schritt von minderung oder mehrung hervor, wie 2 und 3, 3 und 4, 6 und 7, wie es gerade in jedem falle passend scheint, eine steigerung bis zur höchsten eine gegebene möglichkeit füllenden zahl welche auch sonst viel gebraucht wurde (s. die *Propheten des A. Bundes* I. s. 90) und die nach s. 99 f. schon von dem kunstreichen vorredner unsres buches einmal angewandt war. Jenes beispiel des spruchvorredners schwebt nun deutlich unserm kunstspruchdichter vor, umso mehr da wir wie sehr jene tiefernste vorrede in seinem geiste wiederklinge schon s. 251 f. an einem ganz andern beispiele sahen. Allein er bildet daraus nun mit schöpferischer hand eine neue schöne kunstart um eine ganze reihe von sittlichen wahrheiten selbst wie in einem runden kreise zu beschreiben, nimmt daher auch die lebhafte farbe solcher volksthümlich wiziger spielworte absichtlicher an, und benuzt freier die reichen stoffe beliebter volksthümlicher sagen und märchen wie sie sich in solche spiele des wizes leicht eindrängen.

2 bis 3 oder 3 bis 4 dinge welche irgendworin sich gleichen, werden genannt oder, wenn sie (wie meist) übrigens verschieden sind, nach einander aufgezählt: aber nicht wie so oft beim blofsen räthselaufgeben und räthsellösen blofs um wissen und wiz anzuregen und zu zeigen, sondern unvermerkt knüpft sich etwas für das menschliche leben wichtiges Sittliche daran, entweder an die ganze vollendete zahl sei es im ganzen oder an jedes glied, oder insbesondere an ein einzelnes glied derselben. Lezteres trifft ein wenn die übrigen glieder thierisches oder sonst unmenschliches, das eine aber worauf am ende alles ankommen soll menschliches betrifft: an dies eine läfst sich dann leicht der springende gedanke des sittenlehrers knüpfen; und darum steht dies eine dann am besten am ende, langsam erst wie beim tieferen nachdenken zum schlusse kommend und doch dann sogleich als die hauptsache erscheinend woran sich weiteres knüpfen läfst. Der sittliche schlufsgedanke knüpft sich am treffendsten hinten in einem ganzen neuen verse an, als fiele plözlich zum

schlusse unerwartet erwartet die höhere stimme ein, bei deren ernsten worten man bleiben soll; drängt sich alles kürzer zusammen, so kann mit diesem grundspruche auch sogleich begonnen werden, sodafs die aufzählung der einzelnen gleichen dinge nur wie ein beweis hinzutritt. So erlaubt diese kunstart wie unser dichter sie geschaffen hat selbst wieder die mannichfaltigste entwickelung und das lieblichst abwechselnde spiel; und unser dichter ist nicht träge uns auch diesen schönen wechsel zu zeigen.

Aber es sind, sieht man genau zu, gerade 7 bildchen und 7 lehren welche der dichter geben wollte: 1) ein bildchen zur warnung vor unkindlichkeit; 2) eines zur verspottung des zu sinnlichen weibes; 3) . . . . des ehebruchs; 4) . . . . des herrschsüchtigen weibes und ähnlicher ärgernisse; 5) zum lobe des fleifses; 6) zum lobe des königlichen muthes; 7) zur warnung vor hader. So wenig nun dieser kreis von 7 stücken zufällig seyn kann, ebenso gewifs steht die warnung vor der verlezung der kindlichen pflicht nach dem zu 1, 8 f. s. 77 bemerkten absichtlich vorne; und auch die aufeinanderfolge der übrigen stücke ist só treffend dafs wir ohne schwierigkeit nach alle dem annehmen können unser dichter habe die stücke gerade so in dieser reihe gedichtet und alle 7 kleinen bildchen sollten nach ihm éin ganzes ausmachen. Woraus dann weiter folgt dafs der dichter von dem was er lehren wollte ausging und dann erst zu jedem einzelnen lehrstücke aus dem weiten umkreise seiner stoffe das geeignete aufsuchte. Nun ist zwar die künstliche malerei dieser zierlichen stücke und ihr ganz leichter ächt volksthümlicher und doch so durchsichtig klarer bau dichterisch sehr zu bewundern: allein dafs mit alle dem etwas wichtiges neues gelehrt werde was nicht schon in den alten kurzen sprüchen läge, läfst sich nicht behaupten.

Bei alle dem aber haben sich in das wortgefüge dieser 7 bildchen wie wir es jezt haben schon einige störende fehler eingeschlichen, welche richtig zu heben sind. Dies ammeisten bei dem ersten, welches ursprünglich etwa so lautete:

1.

15 Blutsaugerin zwei töchter hat „her! her!“,
drei sagend „her her her das blut!
das blut des bösen kindes!“ —
Das auge das des vaters spottet,
verschmäht der mutter zu gehorchen,

das hacken aus des thales raben
und fressen aus die jungen adler.

Das räthsel wäre: wieviel sind und wie heifsen die 2 bis 3 töchter der *'Alûqa?* und die anwendung des spruches liegt sichtbar in v. 17, wonach der sinn des ganzen ist: nie genug kann der gegen eltern ungehorsame aufs schmerzlichste gestraft werden, als könnten noch nach dem tode raubvögel nie genug sein auge immer aufs neue aushacken; eine hier noch ganz einfache anschauung, die bei den Griechen aber in der erzählung von dem stets die leber verzehrenden geier märchenhaft wird. Indefs streift auch die Hebr. vorstellung ans märchen: um so leichter kann die verwandte vorstellung von den *töchtern der* עלוקה *blutsaugerin* d. h. einzelnen blutsaugern oder vampiren hier sich einmischen. Bekanntlich erzählen die Morgenländischen sagen von solchen nächtlichen ungeheuern die (von einer unbekannten grofsen mutter, wie man sich denken kann, ausgesandt) den schlafenden mit gieriger wuth überfallen und aussagen; hier aber erscheint die sage bei weitem noch nicht so ausgebildet wie im spätern Morgenlande [1]). Aber zur vollendung des versbaues und zur verdeutlichung des sinnes mufs man annehmen dafs hinter dem ersten gliede v. 15 einige zeilen ausfielen, welche ich oben nur nach vermuthung ergänze. Dann sondern sich die 6 zeilen zwischen v. 15 *a* und v. 17 vonselbst zu einem selbständigen bildchen: und dies ist auch ansich so nothwendig dafs man zu seiner empfehlung nichts hinzuzusezen braucht. Es kann aber nicht auffallen dafs der sinn des blutsaugens der Alûqa zum schlusse auch durch neue anspielungen auf märchen erläutert wird: redensarten von märchen strömen in solchen fällen einem dichter immer zunächst zu.

2.

Drei sind's die nimmer werden satt, 15
vier die nie sagen: „g'nug!“:
die hölle; und unfruchtbarkeit des leibes; 16

---

[1]) bekannt sind bei den Arabern die مغلوت (s. über sie und ähnliche *Seetzen's* Reisen I. s. 273 f.), die غول und die عَوْلَق alle an den altHebräischen namen anklingend; bei den Römern die *lamiae* (s. *Klausen's* Aeneas und die Penaten I. s. 207), bei den Indern die *vaetâla*; die Indische जलुका worauf ich in den *Jahrbb. der Bibl. wiss.* I. s. 112 hinwies, scheint wirklich erst aus dem ächt Semitischen 'Aluqa so umgelautet dafs sie auch im Indischen zur noth einen sinn geben könnte.

das land, nie satt an wasser:
und feuer, das nie sagt: „genug!"

Es gibt zwar manche wie ewig unersättliche dinge: das land welches nie genug regen einsaugen, das feuer welches nie genug holz und andere stoffe der art verzehren, die Unterwelt welche (was den menschen schon ganz nahe berührt) nie genug Todte verschlingen kann: aber das schlimmste ist doch ein unfruchtbares weib welches dennoch und desto mehr immer gierig auf kinder dringt Gen. 30, 1 ff. Eben deshalb mufs man auch annehmen dafs dás glied der drei welches jezt vorne steht ursprünglich am ende stand vgl. v. 19 f. 31. 33; und da durch spätere abschreiber hier zugleich die oben bezeichnete verkürzung und ineinanderverschiebung der zwei bilder eindrang, so ging dabei wol die nähere nuzanwendung in einem schlufsspruche (entsprechend den anderen v. 17. 20) verloren. Da auch die töchter der Blutsaugerin unersättlich scheinen, so konnten beide bildchen umso leichter in einander gezogen werden: allein inderthat ist hier vielmehr keine ähnlichkeit, weil bei der Blutsaugerin alles nur auf das aussaugen und abmagern, oder nach dem verwandten märchen auf das auspicken bestimmter einzelner Schuldiger ankommt.

3.

Drei dinge sind's, für mich zu wunderbar,
und viere, die ich nicht begreife:
wie adler in den Himmel kommt;
wie schlange auf den felsen kommt;
wie schiff ins herz des meeres kommt;
und — wie der mann zur dirne kommt. —
20 So kommt es mit der ehebrecherin [1]):
sie ifst und wischt ab ihren mund,
spricht dann: „ich that kein unheil!"

Es gibt zwar viele sonderbare unbegreifliche dinge, z. b. wie der adler mit seinem schweren leibe dennoch fliegend in den himmel, wie die schlange ohne füfse auf den felsen, wie das schiff mit seiner

---

1) man kann die worte auch só wiedergeben:

des adlers gang hinan den himmel,
der schlange gang hinauf zum felsen,
des schiffes gang im herz des meeres,
und des mannes gang mit der dirne.

Só ist der gang (d. i. die art) der ehebrecherin:

last so leicht mitten ins meer kommt: aber das unbegreiflichste ist doch, was hier hauptsache, wie ein ehemann ohne erröthen mit der dirne oder buhlerin etwas gemein haben kann. Oder will man dies schmachvollste noch nicht begreifen, so bedenke man weiter wie die ehebrecherin so ohne alle schaam ihr verbrechen mit ihm begehen als thäte sie etwas ganz gewöhnliches, und daran denken kann als wäre nichts böses geschehen. Die anwendung geht so v. 20 nur um etwas sogleich weiter, um desto stärker zu schildern wie unbegreiflich es sei dafs ein mann sich mit einem solchen wesen abgeben könne. Man mufs hier nämlich um den spruch richtig zu verstehen vor allem festhalten dafs das dichterische גבר in diesem zusammenhange nur den ehemann bezeichnen soll, ebenso gewifs wie איש 6, 26 vgl. 7, 19 und wie dort 6, 32 das kurze אשה unstreitig das eheweib ist. Ist dem so, so kann *die dirne* in diesem zusammenhange des gedankens eben auch nur ein kurzes verächtliches wort für dieselbe seyn die dann (sei sie schon verheirathet oder nicht) sogleich auch *ehebrecherin* heifst weil sie sich mit einem ehemanne vergeht. Im grunde ist also der zweck dieses ganzen bildchens derselbe welchen der vorredner mit seinen langen schilderungen 5, 3 ff. 6, 24 ff. verfolgt.

4.

Unter drei dingen bebt das land,
    und unter vieren kann es nicht aushalten:
unter dem sklaven, wann er herrscht;
    und narren, wann er brod hat satt;
einer häfslichen, wann sie zur ehe kommt;
    und sklavin, wann die herrin sie beerbt.

Hier stehen sich die vier ähnlichen, sämmtlich für das gemeine wohl unerträglichen, gefährlichen dinge in der hauptsache zwar völlig gleich, weil sie alle menschliche lagen betreffen. Ein sklave der durch die laune eines königs plözlich zur herrschaft über Freie berufen wird (vgl. schon oben 19, 10), ein Narr der plözlich z. b. durch erbschaft oder durch beförderung zu einem gutbezahlten amte in überflufs versezt in hochmuth fällt, eine endlich zur ehe kommende häfsliche die dann desto herrschsüchtiger und unleidlicher wird, und eine reich gewordene Freigelassene die desto zügelloser wird: unter ihnen allen und den unerträglichen unruhen welche sie veranlassen leidet gleichmäfsig haus und land. Allein die beiden lezten fälle sind doch offenbar wegen der ähnlichkeit des sinnes der beiden vorigen bildchen eben an das ende gesezt.

5.

Vier sind die kleinsten von der erde
und doch die allerweisesten:
25 ameisen, gar kein starkes volk,
und rüsten doch im sommer ihre speise;
klippdächse dann, ein nicht gewaltig volk,
und sezen doch auf felsen ihre häuser;
heuschrecken haben keinen könig,
und ziehen doch geordnet alle aus;
eidechse tastet mit den händen,
und ist doch in königs palästen.

Weil auch hier alle vier fälle in der hauptsache gleich sind, so kann das lehrreichste voran stehen: denn unstreitig soll der spruch auf die kleinsten und doch wunderbar klügsten (über חכם מחכם s. §. 313 *c*), ihre nahrung nämlich oder wohnung mit wunderbarer gewandtheit sich verschaffenden thiere, vor allem aber auf die ameisen hinweisend, vorzüglich eben zum klugen fleiſse ermuntern; auch hat der dichter sichtbar 6, 6—8 vor augen, woher er sogar v. 24. 25. 27 eine menge von einzelnen worten und gedanken entlehnt; das neue wort חצץ ist خطّ linie d. i. reihe, ordnung haltend, vgl. darüber weiter die bemerkung in der *Geschichte des v. I.* II. s. 501 der 3ten ausg. Ueber die *klippdächse* (die auch Ψ. 104, 18 I *b* s. 493 herzustellen sind) vgl. *Jahrbb. der Bibl. wiss* VII. s. 120 und *Tristram's* land of Israel p. 250. Die kleine nur mit den händen tastende eidechse weiſs sich doch so schöne wohnungen zu verschaffen wie paläste sind: auf diese art entspricht das 4te beispiel dem 2ten, das 3te dem ersten.

6.

Drei dinge sind's, die herrlich schreiten,
und vier, die herrlich gehen:
30 der leu, der held unter den thieren,
und der umkehrt vor keinem;
das schmächt'ge windspiel; oder auch der bock;
und — ein könig, der unwiderstehlich.

אל־קום ist unstreitig (vgl. 12, 28 und §. 286 *g*) so zu verstehen, wie man hier μὴ gebrauchen könnte. Des königs wegen ist der ganze spruch: kein schönerer anblick als der eines an der spize seines volks unwiderstehlich und siegreich einherschreitenden königs; auch ein löwe schreitet so furchtlos als sieger daher, ohne je an flucht zu denken, ein windspiel treibt alles wild vor sich her, oder was noch näher liegt, ein bock geht gebieterisch ernst vor seiner heerde einher (daher auch fürsten oft mit böcken oder widdern verglichen werden): aber noch schöner ist ein stolzer könig der art zu schauen. Nach diesem zusnmmenhange kann זרזיר מתנים eigentl. der lendenenge oder -schmächtige (vgl. §. 158 *a*) sehr gut vom windspiele verstanden werden; das pferd welches manche neuerdings hier sehen wollen, wäre höchst undeutlich hier angedeutet, paſst auch nicht hieher, da es nicht wie löwe oder bock sich allein mit feinden miſst sondern immer nur geritten wird.

7.

Warst thöricht du im stolzen überwallen,
oder vergingst dich heimlich, — hand auf mund!
denn druck der milch bringt käse,
und druck der nase bringet blut,
und — druck des zorns bringt streit.

Der lezte spruch sezt ebenso wie der erste die zahl 2—3, während gerade die 5 in der mitte alle die zahl 3—4 sezen. Er ist am kürzesten gehalten, und gibt die bilder nicht so streng und künstlich zusammengestellt wie in den vorigen fünf stücken. Lehren will er aber mit ihnen: man hüte sich durch eigne schuld und streit den leicht hervorbrechenden zorn Anderer zu reizen, immer mehr zu spannen und zu steifen; lieber lasse man ihn durch schweigen sich auflösen und verlieren. Und das thue man mag man entweder durch ein plözliches überwallen vor aller augen ganz öffentlich oder mehr durch ein heimliches und doch am ende ruchbar werdendes vergehen (denn das ist זַמָּה nach Ijob 31, 11) gefehlt haben. Dieser spruch ist vielleicht von unserm dichter aus älterer zeit bloſs wiederholt, aber doch mit absicht hieher gesezt.

3. Cap. 31, 1—9.

Etwa wie im Deut. 17, 14 ff., wird hier den königen dreierlei empfohlen: die wollust zu meiden, über das weintrinken nicht das recht zu vergessen, und thätig gerechtes gericht zu üben. Aber das kleid in dem diese goldnen königssprüche erscheinen, ist auffallend, und doch nur eine neue art solcher künstlichkeit, die bei unserm dichter schon in den vorigen stücken herrschte. Nicht mehr einfach getraut sich der dichter die gedanken zu geben: sondern um eine desto treffendere fassung zu gewinnen, dichtet er die worte als von einer weisen königin-mutter ihren zärtlichst geliebten sohn schon mit der kinderzucht gelehrt und von diesem dann später stets in treuem gedächtnisse erhalten. Dabei mag er sich ein verhältnifs wie das der Batsébaʿ zu Salômo gedacht haben: dazu mufs man an die ungemein hohe würde denken in welcher eine königin-mutter stand und an die pflichten welche von ihr erwartet wurden (vgl. *Geschichte des v. I.* III. s. 372). Doch wagt er keinen geschichtlichen namen zu nennen, sondern begnügt sich dem fürsten einen dichternamen zu geben der ganz zum sinne dieses stückes pafst: למואל *Zu-Gott*, der zu Gott gewandte, Gottergebene, oder der könig wie er seyn sollte. Unstreitig ist dieser name ebenso erdichtet wie jener 30, 1; die bessere lesart ist לְמוֹאֵל, und die bildung dieses eigennamens lag umso näher da der alte mannesname לָאֵל Num. 3, 24 ähnlich verstanden werden konnte.

Auffallend ist aber die kürze und das unvollendete dieses stückes. Warum gibt die mutter ihm nur drei gute rathschläge? auf eine absicht dieser zahl wird nicht hingewiesen, und noch viele ähnliche auch sehr nöthige könnten hinzugesezt werden. Wahrscheinlich bildeten diese 8 verse nur die erste wende zu einem viel längeren lehrgedichte unseres dichters; und dies umso mehr da die sprache hier nicht auf kürze angelegt ist.

Worte königs Lemôel,
ein hochspruch womit ihn seine mutter zog.

Wie, mein sohn? wie, du mein leibessohn?
und wie, du sohn meiner gelübde?
gib nicht den weibern deine kraft,
deine stunden denen die könige entmarken.
Nicht könige, o Lemôel —
nicht kön'ge dürfen trinken wein,
und fürsten selbst nicht meth!
dafs er nicht trinkend gut gesez vergesse,
und aller leidenssöhne recht verkehre.
gebt hin den meth dem schmachtenden,
den wein denen betrübter seele,
dafs trinkend er vergesse seine armuth,
und seines leidens ferner nicht gedenke! —
Oeffne du deinen mund dem stummen,
zu richten alle söhne des verderbens;
öffne du deinen mund, sprich billig recht,
und richte leidenden und dürft'gen! —

V. 2 ist blofs die aufmerksamkeit recht anregend; und בַּר für בֵּן welches blofs hier sich findet, scheint vom dichter absichtlich gewählt etwa weil es um jene zeit gerne im munde von hochgebildeten müttern war. — V. 3 *b* nach der aussprache לַמְחוֹת eigentlich: *und* (gib oder *mache* nicht) *deine wege* oder handlungen *zum vernichten von königen* = sodafs könige vernichtet werden, also auch du; welches eben am meisten durch wollust geschieht. Allein zum zusammenhange und dichterisch pafst besser etwa לְמֹהוֹת zu lesen, von מֹהֶה nach §. 121 *a*. 120 *e* und 170 gebildet von מֹחַ *mark*. — V. 3 vor אוֹ *oder* vgl. 30, 31 ist, wie sich vonselbst versteht, שתו יין im gedanken zu wiederholen; so ist das K'tîb völlig richtig, und nicht nöthig אי = אין zu lesen: „für fürsten ist nicht einmal süfswein" vgl. die *Alterthümer* s. 114. Ein viel besserer gebrauch ist damit zu machen! V. 6 f. למרי נפש aus Ijob 3, 20. — V. 8: *dem stummen*, der für sich nicht reden, seine gute sache nicht vertheidigen kann, also besonders dem unmündigen, waisen: nach diesem zusammenhange scheint allerdings חלוף die nachlassenschaft zu bedeuten und von *nachgelassenen* d. i. ältern- und schuzlosen kindern die rede zu seyn: obwohl man, da das wort sonst nicht vorkommt, auch vermuthen könnte es hiefse nach Jes. 2, 18 *untergang* = עני v. 5, welches bei der gröfsten ähnlichkeit dieser redensart mit der v. 5, ja schon wegen des allgemeinen כל, sogar wahrscheinlicher ist; denn auch *stumm* kann jeder heifsen der sich aus irgend einer ursache nicht vertheidigen kann.

VI. Cap. 31, 10—31.

Das lob des tugendsamen weibes ist schon in den alten sprüchen schön genug erklärt s. 31: doch was dort mehr blofs angedeutet war, führt ein späterer dichter hier in einem alphabetischen liede nicht ohne eine leichte, sehr gefällige schilderung weiter aus; wie denn dies stück auch geschichtlich als vollständige erklärung eines musters Israelitischer weiber anziehend und wichtig ist. Der zusammenhang der gedanken kann in einem alphabetischen liede nicht sehr streng seyn: doch schliefst das stück sehr schön mit andeutung der öffentlichen lobrede welche noch beim tode ihrem andenken von dankbaren übergebliebenen dargebracht wird v. 28—31. Wirklich könnte man vorzüglich aus v. 11 und v. 28 ff. schliessen entweder ihr gatte selbst oder ein anderer etwa einer ihrer söhne (doch weist auch die redensart v. 12 mehr auf den gatten hin) habe ihr erst nach ihrem tode dies denkmal gesezt; auch nach der ganzen haltung der rede wird sie wie sie einst lebte und waltete gelobt.

Uebrigens zerfällt das stück ganz so wie Ψ. 145 (vgl. I *b* s. 519 f.) in 6 wenden jede zu 3 versen und eine 7te mit vier. Wie richtig diese gliederung sei, bemerkt man besonders bei v. 15. 25. und 28.

1.

10 *Auf ein tücht'ges weib wer wird geleitet?*
obwohl weit über perlen geht ihr werth.
Bei ihr vertrauend stand des gatten herz:
indem ausbeute nimmer mangelte.
Durch alle ihre lebenstage
that sie ihm gutes, böses nie.

2.

Emsig suchte sie flachs und wolle,
und schuf mit ihrer hände lust.
Fernher brachte sie ein ihr brod,
den kaufmannsschiffen gleichend.
15 *Gen frühen morgen stand sie auf*
und theilte zehrung ihrem hause,
ein tagwerk ihren mägden aus.

3.

Hilt sorgsam auf erwerbung neuen ackers
von ihrer hände frucht, und neuen weinbergs.
Immer umgürtete sie mit kraft die lenden
und machte ihre arme stark;
Ja wohl, sie schmeckte wie lieblich ihr erwerb,
nachts nie erlosch ihre leuchte.

4.

Kunstvolle finger legte sie an den rocken,
und ihre hände hielten fest die spindel.
20 *Lenkte die hand zum besten armer,*
streckte die finger aus dem dürftigen.

Mufste nicht schnee befürchten für ihr haus,
weil purpurkleider trug ihr ganzes haus;

5.

Nähete bunte teppiche für sich,
Byssus und rothen purpur sich zum kleide.
Ohn' bösen ruf am markte war ihr gatte,
zu rathe sizend mit landes Aeltesten.
Prachthemden machte und verkaufte sie,
und gürtel gab sie an den Kanaanäer.

6.

Ruhm, pracht und glanz war ihr gewand: 25
so lachte sie entgegen der zukunft,
schloss ihren mund mit weisheit auf,
das gesez der liebe auf ihrer zunge,
treu spähend auf die wege ihres hauses,
und brod der faulheit nimmer essend.

7.

Und ihre söhne standen auf sie preisend,
ihr gatte — hoch zu loben sie:
„Viel töchter zwar erwiesen tüchtigkeit:
doch du hast alle übertroffen.
Wandelbar ist anmuth, ein hauch die schönheit: 30
ein Jahve fürchtend weib — das ist zu loben!
Zeigt, welche frucht die hände ihr getragen!
hoch loben sie im markte ihre werke!"

Die *ausbeute* v. 11 die des gemeinsamen arbeitens von beiden gatten, wie es von v. 13 an näher beschrieben wird. — V. 16 *a* eigentlich: „sie sann auf ein feld, es zu erwerben, und gewann es auch endlich"; das *K'tib* נָטְעָ ist erträglich, oder vielmehr besser, da der weinberg vom gewinne ihrer hände doch nur erworben und dann bepflanzt seyn kann, sie ihn aber schwerlich selbst bepflanzt. — V. 18 *b* kann nach dem zusammenhange nur sinnlich von ihrer unermüdeten handarbeit verstanden werden, stellen wie 13, 9 gehören nicht hieher. — V. 24: dem *Kanaanäer*, Phöniken, kaufmann. — Das öffentliche loblied wendet sich zwar zunächst zu ihr selbst v. 29, geht aber dann zur anrede der versammelten menge über v.

30 f. V. 31: „gebt ihr von ihrer hände frucht" das lob das sie verdient nach den offenbaren früchten ihrer thätigkeit.

Dafs diefs spruchloblied seiner sprache und art nach wieder von einem besondern dichter abstamme, ist leicht zu sehen. Es ist sogar möglich dafs es sowohl der Palästinischen als der Aegyptischen ausgabe unseres buches erst angehängt wurde als dieses die s. 60 ff. beschriebene umarbeitung schon erfahren hatte.

Qôhélet.

Das buch Qôhélet erscheint zwar in der Bibelsammlung als eine besondre kleine schrift, ohne an ein gröfseres buch angelehnt zu seyn: schliefst sich aber seiner dichtungsart nach so genau an die oben erklärten späteren entwickelungen der Salômonischen spruchdichtung und die aus ihr stammenden dichtungen an, dafs es ebenso gut wie z. b. Spr. 30—31 zu dem alten buche der Sprüche hätte hinzugezogen werden können, wäre es nicht theils zu grofs an umfang, theils zu spät geschrieben als dafs es noch dem ältern buche leicht hätte angehängt werden können. Doch diese dichtungsart ward dem verfasser mehr durch die zeit worin er lebte, als die beste zugeführt; sonst konnte auch eine andre gestaltung gewählt werden, da das buch nicht mehr aus einer zeit stammt wo dem willen des gedankens die entsprechende ausgestaltung frei folgte. Auch will das buch gar nicht ältere sprüche sammeln oder mit neuern vermehren, noch weniger sprüche und lehren über vermischte gegenstände geben. Alles bewegt sich in ihm um einen fest geschlossenen kreis von gedanken und wahrheiten: diese aber sind keine gewöhnliche, veraltete oder leicht zu begreifende, sondern mitten in den schwersten fragen und räthseln des lebens soll hier eine neue höhere wahrheit als festes ziel errungen werden; die räthsel endlich deren lösung in einer neuen ansicht und wahrheit des lebens gesucht wird, hat der verfasser nicht sich müfsig erdacht oder willkürlich aufgestellt, sondern sie lagen in den verhältnissen seiner zeit als gegeben vor und reizten den verfasser zum versuche sie zu lösen. Darum ist entstehung sinn und gestalt dieses buches nicht zu verstehen wenn man nicht zuvor die umstände der zeit kennt die es hervorriefen. Was überhaupt bei allen büchern der Bibel ein nicht genug anzuerkennender vorzug ist, dafs sie nicht aus müfsigen versuchen und leeren bestrebungen, sondern mitten aus dem bewegtesten allgemeinen leben und dem streben dessen räthsel zu lösen und auf seine erleuchtung zu wirken hervorgegangen sind: das trifft auch näher betrachtet bei diesem buche zu, welches bei oberflächlicher ansicht ganz anders entstanden zu seyn scheint.

1. Die veranlassung des buches zu bestimmen, fehlt es uns allerdings an jeder äufsern nachricht: aber das innere des buches reicht deutliche spuren und zeichen genug, die man nur richtig zu verfolgen hat um zu einer sichern ansicht über die veranlassung zu gelangen [1]). — Zwar dafs das buch im allgemeinen zu den spätern des A. T. gehöre und etwa in das Persische zeitalter falle, ist aus der art seiner sprache, aus seinen vorstellungen und gedanken, und aus seinem verhältnisse zu den ältern wenigstens im groben leicht zu sehen. Frägt man aber bestimmter in welche zeit der spätern jahrhunderte nach dem exil das buch falle: so führt alles auf das lezte jahrhundert der Persischen herrschaft [2]). Denn

1) will diefs die farbe der sprache. Das Hebräische ist hier schon so stark vom Aramäischen durchdrungen dafs nicht blofs einzelne häufige wörter ganz Aramäisch sind wie מְדִינָה, רַעְיוֹן und רְעוּת, כְּבָר, זְמָן, פִּתְגָם, sondern auch bis in das feinste geäder der sprache der fremde einflufs verbreitet ist, während zugleich der aus der alten sprache gebliebene stoff sich vielfach weiter und zwar meist Aramäisch-artiger ausgebildet hat; welches genauer auszuführen in der *Sprachlehre* viele gelegenheit war. Ja diese schrift weicht sogar weiter als jedes andre stück im A. T. von der

---

[1]) das richtige ist schon 1826 in dem anhange zum Hohenliede gesagt.

[2]) dafs es erst in die Griechische zeit falle wie einige Neuere meinten, dafür fehlt jeder genügende beweis. Man hat z. b. gemeint die 9, 13—15 angedeutete stadt sei das im j. 218 v. Ch. von Antiochos d. G. vergeblich belagerte Phönikische *Dûra* oder nach Hebräischer aussprache *Dóra:* allein wie Polybios *gesch.* 5, 66 diese belagerung beschreibt, traf gerade dás was Qôhélet als so ungemein denkwürdig bei ihr hervorhebt bei ihr nicht ein. Es wird uns inderthat vielleicht nie möglich zu errathen welche stadt Qôhélet dort meine: der fall dafs ein weiser mann der seine belagerte vaterstadt rettet nachher mit undank belohnt wird, ist nicht so ganz selten; war es aber nur ein entferntes gerücht wovon Qôhélet gehört hatte, so könnte man etwa an Themistokles und Athen denken.

altHebräischen sprache ab, sodafs man leicht versucht werden könnte zu glauben sie sei auch die allerspäteste im A. T.: doch diefs würde ein voreiliger und irrthümlicher schlufs seyn, da das Aramäische nicht gewaltsam und plözlich, sondern nach und nach verborgen eindringt, sodafs in solcher zeit der mischung der eine viel stärkere Aramäische sprachfarbe als der andre sich aneignen kann. Wir sehen daraus und aus manchen hier zum erstenmal gewagten, sonst gänzlich fehlenden redensarten (z. b. *unter der sonne* d. h. auf erden) nur soviel dafs diefs buch von einem verfasser kommt von dem wir sonst im A. T. nichts haben; allen anzeichen zufolge lebte er auch nicht in Jerusalem selbst, sondern in einer landschaft Palästina's, denn wir können dies aus der sprichwörtlichen redensart vom *gehen zur stadt* d. h. Jerusalem 10, 15 verglichen mit ähnlichen ausdrücken 7, 19. 8, 10 (und dagegen מְדִינָה *die landschaft* 5, 7 und als diesem ausländischen worte in Hebräischer sprachfarbe gleich שָׂדֶה 5, 8) sicher genug schliefsen [1]). Doch wenn auch der verfasser hiernach nicht der späteste schriftsteller zu seyn braucht, indem ja die verfasser der Chronik des B. Estér und des B. Daniel sogar noch besser Hebräisch schreiben als sich in diesem buche findet: so kann er doch erst geraume zeit nachdem das Aramäische ins Hebräische mächtiger einzudringen angefangen, geschrieben haben, also nicht vor dem lezten jahrhunderte der Persischen herrschaft.

2) Der innere zustand des volkes in Palästina war damals schon zu einer lange dauernden ruhe und während dieser zu einer neuen gestaltung der dinge gekommen. Betrachtet man stellen wie 4, 17—5, 5 genau, so sieht man der Tempel und Cultus war damals nicht blofs schon lange wiederhergestellt, sondern die Priester hatten auch bereits alle die macht erlangt welche ihnen bald im Hohenpriester die höchste herrschaft sicherte, und die in dieser hinsicht entscheidenden zeiten ʿEzra's lagen schon hinter dem verfasser. Jene ängstliche scheu in den göttlichen dingen anzu-

---

1) daraus erklärt sich auch wol am nächsten die redensart *könig in Jerusalem* 1, 1. *Wo* der dichter in der landschaft lebte, können wir nicht genau wissen: das überwiegen des gebrauches von שֶׁ für אֲשֶׁר und so starke Aramäische farben wie der gebrauch des כְּבָר könnten hier ebenso bei dem I *b* s. 378 erläuterten dichter auf Galiläa hinweisen; bis jezt zeigt sich wenigstens nichts was dieser möglichkeit widerspräche.

stofsen und die äufsere würde Gottes zu verlezen, jenes niederdrückende andenken an die ganze macht und gröfse Gottes, kurz das ganze Judäerthum wie es sich seit ʿEzra und dem erlöschen der Propheten in den spätern jahrhunderten weit abweichend vom ältern Hebräerthume gestaltet hat, sieht man hier im keime; eine einzelne geringere folge davon ist auch die dafs schon beständig statt Jahve der gewöhnliche Gottesname *Elóhim* erscheint, ohne dafs der verfasser wie Agûr nach s. 247 auch nur den namen *Elóah* wagt. — Während aber die prophetische thätigkeit aufhörte, fing die eigentliche gelehrsamkeit und schulweisheit so wie noch nie früher zu blühen an, theils weil die hochgeschäzten ältern bücher zu erhalten und zu verstehen waren, theils weil man auf die zeitgenossen nicht mehr anders als schriftlich wirken konnte. Die deutlichsten spuren dieser grofsen veränderung der zeit gibt diefs buch, welches schon auf eine ganz neue, früher unerhörte weise über zuvieles büchermachen und lesen (d. i. Studiren) klagt, ja welches, wie bald weiter erhellen wird, sogar eigens dazu geschrieben ist den verwirrenden ansichten vieler bücher jener zeit entgegenzuwirken 6, 11. 12, 12. Auch blieb es keineswegs blofs bei vielem lesen und schreiben: mit dieser veränderung des geistigen lebens war zugleich der anfang einer ganz neuen art von selbstdenken zweifeln und forschen oder von Philosophie gegeben welche mit eigner kraft die mannigfaltigsten wege zur erfassung der wahrheit einzuschlagen versuchte.

Hier gerade trifft man aber auf eine geschichtlich äufserst denkwürdige erscheinung. Denn man fühlt stark genug wie unser lehrdichter sich eine ganz neuphilosophische sprache bildet, und man sieht noch wie er mit der Hebräischen sprache ringt sie sich zu einem gefügigen werkzeuge für den ausdruck neuer begriffe zu machen. Allein wir haben oben an den deutlichsten und mannichfaltigsten beweisen gesehen dafs schon während der jahrhunderte seit Salômo eine hohe ausbildung von ächt Hebräischer weisheit auch in der gestalt sehr verschiedener schulen gegeben war, und dafs diese sich auch ihre eigenthümliche sprache geschaffen hatte. Von dieser ist hier keine spur mehr: alles ist wie abgeschnitten. Dies erklärt sich zwar aus der gewaltigen zerstörung alles altIsraelitischen lebens welche mit der zerstörung Jerusalem's zusammentraf und gerade die philosophenschulen am tiefsten treffen mufste. Eine ganz neue art von weisheit und ihrer sprache will sich nun hier bilden: und dabei ist nicht minder denkwürdig dafs sie auch von der später unter Griechischem einflusse sich ausbildenden schulphilosophie gänzlich verschieden ist. Wir haben also hier die keime und triebe einer neuIsraelischen philosophie vor uns ohne welche später sogar die Griechische nicht so leicht hätte eindringen und sich mit altIsraelischem vermischen können. Darüber gibt unser buch das bündigste und sicherste zeugnifs; es hält sich noch völlig fern von der gährung und spaltung welche die Griechische phielosophie später in die denkweise der Judäer brachte, da es weder Pharisäisch noch Saddukäisch noch Essäisch genannt werden kann: aber es steht schon am scheidewege dieser drei richtungen, man sieht hier schon die möglichkeit wie diese entstehen konnten, und zerstreut kommen hier die ansichten und lehrsäze aller dieser verschiedenen spaltungen, die ängstlichkeit der Pharisäer, die freiere ansicht der Saddukäer und die zurückgezogenheit der Essäer (7, 1—14), ohne ihr einseitiges und verderbliches vor. Eben dadurch hat denn auch diefs buch eine eigne geschichtliche bedeutung und wichtigkeit.

3) Die stellung des volkes nach aufsen betreffend, so war längst jene zeit grofser freude und hoffnung dahin, welche unter Cyrus und Darius I. die aus dem exil erlösten begeisterte. Die dumpfe trauer und tiefe schwermuth welche sich durch diefs buch zieht, war unstreitig nicht sowohl dem verfasser dieses buches allein eigen, der ja vielmehr zum heitern genusse des lebens ermahnt, als vielmehr seiner zeit: ein solcher zerreifsender schmerz und weheruf der verzweiflung ging aber noch nicht durch die ersten zeiten der Persischen herrschaft, als kein volk die gerechtigkeit und milde dieser damals noch kräftigsten herrschaft mehr erfuhr als Israel: denn gab es auch damals wie in der *Geschichte des volkes Israel* Bd. IV. gezeigt einige finstere lagen, so gingen diese doch bis in die zeiten ʿEzra's und Nehemja's noch erträglicher worüber. In den spätern zeiten des Perserreiches aber, als seine macht gebrochen war, die Satrapen immer eigenmächtiger die länder beherrschten und Palästina insbesondere unter den kämpfen mit dem wiederholt empörten benachbarten Aegypten hart zu leiden hatte: da sind solche traurige erfahrungen denkbar über die hier wiederholt aufs schmerzlichste geklagt wird: irrthümliche oder nicht befolgte befehle des höchsten herrschers 10, 5. 8, 11. 5, 7; aus sklaven zu herrschern erhobene, unfähige, träge und schwelgerische, für geld feile herrn des landes 10, 6 f. 15—19; allgemeine unsicherheit 6, 2. 5, 7 und endlose verdrehung des rechts 3, 16 f. 4, 1—3. 5, 7 f. 7, 15. 8, 9. 14; allgemeine verachtung

der weisen und verständigen 9, 11. 16. 8, 10; trauer und verzweiflung der hülflos unterdrückten 4, 1; auf die verderbliche Satrapenherrschaft wird deutlich angespielt 5, 7 f., auf das harte Persische kriegsgesez 8, 8 [1]). Wir haben über diese spätern zeiten der Persischen herrschaft und ihren einfluſs auf Palästina allerdings nur spärliche nachrichten: was noch ammeisten von gleichzeitigen schriften verglichen werden könnte, wäre zunächst das nur wenig frühere buch Mal'akhi's, welches unter allen Biblischen büchern die gröſste und vielfachste ähnlichkeit mit Qôhélet offenbart; mehere Psalmen aus der spätesten zeit vergl. I *b* s. 436 ff. sind doch schon wieder etwas früher; doch kann auch der geschichtliche grund im buch Estér, wie gering er übrigens seyn mag, hieher bezogen werden, indem daraus wenigstens hervorgeht daſs die Persische herrschaft zulezt äuſserst drückend und verhaſst wurde, wie man denn auch weiſs wie gern die morgenröthe der Griechischen herrschaft von den überbleibseln des alten volkes aufgenommen wurde [2]). Wirklich kann schon hiernach dieſs buch nicht noch später geschrieben seyn: denn in den ersten zeiten der Griechischen herrschaft bahnte sich ein ganz anderer geist im volke seinen weg, den man aus dem in dieser zeit geschriebenen buch Estér kennen lernen mag; in den folgenden zeiten aber ist, wie das buch Daniel zeigt, ein zwiespalt in den innersten schooſs Israels gedrungen, wovon Qôhélet keine spur aufweist.

Eben dieser druck von auſsen ward nun die nächste veranlassung zu dieser schrift, wie man schon daraus vermuthen könnte daſs nichts in ihr so häufig und so bedeutsam erwähnt wird als was sich näher oder entfernter auf ihn bezieht, wenn sich die sache nicht noch viel näher nachweisen lieſse. Denn sichtbar hatte jenes lange schwere leiden welches in Vorderasien schwerlich ein volk so empfindlich fühlen konnte als das von jeher zum nichtertragen aller menschlichen tyrannei erzogene Israel, schon viele zu ungeduld und empörung gereizt, sei es daſs diese sich bloſs in unbedachtsamen reden oder gar in thörichten unternehmungen äuſserte 5, 7. 7, 9 f. 21. 10, 4. 12—14, während sich leicht denken läſst daſs andre wie durch die bösen zeiten entschuldigt in

---

1) die *thoren μωροι* welche 9, 17. 10, 15 so genannt werden, sind ganz andere als die welche nach s. 12 f. in den älteren büchern so oder auch *spötter* heiſsen: hier sind deutlich die gebietenden Heiden gemeint.

2) vgl. weiter die *Geschichte des v. I.* IV. s. 260 ff.

leichtsinn und lose sitten verfielen 7, 16 f. Aber auch die besonnenen, welche weder diese gleichgültigkeit noch jene ungeduldige übereilung billigen konnten, wurden von der schwere der zeit tief niedergebeugt, wie einer von ihnen, der verfasser, seine zeit als eine höchst unselige und unsichere beklagt 4, 1—3. 8, 6f. 10. 11, 2 und alles menschliche mühen und arbeiten als eine in vieler hinsicht so traurige reihe von übeln leiden und qualen schildert 1, 13. 2, 21—23. 3, 10. 4, 4. 7—16. 5, 15 f. 8, 16.

Aber noch etwas besonderes kam sichtbar hinzu was auf unsern lehrdichter gerade sofern er sich durch dichtung und schrift hier zu wirken aufgefordert fühlte, einen nächsten einfluſs haben konnte. Versteht man nämlich seine schrift genau und durchdringt völlig das künstliche geflechte der in dieser zusammengefaſsten gedanken, so kann man garnicht verkennen daſs ein oder einige schriftsteller kurz zuvor bücher veröffentlicht hatten welche die gährende unruhe der zeit só wenig dämpften daſs sie vielmehr das feuer derselben nur erst recht hell anfachten und das volk wol gar zur offenen empörung gegen die Persische herrschaft aufgestachelt hätten. Unser dichter spielt in seiner nachschrift 12, 12 selbst darauf so weit an als es sich für ihn als dichter ziemte; und weist auch mitten in seiner rede 6, 11 deutlich genug darauf hin. Aber man trifft auch mitten in seinen ausführungen ganze gedanken und säze án welche nur deswegen angeführt werden um sie sogleich einzuschränken und schlieſslich zu widerlegen [1]): auch das gehört mit zu der eigenthümlichen kunst des baues solcher reden wie sie unser dichter einführt, und zeigt sich ähnlich auch in anderen dichtungen [2]). Waren nun solche schriften vorangegangen, so verstehen wir noch besser wie unser dichter sich zu diesem dichtwerke angetrieben fühlen konnte: aber wir sehen ihn auch mit den überlegensten geisteswaffen in diesen kampf ziehen und schon

---

[1]) solche worte wie 10, 5—7. 15—19 oder wie der spruch 7, 15 welche dann sogleich und beinahe schroff zurückgewiesen oder umgebogen und unschädlich gemacht werden, und solche anspielungen wie 10, 2—4 sprechen hier zu deutlich; ja bei den worten 10, 5—7. 15 —19 ist es alsob sie absichtlich so weit zurückgehalten wären um sie erst hier am rechten orte kurz vernichtend zu treffen.

[2]) man nehme nur und verstehe richtig die worte Ijob 21, 19. 24, 18—21: die lezte lange stelle klingt in jenem zusammenhange der worte Ijob's ganz wie parodie eines andern dichters. Von ähnlichen stellen in den reden der Propheten will ich hier ganz schweigen

durch das bloſse spiel der dichtung alle solche böse dünste der zeit verscheuchen.

Nun waren zwar die übel und leiden jener zeit unstreitig nicht gröſser als sie oft schon in frühern jahrhunderten gewesen: aber nimmt man jenen überhaupt tiefer sinkenden geist dieser zeiten dazu, die abnahme der alten begeisterung in Israel, die verwirrung und den heftigen streit alter und neuer ansichten, die durch alles dieſs steigende schwierigkeit in dem neuen räthsel der zeit das rechte heilmittel und den wahren trost zu finden: so begreift man wie durch dieſs buch eine schneidende kälte gegen alles irdische trachten und eitle streben, eine in bittern hohn überschlagende verachtung alles einseitigen und verkehrten im gewöhnlichen treiben der menschen, ein im auffinden aller menschlichen eitelkeiten und thorheiten so einzig unermüdeter scharfsinn hindurchgehen kann: in keiner frühern schrift wird dem menschen so bestimmt und so allgemein aller dünkel und alle einbildung ausgezogen, und durch keine andre geht ein solcher schrei edler entrüstung über alles eitle in der welt. War nun von der einen seite das wirkliche räthsel jener zeit so schwer zu lösen und die ruhe auch der besonnenern so hart bedroht, von der andern so viel und so mannigfacher irrthum im leben verbreitet; und waren dann noch die vielen neuen schriften der zeit, welche sich um diesen gegenstand dreheten, mehr irreleitend und verwirrend als verständigend und versöhnend: so erhellt wie der verfasser dieses buches auf den plan kommen konnte in diesen finsternissen und verkehrtheiten des lebens das wahrhaft belehrende und aufrichtende zu zeigen. Keine andre absicht liegt eigentlich diesem buche zu grunde als diese einfache, von jener zeit selbst geforderte, durch drängende bedürfnisse hervorgelockte. Die aufgabe war alles wahre über den zustand jener zeit und die beschränktheit des menschen überhaupt, und wäre es auch noch so bitter und schiene es noch so traurig, ganz der wahrheit nach zugebend, dennoch das mitten im irdichen wechsel unbestand und leid gute, fördernde, unverlierbare so wie dem göttlichen willen angemessene zu erforschen und als das wahre gut des menschlichen lebens klar zu bezeichnen. Und hatte der dichter dabei zunächst seine zeit vor augen; so forderte doch die richtigkeit des gedankens die wahrheit hier auch im weitern umschauen und im betrachten der innern nothwendigkeit unabhängig für sich zu erforschen und als an sich geltend hinzustellen, umso mehr da hier nur eine lehrdichtung gegeben werden sollte.

2. Als einzige antwort auf diefs alles gibt der verfasser den damals ganz neuen saz: die freude am leben sei das gut des lebens welches Gott selbst den menschen als die schönste gabe reiche; und weil das leben keinen so nahen und so sichern zweck habe als in Gottesfurcht und wohlthun sich seiner zu freuen, so könne niemand heiter genug den flüchtigen tag geniefsen, 2, 24—26. 3, 12 f. 22. 5, 17—19. 7, 14. 8, 15. 9, 7—11. 11, 9—12, 8. — Der nähere beweis davon ist dieser dafs eben sowohl die betrachtung des ewigen laufes der welt in Gott wie die der menschlichen bestrebungen gerade auch im nächsten und schärfsten hinblicke auf die leiden der gegenwart gemeinschaftlich auf jenen saz als lezte wahrheit führen. Denn

1) die dinge der welt seien durch eine höhere nothwendigkeit in einen beständigen kreislauf und wechsel gebannt, und wie die zeit nichts neues hervorbringe was nicht schon früher (wenn auch in anderer art und weise) dagewesen oder nicht künftig wiederkehren könne, so sei auch nichts irdisches in seiner einzelnheit beständig und unveränderlich; sondern gegen Gott gehalten sei alles einzelne irdische und sinnliche eitel und nichtig. Dieser saz, welcher den altHebräischen ansichten nicht widerspricht, wird hier auf eine früher ungekannte schärfe und spize getrieben, theils durch die tiefe trauer und verstimmung jener zeit, theils durch den anfang von philosophie selbst, welche die gedanken schärfer im einzelnen verfolgt. Auch der mensch sei in diese nothwendigkeit gebannt und könne nicht aus den ihm gesteckten grenzen heraus 1, 2—11. 3, 14 f. 6, 10. 7, 13 f. 11, 3: stets gehe seinem daseyn und denken und wollen schon ein höheres, ewiges voraus, aufser dessen kreise er nichts vermöge 9, 1, und Gott habe es schon so gemacht dafs man ihn fürchten müsse 3, 14. 7, 14; ein geschlecht folge auf das andre 1, 4, und mit dem leben der frühern verliere sich auch ihr andenken (denn wie viel einzelnes und genaues ist noch von den ältesten geschlechtern der erde bekannt?) 1, 11: auf die einzelne fortdauer des menschlichen geistes bauen zwar manche ihre hoffnung, aber niemand könne wissen ob dem wirklich so sei, vielmehr treffe éin zufall und schicksal, das der leiden und des todes, alle menschen ohne unterschied und nach dem tode folge die finstre unterwelt 2, 14 f. 3, 18—21. 5, 19 *a*. 6, 6; 8, 7. 9, 2—6. 12. 10, 14. 12, 5. Schon bedrängten also fester ausgebildete begriffe von der unsterblichkeit des geistes das denken: aber der zarte duft der wunderbar erhabenen ahnungen mit welchen das B. Ijob und me-

here Psalme diese begriffe verklärt hatten, war in den neuen langen finsternissen dieses jahrhunderts fast wieder ganz verwehet; und weil die vorstellungen welche damals darüber herrschten zu sinnlich und grob seyn mochten, wie etwa die der Pharisäer, so wehrt sich hier noch einmal das in die art des forschend-zweifelnden denkens übergehende altHebräische bewufstseyn gegen sie und wagt das kühne unternehmen auch dann nicht zu verzweifeln wenn diese hoffnungen über das jenseits irrig seyn sollten; und wirklich können ja auch diese auf das jenseits gebauten hoffnungen leicht unklar und hinderlich werden, sobald ein das jezige leben zu sehr verachtender hochmuth in sie fährt.

Nun sei zwar in der welt nicht blofs ein steter wechsel und kreislauf, sondern in diesem sei vielmehr zugleich eine feste ordnung, wonach alles zu seinem zwecke und für seine zeit wohlgeschaffen und nie menschlicher übermuth und troz ohne seine strafe sei, eine ordnung welche die begriffe des rechts und die gewifsheit des göttlichen gerichts über alles in sich schliefst 3, 1—9. 11. 17. 8, 6. 11, 9. 12, 1. 14: aber der mensch, obwohl er ein bild und eine ahnung dieser ewigen ordnung oder des verborgenen, geistigen werkes Gottes in sich trage, könne doch nie alles auf einmal vollständig finden und begreifen, sondern immer sei ihm hier ein unendliches räthsel gegeben 3, 11. 8, 17. 11, 5. Wenn das aber so sei, so bestätige diese andere seite der beobachtung von welt und Gott im einklange mit der ersten doch wiederum nur wie schwach der mensch gegen Gott sei; und so folge schon allein aus der betrachtung des verhältnisses der dinge und des menschen selbst zu Gott, dafs der mensch, jener stolze und leicht so übermüthige, der doch der höhern nothwendigkeit und weisheit sich nie entziehen kann, am besten thue des köstlichsten und süfsesten sowie unersezlichsten geschenkes aus der göttlichen hand, des wie ein schatten flüchtigen lebens, sich recht zu freuen und jeden augenblick der gegenwart durch ungetrübte heiterkeit ganz zu geniefsen 3, 10—15 vgl. 9, 7—10. 11, 9—12, 9.

2) Dasselbe folge beim forschenden hinblicke auf die gewöhnlichen bestrebungen der menschen. So verschieden diese sind, so kann man sie doch nach zwei hauptrücksichten ordnen: bald nämlich sucht der mensch durch gewinn an den äufsern gütern des lebens, bald durch forschung und weisheit glück und befriedigung. Jener aber gebe keine wahre befriedigung, da alle güter der welt ebensowohl unsicher und unbeständig seien als unerquicklich, so dafs wer einmal der

begierde sie zu erhalten nachhange schon von der unersättlichkeit dieser als von einem schweren übel gequält werde 2, 1—11. 4, 7 f. 5, 9. 12. 6, 1—9; auch die lust an den edlern äußern gütern der erde, z. b. an kindern und nachkommen, sei nicht ohne täuschung und übel, indem auch solche güter vor unbestand oder entartung nicht sicher seien 2, 13. 18—21. Die weisheit freilich sei ein unschäzbares gut, welches alle äußern erseze und weit übertreffe, und die hier ebenso wie in dem vorigen buche aufs mannigfachste gepriesen wird 2, 13 f. 4, 13. 7, 11 f. 19. 8, 1. 9, 13—18. 10, 1—3: aber dennoch könne sie nicht das höchste gut seyn, theils weil sie das göttliche wirken erforschend doch nie alles ohne ausnahme oder von anfang bis zu ende erkennen könne, also sich selbst nie gänzlich genüge 1, 12—18. 3, 11. 8, 16 f., theils weil sie so oft verkannt und verachtet oder auch durch thorheit vereitelt werde 4, 12—16. 9, 11—16. 18 f.; denn da einmal die thorheit und sünde eine so weite herrschaft im menschengeschlecht erlangt habe daß man sagen könne keiner sei ganz gerecht und rein 7, 20. 9, 3 *b*, so müsse die weisheit und gerechtigkeit des einzelnen gar oft die schmerzlichsten erfahrungen machen, wollte sie zu starr und gebieterisch eingreifen 7, 16. Wenn also das wohl weder durch das bloße eigenmächtige streben nach weisheit und erkenntniß noch durch das einseitige trachten nach äußern gütern erreicht werden könne: so sei nichts übrig als des lebens sich zu freuen in ungetrübter heiterkeit und des augenblicks froh die übrigen güter des lebens zu genießen; diese reine freude, dieser unentreißbare, unzerstörbare genuß des augenblicks sei eben auch von Gott so bestimmt und müsse dem göttlichen willen entsprechen, ja er sei eine dankbar anzunehmende gabe von ihm und *der theil* des menschen d. h. das was ihm für seine irdische mühe zukomme als sein rechtmäßiges gut 2, 24. 3, 13. 5, 18. 19 *b*. 7, 14. 9, 9. Wer sich des lebens freuen könne, der sei schon im göttlichen wohlgefallen, und solle dessen freudig gewiß seyn 9, 7 *b*: darum könne man nicht genug sich der falschen oder ungenügenden güter entschlagen, um das wahre und reine gut zu genießen, und nie könne man dieß wahre gut wirklich aufschieben oder sich aufsparen wollen, da es eben kein gut sei außer in jedem augenblick und früh schon zur rechten zeit genossen 11, 1—8. — Was endlich

3) die schweren leiden der zeit und die mehr oder weniger offenen klagen über sie betrifft, so verweist der spruchlehrer zwar auch in bezug auf sie unmittelbar auf ein leztes

gericht hin welches Gott über alles verborgene halten werden 3, 17. 12, 14, und will auf jeden fall dáran festhalten dafs das böse sich immer bestrafe 8, 12 f. Allein mittelbar scheinen ihm sogar auch diese durch menschliches unrecht entstehenden leiden der menschen doch zu demselben höchsten grundsaze zurückleiten zu müssen. Denn müssen diese leiden dázu dienen den menschen am fühlbarsten an seine schwäche und hinfälligkeit zu erinnern und jeden verkehrten stolz ihm auszutreiben, so soll ja eben dieses gefühl nicht zur verzweiflung sondern nur desto mehr zu einem in Gott frohen zufriedenen leben hinführen. So wird diese folgerung 3, 16. 18—22 gezogen, und im grunde ebenso gegen das ende des ganzen buches hin 11, 1—8 vgl. mit 10, 15—19. Und so führen alle möglichen betrachtungen immer wieder zu demselben ergebnisse.

Es versteht sich vonselbst dafs diefs keine blofs sinnliche oder eine schlechte und unreine freude seyn kann, sondern die wahre und reine, welche nur in Gott ist und im lichte aller göttlichen wahrheiten so wie im leben nach diesen. Allerdings kann eine aufforderung zur freude des lebens von schlechter denkenden menschen leicht mifsverstanden werden: doch der verfasser dieses buches kennt eine unreine und unwahre freude gar nicht, denn er fordert nicht weniger zur Gottesfurcht auf als zu allem nüzlich und vor allem unheil bewahrend und sezt jene freude selbst ins wohlthun 5, 6. 7, 18. 8, 2. 8, 5. 8. 12 f. 12, 13; 3, 12 vergl. 11, 2, er ermahnt überall nicht zum trägen, in blindheit zaudernden leben, sondern zur rüstigsten, aber besonnenen thätigkeit 9, 10. 11, 4—6, und er weist endlich, um jeden zweifel zu heben und ganz deutlich zu reden, auf das ewige göttliche gericht über alle thaten der menschen hin und wie der mensch mitten in der freude des augenblickes nie die ganze zukunft, die rechenschaft und die folgen der thaten, den schöpfer und richter vergessen dürfe 11, 9—12, 1. 14; auch läfst er, obwohl an den zu sinnlichen vorstellungen über die fortdauer der einzelnen seele zweifelnd, doch beim tode den geist zu dém zurückkehren der ihn gegeben 12, 7, und sezt also doch die innigste verwandschaft des menschlichen geistes mit dem göttlichen und die unzerstörbarkeit jenes, damit aber die möglichkeit eines wahren ewigen gerichts über alles verborgene. Darum kann man schliefslich sagen die freude am leben die der verfasser als das höchste hier aufstellt, ist nichts als die Gottesfurcht selbst, aber nicht jene finstere und mürrische, dünkelhafte oder erlernte, sondern die heitere und der göttlichen gnade bewufste, welche ohne stets frische zufriedenheit und zuversicht unmöglich ist.

So nun gefafst leuchtet von selbst ein wie wenig der neue gedanke dieses buches der ältern religion widerspricht, und wie wohlthätig er gerade damals ergänzend in den lehrkreis gezogen wurde. Die ältere religion bedurfte dieser ansicht und lehre nicht, weil die freude am leben etwas sehr nahes und ursprüngliches ist, welches nicht gelehrt zu werden braucht so lange der mensch einfacher lebt. Aber ist die alte frohe und von selbst heitere einfachheit des lebens längst entflohen, sind trübe und höchst verworrene zeiten gekommen, wo aufser andern übeln auch die religion eine finstere und mürrische gestalt annimmt: so thut es noth auch an das recht der freude zu erinnern und zu der ursprünglichen heiterkeit und kindlichen freudigkeit des lebens in Gott die verzweifelnden irren herzen zurückzuführen. Nun aber waren jene zeiten nicht blofs zeiten der unmäfsigen trauer, der gebrochenen und verbitterten hoffnungen aller art, der kraftlosen mürrischen verzweiflung, sondern auch die zeiten in denen die alte religion zuerst den Heidnischen gegenüber jene finstere, in sich zurückgezogene, wegen oft getäuschter hoffnungen erbitterte laune annahm, welche ihr später immer geblieben ist: doch eben bei dieser wendung der dinge erhebt sich noch einmal mit nachdruck dieses buch, gegen das einreifsende verderben ein zufriedenes in Gott freudiges geniefsen des augenblicks empfehlend. Ist nun auch der versuch das herz zu der vollen ursprünglichen freudigkeit und heiterkeit in Gott zurückzuführen hier ein schwacher und wenig erfolgreicher geblieben im vergleich zu dem viel kräftigern und siegreichen den das Christenthum vier jahrhunderte später unternahm; sieht man auch in diesem buche eines sinkenden zeitalters spuren, und mufs gestehen dafs bei jenem streite alter und neuer ansichten und bei der schwäche dieser zeit manches weniger scharf und erschöpfend mit fester hand ausgeführt, manches sogar noch ohne lösung gelassen ist, wie insbesondere die höhere ansicht von unsterblichkeit und vergeltung sich bahn zu brechen sucht ohne sich schon ganz klar zu werden und ohne das alte grauen vor dem tode zu überwinden: so bleibt doch wahr dafs der neue grundgedanke des buches eine wirkliche ergänzung der alten religion enthält und hier in vielen gedanken schon ein aufschwung zum N. T. herrscht.

Und noch in einer andern rücksicht bildet dies buch einen übergang zum N. T. Es entstammt einer zeit wo das volk des Alten Bundes auch in seinem altheiligen lande längst unter Heidnischer herrschaft stand, aber auch schon ein bitterer groll gegen diese sich in ihm festsezen wollte. War nun die frage ob man diesem grolle nachgeben oder trozdem dafs die wahre religion die herrschaft der welt nicht hatte sie in ruhiger ergebung unter das joch eines ihr fremden reiches festhalten solle, so sehen wir unsern lehrdichter schon ganz wie im N. T. zur ergebung ermahnen ohne deshalb der wahren religion untreu zu werden. Dazu gehörte dann aber dafs man nur das wesentlichste und ewigste aller wahren religion festhielt: so wie unser lehrdichter nirgends das blofs volksthümliche hervorhebt. Dies konnte er freilich umso leichter da er gerade darin nur der alten lehrdichtung noch ganz treu zu bleiben brauchte. Wie ganz anders sind nach dieser seite hin schon die Apokryphischen lehrdichtungen geartet, und wie klar erhellt auch hieraus das frühere alter unsres buches!

Für die nächste zeit des verfassers war gewifs mit dem neuen hauptgedanken dieses buchs schon das wichtigste gesagt, was tröstend und ermuthigend gesagt werden konnte: wer jenes unentreifsbare bleibende gut des lebens erkannt hat, wird diefs allein eifrig verfolgend ebensowohl von lähmender verzweiflung und trübem unmuthe wie von allen eiteln bestrebungen und hoffnungen abstehen. Der gegensaz forderte indefs alles das mannigfache was entweder als that oder blofs als ansicht und hoffnung eitel und unsicher ist, mit scharfer züchtigung und durchdringendem hohne zu bezeichnen. Und um den verkehrten bestrebungen gegenüber noch etwas bestimmteres zu geben als jene lezte und höchste ansicht vom leben, werden eine menge von warnungen vor dünkel und übereilung in wort oder that, vor empörung und untreue, und eben so viele ermahnungen zur vorsicht und klugheit, zur geduld und zum ausharren eingestreut: sogar der ernst des lebens wird so empfohlen, jener nothwendige nämlich ohne welchen auch die ächte freude nicht seyn kann, der ernst der zur besonnenheit und demuth führt 7, 1—10. Doch während solche lehren sich sichtbar überall mitten im buche nur auf das öffentliche leben oder die staatsverhältnisse beziehen, als welche doch die lezte veranlassung zu dieser schrift gaben, wird gleichsam nur des vorranges und des beispieles wegen im anfange auch zur vorsicht in den heiligen verhältnissen zu priester und religion ermahnt 4, 17—5, 6.

3. Welche gestalt endlich was der verfasser ausführen wollte annehmen mufste, ist nicht minder aus seinem zeitalter deutlich. Denn da hier ein höherer gedanke mitten im

gebiete der alten religion mit eigenthümlicher kraft zum erstenmal keimt, und da auf alle zeitgenossen unmittelbar ermahnend und tröstend gewirkt werden soll: so hätte unstreitig alles hier in prophetischer art und farbe erscheinen können, wenn damals noch die prophetische wirksamkeit lebendig gewesen wäre; aber das nur etwas frühere Buch Mal'akhi welches diesem übrigens schon stark ähnlich ist, zeigt genugsam die lezte erschöpfung dieser wirksamkeit. An ein solches kunstgebilde aber wie das Buch Ijob ist, wo in straffer schilderung alles eng zusammengefafst und in einem einzigen wohlgegliederten ganzen só vollendet wird dafs das ergebnifs von allem schrittweise vorbereitet erst am lezten schlusse hervortritt, konnte auch schwerlich gedacht werden in dieser sinkenden zeit, der es an der übung und kraft dazu gebrach. Also blieb nichts übrig als der einfache lehrvortrag oder die spruchdichtung, wenn diese, wie es damals wirklich war, noch fortdauerte. Allein auch für diese einfachste dichtungsart galt damals schon Salômo als der einzige meister und unübertreffliche künstler: eine grofse veränderung in der betrachtung des Alterthumes, welche in dem zwischen dem jezigen Buche der Sprüche (worin noch keine sichtbare spur dieser ansicht ist und kaum das stück 31, 1—9 einen übergang macht s. 261 ff.) und Qôhélet verflossenen zeitraume sich vollendet haben mufs. Als hätte die rede nur in Salômo's munde allen nachdruck und ihre ächte würde, so führt der verfasser Salômo redend und lehrend ein, sich selbst zurückziehend und unter dieser hülle verbergend; wie die Spätern so oft ähnlich, ihre eigne schwäche und ihre abhängigkeit von den ältern helden dadurch eingestehend, sich nur im kleide der ältern grofs und würdig erscheinend dünken. Doch dafs dieses kleid blofs ein den forderungen der zeit dargebrachtes opfer sei, ein höchst unschuldiges mittel nachdrücklicher zu reden ohne im geringsten die absicht Salômo'nen ein buch unterzuschieben zu hegen oder zu befördern, das ist sogleich aus der ausführung deutlich. Denn obwohl der verfasser Salômo redend einführen will und in der unstreitig zum buche gehörigen überschrift 1, 1 worte des sohnes Davîd's „königs in Jerusalem“ [1]) ankündigt, so hält er es doch nicht für angemessen Salômo so ganz offen zu nennen, sondern erfindet einen eignen neuen namen für die hier redende stimme, womit ebensowohl dem äufsern nach Salômo als der

---

[1]) sogar dieser seltsame name für „könig Israel's“ vgl. 1, 12 weist auf das zeitalter und die lieblingsvorstellungen des Chronikers hin.

innern wahrheit nach der wirkliche verfasser gemeint seyn kann. Diefs ist der name Qôhélet d. i. wie schon krit. Gr. s. 569 gesagt wurde, die weisheit חכמה *fem.*, sofern sie öffentlich als in der Gemeinde קָהָל lehrend oder als predigend auftritt, ein name wie der verfasser etwas spielend mehrere der art zu bilden weifs 10, 18. 12, 3 f., und der dann durch den dichterwillen zum eigennamen [1]) gestempelt als mannesname erscheint. Auf ähnliche art findet sich schon Spr. 31, 1 ein dichtername womit ein alter könig, wahrscheinlich Salômo selbst, bezeichnet werden sollte: wie überhaupt das spiel mit solchen künstlerischen namen und zeichen zur art der spätern dichtung und schriftstellerei gehört. Soviel aber leuchtet hier leicht ein dafs mit diesem so allgemeinen namen der dichtung nach Salômo, der wirklichkeit nach auch der wahre verfasser gemeint seyn kann, indem ja beide, sowohl der redend eingeführte als in seinem namen der verfasser, die stimme der weisheit in der gemeinde verkündigen und die predigende weisheit gleichsam wieder für jene zeit auferwecken wollen, während wenn der verfasser den geschichtlichen namen Salômo gebraucht hätte, dann eine viel weitere kluft zwischen ihm und dem redner seiner schöpfung gesezt wäre: und so gebraucht er denn den dichternamen Qôhélet zwar so lange die rede des alten Weisen festgehalten wird, beständig statt des namens Salômo 1, 2. 12. 7, 27. 12, 8, obwohl überhaupt nicht allzuhäufig: trägt aber nicht das mindeste bedenken am ende in einer nachschrift sich selbst so zu nennen 12, 9 f., und so eine täuschung selbst wieder zu zerstören die nicht dauernd seyn sollte: ist das schauspiel gegeben und seine lehre klar, so kann das gerüst abgebrochen werden und aller schein fallen. Aber auch selbst im laufe der rede des alten Weisen 1, 2—12, 8

[1]) doch wird der neue name noch einmal 7, 27 als *fem.* verbunden: obwohl an jener stelle die entscheidung in dieser sache mehr vom gewicht der handschriften abhängt, indem man vermuthen kann für אמרה קהלת sei nach 12, 8 אמר הקהלת zu lesen. Vgl. über dies alles jezt das nähere *LB.* §. 177 *f* und besonders *Jahrbb. der Bibl. wiss.* VII. s. 153 f. Dafs die LXX schon den titel leichter verständlich als *msc.* *ἐκκλησιαστής* geben, ist nicht zu verwundern: der sinn ist eine kleine verschiedenheit abgerechnet derselbe. — Aehnliche eigennamen s. bei Buxtorf *de abbrev. Hebr.* p. 9. 70. Auch sonst findet sich ähnliches, z. b. wenn Protagoras von Abdera *Σοφία* genannt wird: doch hat alles der art nur am rechten orte seinen sinn und seine klare veranlassung. Gesucht ist die erklärung durch *ἐκκλησίας τύπος* in Joseph. hypomn. c. 25 Fabr.

wird gar nicht ängstlich das zeitalter Salômo's und das dahin passende festgehalten: nur im anfange wird was geschichtlich auf Salômo paſst strenger durchgeführt 1, 12 — 2, 26; noch einmal in der mitte tritt plözlich etwas Salômonisches hervor wie um den angeknüpften faden nicht gänzlich im dunkel zu verlieren 7, 25—28: aber immer weiter wird die Salômonische farbe verlassen, immer mehr hört man bloſs die stimme eines volkslehrers aus späterer zeit wie er für seine zeitgenossen redet, und am ende ist der zuhörer schon mitten in Persischen zuständen 5, 7 f. 10, 5—11, 6. Man würde daher dem verfasser sogar unrecht thun, wollte man ihm die absicht aufbürden im groben geschichtlichen sinne Salômo seyn zu wollen.

Vielmehr, auch die art dieser spruchdichtung im einzelnen schlieſst sich an die spätern entwickelungen an welche oben s. 58—60 nachgewiesen sind. Es erhellt aus dem dort gesagten daſs die spruchdichtung ihre alten schranken durchbrechend allmählig sich zu längern zusammenhangenden darstellungen erhob, theils in das ermahnende übergehend, theils die gegensäze der ansichten und meinungen mit ächt dramatischer lebendigkeit hervorhebend und schon verschiedene stimmen einzuführen wagend: wobei denn die eigentlichen sprüche, worauf es doch zulezt eigentlich ankommt, nur noch zerstreut und mit breitem buntem rahmen umgeben erscheinen. Den gipfel nun hat diese art der sich freier auflösenden und in andre dichtungsweisen hinübergreifenden spruchdichtung in diesem buche erreicht, welches sich am engsten an das stück Spr. 30, 1—14 anschlieſst und, wiewohl übrigens schon mit einem weiten sprunge, da den faden dieser art und weise fortführt, wo jenes ihn gelassen hatte. Da nun hier im gegensaze zu so vielen nichtigen ansichten und bestrebungen eine ganz neue wahrheit gegründet werden soll: so wird Qôhélet als das bleibende gut des menschen suchend und erforschend eingeführt. Er stellt gewisse wahrheiten über das verhältniſs der dinge zu Gott auf, vergleicht dann damit theils seine eignen lebenserfahrungen theils die verschiedenen ansichten und bestrebungen der menschen, und findet so vieles eitel und nichtig! Er redet umso ernster da er nach der annahme des dichters hier offenbar schon wie am rande des grabes steht und auf ein langes wechselvollstes leben zurückblickt. Alles versuchend und erforschend, nach jeder seite der untersuchung und erkenntniſs sich unermüdet wendend, beobachtet er nicht minder streng die groſsen mängel und gebrechen jener zeit und läſst auch alle die mancherlei stimmen des unmuthes und der verzweiflung darüber laut werden: aber davon nicht befriedigt und vor allem ruhe und trost suchend und begründend wird er vom beobachtenden forscher schnell ein belehrender, zurechtweisender älterer freund und zieht überraschend die schönsten sprüche über vorsicht und geduld, treue und besonnene thätigkeit hervor; aber auch durch diese einzelnen weisen sprüche und ermahnungen noch nicht vollkommen beruhigt und beruhigend, schliefst er aus allen beobachtungen versuchen und einsichten zulezt immer wieder dafs es kein anderes unentreifsbares gut für den menschen gebe als die heitere freude in Gott, als welche alles andere in sich fasse. So zugleich strenger beobachter, wehmüthig theilnehmender freund und leidensgenosse, denkender lehrer und weiser rathgeber, kann er alle thorheiten und verkehrtheiten aufs deutlichste vorführen und unerbittlich geifseln, alle wahren schmerzen und übel jener zeit treu schildern und dem schweren unmuthe worte leihen worin er sich erkläre und erleichtere, und doch die treffendsten vorschriften und rathschläge, die schönste ansicht der gegenwart und aussicht in die zukunft reichen. Und wohl konnte er sich in der nachschrift 12, 9. 10 rühmen viel gute sprüche und zuverlässige wahrheiten eifrig alles erwägend und erforschend gesucht zu haben: wirklich findet man sonst schwerlich in so kurzem umfange so viel abgehandelt, so viele verkehrtheiten und eitelkeiten gegeifselt und so viele lehrreiche sprüche zusammengestellt.

Da nun aber ein grofses enger zusammenhangendes kunstwerk hier, wie oben gesagt, nicht geschaffen werden sollte, so kam dem dichter jene art einer reihe von belehrenden vorträgen entgegen zu welcher der vorredner des älteren Spruchbuches nach s. 50 ff. 63 ff. das grofse vorbild gegeben hatte. Zwar steht Qôhélet auch noch als verhüllter Salômo zu hoch da als dafs er wie jener und jeder andere einfache spruchlehrer seine worte von vorne an nur an einen sohn oder sonst an Jüngere richten sollte: er kann als könig reden; und dazu ist der ganze stoff und inhalt dieses gegenstandes viel zu ernst und zu erhaben als dafs er zunächst nur für diese wäre. Ein könig kann, wo er kein selbstgespräch hält, nur für die ganze grofse weite gemeinde reden, und wendet sich höchstens am rechten orte auch an einen einzelnen (11, 9). Und so sind es vier vorträge oder reden welche aus Qôhélet's munde fliefsen und in welchen sich erst alles was sein Inneres aufs tiefste bewegt vollkommen erschöpft. Jede dieser vier reden ist ein in sich vollendetes Ganzes: aber mit jeder neuen entwickelt sich schrittweise der mannichfache reiche inhalt wie er in seiner hohen wichtigkeit sich allseitig darlegen will, bis mit der vierten rede sich alles erschöpft. Das alles ist in seiner eigenthümlichen art ebenso kunstvoll angelegt wie ausgeführt. Im Grofsen ist der fortschritt in jeder der vier reden dér dafs von einer allgemeinen wahrheit über das verhältnifs der dinge zur betrachtung der menschlichen thorheiten und eitelkeiten leiden und mühen, von dieser zur ächten glücklichen freude als dem wahren gute übergegangen wird, nachdem jede der drei ersten mit der frage über das dem menschen unter allem nichtigen bleibende Gut eröffnet ist 1, 3. 3, 9. 6, 11 *b*. Doch während sich der stete trübe ruf über das eitle durch alles hindurchzieht, wird dagegen auch der heitere frohe zuruf immer häufiger und stärker: als ob jener nur wie die nothwendige disharmonie der harmonie gegenüberstände um diese zu heben und mit ihr zu schliefsen. — Eine nachschrift 12, 9—14 gibt noch über einiges den verfasser und das buch betreffende nähern aufschlufs. Und das ganze buch mit einschlusse dieses nachtrages (an dessen abkunft von demselben verfasser zu zweifeln kein grund ist) erweist sich durchgängig in den stärksten zügen als werk desselben dichters, welches auch ganz in seiner ursprünglichen gestalt ohne zusäze so wie ohne verstümmelung in den Kanon gekommen ist.

Das alles ist nur noch kunstvoller als bei dem vorredner des Spruchbuches; und dabei läfst sich nicht läugnen dafs unser lehrdichter, was man in seiner gedrückten späten zeit kaum erwartete, sogar viel zartes und zierliches im ausdrucke und viel feines im zusammenfügen der einzelnen gedanken und sprüche hat. Ein ächt dichterischer hauch belebt hier noch alles; allgemeine reine gedanken wie sie der strenge denker aufstellt, lassen sich dichterisch ebenso schwer in einen klaren flufs bringen wie die für nöthig geachteten widerlegungen fremder ansichten wenn man nicht zu diesem zwecke ein vollkommnes Drama entwerfen will: unser dichter weifs auch den sprödesten stoff dichterisch umzuweichen, die entferntesten gebiete zu klarer anschauung zu bringen, das ungefügigste zu verbinden, alles rauhe zu glätten, und die zu widerlegenden ansichten entweder unschädlich umzubiegen oder auszuzischen ehe sie es merken. Sogar wo er wie 10, 15—19 die zu mifsbilligenden äufserungen anführt, weifs er sie wohl einzukleiden.

Aber nach einer seite hin geht er schon weit über die grenze auch der freiesten früheren spruchdichtung hinaus und bildet etwas ganz neues. Er gibt nicht mehr überall reine dichterzeilen, sondern läfst die rede hie und da schon aufgelöst werden ohne das strenge gesez des versbaues einzuhalten. Da er in freierer betrachtung auch rein geschichtliches in kürzester fassung einschalten wollte wie 1, 12. 2, 4 ff. 9, 13—15, so löste sich ihm schon dadurch der zwang der dichterzeile; und dazu läfst sich im fortschritte des strengen reinen denkens manches am kürzesten und schärfsten ohne eine solche fessel des versbaues ausdrücken. So hat sich bei unserm dichter eine bunte rede ausgebildet, und er ist als spruchdichter auch darin schöpferisch. Die Araber kennen diesen wechsel von prosa und vers [1]) in vielen halbdichterischen werken; und im Indischen Drama herrscht er sogar allein: aber auch bei den Propheten des A. Bs. hat die rede viel ähnliches, und umso leichter konnte unser lehrdichter sich ebenfalls dahin neigen. Wo der gedanke sich höher schwingt, tritt immer noch bei ihm die reine höhe der dichterrede ein. Besonders aber wo die lehre und ermahnung eintritt, hebt sich die sprache noch beständig zur spizen kürze und ächten art des alten lehrspruches, obwohl auch sonst noch überall eine gewisse dichterische wohlgemessenheit und gliederung der rede sich erhält und man sehr irren würde wenn man z. b. übersähe dafs die begriffe *vor* und *nach* in den gliedern des verses 5, 16 sich eben so durch den gegensaz entsprechen müssen wie Ijob 21, 33. Alles ist doch in einem allgemeineren sinne dichtersprache; und am ringendsten und schwersten wird die darstellung des dichters nur wo neue gedanken in früher unerhörter art und weise eingreifen: das anfangende forschende denken bahnt sich hier einen neuen weg welchen damals seit längerer zeit kein schriftsteller betreten hatte.

Was aber insbesondere den im engeren oder im altHebräischen sinne so zu nennenden *lehrspruch* מָשָׁל betrifft von welchem ja diese ganze dichtungsart einst ausging, so hat unser späte dichter gerade auch auf ihn sichtbar alle sorgfalt und kunst verwandt, so dafs er auch noch in dieser schrift als das schönste hervorstrahlt. Er wird zierlich geglättet, scharf ausgeprägt, kurz und spiz vollendet; und gerade bei ihm wird gerne noch ganz die alte art der ächten Hebräischen sprache beibehalten, während sich diese sonst

[1]) dieser wechsel ist unten in der übersezung so deutlich als möglich ausgedrückt.

schon sehr zu der neueren umgangssprache herabläfst. Er erscheint freilich nur nach dem ganzen zusammenhange des gedankens der rede wie eingestreuet, tritt aber überall am rechten orte ein und hebt sofort die rede. Er erscheint so einzeln eingeflochten, oder in reihen; entweder in strengster dichterart, oder schon mehr in etwas erschlaffender fessel, ist aber auch dann daran kenntlich dafs er immer reine lehre geben will. Wo sich mehere an einander reihen, da bilden sich wie wohlgegegliederte ketten eines in seine theile auseinandertretenden starken gedankenknäuels: aber eine solche hat höchstens 7 glieder oder einzelne sprüche (4, 17—5, 6. 7, 1—7. 7, 8—14), sodafs wir auch hier noch wie sonst in der ganzen dichtung die bedeutung der altHebräischen *wende* erkennen können: denn auch die ganze gliederung jeder der s. 284 f. erwähnten einzelnen reden des buches hält sich an den bau von wenden, und überschreitet nirgends die grenzen dieses baues (wie unten im einzelnen zu zeigen ist). Allein schon greift in die bildung mancher solcher das künstliche wortspiel ein, wie bei שֵׁם und שֶׁמֶן 7, 1, bei סִירִים und סִיר 7, 6. Uebrigens ist der dichter auch bei diesen sprüchen durchaus selbständig und schöpferisch: er bringt keinen einzigen blofs wiederholten alten spruch, und kann noch in seinem nachworte 12, 9 sich ohne überhebung dieser selbständigkeit rühmen. Auch sonst klingen bei ihm zwar hie und da einige worte und redensarten aus älteren schriften wieder, und man kann auch daraus sein wahres zeitalter erkennen, wie z. b. bei 10, 19 unverkennbar einiges aus Ψ. 104, 15 wiederklingt: aber das alles ist bei ihm nur unwillkürlich; und wenn irgendein späterer schriftsteller selbständig ist, so ist es unser dichter ammeisten.

Alle diese seltenen eigenthümlichkeiten sowohl des inhaltes als der kunst und der sprache des buches haben denn auch seit langer zeit bewirkt dafs man über seinen sinn und zweck die abweichendsten und zum theil sonderbarsten meinungen hegte. Wirklich liegt hier eine gewisse dunkelheit von selbst vor: doch wer das innere dieses rauh und seltsam scheinenden buches überdacht hat, wird es voll von sinn zusammenhang und wahrheit finden. Und es mufs vielmehr unsre hohe bewunderung erwecken dafs noch in so später zeit ein so schöpferisches schriftwerk im volke Israel entstehen konnte.

1, 1 Worte Qôhélet's sohnes Davîd's, königs in Jerusalem.

Erste rede: 1, 2—2, 26.

Die erste rede stellt die grundfrage só auf dafs sie 1) die nächste und schwerste seite der grundansicht des redners über die dinge aufser Gott, die über ihre eitelkeit, vollständig erklärt; und dann 2) den redner aus seiner eignen Salômonischen lebenserfahrung heraus alles dás aussprechen läfst was er am ende seines lebens im raschen aber tiefernsten und wahren überblicke über seinen verlauf von den wechselnden bestrebungen desselben zu sagen hat. Als hochgestellter mächtigster könig konnte er auch die höchsten und zugleich die verschiedenartigsten bestrebungen bis zu einem höchsten ziele hinauf verfolgen: und was sind diese für den einzelnen strebenden menschen anderes als versuche die er an das leben stellt? er sucht durch sie doch zulezt nur seinem tiefinnersten und unauslöschlichen streben nach wahrer befriedigung und beseligung seines geistes zu genügen; es sind wie einzelne güter die man sucht und auch zeitig mit der äufsersten anstrengung verfolgt indem man doch nur das höchste und ewig bleibende gut sucht. Solcher güter waren es für ihn drei: weisheit, sinnliche freude, besiz äufserer güter; und wirklich fallen nach diesen drei seiten hin alle die gewöhnlichen bestrebungen des menschen aus einander, niemand aber kann sie alle drei so verfolgen wie ein mächtiger langlebender könig. Sie folgen sich auch gerade in dieser reihe leicht bei jedem höher und mächtiger gestellten; und folgten sich so, wie man im Grofsen mit recht die sache betrachten konnte, gerade bei Salômo am deutlichsten und grofsartigsten. In der jugend das streben nach erkenntnifs und unbegrenzte wifsbegierde (und von diesem standorte der unbefleckten reinen jugend aus läfst dann die Apokryphische *Weisheit Salômo's* den Weisen reden); wie unbefriedigt davon im mannesalter das suchen nach allen arten sinnlicher freude; im spätalter das besorgte kluge streben nach äufseren gütern um sie den kindern und der nachwelt zu vererben und so in ihnen fortzuleben: in dieser reihe folgen sich vonselbst leicht die allgemeinsten bestrebungen eines menschen. Aber findet nun der redner dieselbe eitelkeit welche er in den dingen der welt fand auch in allen diesen einzelnen menschlichen bestrebungen: so bleibt als ein sicheres unentreifsbares gut nichts als jene höhere freude am leben selbst welche hier empfohlen werden soll. Und so zerfällt diese rede vonselbst in die drei hauptheile 1) 1, 2—11; 2) 1, 12—2, 23; 3) 2, 24—26; sie lösen sich aber sofern der mittlere in jene drei besondern zerfällt, dem äufsern umfange nach in 5 auf. Der vortrag ist hier der bewegteste, theils weil sogleich diese erste rede alles wäre es möglich zu erschöpfen sucht, theils weil man wie den tiefen schmerz des einzelnen mannes beim rückblicke auf sein ganzes leben mit allen den wechselnden bestrebungen und täuschungen hindurchhört.

O eitelkeit der eitelkeiten, spricht Qôhélet; 2
o eitelkeit der eitelkeiten! alles eitel!

Welchen vortheil hat der mensch für alle seine mühe der 3
er unter der sonne sich unterzieht?

Ein geschlecht geht, ein andres kommt, 4
während die erde ewig steht;
und die sonne geht auf, die sonne geht unter 5
dahin zurück wo sie keuchend aufgeht.
Es geht gen Süden und kreist gen Norden, 6
kreisend kreisend geht der wind,
und auf seinen kreisen kehrt um der wind.
Alle die flüsse gehn ins meer, und das meer es wird nicht 7
voll:
wohin die flüsse gehn, dahin gehen sie immer wieder.
Alle die worte ermatten, niemand kann's ausreden; 8
das auge wird nicht satt zu sehen, das ohr nicht voll
vom hören.

Was gewesen ist das was seyn wird, und was geschehen das was geschehn wird: 's gibt gar nichts neues unter der sonne; wohl gibt es etwas wo's heifst: sieh' diefs ist neu! — aber schon war vorlängst was geschehn vor unsern augen. Kein andenken haben die frühern, und auch die spätern welche seyn werden haben kein andenken bei den nachher seienden. — — 9 10 11

12 Ich Qôhélet war könig über Israel in Jerusalem,
13 und lenkte mein herz mit weisheit zu erforschen und zu versuchen alles was unterm himmel geschieht: das ist eine üble qual von Gott den menschenkindern gegeben sich
14 damit zu quälen! ich sah alle die thaten die unter der sonne geschehen: und sieh' da, alles eitel und windiges streben.

15 Krummes kann nicht gerade werden,
und mangel kann nicht werden voll!

16 Ich redete im herzen also: ich habe zwar grofse und gröfsere weisheit erworben als jeder der vor mir über Jerusalem war, und mein herz sah viel weisheit und wissen:
17 doch da ich mein herz lenkte weisheit zu erkennen und unsinn und thorheit zu wissen, erkannte ich auch diefs sei eitles bestreben; denn

18 Wächst die weisheit, wächst unmuth;
wer wissen häuft, häuft schmerz. —

2, 1 Ich sprach im herzen: wohl denn, erprob' ich dich mit freude und geniefse gutes! doch sieh', auch das ist eitel;

2 Zum scherz sprach ich: unsinnig!
zur freude: was thut diese!

3 Ich versuchte im herzen durch den wein meine sinne zu laben (während mein herz der weisheit überdrüssig war) und narrheit zu ergreifen, bis dafs ich sähe was den menschenkindern gut sei zu thun unterm himmel die zahl ih-
4 rer lebenstage hindurch; ich fing grofse werke an,
5 baute mir häuser, pflanzte mir weinberge, machte mir gärten und parke und pflanzte darin alle frucht-
6 bäume, machte mir wasserteiche, aus ihnen zu trän-
7 ken den bäumesprossenden wald, kaufte sklaven und sklavinnen, und hausgeborne hatte ich, auch heerden von grofs- und klein-vieh hatte ich mehr als alle die vor mir
8 in Jerusalem waren, sammelte mir auch silber und gold und reichthum von königen und landschaften, schaffte mir an sänger und sängerinnen, und die vergnügungen

der menschenkinder zu haufe und haufen; und ward 9 grofs und gröfser als jeder der vor mir in Jerusalem war, auch meine weisheit diente mir, und alles was meine 10 augen verlangten versagte ich ihnen nicht, zog mein herz vor keiner freude zurück, weil mein herz sich an aller mühe freute, und diefs mein theil war von all meiner mühe: aber ich blickte alle meine werke an die meine 11 hände gemacht, und die mühe die ich gehabt sie zu machen: und siehe,

Alles war eitel und windiges streben,
und kein vortheil unter der sonne! —

Und ich wandte mich zu sehen weisheit und unsinn 12 und thorheit, nämlich wie der mensch seyn würde der dem könige nachfolge, verglichen mit dem welchen man längst erwählte! Und ich sah dafs die weisheit einen vorzug 13 habe vor der thorheit wie das licht einen vor der finsternifs hat;

Des Weisen augen sind an seinem kopfe, 14
aber der thor gehet in finsternifs:

aber ich erkannte auch dafs éin zufall sie alle trifft. So dachte ich im herzen: wie der zufall des thoren ist, 15 wird es auch mich treffen, und warum bin ich denn weiser noch? und sprach im herzen auch das sei eitel! denn kein ewiges andenken hat der weise gleichwie der 16 thor, weil längst in zukünftigen tagen alles vergessen ist, und ach! wie stirbt der weise gleich dem thoren! und 17 hafste das leben weil mir die that mifsfiel die gethan wird unter der sonne, weil alles eitel und windiges streben; und hafste alle meine mühe die ich gehabt unter der 18 sonne, dafs ich sie überlassen soll dem menschen der mir nachfolgt, da doch niemand weifs ob er weise seyn 19 wird oder thöricht? und doch wird er über all meine mühe herrschen die ich hatte und worin ich weise war unter der sonne: auch diefs ist eitel! Da kehrte ich 20 mich mein herz verzweifeln zu lassen über all die mühe die ich unter der sonne hatte: da es einen menschen 21

gibt dessen mühe sich um weisheit und wissen und tüchtigkeit dreht, und der doch dem menschen der sich darum nicht bemüht hat sie als seinen antheil geben soll;
22 auch diefs ist eitel und grofses übel! Denn was wird dem menschen werden für all seine mühe und seines her-
23 zens bestreben die er unter der sonne hat? all seine tage sind ja schmerzen und unmuth seine qual, auch in der nacht schlief nicht sein herz: auch diefs ist eitel! — —

24 Kein gut ist am menschen aufser dafs er esse und trinke und seine seele gutes geniefsen lasse für seine mühe:
25 auch diefs sah ich sei von Gottes hand. Denn wer kann
26 essen und wer geniefsen aufser von ihm? da er dem menschen der ihm gefällt weisheit und wissen und freude gibt, dem sünder aber qual gibt, dafs er sammle und anhäufe um es dem zu geben der Gott gefällt; auch diefs ist eitel und windiges streben!

1. 1, 2—11. Die eitelkeit alles weltlichen v. 2 welche eben zu der frage v. 3 führt, wird zuerst ganz allgemein aus welt und menschheit bewiesen v. 4—11: am ausführlichsten hier gerade bei dem glänzenden anfange aus der grofsen welt, worin alles das unendlich-mannigfaltige, was man nie weder genug beschreiben noch genug empfinden kann v. 8, wie im steten kreislaufe sich bewegt v. 5—7, wo also nie etwas neues hervorgehen kann v. 9 f., als wäre alles für sich ohne kraft und werth, an ein unentweichbares gesez gebunden; aber auch die geschlechter der menschheit folgen in solchem kreislaufe auf einander, indem sich mit dem sinkenden geschlechte auch die volle erinnerung immer mehr verliert [und das blofs menschliche immer mehr vergessen wird] v. 4. 11. — V. 5 ist die verbindung ואל מקומו schwer: mit שואף kann es nicht verbunden werden (wie die accente ganz richtig angeben), da *keuchen* nur von dem scheinbar schweren laufe der aufgehenden, aufwärts strebenden sonne gesagt werden kann; man mufs es also, da שב hinter ד־ ausgefallen sich zu denken schwer ist, mit dem vorigen בא só verbinden dafs ואל מקומו blofs eine weitre erklärung davon ist: sie geht unter, und zwar an ihren ort (zurückkommend eben durch das untergehen); die wortverbindung ist dann ganz so wie 3, 17 vgl. §. 340 *b*. Das מלפני v. 10 mufs als gegensaz zu לעלמים das was *vor uns* geschah d. h. was *wir* geschehen *sahen;* anders wo

מִלְּפָנִים ganz allein steht Jes. 41, 26; vgl. auch *LB.* §. 218 *c.* Ueber יוֹסִיף v. 18 vgl. §. 169 *a.*

2. 1, 12—2, 23. Dafs nun bei dieser eitelkeit des weltlichen blofs durch das selbsteigne wollen und streben allein kein wahrer vortheil und kein reines gut zu erlangen sei, beweist der redner aus seinem eignen leben. Er versuchte

1) 1, 12—18 durch das streben nach der über der welt stehen wollenden weisheit ruhe zu erhalten: aber die *blofse* d. i. von Gott losgerissene weisheit, welche nicht frei von eigendünkel und hafs blofs das schlechte und fehlerhafte in der erscheinung aufsucht, wird bald mit schmerz das ungenügende ihrer bemühungen die welt zu verbessern empfinden; was v. 12—15 erklärt ist, wird noch bestimmter ausgedrückt v. 16—18. Für הִמָּנוֹת v. 15 könnte man versucht werden הִמָּלוֹת = הִמָּלֵאת zu lesen oder doch zu glauben נ sei mit ל verwechselt: indefs schliefst der begriff der zahl allerdings den eines ganzen mit seinen theilen in sich, wie lat. *ad numeros suos* redigi = perfici. — Also versuchte er es

2) weiter mit dem geraden gegentheile solchen strebens nach weisheit, mit der sinnlichen lust an weltlichen werken und vergnügungen, ob vielleicht das liebe harz daran ruhe fände 2, 1—11: aber auch da fand er keine befriedigung, welcher schlufs als viel leichter zu verstehen denn der erstere auch nur kurz gemeldet wird, während die sinnlichen vergnügungen selbst weitläufige erwähnung ertragen: was v. 1 f. kurz und kräftig gesagt ist, wird v. 3—11 weiter auseinandergesezt. Ueber den sinn von מֹשֵׁךְ v. 3 vgl. die abh. *über die Phönikische inschrift von Sidon* s. 26. Schwer sind aufserdem hier nur zwei wörter: נֹהֵג v. 3 und שִׁדָּה v. 8. Für das erste erwartet man im zusammenhange des ganzen nothwendig eine bedeutung wie „überdrüssig", wohin auch die verbindung mit בְּ־ führt: denn das herz welches sich der thorheit d. h. der sinnlichkeit ergeben will, mufs nothwendig überdrufs haben an der weisheit; v. 9 *b* aber widerstrebt dem nicht, da dort nachträglich von der auch zur ausführung dieser werke nüzlichen klugheit die rede ist. נהג kann also hier nicht mit נהה zusammenhangend *leiten* bedeuten: sondern es mufs wie im Aramäischen mit נהק verwandt *seufzen* bedeuten, diefs aber dann mifsmuth, überdrufs insbesondre; نهج ist vor *mattigkeit* seufzen, نهك und وهج drücken auch den begriff *schwach*, krank aus; vgl. auch das in der *Geschichte des volkes Israel* s. 107 der 3ten ausg. bemerkte. Sucht man in dem שדה ושדות v. 8 einzelne gegenstände der lust, dann haben der wortableitung

nach unstreitig die LXX ammeisten für sich, welche שִׁדָּה וְשִׁדּוֹת vom Aram. שדא *giefsen* lesend übersezen οἰνοχόον καὶ οἰνοχόας, ähnlich Pesch. Vulg. Targ.; denn der versuch hier „weib und weiber“ zu finden, ist wie leicht zu sehen nicht gelungen, man müſste denn שַׁד „die weibliche brust“ vergleichen, wozu man noch keine möglichkeit sieht. Wirklich aber erwartet man hier am ende der langen aufzählung und nach dem allgemeinen ausdrucke ותענגות בני האדם (worunter man sich in diesem zusammenhange auch theater, turnfeste u. s. w. denken kann) keine einzelne sache mehr; am besten ist also vielleicht anzunehmen, שִׁדָּה sei = شدّة *gewalt*, daher auch wohl *menge*, haufen; die wiederholung mit einer geringen änderung der form wie بالرّاح والرّاحان Sindabad nach Langlois s. 48, 2; noch ähnlicher auch dem sinne nach ist die wiederholung ܪ̈ܓܬܐ ܘܪ̈ܓܬܐ *alle mögliche vergnügungen* in Cureton's *spic. syr.* p. 10, 14. Daſs die wurzel שׁד auch in ihrem ersten allgemeineren sinne dem altHebräischen nicht fremd war, erhellet aus dem שַׁדַּי §. 155*c*.

3) Wenn weder das bloſse streben nach weisheit noch das nach vergnügungen genügt: so kann vielleicht die freude an dem mit weisheit und arbeitsamkeit erworbenen besize genügen? 2, 12—23. Auch das nicht: denn der erbe kann ja auf die thörichtste weise mit dem mühsam erworbenen besize verfahren (und gerade Salômo konnte dieſs von seinem nachfolger Rehabeam leicht vermuthen), wie man denn überhaupt schmerzlich gestehen muſs daſs dasselbe irdische schicksal, der tod, weise und unweise unabwendbar trifft; also bei allem zugeben der (auch durch des thörichten Rehabeam's benehmen bestätigten) wahrheit daſs die weisheit an sich freilich einen vorzug vor der thorheit habe, bleibt doch die gewiſsheit daſs die bloſse freude am besize nicht volle befriedigung gewähre. Dieser gedankenknäuel wird zuerst ausführlich v. 12—19, dann kürzer und bestimmter v. 20—23 abgewickelt; die eigentliche frage aber wird gleich v. 12 angekündigt: *was* d. h. welcher art (wie oft auch ما) *der mensch* sei, *der dem könig nachfolgen werde, mit dem* d. h. verglichen mit dem den *man vorhin gemacht habe*, seinem vorgänger; so nämlich vergleichungsweise ist את wie sonst עם 2, 16. 7, 11 zu verstehen; denn als zeichen des accusativs gibt es keinen sinn. Für כְּמַעֲשֵׂה 2, 17. 4, 3. 8, 9. 11 und sonst ist auch nach 4, 1 besser כְּמַעֲשֶׂה auszusprechen.

3. 2, 24—26. Schnell wird nun vorläufig der schluſs aus alle dem gezogen. Wenn bei der eitelkeit und vergänglichkeit der weltlichen dinge weder das bloſse streben nach weisheit noch die sinnliche lust noch die freude am besize befriedigung gewährt: so bleibt

nichts übrig sich zu denken als dafs der heitre genufs der gegenwart das wahre gut am menschen sei, eine wahrheit die so wenig unrichtig ist dafs sie vielmehr in Gott selbst ruht, weil doch niemand aufser durch Gott die gegenwart geniefsen kann, der dem Frommen eben welcher ihm gefällt alle güter des lebens freiwillig gibt, dem sünder aber blofs die oben schon in ihrer eitelkeit nachgewiesene qual mühevollen besiz für andere zu sammeln. Dieser schöne ausspruch worin die hauptsache ist dafs die freude selbst eine Gottesgabe sei (3, 13. 5, 18 f.), ist aber gerade im jezigen text am meisten unkenntlich geworden. V. 24 fehlt entweder כי אם hinter טוב באדם vergl. 3, 12. 8, 15, wie auch Pesch. Targ. übersezen, oder blofs מִי nach 3, 22; die Vulg. hilft sich durch annahme einer frage *nonne melius est comedere?* aber die frage pafst ansich hier nicht, müfste auch הלא טוב heifsen. V. 25 ist ממנו für ממני zu lesen nach LXX, Pesch. und meheren handschriften, und das suffix, wie vonselbst deutlich, auf Gott zu beziehen. חוש kann nicht mit حسّ ܚܫ *fühlen*, *leiden* verglichen werden, was gar nicht hieher gehört, sondern mit حسا = حسو = שתה *trinken*, wie LXX. Pesch. richtig übersezen. Zu v. 26 vergl. 7, 26. Die klage über das eitle am lezten ende v. 26 kann sich in diesem zusammenhange selbstverständlich zunächst nur auf das eitle abmühen des sünders beziehen (ähnlich wie 6, 9), bezieht sich aber entfernter auch auf die ganze lezte ausführung von v. 12 an, weil sie gezeigt hat wie wenig der blofse besiz befriedige.

Zweite rede: 3, 1—6, 9.

Die zweite rede erneuert die grundfrage só dafs sie zwar mit der darlegung der andern seite der grundansicht über die dinge der welt und mit dem zusammenfassen beider beginnt, der redner nun aber auch als habe er genug von seinen eignen lebenserfahrungen geredet seine blicke in die weite welt aufser ihm hinausschweifen läfst; wobei ihm zunächst nichts so auffällt als das in ihr herrschende schwere unrecht: und wir merken wie der redner seiner eignen zeit und ihren räthseln damit schon näher zu rücken beginnt. Da ist nun zwar nicht so schwer gerade aus dem zusammentreffen jener doppelseitigen grundwahrheit über das verhältnifs der dinge zu Gott und dieses schweren leidens der zeit zu schliefsen dafs die ächte freude in Gott allein das höchste gut für den schwachen Sterblichen seyn müsse: allein der blick des forschers und redners ist nun einmal auch über sich selbst hinaus in die weite welt gezogen, und was alles schauet und hört er da! Wie unverkennbar ist es dafs alle die entsezlichen rechtsunterdrückungen nur in der menschlichen eitelkeit ihre wurzel haben, und wie eitel seinem grunde oder doch seinem ausgange nach ist auch bei den einzelnen hervorragenden menschen das streben sei es nach äufseren gütern oder nach weisheit! Aber wenn er solche unseligkeiten und eitelkeiten in der welt schaut die den nachdenkenden Frommen völlig zur verzweiflung bringen könnten, so hört er von der andern seite auch genug höhere und wie himmlische stimmen die ihn bei allem anblicke solchen unrechts zur höheren ruhe treiben können; und die nähere betrachtung der vergänglichkeit und unsicherheit alles reichthums in der welt mufs ihn nur noch stärker zu demselben grundsaze über das Beste für den menschen zurückführen welcher sich am ende der ersten rede ergab. So zerfällt auch diese rede in drei haupttheile: 1) c. 3; 2) 4, 1—16; 3) 4, 17—6, 8: aber im einzelnen vertheilt sich der stoff weil er sich in dieser rede weit mehr anhäuft, in den einzelnen drei haupttheilen anders als in der vorigen: der erste zerfällt in drei, jeder der beiden anderen ähnlich in drei glieder. Es ist aber wie sonst so vorzüglich bei dieser vielverwickelten gedehnteren rede von grofser wichtigkeit diese ihre gliederung richtig zu verstehen: man begreift dann auch leichter die abwechselung der stimmen in ihr.

3, 1 Alles hat eine frist,
und eine zeit hat jede sache unterm himmel;
2 eine zeit ist's geboren zu werden, eine andre zu sterben,
eine zeit zu pflanzen, eine andre gepflanztes auszurotten;
3 eine zeit zu tödten, eine andre zu heilen,
eine zeit einzureifsen, eine andre zu bauen;
4 eine zeit zu weinen, eine andre zu lachen,
eine zeit zum klagen, eine andre zum tanzen;
5 eine zeit steine umzuwerfen, eine andre steine aufzuhäufen,
eine zeit zu umarmen, eine andre das umarmen zu lassen;
6 eine zeit zu suchen, eine andre zu vernichten,
eine zeit zu bewahren, eine andre wegzuwerfen;

eine zeit zu zerreifsen, eine andre zu nähen, 7
eine zeit zu schweigen, eine andre zu reden;
eine zeit zu lieben, eine andre zu hassen, 8
eine zeit zu krieg, eine andre zu frieden:
was ist der lohn des handelnden dafür dafs er sich 9
mühet? —

Ich sah die qual, von Gott den menschenkindern ge- 10
geben damit sich zu quälen: Alles hat er schön ge- 11
macht in seiner zeit, auch die welt in ihr herz gegeben, nur dafs der mensch das werk welches Gott wirkt
nicht von anfang bis ende findet; ich erkannte dafs 12
kein gutes an ihnen sei aufser sich zu freuen und gutes
zu thun so lange man lebt, wie auch wenn irgend 13
einer ifst und trinkt und gutes geniefst für all seine mühe das eine gabe Gottes ist; ich erkannte dafs alles 14
was Gott thut das auf ewig ist, nichts da hinzuzusezen
und nichts wegzunehmen ist, und Gott gemacht hat dafs
man sich vor ihm fürchte:

Was da längst war ist, und was seyn soll war längst, 15
und Gott sucht das vertriebene. —

Und weiter sah ich unter der sonne den ort des ge- 16
richts — da war das unrecht, und den ort des rechts —
da war das unrecht. Ich sprach im herzen: den ge- 17
rechten und den ungerechten wird Gott richten (denn eine
zeit ist für jede sache), und richten über jede that dort;
ich sprach im herzen: s' ist der menschenkinder wegen, 18
damit Gott sie prüfe und sie sehen dafs sie höchst selbst
thier sind. Denn

Ein zufall sind die menschenkinder, und ein zufall das 19
thier,
éinen zufall haben alle;
wie dieser stirbt stirbt jener, éinen geist hat alles,
vorzug des menschen vor dem thier gibt's nicht, weil
alles eitel;
alles geht an éinen ort, 20
alles ward aus staube und alles kehrt zu staube zurück.

21 Wer kennt der menschenkinder geist, ob er aufwärts steigt? und der thiere geist ob er nach unten zur erde 22 fährt? So sah ich dafs nichts besser sei als dafs der mensch sich seiner werke freue, weil das sein antheil ist: denn wer wird ihn geniefsen lassen das was nach ihm seyn wird? — —

4, 1 Und wieder sah ich all die bedrückungen welche unter der sonne geschehen: und sieh' es weinen die unterdrückten ohne tröster zu haben, und dulden ihrer bedrü-2 cker gewalt ohne tröster zu haben! da lobte ich die todten welche längst gestorben vor den lebenden welche 3 bis dahin leben, und mehr noch als beide den welcher bis dahin nicht gewesen, der nicht gesehen die böse 4 that so unter der sonne geschieht. Und ich sah alle mühe und alle anstrengung des thuns wie es nur eifersucht sei des einen vor dem andern: auch diefs ist eitel und windiges streben!

5 Der thor faltet seine hände,
und zehrt sein fleisch.
6 Besser eine hand voll ruhe
als beide fäuste voll mühe und windigen strebens! —

7 Und wieder sah ich eitles unter der sonne: 8 da ist éiner und kein zweiter, auch sohn und bruder hat er nicht: und doch hat kein ende all seine mühe, sogar seine augen werden nicht satt des reichthumes; und für wen mühe ich mich denn und lasse meine seele des guten 9 mangeln? auch diefs — eitel und böse qual ist's! Besser sind die zwei als der eine, welche guten lohn für ihre 10 mühe haben: denn wenn sie fallen, richtet der eine den andern auf; aber wehe ihm dem einen welcher fällt 11 ohne einen zweiten um ihn aufzurichten! auch wenn zwei sich zu bett legen, so wird ihnen warm; aber wie 12 sollte dem einen warm werden? und wenn man den einen überfällt, so begegnen ihm kämpfend die beiden; und der dreifache faden wird nicht sobald zerrissen. —

13 Besser ist ein jüngling arm und weise, als ein alter

und thörichter könig der sich nicht mehr rathen zu lassen weifs: ging er doch aus dem hause der Niederen her- 14 vor zu herrschen, da er sogar unter seiner herrschaft arm geboren war. Ich sah all die lebenden so unter der 15 sonne wandeln neben dem jünglinge, dem zweitmanne der statt seiner herrschen sollte: kein ende hat alles 16 volk, alles das vor ihnen war; auch die späteren freun sich seiner nicht: ja auch diefs ist eitel und windig bestreben! — —

Bewahre deine füfse wann du ins Gotteshaus gehst; 17 heranzutreten um zu hören ist besser als dafs die thoren opfer geben, weil sie nicht wissen dafs sie böses thun. Uebereile nicht deinen mund, und dein herz 5, 1 spreche nicht zu schnell etwas aus vor Gott, denn Gott ist im himmel und du auf erden: drum seien deine worte wenig! denn

Die träumerei kommt durch zu viel qual, 2
und thörichte rede durch zu viel worte.

Wann du Gott etwas gelobst, so säume nicht es zu 3 erfüllen, weil mifsfällig sind die thoren: das was du gelobst, bezahle! besser dafs du nicht gelobest als dafs 4 du gelobest und nicht bezahlest. Lafs deinen mund 5 nicht dein fleisch zur sünde reizen, und sage nicht vor dem boten (Gottes) es sei irrthum: warum soll Gott auf deine rede zürnen und deiner hände werk vernichten? denn

Wo zu viel träume sind und eitelkeiten, 6
sind auch der worte zu viel!

vielmehr Gott fürchte! Wenn du bedrückung des 7 armen und vorenthalten von billigkeit und recht in der landschaft siehst, so staune nicht über die sache: denn ein höherer ist über dem hohen, und ein höchster über sie; und ein vortheil des landes bei alle dem ist ein 8 könig der flur gesezt.

Wer geld liebt wird an geld nicht satt, 9
wer am grofsen lärme hängt nicht am gewinn.

10 auch diefs ist eitel! Mehrt sich das gut, so mehren sich die es verzehren, und welches glück hat sein besizer 11 aufser dem anschauen seiner augen? Süfs ist des arbeiters schlaf, mag er wenig oder viel essen: doch des reichen sättigung, die läfst ihn nicht schlafen. —

12 Da ist ein schlimmes übel das ich unter der sonne sah; reichthum von seinem herrn zum eignen übel autbe-13 wahrt! Der reichthum geht also durch üble qual zu grunde, und zeugte er einen sohn, besizt er nicht das mindeste;

14 Wie er aus seiner mutter schoofs kam,
wird er nackt wieder gehn so wie er kam,
und nichts für seine mühe davontragen
das er in seiner hand mitnähme.

15 So ist auch diefs ein schlimmes übel: ganz gerade wie er kam, so wird er gehen: und welchen vortheil hat er 16 dafs er sich in den wind mühet, sogar all seine tage in finsternifs und trauer, und vielem unwillen und leiden 17 und verdrufs vergehen? Sieh' da, was ich gut fand: dafs es schön sei zu essen und zu trinken und gutes zu geniefsen für all seine mühe die man unter der sonne hat, die zahl seiner lebenstage die einem Gott gegeben; weil 18 das sein antheil ist; auch wenn irgend jemandem Gott reichthum und schäze gegeben und ihn ermächtigt davon zu essen und sein theil davonzutragen und seiner mühe 19 sich zu freun, das ist eine gabe Gottes. Denn nicht zu viel wird er an seine lebenstage denken: Gott schenkt ihm ja die freude seines herzens. —

6, 1 Da ist ein übel das ich unter der sonne sah, und 2 schwer liegt's auf dem menschen: jemand dem Gott reichthum und schäze und ehre gibt und der nichts was er wünscht für seine seele vermifst, aber Gott ermächtigt ihn nicht davon zu zehren, weil ein Fremder es verzehrt: 3 diefs — eitel und übles leiden ist's! wenn einer hundert zeugt und viele jahre lebt und mögen noch so viel seyn seiner jahre tage, aber seine seele wird vom guten nicht satt und auch ein begräbnifs empfing er nicht: ich meine, besser als er ist die fehlgeburt! denn

In eitles kam die und ins finstere geht sie, 4
und mit finsternifs wird ihr name bedeckt;
die sonne auch sah und kannte sie nicht: 5
mehr ruhe hat diese als jener!

und lebte er zweimal tausend jahre und hätte gutes 6 nicht gesehen: wie? geht nicht alles an éinen ort? — 7 Alle mühe des menschen ist für seinem genufs; und doch wird die begier nicht voll: welchen vorzug hat denn 8 der weise vor dem thoren, der verständige dulder, dafs er vor den lebenden wandele? Besser ist die weide der 9 augen als das wallen der begier! auch diefs ist eitel und windiges streben.

I. 1. An der spize 3, 1—9 steht der zweite höchste grundsaz von dem die betrachtung ausgeht: mag auch nach dem ersten grundsaze alles weltliche weil in einem ewigen flusse begriffen eitel und vergänglich seyn, so ist doch nicht minder gewifs dafs alle verschiedenen menschlichen zustände und handlungen ihre nach den ewigen göttlichen gesezen unabänderlichen, dem zwecke entsprechenden, darum angemessenen wechsel und zeiten haben, dafs also das Ganze der welt kein wüstes, unschönes Durcheinander ist v. 1—8: also wiederholt sich in bezug auf diese neue wahrheit die obige frage nach dem nuzen der menschlichen mühe im leben v. 9.

2. Wendet man nun nach 3, 10—15 diesen grundsaz mit jenem ersten zusammen auf die betrachtung der mannigfaltigen menschlichen leiden und mühen an: so folgt bei ganz allgemeinem hinblicke auf diese derselbe schlufs womit das erste stück endete: denn ist wirklich alles in der welt so wohlgeordnet (wie denn der mensch diefs, wenn auch nicht von anfang bis ende ganz vollständig, doch gewifs finden kann, da ihm Gott die welt העלם gewissermafsen ins herz gegeben hat, so dafs dies herz oder dieser sinn und geist des einzelnen ein mikrokosmos ist in welchem sich die grofse welt spiegelt) und kann der mensch zugleich in der ewigen ordnung nichts ändern, so folgt ja um so mehr dafs der mensch am besten thue in der heiterkeit und freude des wohlthuns die früchte seiner mühe zu geniefsen. V. 11 nach v. 1—8, nur erweitert und bestimmter; v. 12 f. nach 2, 24 - 26, wie denn auch das עשות טוב schon allein aus seinem gegensaze חוטא 2, 26 vgl. 7, 20 deutlich seyn kann; v. 14 f.

nach 1, 2—11, nur dafs der gedanke des ewigen kreislaufs hier noch versinnlicht wird durch das bild, Gott suche das vertriebene, was längst dahin ist und nie wiederkehren zu können scheint, doch wieder auf. Dafs הָעֹלָם v. 11 (die schreibart העולם war nach fällen wie 1, 6. 3, 21. 4, 5 und anderen nicht nöthig) *die welt* sei versteht sich theils von selbst weil die worte sonst keinen sinn geben, theils wird dieser sein sinn auch sogleich im folgenden gliede durch die worte *das werk welches Gott gewirkt hat* oder besser עֹשֶׂה *wirkt* erläutert. Bei dem ersten כְּבָר v. 15 sind die Accente unrichtig, da הוּא schon allein als aussagewort unser *ist* ausdrücken kann §. 297 *a—c*.

3. Sieht man dann aber insbesondre auf eine der traurigsten und doch häufigsten erscheinungen in der welt, die verkehrung des rechts durch menschliche willkür 3, 16—22: so gewähren jene zwei wahrheiten zwar wirklich einen gewissen trost und die zuversicht dafs auch hier das werk Gottes erkannt werden könne, einmal weil doch eben auch diefs in jenem geordneten wechsel der dinge liegt dafs das unrecht welches etwa jezt herrscht nicht ewig dauern könne, sondern sammt seinem gegentheile dem göttlichen gerichte unterliege v. 17, und dann weil nichts die vergänglichkeit des menschen schärfer darstellt als diese vom menschen dem menschen bereitete qual der so viele unterliegen, so dafs man vom göttlichen standorte aus sagen mufs, solche leiden seien der menschen wegen verhängt, um ihren stolz zu prüfen und sie die wahrheit der vergänglichkeit alles weltlichen zu lehren v. 18—21; und so führt alles vielmehr wieder auf jenen frühern schlufs zurück v. 22. Das וְעַל 3, 17 ist wie 1, 5 fortsezung des hauptsazes, da der vorige begründende saz blofs die worte v. 1 wiederholt; dann weist *dort* vonselbst auf die vergangenheit zurück, und der ganze sinn ist wie 12, 14; ein ganz ähnlicher zwischensaz ist 5, 3. Ueber לְבָרָם 3, 18 vergl. 9, 1 vgl. §. 255 *d* vgl. 238 *b* und über das sonderbare הֵמָּה לָהֶם §. 315 *a*. In den worten 3, 21 hat die Massora 2mal das fragende הֲ in den artikel verwandelt, offenbar weil ihr die frage hier anstöfsig schien: allein sie liegt im sinne des buches und des zusammenhanges aller gedanken an dieser stelle.

II. 1. 4, 1—6. Aber doch ist es (hebt die rede nach kurzem stillstande mit neuer kraft an) keineswegs so leicht sich dadurch über alle die ungerechtigkeiten zu trösten welche auf der erde jezt geschehen: das harte loos der oft so lange und scheinbar für immer rettungslos unterdrückten ist doch aufs schmerzlichste zu beklagen und mufs jedem der es kennt den wunsch entlocken lieber nie gelebt zu haben 4, 1—3, eine stelle voller verzweiflung scheinbar, und doch nur ein alles gegenzwanges ungeachtet sich wieder hervordrängender gerechter seufzer über den zustand der dinge zur zeit des verfassers. Und leicht schliefst sich daran eine hier ganz nahe liegende beobachtung. Denn sieht man bei der betrachtung solcher rechtsunterdrückungen sich weiter um und bemerkt wie alle mühe und anstrengung im gemeinen leben aus einer unruhigen quälerischen sucht nach auszeichnung und macht um Andre zu übertreffen entspringen: so mufs man mit tiefer wehmuth über ein solches treiben erfüllt werden v. 4, schon nach der allgemeinen wahrheit dafs zwar nur der thor im trägen händefalten (nach Spr. 6, 10) sich selbst verzehre oder vor faulheit sterbe, aber doch aufserdem stets ruhe besser sei als unnüze unruhe v. 5 f.

2. Gibt es aber wohl eine gröfsere thorheit als die, ganz allein in der welt zu stehen und sich dennoch um reichthum aufs äufserste abmühn, ohne zu bedenken dafs man ganz unnöthig darbe? wie man dergleichen beispiele von geizigen nicht selten sieht 4, 7. 8; besser ist's doch zu gemeinsamer hülfe, arbeit und frucht sich mit einem oder noch besser mit zwei andern zu verbinden, wie mit mancherlei sprüchen gezeigt wird v. 9—12. Wenn hier v. 8 der vernünftige gedanke welchen der geizhals selbst haben sollte vom redner als sein eigner ausgesprochen wird, so drängt er sich damit nur so hervor wie er sofort bei jedem vernünftigen sich hervordrängen sollte. Das יִתְקְפוֹ v. 12 ist nach dieser punctation ein unbestimmter *sg.*: »wenn man ihn überfällt, den éinen« vgl. s. 152, 9 f.: indefs ist die ausdrückliche rede v. 10 »wehe *ihm* dem éinen« vgl. 10, 16 doch dort viel passender als hier; möglich ist vielmehr יִתְקְפוֹ zu lesen, obgleich in נֶגְדּוֹ der *sg.* folgt; und dafs diese lesart viel richtiger sei ergibt sich aufserdem noch aus einem ganz anderen grunde §. 249 *b*.

3. Aber offenbar das andenken an ein solches nüzliches zusammenwirken zweier führt den redner hier noch auf einen für die ganze gröfsere geschichte der völker wichtigen fall wo man meinen sollte es müsse ein ewiger ruhm daraus für die weisheit eines menschen entstehen, während auch dieser ruhm endlich erbleicht. Denn sogar das am meisten glückliche schicksal eines arm gebornen jünglinges, der durch eigne wirklich nicht genug zu bewundernde weisheit und anstrengung sich zu der ehre höchster herrschaft aufschwingt und schon die stelle des nächsten mannes nach dem alten unfähigen könige einnimmt als sein bestimmter nachfolger 4, 13 f. — auch dies glück ist näher betrachtet nicht eben zu beneiden, sobald man ihn nur mitten im strome der weltgeschichte denkt (עִם wie 2, 16. 7, 11), wo sein andenken bald erlöschen wird, da ja schon unzählige diesen

2 herrschern voraufgingen und die Spätern kaum von ihm wissen noch weniger sich seiner freuen werden v. 15 f. vgl. 1, 11; woraus denn von selbst soviel gleich vorläufig folgt dafs wer sich blofs dazu anstrengt als Erster im staate ewig zu glänzen, einem irrbilde nachjägt. Nach der genauen beschreibung v. 14 sollte man vermuthen der redner habe hier ein jener zeit deutlich vorliegendes neues ereignifs im auge das uns indefs schwer wird nachzuweisen; vgl. ähnliches 9, 13—16. Aus der grofsen Persischen oder einer ähnlichen allbekannten geschichte braucht es indessen auch garnicht entlehnt zu seyn: es ist völlig hinreichend wenn ein solcher fall z. b. in einem der nächsten vasallenreiche von welchen viele unter dem Persischen reiche bestanden etwa in einem Phönikischen vorkam. Die worte erlauben wenigstens keinen andern als den angegebenen sinn; und der ausdruck *der Zweite* weist nach dem ähnlichen המשנה Gen. 41, 43 recht auf den stellvertreter des königs hin (vgl. *Geschichte des v. I.* III s. 368) der leicht sein nachfolger ist und auch schon dazu bestimmt seyn kann. Das für uns räthselhafte wäre noch gröfser wenn הסורים v. 14 nach der gegenwärtigen punctation vgl. §. 72 *c* wirklich für האסורים »aus dem gefangenhause« stehen sollte, wie die Alten schon übersezen: doch vielleicht wollte man durch eine solche aussprache blofs auf Joseph nach Gen. 37, 20 ff. hinweisen, dessen geschichte doch zu der schilderung des redners nicht stimmt. Vielmehr gehört סור »verworfen« Jes. 49, 21 hieher, wenigstens ist das zweite glied danach am leichtesten zu verstehen Der redner ist aber damit zu dem bilde aller weltlichen eitelkeit zurückgekommen wohin seine rede zulezt immer will; und je bestimmter er diesen grund der eitelkeit schon 1, 11 hervorgehoben hatte, desto kürzer kann er ihn hier andeuten.

III. 1. 4, 17—5, 11. Allein je greller diese erfahrungen sind und je tiefer sie zu allseitiger verzweiflung verleiten könnten, desto nachdrücklicher drängt sich nun zum ersten male die höhere und wie himmlische stimme hervor, sich ergiefsend in einer längeren reihe von ächten weisheitssprüchen. Diese sprüche empfehlen zwar zunächst im allgemeinen vorsicht und ruhige bedachtsamkeit, ebensowohl in den pflichten gegen Gott und das Heiligthum 4, 17—5, 6, wie in bezug auf irdische dinge 5, 7 f. Dort also wird gewarnt vor leichtsinnigem besuche des tempels, wie die thoren nicht wissend dafs sie so sündigen (die redensart ist jener Luk. 23, 34 ganz ähnlich) blofs äufsere opfer bringen, als wäre es nicht besser zum hören oder zum geistigen opfer des rechten gehorsams (wie Spr. 21, 3) mit ruhigem gesammeltem herzen zu kommen (קרוב ist von Piel nach §. 240 *a. b*); ferner 5, 1—6 vor leichtsinnigem beten und geloben am heiligen orte: bei ersterem bedenke man nicht zu wem man rede 5, 1, bei lezterem werde späterhin nur zu leicht das fleisch oder die sinnlichkeit zur übertretung des zu schwer scheinenden gelübdes gereizt, und man werde dann vor dem *boten* Gottes (d. h. nach späterm sprachgebrauche, dem priester Mal. 2, 7) eine unentschuldbare übereilung einzugestehen gezwungen, wodurch doch noch ein Höherer als der bloſse Priester zum unwillen gereizt werde und aller erwartete segen leicht verloren gehe v. 2—5; wie denn durch zuviel weltliche qual oder geschäftigkeit leicht träumerei oder verblendung des herzens, durch diese aber allerlei eitle überflüssige worte, und dadurch endlich thörichte reden (die stimme eines thoren) entstehen v. 2. 6; überall aber fehlt so die wahre gottesfurcht v. 6 *c*. Wie v. 2 ein kleiner spruch allgemeinen sinnes sich eindrängt welcher besagt wie aus zuviel qual und erschöpfung desto leichter viel unruhiger traum entstehe, so entstehe die rede des thoren wo er unverantwortliches und thörichtes vorbringe leicht aus zu vielem geschwäze das er liebe (ganz wie Matth. 6, 7 f.): ebenso folgt v. 6 ein solcher begründender saz, wo derselbe gedanke nur umgekehrt zu werden braucht um hier ganz gleich zu werden: wo zuviele träume und eitelkeiten, da sind auch der worte leicht zuviele. So verbinden die Accente die worte richtig, und man muſs das —ְ vor דברים nach §. 348 *a* verstehen. — Von irdischen dingen wird nur das eine schon 3, 16 — 4, 3 berührte übel des unrechts im staate hier umso mehr absichtlich noch einmal hervorgehoben da die antwort auf den lezten nothschrei darüber wovon der ganze 2te haupttheil ausging 4, 1—3 noch fehlt; zunächst nur (was eben für jene zeit so bezeichnend ist) um zu lehren daſs man darüber nicht die fassung verlieren solle, da über den aufseher der einzelnen landschaft noch ein höherer (der Persische könig der könige), über beide aber Gott (גבהים nach §. 178 *b*) sei v. 7, und da es bei alle dem ein vortheil für das land bleibe einen könig, also eine geordnete herrschaft zu besizen v. 8. Einen andern sinn können diese worte nicht haben. Das עבד vgl. עבד 9, 1 wird eben in diesem buche hie und da schon ganz im sinne des Aramäischen ܥܒܕ gebraucht, und gleicht so hier völlig dem עשה welches schon 2, 12 vom sezen eines königs angewandt war. *Die flur* aber oder *das* weite *feld* ist hier zunächst nur ein dichterischer ausdruck um nicht sogleich wieder ארץ oder מדינה zu sezen: aber allerdings kommt das s. 269 erwähnte dazu.

Ist nun so besonders durch diese lezten worte v. 7 f. der gefährlichen klage jener zeit über die Persische herrschaft schon ein drücker aufgesezt, so dient der spruch v. 9 mit den demnächst folgenden betrachtungen weiter sehr den neid auf die reicheren leute zu dämpfen. Denn gesezt auch es bereichere sich jemand sehr durch solches unrecht, ist er zu beneiden? gewifs nicht! die einmal angeregte habsucht ist unersättlich v. 9, auch mehren sich in demselben maafse wie das gut wächst, die welche ansprüche darauf machen, so dafs dem besizer kaum das anschauen der schäze als sein glück übrig bleibt v. 10; die zufriedenheit und ruhe ist sogar mehr bei dem dürftigen heimisch v. 11.

2. So ist die rede zu jenem hauptbeispiele 4, 8 inderthat vollkommen richtig zurückgekommen, schon leuchtet ein dafs reichthum für sich nicht glücklich mache (sondern ein ruhiges, zufrieden heiteres leben): schärfer aber wird alles durch zwei neue beispiele vom übel des reichthums beschlossen. Sie sind ähnlicher art, das zweite 6, 1—9 ist nur noch eine steigerung des ersten 5, 12—19. Es kommt ja vor dafs reichthum durch die üble geschäftigkeit nicht seines herrn selbst sondern z. b. eines verantwortlichen aufsehers, eines kaufmanns dem er ihn anvertrauet hat, völlig zu grunde geht und der verlust den herrn mit seinen kindern noch dazu ins elend stürzt; also da aufserdem der mensch nach einer wenn auch schmerzlichen wahrheit die welt eben so von äufsern dingen entblöfst verlassen mufs wie er sie betreten, bleibt etwas andres über als die gegenwart oder das jezige leben mit seinen gütern heiter zu geniefsen? und diesen genufs wird er sich durch ein stetes andenken an die kürze seines lebens nicht zu sehr verbittern v. 19 *a*, weil ja Gott selbst ihm die wahre herzensfreude als die schönste gabe gewährt v. 19 *b*. (מענה mufs = עֹנֶה seyn vgl. 10, 19, mit ב s. zu Ψ. 65, 6). Die worte sind ganz klar wenn man begreift 1) dafs v. 14 ein vers ist und aus Ψ. 49, 18 geschöpft; 2) dafs das —ִ v. 15 nach §. 348 *a* den schlufs einleitet und nur insofern die worte v. 12 wiederholt; 3) dafs für יאכל v. 16 nach den LXX וְאֵבֶל zu lesen ist vgl. 2, 23; auch scheint man mit den Alten und einer handschrift am besten das *suff.* in וחליו auszulassen, וְכַעַס aber als substantiv zu lesen: wäre der text richtig, so müfste man nach §. 328 *a* im ausrufe erklären: *und sein leiden und zürnen!* wie grofs ist das! aber solche farbe der rede scheint hier nicht passend; v. 17 trennt die accentuation טוב auffallend vom vorigen.

3. Ja endlich 6, 1—9, der reichthum den man nach Gottes willen selbst geniefsen könnte, den man nicht durch eigne oder fremde üble geschäftigkeit verliert, kann ja durch eine furchtbare parteifeindschaft im staate z. b. durch Confiscation des vermögens ihm verloren gehen, und zugleich kann ihn öffentliche ehrloserklärung treffen sodafs ihm selbst das begräbnifs versagt wird (B. Jes. 53, 9), das gröfste unglück das den reichen trifft, so-

daſs man die fehlgeburt (Ijob 3, 16) glücklicher preisen sollte als einen solchen zulezt ohne schäze und ehre (grabmahl) umkommenden, wenn er auch noch so lange lebte (sterben muſs er doch einmal): aber eben dieſs öffnet vielmehr wieder aufs neue die richtige ansicht und den trost. Ist es nämlich wahr daſs die einmal erregte gier des für seinen mund d. h. genuſs arbeitenden menschen unersättlich ist v. 7 vgl. 5, 9: so hat ja eben der weise, verständige Dulder oder Fromme dadurch einen vorzug der ihm das leben (das wandeln vor den lebenden) erträglich macht, daſs er nicht die zerstörende gier so wallen läſst, sondern sich begnügt das licht, das leben im ruhigen anschauen zu genieſsen. נגד v. 7 wie נגד Ψ. 84, 7. 129, 2; zu מראה עיניו vgl. 11, 9. Das יודע bedeutet hier und 9, 11 ebenso wie in dem bei Spr. 17, 27 (28, 2) erklärten falle *verständig*, und wird von den Accenten richtig getrennt; die redensart *zu gehen vor den Lebenden* d. i. ruhig fortzuleben ist aus stellen wie Ψ. 27, 13. 116, 13 f. entlehnt. Ueber das רַב שֶׁ v. 3 s. §. 362 *b*.

Dritte rede: 6, 10—8, 15.

Allein noch immer fühlt sich die forschende und fragende unruhige stimme von unten, das zitternde herz der zeit, auch auf dem grunde des schon vernommenen und gebilligten nicht hinlänglich befriedigt: die grundfrage kehrt zum dritten male wieder. Da erschallt denn sogleich von vorne als die beste antwort darauf eine reihe weiser sprüche, den ernst des lebens und die höhere geduld empfehlend: diese reihe ist viel reicher und der fluſs dieser weisheitsworte viel strömender als je zuvor; und schon daſs diese zur richtschnur im leben bestimmten sprüche sogleich von vorne an sich so ruhig ergieſsen, unterscheidet diese rede von der vorigen und noch mehr von der ersten. Aber so leicht läſst sich dennoch das zitternde herz dadurch nicht beruhigen: noch ist zuviel des bittern was die erfahrung reicht zurück, und die schwülen gefühle jener zeit wie sie durch die öffentliche lage der dinge erhizt waren, wollen sich immer freier und voller ergieſsen. Dreimahl erhebt sich so aufs neue ein einwand entlehnt von den empörendsten anstöſsen und übeln der zeit, dreimahl also auch die lust und aufforderung noch immer mehr das vorliegende dunkle räthsel der zeit durch eine höhere weise lösung erschlossen zu sehen: dreimahl erfolgt von oben eine wie mit gewalt hervorgelockte besänftigende antwort, bis endlich erst mit der dritten schlieſslich derselbe grundsaz und derselbe rath die fromme freude des lebens nicht zu verschmähen wiederkehrt welcher das ergebnifs auch der beiden vorigen reden war. Die anlage dieser rede ist so wieder eine andere als die jeder der beiden vorigen: sie zerfällt in vier haupttheile, jeder von ihnen aber in zwei hälften. Aber im hin und herwogen der sich widersprechenden und ihre lezte aussöhnung erst suchenden gedanken wird die rede hier noch mehr als sonst ganz wie dramatisch: und unwillkürlich hört man das wogen des streites, wie eine stimme die andere herausfordert und dem *Du* ein *Ich* entspricht 8, 2.

Unter den drei einwänden und anstöfsen ist hier der seltsamste der mittlere, bei welchem der redner doch am längsten verweilt 7, 25—28: es ist die klage über das *weib*. Sofern nun Qôhélet als Salômo redet, würde diese klage auch in dessen mund gut passen; und der blofsen kunst nach würde es, wie schon s. 283 gesagt, nicht übel zutreffen wenn das wesen Salômo's von dessen eigenster geschichte schon seit dem anfange der zweiten rede nichts mehr erwähnt ist wenigstens hier noch einmal etwas durchblickte. Allein wenn der dichter dabei nicht noch zugleich etwas für seine eigne zeit viel wichtigeres hier hätte durchleuchten lassen wollen, so hätte er sicher keinen so grofsen nachdruck darauf gelegt und diese klage mitten zwischen zwei andre rein volksthümliche (sogen. politische) gestellt. Die ersten leser mufsten das nähere leicht errathen können: und so ist es durchaus wahrscheinlich dafs damit vorzüglich ein zu jener zeit sehr bekanntes weib gemeint war. Es reicht dann aber hin sich zu denken es sei ein weib entweder am Persischen hofe selbst oder an dem des Satrapen Palästina's gewesen von welcher sich die Judäer damals mit übelwollen verfolgt sahen und welche zu diesem übelwollen, wie man erzählte, ihren mann verleitete.

10 Was da war dessen name ist längst genannt, und bekannt dafs es der mensch, und dafs er mit dem Stär-
11 kern nicht richten kann (gibt's doch viel worte die viel dampf machen): welchen vortheil hat der mensch?
12 ja wer weifs was dem menschen gut sei im leben die zahl der tage seines lebens, den nichtigen und gleich dem schatten von ihm zu vollbrigenden? wer meldet denn dem menschen was nach ihm unter der sonne seyn wird? —

7, 1 Besser des guten namens luft als guter salben duft,
2 der todestag als der geburtstag. Besser zu gehen ins trauerhaus als zu gehen ins zechhaus, weil das ist das

ende aller menschen und der lebende es zu herzen nimmt. Besser unmuth als lachen, denn bei trübem 3 blicke ist wohl das herz; das herz der Weisen ist 4 im trauerhause, das der thoren im freudenhause. Bes- 5 ser eines Weisen dräuen zu hören als wenn einer der thoren lied hört. Denn wie unter dem topfe der dornen 6 knistern, so des thoren kichern; auch diefs ist nichtig! da

Das unrecht den weisen bethört, 7
und das herz vom geschenk wird verkehrt.

Besser eines dinges ausgang als sein anfang; besser 8 langmüthig als hochmüthig. Eile nicht in deinem gei- 9 ste unwillen zu fassen, da unwillen in der thoren busen ruht; sag' nicht: „was ist's, dafs die frühern tage bes- 10 ser waren als diese?“ denn nicht nach weisheit frägst du hiernach. Gut ist weisheit verglichen mit besizthum, 11 und ein vortheil für die die sonne sehenden. Denn

Im schatten der weisheit — im schatten des geldes; 12
des 'wissens vortheil: die weisheit erfrischt ihren mann!

Betrachte Gottes werk, wie niemand das was er ge- 13 krümmt hat gerade machen kann: am tage des glückes 14 sei glücklich, und den tag des unglücks ertrage; auch diesen gerade wie jenen hat Gott gemacht, damit der mensch nicht das mindeste nach sich finde. — —

Alles das erfuhr ich in meinen nichtigen tagen: man- 15 cher gerechte kommt als gerechter um, und mancher frevler lebt in seiner bosheit lange!

Sei nicht zu gerecht und stell' dich nicht übermäfsig 16 weise: warum willst du die fassung verlieren? sei 17 nicht zu schlecht und sei nicht unbesonnen: warum willst du zur unzeit sterben? besser dafs du das eine ergrei- 18 fest, und auch vom andern deine hand nicht lässest; denn wer Gott fürchtet entgeht alle dem;

Die weisheit gibt dem weisen mehr kraft 19
als zehn gewaltige welche sind in der stadt.

20 gibt's doch keinen gerechten menschen auf erden der
21 gutes thäte ohne zu sündigen. Auch auf alle die worte
welche man redet, merke nicht, so dafs du deinen knecht
22 nicht dich schmähen hörest; denn auch meheremal
weifs dein herz dafs auch du andre geschmäht. — —

23 Alles diefs erprobte ich mit weisheit, dachte: „ich
24 will weise werden!“ aber sie ist fern von mir; fern
25 was da ist und tief tief: wer wird es finden? Ich
wandte mich mit meinem herzen zu erkennen und zu
versuchen, und weisheit und klugheit zu suchen, und den
frevel als thorheit und die narrheit als unsinn zu erken-
26 nen; und ich finde etwas bitterer als tod: das weib,
sie deren herz sind neze und schlingen, fesseln ihre hände:
wer Gott gefällt entrinnet ihr, aber ein sünder wird von
27 ihr gefangen; sieh' das fand ich, spricht Qôhélet, eins
28 ans andre, um klugheit zu finden. Was noch suchte
meine seele und ich nicht fand, ist: éinen mann fand ich
aus tausend, aber ein weib fand ich unter all diesen nicht;
nur sieh' diefs fand ich: dafs

29 Gott hat den menschen gerade geschaffen,
sie aber suchten viele klügeleien.

8, 1 Wer gleicht dem weisen? und wer weifs die lösung der
sache?

Weisheit des menschen erheitert seyn antliz,
und der glanz seines antlizes verdoppelt sich. —

2 *Ich*: den mund des königs beachte, auch wegen des
3 eides bei Gott! eile nicht von ihm wegzugehen; bleib
nicht bei bösem worte: denn alles was er will thut er;
4 da doch des königs wort gewaltig ist und niemand ihm
sagt: „was thuest du?“

5 Wer gebot beachtet, weifs kein böses ding,
und zeit und recht kennt wol des weisen herz.

6 Für jede sache ist ja zeit und recht: lastet doch des
7 menschen übel schwer auf ihm; weifs er doch gar nicht
das was seyn wird; denn wie es seyn wird, wer meldet

das ihm? 8 kein mensch hat über den geist gewalt, um zurückzuhalten den geist; keine gewalt gibt's über den todestag und keine entlassung im kriege; noch rettet frevel seinen mann. — —

9 Alles diefs sah ich und nahm zu herzen jede that die unter der sonne geschieht, die zeit wo mensch über mensch herrscht zum unglück diesem: 10 doch dann sah ich frevler begraben und zu ruhe kommend, aber vom heiligen orte vertrieben und in der stadt vergessen die da recht thaten; auch diefs ist nichtig. —

11 Weil nicht geschicht der höchste wille, kommt leicht der bosheit that; darum ist das herz der menschenkinder in ihnen voll, böses zu thun. 12 Mag auch der sünder hundertmal böses thun und lange leben, so weifs ich doch dafs es den Gott fürchtenden wohlgehn wird, welche sich fürchten vor ihm; 13 aber wohl wird es nicht dem frevler gehn, noch wird dér lange ein dem schatten gleiches leben haben welcher sich vor Gott nicht fürchtet. 14 Es ist etwas eitles das auf erden geschieht: dafs es gerechte gibt welche es trifft nach der frevler that, und frevler gibt die es trifft nach der gerechten that; ich meine, auch diefs sei eitel! 15 so lobte ich denn die freude, weil der mensch kein gut hat unter der sonne aufser zu essen und zu trinken und sich zu freuen, und das ihm für seine mühe zukommt die tage seines lebens die ihm Gott unter der sonne gegeben.

I. 1. 6, 10—12. Zum drittenmale erhebt sich die frage nach dem wirklichen vortheil bringenden gute des vergänglichen, auf den kurzen raum des wie der schatten eilig entfliehenden lebens beschränkten menschen: und zwar jezt bestimmter gestüzt auf die beiden oben einzeln ausgeführten grundwahrheiten von dem kreislaufe und von der unabänderlichen ordnung der welt, worunter auch der mensch steht. Insofern werden die anfänge der beiden vorigen theile 1, 2—11. 3, 1—9 hier nur kurz zusammengezogen: von welcher zusammenraffenden, springenden art des vortrags am auffallendsten die ersten worte zeugen: *was da war* und wie es war noch immer ist, *dessen name ist längst genannt*, das ist auch früher schon längst nicht den, *und bekannt ist dafs es* aufser anderm insbesondre *der mensch sei*, dafs der mensch zu allen zeiten sich gleich bleibt und nie aus seinen schranken herauskommen noch *mit dem Stärkern rechten kann* (der Artikel in שהתקיף nach dem *K'tîb* ist doch auch vor dem nur den begriff des Comparativs ausdrückenden ממנו erträglich, eben um Gott als diesen Stärkern anzudeuten). Doch wird, um die frage desto dringender zu machen, auch schon der aus dem obigen deutliche kurze lebensraum des menschen (wiederholt 8, 13) berührt, den auf die beste art zu gebrauchen doch höchst wichtig sei. Und weil hier ob die blofse weisheit genüge versucht werden soll, so drängt sich als ein ganz neuer grund der erheblichkeit dieser frage v. 11 *a* dér ein dafs jezt ein wirrwarr von worten und ansichten über das wahre gut des menschen sich vorfinde, vgl. s. 270. 273.

2. Als nächste antwort erscheint nun schon sogleich eine reihe von sprüchen zur ernsten strenge des lebens 7, 1—7 und zur geduld v. 8—14 ermahnend: denn jene stärkt zu dieser, und in beiden besteht die ächte unschäzbare weisheit des menschen v. 4. 11 f. Im einzelnen: leichtsinnige gesellschaft, wie die der zecher, der religionsspötter, der ungerechten richter, ist mit der ihr entsprechenden gesinnung zu fliehen: die ernsten dinge des lebens machen auch dén ernst und bedachtsam der sie aufzusuchen und zu betrachten liebt, und unter dem trüben äufsern kann das zufriedenste herz wohnen v. 3, wie dagegen auch der Weise durch die gefahr und reizung leicht bethört wird v. 7 [1]); wozu noch kommt dafs das lachen der thoren zwar laut genug wie das knistern brennender dornen erschallt, aber auch eben so schnell vergeht wie das feuer von trocknen dornen Ψ. 118, 12, v. 6. Das suff. in הולדו v. 1 ist so zu fassen: der tag seines geborenwerdens = wo *man* geboren wird, ganz unbestimmt. — Die geduld aber verhindert gleich bei jeder neuen erscheinung, noch bevor man den ausgang übersehen kann, die fassung zu verlieren v. 8 f., oder unweise über die jezigen zeiten zu klagen, da doch für alle Lebende jederzeit die weisheit als ein bleibendes, nicht wie äufseres besizthum entreifsbares gut das leben erleichtert und erhält, und im schatten (unter dem schuze) der weisheit liegen eben so gut oder noch besser ist als im schatten des geldes v. 10—12;

---

[1]) die in den *Jahrbb. der Bibl. wiss.* VIII s. 175 vorgeschlagene veränderung des עשק in עֹשֶׁר *reichthum* ist insofern unnöthig als *geschenk* oder bestechung dem Weiseu gegeben wird um ihn zum mitschuldigen einer rechtsbedrückung zu machen. Ein wirklicher widerspruch zwischen v. 7 und v. 4 f. liegt umso weniger in den worten da sogar der spruch v. 4 eine mahnung an den Weisen gibt wie er handeln solle.

schon der hinblick auf das in Gott unabänderliche mufs dahin führen auch das unglück zu ertragen (רָאָה בְ־ hier wie Gen. 21, 16), da doch auch diefs wie durch höhere bestimmung dazu dient dem menschen den stolz auf die zukunft zu nehmen; denn fände der mensch etwas hinter sich, was er sterbend mitnehmen könnte (vgl. 5, 14), so würde sein herz erst recht am irdischen kleben. So kehrt schon hier das ende zum anfange zurück.

II. 7, 15—22. Nun ist's freilich immer ein übel dafs das äufsere glück oft unverhältnifsmäfsig vertheilt ist, wie die trübe stimme wieder sich regend einwendet v. 15. — Aber sogleich kehrt hier auch schon die höhere wieder: man fasse das übel nur nicht schlimmer auf als es ist; man wolle weder zu streng und selbstklug in seinen forderungen gegen andre seyn, da ja doch kein mensch ganz von sünde frei seyn kann v. 10. 20, noch auch, wie sich von selbst versteht, zu schlaff in den forderungen gegen sich selbst v. 17, sondern man wähle die goldene mittelstrafse der wahren weisheit (mild gegen andre, streng gegen sich, immer die menschliche schwäche bedenkend), welche doch allein auch die wahre macht gibt v. 18 f.; sogar die hartklingenden, im eifer gesprochenen worte anderer, und wäre es der eigne diener, ertrage man ohne die fassung zu verlieren v. 21 f.

III. 7, 23 — 8, 8. Die wahrheit aller dieser rathschläge kann nicht geläugnet werden: wohl aber scheint es manchen noch immer zu schwer sie zu befolgen. Denn wie vieles trübe und unaufgeklärte aber höchst schädliche woran man mit recht anstofs nehmen kann, ist noch zurück! Indem so in Qôhélet die trübe seite wieder mächtiger sich hervordrängt, klagt er solche weisheit als zu schwer sich noch nicht aneignen zu können, und doch möchte er alles auch das fernste und tiefste gerne finden v. 23 f. Die worte v. 24: *fern* d. i. unerreichbar oder schwer zu ergrübeln *was da ist* (das aussagewort wird ähnlich wie 6, 3 des nachdrucks und des gegensazes zu v. 23 wegen vorangestellt) *und sehr tief, wer wird es finden?* machen den übergang. — Denn im weitern forschen und vergleichen (*eins ans andre* haltend v. 27) entdeckt er noch so manches übel das sich so nicht beseitigen läfst, z. b. vorzüglich das weib, das listige und verführerische, dessen übel ja Salômo mehr als gewöhnlich an sich selbst erfahren hatte v. 25—27. Doch wenn auch das wahrhaft tugendhafte weib sehr selten seyn mag v. 28: so ist doch nicht weniger gewifs dafs der mensch, von geburt (natur) unschuldig und einfach, gerade und redlich erschaffen, im gewirre des lebens sich selbst viele unnöthige fragen und grübeleien schafft, welchem hange zum klügeln man nicht einseitig nachgeben soll v. 29; aufgebend vielmehr unnüze spizfindigkeiten (z. b. die über die schlechtere natur des weibes, welches doch vielleicht näher betrachtet ein irrthum ist vgl. 9, 9), soll man die reine wahrheit und weisheit suchen: welches ist nun endlich, nach alle dem forschen und suchen, diese reine weisheit, die völlig ausreichende lösung des oft gestellten räthsels? So bereitet diese wendung von selbst auf die erneute kurze frage 8, 1 und auf das gesammte lezte hauptergebnifs vor: *wer* gleicht dem wahren Weisen? und weifs die lösung der sache (דָּבָר), der dunkeln sache nämlich oder des räthsels um welches es sich handelt? auf ihn finde seine anwendung der alte spruch von der wunderkraft der weisheit, hohe heiterkeit und freudigkeit zu verbreiten! (עֹז kommt beständig nur in gutem sinne vor, während das Adjectiv עַז sehr oft einen schlimmen nebenbegriff hat).

Eine stimme gibt nun aufs neue 8, 2—8 sehr weise sprüche, zur treue gegen des königs befehle ermahnend, so dafs man weder zu furchtsam von ihm weggeht noch zu störrisch bei einem bösen worte von ihm nicht weichen will v. 3 *a*: und zwar vor allem wegen der dem könige vor Gott geschwornen treue v. 2 *b*, dann aber auch wegen der allgewalt des königs v. 3 *b*. 4 (aus Ijob 9, 12). Wer das ewige göttliche gebot treu wahrt, wird von bösem worte oder dinge so gut wie nichts wissen, sondern vielmehr geduld zeigen, weil er weifs einmal dafs jede sache, also auch vermeintliches unrecht, ihre zeit und ihr gericht hat, und zweitens dafs der mensch als durch hoch über ihm stehende geseze bedingt (denn wie im kriege niemand vom kriegsdienste frei ist, eben so im leben niemand vom tode) schon an sich genug übel zu ertragen hat, welche freventlich zu mehren um so unverantwortlicher ist da frevel nie nüzt v. 5—8. Der ausdruck שׁוֹמֵר מִצְוָה v. 5 ist deutlich aus Spr. 19, 16 (13, 13) entlehnt, und kann selbstverständlich schon deshalb keine andere bedeutung haben; und gerade weil er nicht blofs den gedanken an den könig v. 2 wiederholt sondern weit über ihn hinausgeht, kann es nur mit rücksicht auf das *böse wort* v. 3 heifsen *der welcher das* ewige *gebot wahre wisse* oder fühle *kein böses wort* oder ding welches ihn zum bösen reizen könne.

IV. 8, 9—15. Doch so wahr diefs ist, so betrübend ist's das verhälnifs der folgen menschlicher thaten so vollkommen umgekehrt zu sehen, dafs frevler sogar die ehre des begräbnisses und der ruhe im tode bekommen (Ijob 21, 32. Luc. 16, 22, בוא wie von der sonne), die redlichen aber aus dem heiligen orte der gräber mit gewalt herausgeworfen und vergessen werden (יְהַלֵּכוּ *man wirft* sie *fort,* Piel steht aram. in diesem worte für Hif.) v. 9 f., womit der redner nur noch stärker auf dasselbe zurückkommt was er schon 6, 1—4. 7, 15 angedeutet hatte. Diefs läfst sich nun zwar theils eben dáraus erklären dafs der befehl des königs (פתגם mit absicht hier ein Persisches wort) nicht vollführt wird v. 11 (denn dieser befehl geht auf das einhalten des rechts, und wie sollte der das unrecht selbst billigen? theils kann man sich mit dem frommen glauben welcher nie ein wirkliches inneres wohl bei dem sünder sich denken kann, genugsam schüzen v. 12 f.: aber dennoch bleibt dér saz stehen dafs das verhältnifs zwischen Guten und Bösen oft ganz anders ist als man erwartet, indem ja der Fromme oft für den schuldigen leiden mufs und umgekehrt v. 14: also bleibt auch hier nichts übrig, als das leidenvolle flüchtige leben so viel möglich durch freude zu erheitern; und wo die weisheit stückwerk bleibt, da trifft das heitre freudige streben und leben ergänzend ja als etwas dem leidenden menschen wie eine ihm gebührende schuld (לְוָה) zukommendes ein v. 15. So dafs auch nach dieser dritten hinsicht derselbe lezte schlufs folgt.

Vierte rede: 8, 16—12, 8.

Ist was bewiesen werden sollte dreimal bewiesen, so bedarf es nach alter sitte [1]) keines weitern beweises. Die vierte als die wahre schlufsrede zieht daher von vorne an schon das ergebnifs welches aus allem folgt, und zwar sowol der erkenntnifs als der ermahnung nach welche darin liegt. Zwar drängen sich auch hier noch wie zum lezten schlusse dreimal aufs neue einige der grellsten bilder vorzüglich von verachtung der Weisen und von der ganzen verkehrten ungerechten zeit ein, und auch die lezten angstschwülen zeitgedanken entfahren der gedrückten seele. Allein indem auch sie jeder auf die rechte art von der immer wieder einfallenden höhern stimme mit den treffendsten sprüchen beschwichtigt werden, kehrt die ermahnung zu der rechten lebensweisheit zulezt nur umso voller und stärker wieder, und die höhere göttliche freude siegt mitten in dieser eitelkeit der welt. Die rede zerfällt also wie die erste in drei haupttheile 1) 8, 16—9, 10; 2) 9, 11—11, 8; 3) 11, 9—12, 8: aber da der erste von diesen in zwei, der mittlere in zweimal drei abschnitte sich gliedert, so unterscheidet man hier ebenso richtig 9 glieder.

16 Wie ich mein herz lenkte um zu wissen weisheit und zu sehen die qual die auf erden geschieht, wie man auch

---

[1]) vgl. die *Alterthümer* s. 177 f.

17 tag und nacht keinen schlaf mit seinen augen sieht: da sah ich von allem wirken Gottes daſs der mensch das werk welches unter der sonne geschieht nicht finden kann, wie sehr sich auch der mensch müht es zu suchen, er's doch nicht findet, und wenn auch der weise denkt es zu wissen,
9, 1 er's doch nicht finden kann. Ja dieſs alles nahm ich zu herzen und prüfte dieſs alles: wie die gerechten und die weisen sammt ihren thaten in der hand Gottes sind, liebe sowohl als haſs kein mensch weiſs, alles vor ihnen
2 ist; alles ist als hätten alle éinen zufall, der gerechte und der frevler, der gute und der reine und unreine, wer da opfert und wer nicht opfert, wie der gute so der sün-
3 der, wer schwört wie wer vor dem eide hat scheu. Das ist übel bei allem was unter der sonne geschieht daſs éinen zufall alle haben, und auch das herz der menschenkinder voll von bösem ist und thorheit in ihrem herzen so lang sie leben: und danach zu den todten! Ja

4 Schlieſst sich wer noch an all die lebenden, ist hoffnung da;
ist doch sogar ein lebender hund — besser als der todte löwe.

5 Wissen die lebenden doch daſs sie sterben werden, aber die todten wissen nicht das mindeste, und haben weiter
6 keinen lohn, weil ihr andenken vergessen ist; sowohl ihre liebe als ihr haſs als ihr eifer ist längst verloren, und sie haben nie mehr theil an allem was unter der sonne geschieht. —

7 Auf denn, iſs freudig dein brod und trinke wohlgemuth deinen wein, da längst Gott wohlgefallen hat an
8 deinen thaten; allezeit seien deine kleider weiſs, und
9 fehle kein öl auf deinem haupte; genieſse das leben mit dem weibe das du liebst alle tage deines nichtigen lebens die er dir gegeben unter der sonne — alle deine nichtigen tage: denn das ist dein theil am leben und für
10 deine mühe die du unter der sonne hast; alles was deine hand findet mit deiner kraft zu thun, thue: denn

nicht gibt's that und klugheit und wissen und weisheit in der hölle wohin du bald gehst. — —

Wieder sah ich unter der sonne dafs nicht die schnellen haben den lauf, nicht die helden den krieg, noch weise brod, noch vernünftige reichthum, noch wissende gunst, weil zeit und schicksal sie alle trifft; weifs doch der mensch nicht einmal seine zeit: wie die fische die im bösen neze gefangen und wie die vögel die in der schlinge festgehalten werden, so wie die werden die menschenkinder gefangen zur unglückszeit wie sie plözlich über sie fällt. Auch so sah ich weisheit unter der sonne, und grofs schien sie mir: eine kleine stadt und wenig menschen darin: zu der kommt ein grofser könig und umzingelt sie und baut wider sie grofse bollwerke, findet aber in ihr einen armen weisen mann und der rettet die stadt durch seine weisheit; doch niemand gedachte jenes armen mannes! So meine ich: besser ist weisheit als kraft, doch des armen weisheit ist verachtet und seine worte werden nicht gehört. — 11 12 13 14 15 16

Der Weisen worte gehört in ruhe 17
sind besser als herrschers geschrei unter thoren.
Besser ist weisheit als kriegswaffen: 18
jedoch éin sünder verdirbt viel gutes.
Eine todte fliege macht faul, macht stinkend des kaufmanns salbe: 10, 1
lästiger als weisheit als ehre ist ein wenig unsinn.
Das herz des weisen ist zu seiner rechten, 2
des thoren herz zu seiner linken.

Aber auch auf dem wege, wie der thor gehn mag, ist gering sein verstand, dafs er zu allem sagt: „es ist thöricht“. Wenn des herrschers eifer über dich kommt, so verlafs nicht deinen plaz: denn gelassenheit beschwichtigt grofse vergehen. — — 3 4

Da ist ein übel das ich unter der sonne sah, scheinbar ein irrthum der ausgeht vom machthaber: 5

6 Gestellt ist die thorheit auf groſse höhen,
und reiche sizen in niedrigkeit.

7 Ich sah sklaven auf rossen, und fürsten gehend wie sklaven auf der erde. —

8 Wer eine grube gräbt, der fällt in sie;
wer eine mauer einreiſst, den beiſst die schlange.
9 Wer steine losreiſst, hat schmerzen durch sie;
wer holz spaltet, gefährdet sich daran.
10 Ward stumpf das eisen und ohne spize,
so stählt man es und stärkt die kräfte:
und der nuzen der anstrengung ist die weisheit.
11 Beiſst die schlange ohne beschwörung:
so hat keinen nuzen der besprecher.
12 Worte von eines weisen mund gefallen:
aber eines thoren lippen verschlingen ihn;
13 der anfang der worte seines mundes ist narrheit,
und das ende seiner worte übler unsinn.

14 Und der unsinnige macht zu viel worte: obwohl der mensch nicht weiſs das was seyn wird; und was nach ihm seyn wird, wer meldet's ihm? — —
15 Die mühe der thoren ermüdet dén welcher nicht weiſs
16 zur stadt zu gehn. Wehe dir land dessen könig ein
17 knabe, und dessen fürsten am morgen essen! Heil dir land dessen könig ein Freier, und dessen fürsten zeitig essen, in tugend und nicht in schwelgerei!

18 Durch ein faules paar senket sich das gebälk,
und durch schlaffheit der hände rinnt das haus.

19 Zum spottwerk machen sie essen und wein der das leben erfreut, und das geld gewähret alles! —
20 Auch in deinem gewissen fluche dem könige nicht, und in den kammern deines lagers fluche nicht dem reichen! denn Des himmels vogel entführet den laut,
und der beflügelte meldet das wort.
11, 1 Wirf dein brod auf des wassers fläche: denn in der tage
2 lauf wirst du's finden. theile mit sieben, ja achten auch:

da du nicht weifst was für übel seyn wird auf erden.
wenn die wolken mit plazregen sich füllen, giefsen sie ihn 3
auf die erde aus; wenn ein baum fällt in Süd oder Nord,
wohin der baum fällt da wird er seyn.

Wer auf wind pafst, säet nicht, 4
wer in die wolken sieht, erntet nicht.

Wie du nicht weifst welcher der weg des windes, wie 5
die gebeine im leib der schwangern, also weifst du nicht
Gottes werk wie er alles wirkt. Am morgen säe deinen 6
samen, und gegen abend lafs nicht deine hand: da du
nicht weifst welches glücken wird, ob diefs oder jenes, oder
ob beides gleicherweise gut; und süfs ist das licht und 7
lieblich den augen die sonne zu sehen. ja wenn der 8
mensch noch so viel jahre lebt, so freue er sich aller
und denke an der finsternifs tage, wie sie viel seyn werden; alles zukünft'ge ist nichtig! — —

Freue dich, jüngling, in deiner jugend, und lafs es dir 9
wohlgemuth seyn in deinen jünglingstagen; wandle in den
wegen deines herzens und in der weide deiner augen:
doch wisse dafs über diefs alles Gott dich ins gericht führen wird!

Lafs unwillen fern seyn deinem herzen 10
und übel weit von deinem leibe:
denn die jugend und der morgenröthe zeit ist nichtig!

Doch denk' an deinen schöpfer in deinen jünglingsjah- 12, 1
ren, ehe noch kommen die tage des übels und jahre anlangen wo du sagst: „ich habe daran kein gefallen"; —

ehe noch sich verfinstert die sonne 2
und das licht und der mond und die sterne,
und wiederkehren die wolken nach dem plazregen:

an dem tage wo die hüter des hauses zittern und die 3
kräftigsten sich krümmen und die mahlenden feiern weil
sie abgenommen haben, und die durch die fenster sehenden
sich verfinstern, und die thüren an der strafse sich 4
schliefsen beim geringen schall des mahlens, es sich zur

sperlingsstimme anläfst und sich dämpfen alle die singen-
5 den; auch vor dem Hohen man sich fürchtet und überdrufs ist am wege; und die mandel blüht, die heuschrecke
sich hebt, die kapper bricht: denn der mensch geht bald
hin zu seinem ewigen hause und durch die strafse ziehen
die klagenden; — ehe noch

6 Die silberne kette zerspringt, und der goldene krug wird
zersplittert,
der eimer über dem quell wird zerbrochen, und das
rad am brunnen zerschmettert,

7 und der staub zur erde rückkehrt wie er gewesen, und
der geist rückkehrt zu Gott der ihn gegeben.

8 O eitelkeit der eitelkeiten! spricht Qôhélet;
alles eitel!

1. 8, 16—9, 10. Die folgerung aus dem ganzen zuerst kurz zusammengefafst, als wahrheit der beobachtungen 8, 16—9, 6 und als ermahnung zu dem daraus folgenden höchsten gute 9, 7—10. Betrachtend die unendliche qual des mühevollen menschlichen lebens v. 16 (vgl. 2, 23. 5, 16) fand er 1) v. 17, dafs alle bestrebung oder einbildung der weisheit zur völligen, augenblicklichen erschöpfung der erkenntnifs des göttlichen wirkens nicht hinreicht; dies ist besonders c. 1 gezeigt; vgl. auch 3, 11. 7, 23 f. (für בשׁל ist nach LXX Pesch. Vulg. בְּכֹל zu lesen); — 2) v. 1 f. dafs alle menschen ohne unterschied der schuld oder unschuld, des leichtsinns (z. b. im schwören Mat. 5, 37) oder der bedachtsamkeit demselben zufalle nämlich dem tode unterliegen, weil alles, ihr sinnen und thun, ihr lieben oder hassen, in einer unentweichbaren höhern nothwendigkeit ruht oder ihnen nach der geheimen innern entwickelung vorausgeht, und niemand sich willkürlich dieser nothwendigkeit entziehen kann, deren ende für den einzelnen der tod ist. Dies ist besonders c. 3 gezeigt, vgl. 2, 14 f. — 6, 11. 7, 13 (wie aber die freiheit des willens mit dieser vorherbestimmung zu vereinigen sey, gehörte nicht hieher zu bestimmen). Das *alles ist vor ihnen* ist zeitlich gemeint: durch ein ihnen vorausgehendes ewiges geschick ist allen alles bestimmt, sodafs sie von den gefühlen der liebe oder der unliebe überrascht werden *sie wissen nicht* wie. Und indem der begriff dieses *Alles* v. 2 bestimmter auf den tod angewandt werden soll, heifst es weiter *Alles ist alsob Alle éinen zufall hätten*, den tod. Das beides was so v. 1 und 2 ausgesagt wird, war 3, 19 sogar von dem éinen

begriffe des zufalls aus só ausgedrückt: sie sind alle ein zufall und sie haben alle éinen gleichen zufall. Ueber וְלָבוֹר vergl. §. 351 *c.* – Nun scheint dies leztere allerdings 3) ein übel zu seyn, dádurch noch vergröfsert dafs die meisten das kurze nie wiederkehrende leben mit bösem und thorheit ausfüllen v. 3: allein eben deswegen weil das leben, auch das schlechteste, unschäzbar ist im vergleich mit der traurigen hoffnungslosen hölle v. 4—6, bleibt denn um jene irdische qual und mühe so viel möglich zu lindern nichts übrig als froher lebensgenufs, zu dem zum erstenmale jezt recht eigentlich ermahnt wird v. 7—10, da 7, 10 kaum erst ein übergang dazu gemacht war. V. 4 scheint allein das Q'ri יְחֻבַּר richtig zu seyn, aber so dafs gegen die Accente אל כל החיים dazu gezogen wird, die redensart ist durch אל המתים v. 3 veranlafst. In dem saze לכלב חי הוא טוב bedeutet לְ— ebenso wie אֶל Ijob 5, 5 *sogar* vgl. §. 310 *b*. V. 7: *denn längst*, wenn du nur die ächte freude am leben hast (die ohne gottesfurcht nicht möglich ist), hat Gott schon lieb deine thaten; darum sei unbesorgt, weil eben diese freude im göttlichen willen liegt und als eine gabe von ihm kommt 2, 24 f. 3, 13. 5, 18. ***Alles was deine hand findet mit deiner kraft zu thun*** oder wieweit deine kraft zu handeln etwa reicht.

2. 9, 11 — 11, 8. Oder will man noch nicht glauben, was eben als gewisse folgerung aus dem obigen ausgesprochen wurde, dafs weder die blofse weisheitssucht noch die blofse gerechtigkeitssucht das glück bringen? nun so beachte man, um beides jezt im zusammenhange zu begreifen, noch folgendes!

1) 9, 11 — 10, 4: wäre die blofse weisheit das höchste glück, so müfste das leben der menschen in der that noch viel trauriger seyn als es ist, weil die weisheit ungeachtet ihres hohen werthes auf erden so oft nicht angewandt wird und ein leichtsinniger wohl alle durch sie erworbenen güter schnell verdirbt. Wie so manches in der welt verkehrt scheint, wie die schnellen nicht immer laufen, die tapfern nicht immer kriegen können, so sind auch die Weisen oft nicht im stande weise zu seyn, wäre es auch nur durch die überhaupt herrschende höhere nothwendigkeit v. 11 f. Aber auch durch die thorheit der menschen wird sie oft verachtet, wie eine hier unstreitig aus der zeitgeschichte wiederholte erzählung beweist v. 13—15 vgl. schon Spr. 21, 22. Also, wie kostbar auch die weisheit ist, sie findet nicht immer eingang v. 16; ja oft reicht ein wenig sünde oder thorheit hin um viel weisheit und ehre und damit viel gutes zu verderben v. 17 — 10, 1. Nun ist zwar deshalb nicht im mindesten thorheit und am wenigsten beim öffentlichen auftreten wirken und reden zu empfehlen v. 2 f., allein so viel erhellt doch dafs in vielen

fällen, z. b. beim zorne eines herrschers, gelassenheit und geduld besser ist, die sogar grofse vergehen z. b. die von fürsten unschädlich macht v. 4. In dem schweren spruche 10, 1 ist das 2te glied am deutlichsten, יקר mufs hier wie Ψ. 139, 17 in der aramäischen bedeutung „lästig“ stehen, und es wird daraus gewifs dafs dadurch nur 9, 18 *b* weiter erklärt werden soll: das bild des ersten gliedes mufs also bedeuten: „wie eine kleine todte (oder faule) fliege den ganzen salbentopf verderben kann, ebenso ein wenig thorheit alle weisheit und ehre“; auch danach scheint der *sg.* זבוב richtiger, obwohl sich זבובי jezt schon überall findet. נבע wie نبع quillen = fliefsen, schweifsen, daher wohl „übel riechen“, = באש.

2) 10, 5 — 11, 8; der lezte spruch leitet schon auf das andre, die gerechtigkeitssucht. Der eifer überall die gerechtigkeit herrschen zu sehen wird aufs emfindlichste gekränkt, wenn man, was zulezt nur durch einen irrthum des höchsten machthabers entstanden scheint, die thörichtsten und niedrigsten menschen zu den höchsten staatsstellen erhoben, die würdigen aber verachtet sieht v. 5—7: aber man sehe doch ja zu was man solchen betrübenden erscheinungen gegenüber thue und sage! Wer sich mit neuer schwerer und grober arbeit abgibt (und welche arbeit ist schwerer als die den Propheten spielen zu wollen?), der läuft nothwendig auch die gefahren welche von ihr unzertrennlich sind, wie die sprüche v. 8 f. klar genug andeuten. Will man weise reden und wirken, so bedarf das schon von vorne an der gröfsten anstrengung und schärfung, wie der spruch v. 10 in lebhafter werdenden sprache lehrt: *ward das eisen stumpf* (קֵהָה *hebescit* nach §. 120 *d* gebildet) *und ist* (והוא bildet den zustandsaz) *ohne spize, so schärft* oder vielmehr *stählt man es und stärkt die kräfte* dafs es wie stahl schneiden kann; קִלְקַל bedeutet unstreitig das *stählen* des eisens [1]); פָּנִים ist in diesem zusammenhange ganz so richtig wie *στόμωμα* von dem dem bilde nach ihm ähnlichen *στόμα* den *stahl* bezeichnet [2]): aber die Accente verkennen den rich-

[1]) eigentlich das *glühend machen*, das *brennen*, קִלְקֵל nach §. 114 *d* von einer wurzel die auch in קָלָה übergehen konnte; der *χάλυψ* eig. *chalab* بُلَاب kann von ΦΛΩ قلا den namen haben, und kam doch gewifs von Asien zu den Griechen; ein anderer Arabischer name für ihn ist ذُكْرَة d. i. das stechende, schneidende. Der spruch ist also auch für die geschichte des stahles von bedeutung.

[2]) die *schärfe* des schwertes ist nach altHebräischem sprachgebrauche zwar sein *mund* פֶּה *στόμα acies*: doch zeigt auch die stelle

tigen sinn des ganzen [1]). So kann nach dem s. 42 erläuterten kurzen sprachgebrauche die anwendung folgen: *und der nuzen des sich anstrengens ist die weisheit*, während der thor meint er könne auch ohne solche schärfste vorbereitung und tüchtigmachung wirken. Wie thöricht das zu meinen sei, erklärt dann sofort der neue spruch v. 11: *beifst die schlange* was sie nach des beschwörers willen und zaubersprüche beifsen soll *ohne beschwörung, so hat der welcher ihrer zunge herr* seyn will d. i. der beschwörer *keinen nuzen* (vgl. zu Ψ. 58, 5 f.): die ächte kunst mufs sich bewähren wenn der künstler für etwas tüchtiges gelten soll! Und nachdem das worauf hier alles zurückkommen soll v. 12 *a* am kürzesten gesagt ist, kann die rede von v. 12 *b*—14 zum gerechten tadel alles auch ihren eignen mann *verschlingenden* d. i. zu grunde richtenden unbedachtsamen redens übergehen, welches unserm lehrdichter umso unverantwortlicher scheint da (wie er schon 8, 7 ähnlich sagte) der mensch bei aller einbildung doch nicht über die engen grenzen des lebens hinaussehen kann.

Nun ist allerdings 3) das übel leichtsinniger herrschaft sehr zu beklagen v. 15—19, einer herrschaft wo die mühe der Thoren d. h. der schlechten Heidnischen herrscher den armen landmann ermüdet, der nicht weifs *zur stadt zu gehn* d. h. wahrscheinlich sprichwörtlich, die grofsen herren in der stadt 7, 19 zu bestechen v. 15 [2]), wo unwürdig scheinende, schwelgende, faule, für geld alles feil habende herren herrschen v. 16—19 (v. 18 ist sprichwörtlich leicht zu fassen, über *das faule paar* [hände] s. §. 180 *a* und zu Ψ. 10, 10); der ausdruck vom weine ist schon aus Ψ. 104, 15. — Aber zuvörderst sollte man doch eben wegen der grofsen gefahren von verrätherei die überall drohen [3]), sowie wegen der pflicht (8, 2) sich nie auch nur die geheimste verwünschung der herrscher erlauben v. 20; und dann, um auf alles was auf erden geschehen kann und, wenn zeit und ort es will, nach der ewigen ordnung geschehen mufs, um auf das alles gefafst zu seyn und durch nichts im leben sich überraschen zu lassen, mache man sich lieber los von der liebe am irdischen Luc. 16, 9 (vgl.

Hez. 21, 21 dafs man mundartig, vielleicht nach Aramäischer weise, dafür auch das *gesicht* im gegensaze zum rücken sezen konnte.

1) das *perf.* קִלְקַל nach §. 355 *b*: dort ist auch gezeigt wie es in das *imperf.* יְגַבֵּר übergehen könne.

2) ein nachhall dieser redensart zeigt sich in dem anhange zum 4 Ezra 15, 17.

3) man kann hier erinnern dafs die Persischen könige bei allen ihren unterthanen nichts strenger straften als nicht gehaltenes still-

ein ähnliches bild vom wegwerfen Fâkih. Chul. p. 36, 7 v. u.), man habe die überwindung und stärke sich dessen zu guten thaten frei zu entäufsern, welche entäufserung die beste art ist eines anfangs zum wahren gewinne 11, 1—3. Inderthat, wer stets nur grübelnd und zweifelnd zaudert, nur immer auf bessere zeiten hofft, der kommt nie zu etwas vortheilhaftem, eine um so gröfsere thorheit da der mensch ebenso wenig das geheime göttliche wirken sinnlich schauen kann wie er den weg des windes oder die bildung des kindes vor der geburt äufserlich sehen kann v. 4 f.; also mit rüstiger kraft zur that, auf alles gefafst, da doch das licht und leben so süfs ist und der mensch, lebte er auch noch so lange, im andenken an die traurige zeit nach dem tode sich nie genug des lebens freuen soll! v. 6—8.

3. 11, 9—12, 8. So ist denn endlich der ort gekommen wo die ermahnung zum heitern lebensgenusse ungestört in aller breite sich entfalten und mit aller kraft sich ergiefsend ihr leztes ziel erreichen kann: was in der 2ten hälfte des ersten theils 9, 7—10 angefangen war, wird hier wieder aufgenommen und vollendet, und weil hier der gedanke des buches seinen gipfel erreicht, hebt sich auch der vortrag zum erhabensten schwunge dessen er fähig. Doch eben weil alles wie auf diesen mittelort sich zusammendrängt, mufs die rede hier desto genauer und bestimmter werden: darum werden zwar die zahlreichen beschwerden des alters und die trauerzeichen des nahenden todes mit den lebhaftesten bildern beschrieben, um desto dringender zum frohen genusse des lebens zur rechten zeit zu ermahnen: aber zugleich fliefst sehr bedeutsam die andre wahrheit ein, wodurch jene erst ihr volles licht und ihre richtige begrenzung erhält, nämlich dafs eben diese freude am leben keine blinde und leichtsinnige, sondern die bewufsteste und besonnenste seyn müsse im andenken an das ewige gericht über alles; eine wahrheit die sich freilich in jeder strengern lebensansicht von selbst versteht und die deshalb oben kaum beiläufig sich einmischte 3, 12. 17. 8, 12 f., die aber hier gerade, um vor dem völligen abschlufs jedes mögliche mifsverständnifs zu heben, mit absicht hervorgehoben wird. So nun bestimmt und beschränkt, spricht sich die ermahnung zuerst kurz aus v. 9; dann ausführlicher mit voller kraft v. 10—12, 8. Auch der thörichte, seele und leib aufreibende unwillen beim anblicke der äufsern übel ist zu verbannen v. 10 vgl. 5, 7. 7, 9, ohne deswegen in ein sorgloses leichtfertiges leben zu verfallen 12, 1 *a*, so dafs also der ausspruch 7, 3 *a* dem andern 7, 9. 11, 10 nicht widerstreitet. Das übel des nahenden todes wird, wie schon der dreimalige ähnliche anfang beweist, erst in drei versuchen einer ergreifenden beschreibung vollständig gezeichnet:

1) ohne bild v. 1 *b*;

2) am ausführlichsten mit mancherlei bildlichen umschreibungen der traurigen zeit des nahen todes und begräbnisses v. 2—5: wo wie in der winterlichen regenzeit Palästina's von aufsen sich alles trübt und verfinstert wie wenn eine reihe schwerer plazregen heranrückt und dieser sich unaufhörlich ergiefst, als kämen immer neue wolken an v. 2; wo aber auch der künstliche bau selbst wogegen der sturm gerichtet scheint, der leib des menschen, wie ein von innerlicher zerstörung bedrohtes haus (Ijob 4, 19) erscheint, dessen hüter (die beiden hände vorne, sonst bereit jede ihm nahende gefahr zu bekämpfen) jezt zittern, dessen kräftigste mitglieder (die füfse und beine. die träger des leibes) sich in ohnmacht krümmen, dessen den dienst des mahlens und zermalmens versehende dienerinnen (die zähne, שִׁנַּיִם ein *fem.*, wie die vorne bei den hausthüren [dem munde] sizenden mahlmägde Ex. 11, 5 und sonst oft) feiern schon weil ihrer immer weniger geworden sind (מִעֵט §. 120 *d*), dessen durch die fenster sehende herrinnen (die augen, עֵינַיִם wieder *fem.*) ihre klarheit verlieren, dessen auswendige doppelthür (die lippen, שְׂפָתַיִם) geschlossen wird weil das sonst so starke, lautschallende mahlen (der genannten zähne) kaum noch fortdauert (fast nichts mehr gegessen wird), dessen gesang endlich und dessen singvögel (die stimme und die worte, מִלִּים *fem.*), sonst aus ihm so laut und vernehmlich hervorschallend, jezt kaum noch schwach und gedämpft erschallen, wie die stimme eines kleinen zirpenden vogels (Jes. 29, 4) v. 3 f. [eine zwar ganz fest durchgeführte vergleichung, welche indefs zu künstlich und absichtlich angelegt ist, als dafs ein alter dichter sie so hätte ausführen können]; — wo endlich auch jede lust zu irgend einer bewegung aufhört, man vor *dem Hohen* (was schwer zu ersteigen ist) sich fürchtet und sogar überhaupt eine wahre *verzweiflung* oder verdrufs *am wege* hat [1]); wo schon alles öde, aufgelöst und zerstört ist, als blühete der *mandelbaum* (der mitten im winter auf ganz dürrem blätterlosen stamme blüthen hat [2]), als hübe sich die *heu-*

---

[1]) die richtige erklärung dieser worte habe ich längst §. 179 *a* gegeben. — Der ausdruck בְּנוֹת הַשִּׁיר v. 4 ist zwar dichterisch neu gebildet, er lag dem dichter aber umso näher da er sicher das Aramäische ܒܪܬ ܩܠܐ בַּת קוֹל (Lagarde's *emat. syr.* p. 84, 9) und ܒܢ̈ܬ ܩܠܐ für *eine* einzelne *stimme* und *stimmen* kannte; denn aus der allgemeinheit des begriffes der stimme ist den Aramäern *eine tochter der stimme* eben eine einzelne stimme. — Ueber die schreibart יְנָאֵץ s. §. 15 *e*.

[2]) „von den mandelbäumen fielen wie schneeflocken die weifsen

schrecke zum fliegen auf [1]), ihre alte hülle brechend und abstreifend (vgl. Nah. 3, 15 f. חָגָב scheint die heuschrecke in der verwandlungszeit zu seyn), und als bräche die kapper (welche frucht bekanntlich plözlich aus ihrer kapsel hervorspringt, die hülle durchbrechend, also wie das vorige bild der auflösung) — weil tod und begräbniſs des menschen nahet v. 5. Doch diese auflösung, worauf so schon als auf das lezte und wichtigste die rede übergeht, wird endlich

3) v. 6 f. noch zuvor durch eine reihe glänzenderer bilder ausdrücklicher gezeichnet. Haben ältere dichter vom lebensfaden oder der lebenssehne geredet (Ijob 4, 21), so führt der dichter auch dieſs bild auf seine weise weiter aus, so daſs man sieht wie der faden des goldenen, unersezlichen lebens eben so traurig zerrissen, und der leib dann ebenso unnüz wird wie wenn der an einer silbernen kette hangende goldene ölkrug oder leuchter zerschmettert zu boden fällt sobald diese kette reiſst (das *Q'rî* יִנָּתֵק *losgerissen werden* [2]) ist allerdings hier passender als das schwache יִרְחַק *entfernt werden* des *K'tîb*), oder wie wenn der eimer am tiefen brunnen zerbricht und der quell so selbst unnüz wird (Jes. 30, 14), oder gar dazu noch das rad über einem brunnen zertrümmert und der ganze kunstvolle bau unnüz wird: so wenig als nach solcher zertrümmerung der mensch noch zu dem tiefen wasser im brunnen gelangen kann, ebenso wenig der zu Gott zurückgegangene geist nach dem tode zum entseelten leibe. Nirgends ist die nichtigkeit alles weltlichen deutlicher als im tode, so daſs der redner v. 8 mit denselben worten alles schlieſsen kann womit er zuerst alles anfing 1, 2. Ueber וְיָשֹׁב v. 6 s. §. 343 *b*. Die bilder sind sämmtlich ebenso treffend als edel: und das der heuschrecke v. 5 ist schon dasselbe wie bei uns das des schmetterlinges der unsterblichkeit.

---

blüthen" Bodenstedt's 1001 Tag im Oriente II. s. 237. Wie früh man über die mandelblüthe solche gedanken hegte, zeigt sich auch aus Philon's *Leben Mose's* 3, 22 a. e. Mandelkerne, schwarzblau gefärbt, streute man auf den sarg beim tragen ins grab, Qirq Vezîr p. 77, 5 f., sowie in andern ländern der buchsbaum in weihwasser getaucht als holz des todes gilt. — Ueber die *Abîjôna* als kapper s. *Royle* im Journ. As. Soc. VII. p. 211 f.

1) das הִסְתַּבֵּל ist ganz mit تحمّل zu vergleichen.

2) entweder ist רחק mit رنخ und رس einerlei, oder es ist יִנָּתֵק zu lesen; vgl. §. 120 *e anmerk.*

Nachschrift: 12, 9—14.

Diese nachschrift hat nur noch einiges nöthige zu sagen 1) über den wahren verfasser und seines spruchbuches abfassung, 2) über den zweck und nuzen desselben gerade zunächst für seine zeit, und 3) über sein höchstes ergebnifs: und jede dieser kurzen bemerkungen umfafst gerade zwei dichterzeilen. Denn der verfasser gibt hier zwar ganz die künstliche höhe auf aus welcher herab er bis dahin geredet hatte, tritt nur noch als einfacher spruchdichter hervor, und wendet sich daher jezt auch wie sonst jeder dichter der art in jenen zeiten nur an einen einzelnen *sohn* oder jünger: allein die höhe der dichterrede verläfst er deswegen nicht. Und wenn die aufschrift und die vorrede solcher bücher nach s. 64 sogleich in dichterischer höhe beginnen konnte, so ist es noch entsprechender dafs die rede dieses buches von ihrem hohen schwunge sich in einem solchen nachworte erst allmälig herablasse. Sonst vgl. die *Jahrbb. der Bibl. wiss.* III. s. 121—125.

Uebrigens aber war Qôhélet ein Weiser; ferner, er lehrte einsicht das volk, und erwägend und forschend stellte er viele sprüche auf. Es suchte Qôhélet gefällige worte zu finden, doch aufgeschrieben sind redliche, treue worte. 9 10

Die worte der Weisen sind wie stacheln, und wie eingeschlagene nägel die wohlverbundenen, von éinem hirten gegeben. Von dem aber was aus ihnen erübrigt, mein sohn, lafs dich belehren! des viele bücher machens ist kein ende, und zu viel lesen ist eine qual für den leib. 11 12

Das endwort des ganzen ist zu hören: Gott fürchte und seine gebote halte! denn diefs ist der ganze mensch; wird doch Gott jede that in ein gericht bringen über alles verborgene, sei's gut oder böse. 13 14

1. Das erste drittel dieses nachtrages v. 9 f. enthält die nachträglichen bemerkungen über den verfasser, der sich zwar auch hier nicht wörtlich nennt, aber unverhohlen zu verstehen gibt der wel-

cher bis dahin als Qôhélet gesprochen habe, sei nichts als ein Weiser, der um das volk zu belehren, nach sorgfältigster forschung und erwägung die lieblichkeit und wohlgefälligkeit der sprüche nicht höher geschäzt habe als ihre wahrheit und zuverlässigkeit, obwohl er sie zugleich so angenehm als möglich zu geben suchte. —יֹשֶׁר eig. „wahrheit, treue worte“ in steigernder rede, wie 10, 1 in beiden gliedern. Auch sonst überspringt die rasche rede unsres dichters wol ein —וְ, wie 10, 14 vor dem zustandsaze.

2. Diese art aber durch spruchweisheit das volk zu belehren wählte er, weil nichts sich tiefer in das gedächtnifs festsezt als solche kurze sprüche, stacheln und eingeschlagenen nägeln vergleichbar, zumal wenn sie wie in diesem buche, nicht sowohl zerstreute sprüche vieler dichter sind, als vielmehr wohlverbundene, wohlgefügte, unter einander zusammenhangende, weil von éinem *hirten* oder aufseher, lehrer der gemeinde gegeben v. 11. Wirklich ist diefs ein vorzug dieses buches vor dem jezigen der Sprüche Salômo's. So lehrt was בַּעֲלֵי אֲסֻפּוֹת sei, der ganze zusammenhang, worin es einmal den דִּבְרֵי חֲכָמִים entspricht, zweitens durch das folgende נִתְּנוּ מֵרֹעֶה אֶחָד sogleich näher erklärt wird; weiter vgl. die *Jahrbb. der Bibl. wiss.* III. s. 123. —

Eben deswegen kann der lehrdichter umso zuversichtlicher dies sein werk denen empfehlen für welche er es bestimmt hat v. 12: und hier redet er ganz wie jeder andere spätere lehrdichter nach s. 40, sich an einen einzelnen Jünger wendend. Nicht ohne absicht ist's geschrieben, vielmehr sollte es zu einer zeit wo schon zu viel geschrieben und zu viel gelesen wurde (auch das ist schädlich und unnüzer weise die kräfte verzehrend), eine gesunde, nüzliche lehre geben, eine ansicht die unstreitig von den schlechten und verwirrenden ansichten der vielen andern neuen bücher gar weit abwich. Das יֹתֵר מֵהֵמָּה ist etwas ganz anderes als das וְיֹתֵר שֶׁ v. 9: dieses ist *übrig* ist *aber* zu sagen *dafs* u. s. w.; jenes *was aber aus ihnen* den sprüchen *erübrigt* oder sich als nüzlich ergibt, *das lafs dich warnen* oder lehren, dadurch (können wir auch sagen) lafs dich belehren und warnen!

3. Doch um desto mehr jedem möglichen mifsverständnisse dieser schrift vorzubeugen, wird noch einmal kurz eingeprägt v. 13 f. dafs sie nicht dárauf hinauslaufe ein zügelloses leben zu empfehlen wenn sie das mürrische verwerfe, sondern dafs sie im einklange mit den besten alten büchern ein gottesfürchtiges leben lehre als worin der ganze mensch bestehe, oder als das wahre einfache was für den ganzen menschen genüge, und worin alles andre menschliche enthalten sei. So nothwendig ist's jenen grundsaz von der freude am leben den diefs buch aufstellt, immer wieder auf die mannigfaltigste

und ausdrücklichste art zu begrenzen und auf seine noch höhere wahrheit zurückzuführen, da er so leicht mifsverstanden werden kann. Aber mit diesen lezten zu 11, 9. 12, 1 genau stimmenden erklärungen ist denn auch jedem hier möglichen mifsverstande genug begegnet, und es ist nicht blofs die schuld des verfassers wenn seine lehren später so oft irrig aufgefafst sind. — Die worte על כל נעלם sind ein relativ-saz zu dem unbestimmten משפט, wodurch diefs erst völlig bestimmt wird: ein gericht (gehalten) über alles verborgene, sei diefs gut oder böse. Ueber die verbindung von סוֹף דָּבָר s. §. 291 *a;* und über נִשְׁמָע §. 168 *b*. Die kurze redensart *das ist*... am ende von v. 13 findet sich ganz ähnlich Sir. 35, 22. 1 Joh. 5, 20. 2 Joh. 7.

Uebrigens hebt der verfasser in diesem nachworte auch insofern den schleier von seinem haupte als er v. 11 wenigstens soviel deutlich sagt dafs er ein *hirte* d. i. in dichterischer rede ein gemeindebeamter oder vorsteher war. Wir können aus diesem worte auf seine öffentliche stellung in der damaligen gemeinde schliefsen, obwohl das wort wegen der dichterischen farbe der rede zu unbestimmt ist um diese stellung genauer zu erkennen.

Die spieldichtungen

des

Alten Bundes

übersezt und erklärt.

Das Hohelied.

Das Hohelied ist zwar die einzige uns jezt erhaltene spieldichtung von welcher wir deutlich erkennen dafs sie vom dichter selbst für die darstellung auf einer bühne bestimmt war, und bei welcher wir auch nicht im geringsten zweifeln können dafs sie wirklich einst bei volksthümlichen festen öffentlich gespielt wurde. Allein diese spieldichtung geht in ein so frühes alter zurück und ist dennoch bei aller einfachheit schon so vollendet, dafs sie für die geschichte aller menschlichen dichtung von einer heute einzigartigen bedeutung ist. Und sie hat diese bedeutung heute für uns desto mehr je deutlicher sie zeigt wie alle die schöneren künste des volksthümlichen lebens gerade während jener zeiten des volkes Israel sich ausbildeten wo es noch im ungebrochensten aufstreben als ein volk unter den andern völkern der erde und dazu im unbefangensten leben als eine gemeinde der wahren religion begriffen war.

I. Sein inhalt.

Als ein ächter spieldichter (Dramatiker) zeigt sich der verfasser sogleich einmahl dárin dafs er die zuhörer und zuschauer sofort mitten in den strom einer schon im flusse begriffenen lebenslage des haupthandelnden versezt, und sie so in eine schon gegebene ganz eigenthümliche aber so seltene und so mächtige verwicklung hineinführt dafs alle deren weiteren verlauf gerne mit immer noch steigender aufmerksamkeit verfolgen. Zweitens aber auch dárin dafs er alles was diesem auf der bühne gesezten anfange der verwickelten handlung schon vorausgegangen seyn mufs im verlaufe dieser selbst vermittelst der reden der handelnden deutlich genug erkennen läfst. Und verfolgen wir nach diesen merkmalen die ganze verwickelung von ihren ersten anfängen an bis zu dém augenblicke wo wir den haupthandelnden auf der bühne erscheinend reden hören, so ist das ereignifs dieses.

König Salômo machte etwa um jene zeit wo er auf dem gipfel aller seiner macht und herrlichkeit und zugleich in seinem schon etwas reiferen männlichsten alter stand, einen seiner gewöhnlichen ausflüge aus Jerusalem, diesmahl nach dem entfernteren norden des landes, und zwar in meheren wagen mit seinem ganzen glänzenden hofe, auch mit den hoffrauen. Der zug war eben bis in die nähe der landstadt *Shûlam* oder *Shônem* [1]) gekommen, welche in einer damals auch durch garten- und besonders wein-bau sehr blühenden reichen gegend lag. Da erblickten mehere aus dem zuge in einem nufsgarten [2]) bei welchem man eben vorbeifahren wollte eine jungfrau ganz allein für sich tanzend: sie hielt sich in dem gebüsche unter den hohen nufsbäumen für von niemand beachtet, und war dazu in einer stimmung wo jungfrauen vor schwärmerischer entzückung und erster reiner liebesgluth leicht alles äufsere vergessen. Sie war nämlich zwar von geburt durch ungemeine sowol geistige als leibliche vorzüge hoch ausgezeichnet, hatte die herrlichste stimme zu allem gesange [3]), konnte wie wenige aufs anmuthigste tanzen [4]), und war ohne unterrichtet zu seyn zu allen den beliebtesten weiblichen künsten wie vonselbst gebildet; dazu war sie von seltener schönheit. Aber sie hatte eine traurige jugend durchleben müssen: sie hatte ihren vater früh verloren und war die einzige tochter ihrer mutter [5]); diese hatte aber von einer früheren ehe mehere söhne, und diesen stand zwar alter sitte zufolge nach ihres vaters tode eine beinahe väterliche gewalt über sie zu, sie hatten aber nach ihrem rauhen we-

---

1) vgl. die *Geschichte des volkes Israel* III. s. 142. 493 der 3ten ausg. Merkwürdig heifst die stadt in den geschichtlichen büchern immer Shûném, während sich die aussprache des HLs mit *l* sogar noch in dem heutigen Sô*l*am erhalten hat. Dies weist auf mundartige abweichung hin: die aussprache mit *l* scheint aber die ursprüngliche, die sich auch an ort und stelle am besten erhielt.

2) nach 6, 10 f.

3) nach 2, 14 f. 8, 13 und dem eignen urtheile des königs 4, 3 vgl. auch 4, 11 *a*.

4) 7, 1. 2.

5) nach 6, 9. 8, 2; vgl. auch den ausdruck *unser haus* 2, 9. 7, 14.

sen diese gewalt über sie vielfach mifsbraucht, hatten sie zu schwerem dienste gezwungen, und ihr aufgetragen einen entfernter liegenden grofsen weinberg zu hüten [1]), denselben mit welchem der erwähnte nufsgarten zusammenhing. Allein in der lezten zeit hatte ein junger mann aus einem benachbarten orte [2]) welcher wie manche in jenen gegenden viehzucht und gartenbau zugleich betrieb [3]), ihre liebe gewonnen, ohne schon unter einwilligung ihrer gestrengen brüder [4]) mit ihr verlobt zu seyn. Die gegenseitige liebe war bis dahin völlig frei: aber die jungfrau war jezt oft auch wo sie in ihrem weinberge tage lang ganz allein war, so schwärmerisch in sich versunken dafs sie vor lauter lust tanzte. Und dazu war es eben frühling [5]).

Dies ist die jungfrau welche die heldin unsres schauspieles werden sollte, und die man in Jerusalem dann gewöhnlich blofs nach ihrem geburtsorte *Sulammît* d. i. *die Sulamäerin* nannte. Als sie an jenem tage so mit ihrer reizenden gestalt eben im unbefangensten selbsttanze von der in dieser gegend ganz unbekannten vornehmen reisegesellschaft erblickt wurde, gerieth diese in ein seltenes entzücken über soviel anmuth und schönheit: und man war längst in ihre bewunderung verloren, vorzüglich die hoffrauen und der könig selbst, als sie in ihre schwärmerische lust versunken noch von nichts wufste. Sobald sie sich bemerkt sah, wollte sie zwar eiligst sich zurückziehen [6]): allein der könig wünschte sie nun in seine burg zu Jerusalem zu ziehen, sogleich auf den ersten blick zu tief von ihrer erscheinung eingenommen und dazu von den hoffrauen selbst dazu ermuntert [7]). Eine gesezlich unüberwindliche schwierigkeit stand auch sichtbar dem könige bei diesem wunsche nicht entgegen: dafs die jungfrau weder verheirathet noch verlobt war, konnte man schon an ihrer kleidung erkennen [8]); die verwandten fanden

---

1) nach 1, 6 und 8, 8 f.

2) dies für die ganze lage nicht unwichtige ergibt sich aus 2, 4. 8, 2 und besonders aus 1, 14: s. darüber unten.

3) nach 2, 4. 16. 6, 2 f. 7, 12 vgl. mit ʿAmos 1, 1. 7, 14.

4) dies ergibt sich aus allen merkmalen, vorzüglich auch aus dem richtigen sinne des schlusses 8, 5—14.

5) nach 2, 11—14. 6, 11. 7, 13 f.

6) nach 6, 10—7, 1.

7) nach 6, 9 f.

8) s. zu 4, 1.

sicher am wenigsten etwas gegen des königs willen einzuwenden; und ihr seelenfreund wohnte zu ferne. Der reisezug liefs sich, nachdem die nöthigen befehle gegeben waren, sonst gewifs nicht zu lange dadurch aufhalten; und erst nach seiner zurückkunft fand der könig die ländliche jungfrau in seiner burg vor.

Wie nun die jungfrau hier in der königlichen burg den hoffrauen als ihrer dortigen nächsten umgebung und dem könige selbst gegenüber sich zeigte, wie sie allen lobeserhebungen und schmeicheleien ebenso wie den sich mit ihrer sprödigkeit immer höher ja endlich bis zur denkbar höchsten stufe steigernden ehrenbezeugungen und huldigungen des königs in einem langen schmerzlichen kampfe schliefslich siegreich widerstand und in der ächten freien liebe die treue als das höchste gut bewährend ihren göttlichen lohn empfing, das soll uns des dichters schauspiel in aller lebendigkeit und wahrheit vor die augen und ohren führen. Dies lebensspiel wird daher seiner ganzen haltung nach zu einem wahren *lustspiele* nach der doppelten bedeutung welche in dessen wesen liegen kann. Mit hoher lust und überströmender freude endigt das spiel, so ernst es in seinem verlaufe für die treue und ächte liebe der jungfrau wurde; und die lust liegt hier auch für die zuschauer als betrachtung und empfindung umso näher da es sich von vorne an doch nur um hochzeitliches oder um küssen und lieben handelt und die frage von anfang an hier nur die ist wem diese hochzeitliche sehnsucht zur freude oder zum schmerze werden solle. Aber das spiel schliefst mitten indem sich die reine göttlich heitere freude und mit ihr der sieg der ächten treuen liebe vollendet, nicht nur mit der nun anschaulichst gewordenen klaren lehre was das wesen und die unbesiegbare macht dieser liebe sei, sondern auch mit dem unwillkürlich kommenden und daher desto unschuldigeren heiteren spotte über die mifsgeburt der verkehrten sehnsucht und die gerechte vereitlung der unächten liebe. Und indem so am ende das ganze füllhorn heiterer freude unendlicher lust und spottend lachenden scherzes ausgegossen wird, hat sich das lebensspiel in ein vollendetes lustspiel umgewandelt ohne dafs dadurch die ernste lehre welche sich als sein ergebnifs aufdrängt minder stark und klar hervorträte.

2. Sein zeitalter vaterland und zweck.

Allein die lehre des stückes ist doch allein der bessere weil tiefere und unvergängliche gewinn, welchen die zuschauer und zuhörer auch nachdem das erste lachen darüber verklungen und der sprühende scherz des augenblickes verflogen ist, bleibend davontragen. Und diese bleibende lehre mit allem lachen und allem spotte welcher sich an ihr entzünden kann, wird hier auf kosten eines königs gewonnen welcher neben David nicht nur der mächtigste schöpferischste und glücklichste sondern auch das vorbild und der beförderer aller weisheit und feineren bildung im volke Israel war. Nun ist es freilich wahr dafs gerade die weisheit und bildung je höher sie schon steht und die macht je thörichter sie mifsbraucht wird, desto mehr den gerechten spott hervorlocken, und dafs auch ein könig wie Salómo mitten in seinem eignen volke dafür nicht zu hoch steht. Allein wir können doch vermuthen dafs ein solches schauspiel welches zuletzt auf einen offenen hohn über Salómo ausläuft, während seiner herrschaft und innerhalb deren grenzen nicht wol öffentlich aufgeführt werden konnte. Und diese vermuthung wird zur sichersten gewifsheit wenn man das stück selbst seinem ursprunge und seinem zeitalter nach näher zu verstehen anfängt. Nach dem ergebnisse aller genaueren erforschungen ist das stück weder in Jerusalem und im ganzen reiche Juda entstanden noch um dort öffentlich gespielt zu werden gedichtet. Es ist ein reines erzeugnifs des Zehnstämmereiches, aber in diesem verhältnifsmäfsig schon sehr früh und mit dem absichtlichen zwecke in ihm bei öffentlichen spielen aufgeführt zu werden entstanden. Alle betrachtungen und erkenntnisse, von welcher seite man ausgehen mag, führen gemeinsam auf dieses ergebnifs.

1. Schon die sprache weist uns dorthin. Sie weicht von der sonst im A. T. gewöhnlichen bedeutend ab, nähert sich aber in demselben mafse allen den stücken welche im nördlicheren lande entsprungen sind oder mit ihm in einer näheren beziehung stehen. Zwar gestaltete sich die trennung der stämme in den zeiten vor dem königthume Israel's und dann nachdem dieses seit Salómo's tode gespalten war in den beiden königreichen nie so schneidend dafs sich nicht in der höheren sprache der Propheten und der prophetenartigen dichter sowie in der der geschichtschreiber eine gröfsere gleichheit immer wieder hätte herstellen sollen, sodafs

in solchen schriften die unterschiede zwar nicht fehlen aber doch minder stark hervorstehen. Allein ein stück wie dieses welches sogar in einem gewissen gegensaze zu Juda und dessen königreiche sich bewegt und den ächtvolksthümlichen sinn des Zehnstämmereiches darstellte, hielt sich leicht umso freier und durchgreifender an die dort zu seiner zeit herrschende volkssprache. Darin gleicht es ganz den für eine volksthümliche feier der nördlichen stämme bestimmten liedern der Debôra Richt. c. 5; und obgleich die beiderseitigen stücke der zeit nach über drei jahrhunderte weit von einander abstehen, gleichen sie sich dennoch ihrer sprache nach mehr als alle übrigen schriften des A. Ts. — Was von der sprache, gilt auch von der eigenthümlichen schriftart [1]). — Indessen habe ich fast alles was bieher gehört schon in der schrift von 1825—26 und an anderen stellen so ausführlich bewiesen und die sache selbst wird heute so allgemein zugestanden, dafs darüber weiter zu reden an dieser stelle unnöthig ist.

Allein in der art und farbe der Hebräischen sprache des gedichtes liegt, wie ich ebenfalls dort schon zeigte, auch gar kein zwingender grund es in spätere zeiten herabzusezen. Vielmehr ist die reinheit der sprache hier noch ebenso grofs wie ihre fülle und schönheit im dichterischen ausdrucke; und nach beiden rücksichten gehört das gedicht offenbar noch in die schöpferischsten schönsten und kräftigsten zeiten des gesammten volkslebens. Zwar erinnert in der sprache manches stärker an eine Aramäischartige farbe der rede: insbesondere ist hier sehr merkwürdig der durchgreifende häufige gebrauch des *Artikels*, worin diese dichterische sprache nach s. 6 das geradeste gegentheil zu der ungemein knappen rede der Salômonischen Sprüche bildet und worin sie sich im wesentlichen (abgesehen von der wortbildung) mit dem Aramäischen begegnet: allein man darf eben nirgends hier vergessen dafs diese sprache nordpalästinisch ist und dafs sie sich mehr der dortigen volkssprache jener zeit nähert.

2. Von eben so grofser wichtigkeit ist aber dafs die örtlichkeiten welche dem dichter am nächsten liegen uns überall auf das Zehnstämmereich und dessen weites gebiet hinweisen. Dafs seine heldin Sulammit selbst von seinem

---

[1]) wie der schriftart דויד für *David* mit ־ 4, 4: sie findet sich auch bei 'Amos 6, 5. 9, 11 weil dieser mehr für das Zehnstämmereich als für Juda wirkte und schrieb, und bei Hosea 3, 5; dann erst bei einzelnen weit späteren schriftstellern B. Zakh. 12, 7. 8. 13, 1.

boden abstammte, könnte weil durch die wirkliche volksthümliche erinnerung gegeben zufällig seyn: das gedicht legt wenigstens auf diesen umstand gar kein gewicht. Aber eben alle die unwillkürlichen anspielungen auf örtlichkeiten welche sich hier zeigen, sind umso bedeutsamer. Da das stück in allen seinen grofsen abschnitten mit ausnahme des lezten welcher der kürzeste ist in Jerusalem und dessen umgebung spielt, so lägen ihm eher die bilder der dortigen örtlichkeiten am nächsten: aber wir sehen überall das gerade gegentheil davon. Vor allem ist hier entscheidend die anspielung auf *Thirfsa* als eine stadt welche hier neben ja vor Jerusalem die schönste stadt genannt wird 6, 4: diese stadt wetteiferte wirklich während meherer jahrzehende des 10ten jahrhunderts vor Chr. als königsstadt Israel's mit Jerusalem, und hätte dieses wahrscheinlich für viele jahrhunderte an glanz und pracht übertroffen wäre sie nicht schon bald nach dem sturze des hauses Ba'sha noch vor dem ende des 10ten jahrh. zerstört und verlassen worden [1]). Da diese stadt nun seitdem in keiner weise an pracht und schönheit mit Jerusalem zusammengestellt ja ihm vorangesezt werden konnte, so ergibt sich schon daraus allein die auch von allen andern seiten her sich bestätigende gewifsheit dafs dieses schauspiel nur eine ziemlich kurze zeit nach Salômo's tode gedichtet wurde. — Aber ebenso steht hier der Libanon nicht blofs im allgemeinen sondern auch nach seinen einzelnen sonst selten genannten spizen 4, 8 15. 5, 15. 3, 9 mit dem Karmel 7, 6 dem gesichtskreise am nächsten; der Davîd'sthurm nach Damasq hin 7, 5 und die zwei teiche Hesbôn's 7, 5 mufsten zumahl in jenem 10ten jahrh. im Zehnstämmereiche sehr bekannt, im reiche Juda dagegen wenig beachtet seyn; der Gileadberg 4, 1 und die stadt Machanáim jenseit des Jordan's mit ihren berühmten tänzen 7, 1 konnten damals nur in demselben reiche als so heimisch und so bekannt gelten; und der weinberg in Baal-hamôn 8, 11 gehört in dieselbe gegend. Dagegen wird auf bestimmte örtlichkeiten im reiche Juda nirgends angespielt [2]), als habe dessen ganzes gebiet

---

[1]) vgl. die *Geschichte des volkes Isr.* III. s. 468. 484 ff.

[2]) am scheinbarsten könnte man sich um das gegentheil zu behaupten auf die erwähnung der stadt *'Aengedi* 1, 14 berufen, wenn dies wirklich die bekannte stadt an der westseite des Todten Meeres wäre. Allein dafs eben diese und keine andere stadt 1, 14 gemeint sei, dafür fehlt jeder beweis; und der örter mit dem namen *Ziegenquell* konnte es manche geben. Nach dem sinne jener worte lebte dort Sulammit's freund: da denkt man am besten an הָעַיִן 1 Sam.

dem dichter ebenso wie den hörern auf welche er rechnete ganz ferne gelegen. Denn die namen „töchter Jerusalem's“ und einmal 3, 11 „töchter Ssiôn's“ waren dem dichter nur durch das spiel welches er darstellen wollte selbst nothwendig gegeben; ja auch sie weisen, näher betrachtet, vielmehr auf einen dichter hin welcher weit eher in der ferne von Jerusalem und im Zehnstämmereiche als in Juda lebte, wie dies unten erhellen wird. So gewifs man also aus Hosea's buche erkennt wie sicher dieser herrliche Prophet im Zehnstämmereiche heimathlich war und dort die längste zeit wirkte, ebenso klar weist uns das HL. allein in jenes reich als seine geburtsstätte hin.

Nun redet dieses dichtungsstück zwar noch ganz wie aus den zeiten Salômo's selbst heraus: so anschaulich und so rein geschichtlich standen dem dichter jene zeiten noch gegenüber; daher das HL. für uns heute auch eine hauptstelle ist um jene herrlichsten zeiten des volkes Israel mit voller geschichtlicher zuverlässigkeit genauer kennen zu lernen. Und das ist nicht auffallend wenn das gedicht wirklich in jener verhältnifsmäfsig noch so frühen zeit etwa zwischen 960—940 vor Chr. entstand; denn damals konnte jeder der sich auchnur wenig darum bemühete die geschichtlichen verhältnisse der zeiten Salômo's noch aufs leichteste erkennen und aufs vollkommenste schildern. Allein dafs Salômo zur zeit wo das gedicht entworfen und im schauspiele einem öffentlichen kreise von zuhörern vorgeführt werden sollte schon todt war, ergibt sich nicht blofs aus jener offenen erwähnung Thirfsa's, sondern auch aus der fassung der worte über den weinberg in Baal-hamôn 8, 11. Und da das ganze stück mehr zum lustspiele ja zum hohne über Salômo wurde, der dichter auch gewifs seine zuschauer kannte, so brauchte er sicher in solchen nebendingen nicht das strengste gesez geschichtlicher darstellung einzuhalten, sondern konnte sich insofern etwas freier gehen lassen.

3. Denn dafs ein stück wie dieses von seinem dichter etwa um den zuhörern ein blofses vergnügen zu machen niedergeschrieben wurde und weiter keinen andern zweck und keine andere veranlassung gehabt hätte, ist weder nach dem sinne des ganzen höheren Alterthumes noch insbesondere nach

29, 1 als blofse abkürzung aus jenem volleren namen, vgl. die *Geschichte des v. Isr.* III. s. 142. Dafs der *Davidsthurm* 4, 4 nicht nothwendig in Jerusalem zu suchen, und 2, 1 nicht von dem südwestlichen Saron die rede sei, ist unten erläutert.

dem zeitalter und dem orte in welche es wie oben gezeigt wirklich fällt als richtig zu denken. Alle schauspiele gingen, wie I *a* s. 65 ff. weiter gezeigt ist, von der feier seltener tage aus: zu jener zeit der herrschaft königs Baʿsha aber entzündete sich ein neuer eifer des Zehnstämmereiches gegen Juda [1]); und wenn das Zehnstämmereich von anfang an aus einem unheilbaren widerstreben gegen die königliche herrschaft in Juda hervorgegangen war, so verjüngte sich jezt dieser widerwille und suchte sich seiner gründe in aller weise gewifs zu werden. Wir haben nun keine ursache zu vermuthen die geschichte Sulammit's wie unser dichter sie zum gegenstande seiner höheren kunst macht sei ohne allen geschichtlichen grund gewesen: sie ist nicht nur wie sie hier in ihren wesentlichen bestandtheilen vorgeführt wird sondern auch nach allem was wir sonst über Salômo über seinen hof und sein zeitalter wissen, nur zu wahr. Wenn der dichter also diese sage über eine tochter des nördlichen landes empfing, so konnte er sie jezt doppelt gut gebrauchen, als eine waffe gegen das hofleben wie es einst an Salômo's hofe gewesen, und als ein andenken an den ruhmreichen widerstand welchen ihm eine Sulamäerin geleistet habe; und irgend ein volksthümliches fest wo das Zehnstämmereich seine befreiung von der herrschaft des hauses Davîd's feierte, eignete sich vortrefflich um auch durch ein solches feineres spiel unter scherz und lachen der zuschauer gehoben zu werden. Etwas von dem besseren geiste volksthümlicher freiheit und gesunden widerwillens gegen das entartete hofleben welcher die ersten zeiten des Zehnstämmereiches ergriffen hatte, durchwehet fühlbar genug unser schauspiel [2]): dafs diese laune sich hier aber so fein und so rein wohlthuend äufsert, das verdankt man theils der allgemeinen hohen bildung welche damals allen merkmalen zufolge schon längst im volke Israel heimisch war, theils aber auch und zunächst der herrlichen dichterischen kunst welche unsern dichter beseelte und die so ausgezeichnet ist dafs sie auch für sich selbst einer näheren betrachtung bedarf.

---

[1]) s. die *Geschichte des v. Israel* III. s. 482. Schon mit dem emporkommen des hauses ʿOmri 935 v. Ch. hörte die feindseligkeit zwischen beiden reichen auf: ebenfalls ein zeichen dafs das HL. nicht jünger seyn kann.

[2]) ich habe dieses immer in der *Geschichte* III. 494 f. hervorgehoben.

3. Seine kunst.

Bei der kunst jeder spieldichtung kommt es vor allem

1. auf die feststellung der einzelnen menschen an unter deren reden und handeln das lebensspiel vorgeführt werden soll; und diese feststellung war im Alterthume umso wichtiger da die dichter nochnicht so wie heute auf eine fast unbegrenzte anzahl von spielenden bauen konnten. Man war zufrieden einzelne wenige ausgezeichnete schauspieler zu besizen: und neben diesen wenigen wechselnden grundstimmen liefs man als den festen grund der ganzen handlung und die bleibende einfassung ihres ortes eine gröfsere versammlung von menschen, männern oder weibern, auf der bühne erscheinen. Da nun der hauptheil der ganzen handlung hier ins frauengemach der hofburg zu Jerusalem zu verlegen war, so läfst der dichter *die hoffrauen* als diesen bleibenden grund aller handlung erscheinen. Sie bilden also etwa dasselbe was die Griechen den *Chor* nennen würden, und sie werden zwar nicht wie im alten Griechischen schauspiele zur ausfüllung der stillstände der handlung gebraucht weil das Hebräische (wie unten erhellen wird) nach dieser seite hin noch einfacher ist: aber man mufs sie dennoch als den ruhigen weil festen und bleibenden theil der ganzen handlung denken. Sie stellen daher auch die vonselbst gegebenen vermittler zwischen den beiden in den schweren streit gerathenden theilen dar, als welche nur die zwei erscheinen: die *jungfrau* und *Salômo*, jene als die heldin von anfang bis zu ende beständig erscheinend und handelnd, dieser schon als der könig nur wann er will eintretend. Dabei ist aber noch denkwürdig dafs der dichter die hoffrauen beständig nur als *Töchter Jerusalem's* bezeichnet. Nun findet sich der ausdruck *töchter* zwar auch wol in einem etwas auszeichnenden ehrensinne [1]), und die hoffrauen waren inderthat leicht als die töchter der königin-mutter zu betrachten welche als die allverehrte mutter gleichsam des ganzen königlichen hauses galt [2]): allein dafs sie hier stets *töchter Jerusalem's* heifsen, weist offenbar auf den sprachgebrauch im Zehnstämmereiche hin. Sollen aber die anderen frauen der hauptstadt unterschieden werden,

---

1) man sieht dies aus 6, 11, und man kann die Spanischen *Infanten* und *Infantinnen* vgl. 2 Kö. 10, 1. 13, entfernter sogar unsre *Töchterschulen* vergleichen.

2) vgl. unten zu 3, 11.

so nennt unser dichter sie *töchter Ssion's* 3, 11 offenbar nur um sie durch irgendein zeichen zu unterscheiden, da der name Ssion damals im gewöhnlichen leben immer mehr verschwand.

Dafs die bühne gewechselt wird und demgemäfs andere redende erscheinen, ist nur eine ausnahme: obwohl diese freiheit wie sie der dichter sich nimmt, allerdings merkwürdig ist. Es finden sich in dem ganzen spiele nur zwei fälle dieser art: ein zug von aufserhalb Jerusalem's bis in die burg hinein wird unter den reden Jerusalemischer bürger 3, 6—11 eingeführt; und am fünften als dem lezten tage ändert sich der schauplaz gar so weit dafs Sulammit mit ganz andern umgebungen in ihrer nördlichen heimath erscheint 8, 5—14. Sonst aber vollzieht sich die ganze handlung in den reden und handeln jener drei gestalten. War nun die bühne noch so einfach, so versteht sich vonselbst dafs die haupthandelnden desto mehr darzustellen und zu reden hatten: und als eine besondre fertigkeit eines solchen schauspielers galt es offenbar auch wenn er in seinem eignen vortrage auch wohl die reden anderer geschickt und klar einzuflechten verstand, wie dies einmal bei Salômo 6, 10—7, 1 und einmal bei Sulammit 8, 8 f. sich findet, bei dieser auch aus einer besondern unten zu erklärenden ursache noch aufserdem zweimahl 2, 10—14 und 4, 8—5, 1. Inderthat ist diese kunst des stimmwechsels namentlich auf der bühne im Alterthume garnicht so unbekannt und ungeübt als es uns leicht scheint [1]).

Hier ist aber weiter wohl zu beachten wie genau der dichter alle die hauptmenschen welche zu dem spiele gehören das ganze spiel hindurch unterscheidet und wie fest er die eigenthümlichkeit jedes auf das klarste durchleuchten läfst. So schon in ihren äufseren bezeichnungen und ihren gemeinen oder dichterisch von ihm geschaffenen namen, die er überall desto fester auseinanderhält je nothwendiger er bei so beschränkter zahl von spielenden auch solche klar unterscheiden mufste welche für die handlung selbst von der gröfsten wichtigkeit sind und doch fast oder vollkommen garnicht auf der bühne erscheinen. Die hoffrauen sind hier immer die *töchter Jerusalem's* nicht blofs in den anreden Sulammit's an sie 1, 5. 2, 7. 3, 5. 5, 8. 16. 8, 4, sondern auch sonst 3, 10 vgl.

---

[1]) man vgl. nur das beispiel des Indischen schauspieles nach einigen seiner höchst mannichfachen arten, in *Wilson's* Hindu Theatre (London 1835) I. p. XXVIII. XXX. II. p. 384. Sogar der Apostel spielt Gal. 4, 20 darauf an.

ähnlich 6, 9; und wie der dichter die übrigen einwohnerinnen Jerusalem's unterscheide ist schon oben gesagt. Salômo ist während des laufes des spieles immer kurz *der könig*, mag von ihm die rede seyn oder er zugegen seyn oder er wol gar sich selbst meinen 1, 4. 12. 7, 6; nur die bürger Jerusalem's sagen von ihm redend *Salômo* oder *der könig Salômo* 3, 7. 9: die jungfrau nennt ihn erst nach ihrer befreiung beinahe höhnend kurz *Salômo* 8, 11 f. Wo Sulammit dagegen von ihrem fernen freunde redet, da bezeichnet sie ihn immer kurz als *mein lieber* 1, 13. 14. 16. 2, 3. 8—10. 16. 17. 4, 16. 5, 2—6, 3. 7, 11—8, 3. 14, oder an einigen stellen inniger als ihren *seelengeliebten* 1, 7. 3; 1. 3. 4, scherzweise auch wol als *den unter lilien weidenden* 6, 3, während sie beständig só von ihm spricht dafs jedermann leicht merken kann sie meine einen vom könige ganz verschiedenen einfachen hirten der fern von ihr sei. Sulammit selbst wird von den hauffrauen stets mit *schönstes weib!* angeredet 1, 9. 5, 9. 6, 1: der könig dagegen widmet ihr ebenso beständig den namen *meine freundin* 1, 10. 14. 15. 2, 2. 4, 1. 7. 6, 4; hört sie aber von ihrem obwohl abwesenden freunde sich gerufen und angeredet, so hört sie solche ganz andere namen süfsesten klanges wie zuerst *meine freundin meine schöne*, *meine taube*, *meine reine* 2, 10. 13. 14. 5, 2, dann im steigen der handlung aber nur in einem augenblicke höchsten entzückens *braut*, *meine schwester braut* (obgleich sie nach s. 335 noch nicht wirklich verlobt war) 4, 8—5, 1; und wenn der könig sie zulezt einmal wie im wetteifer wenigstens auch mit *meine taube*, *meine reine* anzureden sich erkühnt 6, 9 aber ihr endlich als das nach seiner meinung höchste den namen *Edeltochter* 7, 2 entgegenwirft, so merkt man leicht wie da dennoch ein ganz anderer rede und wie wenig diese stimme die der ächten liebe sei. Da die jungfrau als die vom ersten anfange bis zum lezten ende spielende heldin von den übrigen redenden (zulezt 8, 13 auch noch von ihrem wirklichen Geliebten wieder auf eigenthümliche art) mit bezeichnungen angeredet wird welche der sinn des spieles selbst reicht, so würde der zuhörer nicht einmal ihren wirklichen namen oder doch woher sie sei erfahren, wenn dies nicht an einem treffenden orte 7, 1 ganz beiläufig und doch deutlich genug ergänzt würde.

Die zuhörer und zuschauer konnten nach diesen so vollkommen klaren zeichnungen auch die abwesenden aber für die entwickelung der ganzen handlung ebenso wichtigen gestalten sehr wohl unterscheiden. Für uns aber heute die wir die erste lebendige darstellung welche vieles von dem blofs geredeten leicht weiter verdeutlichte nicht mehr anschauen können, ist diese genaue unterscheidung aller hier irgendwie thätigen gestalten umso nüzlicher diese gestalten in ihrer ganzen wahrheit, die unmittelbar redenden und die entfernteren, sowie auch wo sie an jeder stelle zu reden beginnen und wo sie aufhören, mit der gröfsten sicherheit wieder zu erkennen, da in der schrift selbst nach dem I *a* s. 73 f. bemerkten die namen der redenden äufserlich nicht hinzugefügt wurden.

Aber künstlerisch ist noch weit wichtiger wohl zu beachten mit wie vollkommen geschickter und fester hand der dichter jede hier in betracht kommende menschlichkeit in den klarsten und leuchtendsten bildern zu zeichnen versteht. Wie billig, nimmt die heldin des lebensspieles die erste stelle ein: das urbild der treuen ächten liebe und ihrer wunderbaren allgewalt, ihrer unerschöpflichen mittel und kräfte, ihrer einfalt frische und ihrer wizig scharfen laune und biegsamen beweglichkeit, ihrer anmuthigsten weichsten zartheit und ihrer überraschend erschreckenden sprödigkeit und alles feindliche verscheuchenden stärke, ihrer geduld und standhaftigkeit, ihrer leiden und ihrer siege kann nicht lebendiger und wahrer dargestellt werden als hier. Sie spricht zuerst und zulezt, in den allerverschiedensten lagen versuchungen leiden und freuden, und ermattet doch nie und bleibt überall dieselbe. Und dazu gibt es bei aller glut der empfindung nichts jungfräulicheres und aller der mannichfaltigsten und reizendsten verlockung der sinne gegenüber nichts unbefleckbareres und keuscheres als wir hier schauen und hören. Der könig wird nicht völlig unköniglich aber in dem ganzen verführerischen geiste verkehrter begehrlichheit und *eitler üppigkeit* gezeichnet welcher sich so leicht um die irdische macht ja um die einseitige bildung und kunst selbst einschleicht. Auch er bleibt sich vom ersten worte welches er in das weibergemach eintretend an die jungfrau richtet bis zum lezten gleich: aber alles was er redet und thut ist nur das gegentheil jener ächten liebe welche nichtnur aus allem leben der jungfrau sondern auch aus dem ihr in aller lebendigkeit und wahrheit vorschwebenden und zulezt sich völlig bewährenden verhalten des wahrhaft liebenden hervorsprühet. Die hoffrauen sind die ganze handlung hindurch nicht unedel, aber auch nicht edel und frisch genug um alles verkehrte sogleich zu verwerfen. Und sogar die zeichnung der rauhen brüder Sulammit's welche nirgends auf der bühne erscheinen, bleibt sich von anfang bis zum ende (1, 6. 8, 8—10) gleich. Dazu zeigt sich die herrlichkeit des dichters vorzüglich noch dárin dafs er es versteht die allerverschiedensten auftritte welche er zu zeichnen hatte, sämmtlich jeden in seiner eigenthümlichen weise so vollkommen treffend zu entwerfen und auszuführen. Mag er das hof- oder das landleben, das volksleben auf den gassen oder die gedanken und worte auf dem einsamsten lager, das träumen oder das wachen, die gemeine rede oder die der wunderbarsten entzückung und erhebung oder alle die zwischen diesen äufsersten gegensäzen liegenden reden und empfindungen zu zeichnen haben, überall ist er ebenso grofs.

2. Nächst der auswahl der redenden und handelnden ist das wichtigste die künstlerisch passende feststellung der grofsen abschnitte und stillstände der handlung selbst. Das ist zwar leicht einleuchtend dafs bei einer handlung die äufserst verwickelt wird und deren ihrem ersten antriebe und ihrer steigenden verwickelung entsprechende lösung dargestellt werden soll, sich alles zunächst in die drei theile der anknüpfung verwickelung und lösung entfaltet; ferner dafs, ist die handlung grofs und verwickelt genug, der mittlere dieser drei theile selbst wieder passend in drei ähnliche theile zerfällt, ein schauspiel also sich am treffendsten in 5 gröfsere abschnitte zerlegt von denen jeder selbst wieder eine enger in sich zusammenhangende handlung oder einen *Act* enthält; und gerade in 5 solcher besondrer handlungen gliedert sich auch unser stück. Und da die ganze handlung welche wichtig genug scheint um sie auf der bühne zu zeigen, doch gewifs meist von dér art ist dafs ihre ganze entwickelung an éinem tage nicht zu denken ist, so liegt die annahme sehr nahe dafs jede dieser ihrer 5 haupttheile an einem besondern tage zu denken, die 5 abschnitte also mit 5 tagen einerlei seien [1]), wie danach auch unser schauspiel angelegt ist. Allein es kann im wesen der grofsen sich stufenweise weiter und weiter entwickelnden handlung liegen dafs auch ihre abschnitte oder vorläufigen stillstände durch etwas ähnliches bewirkt werden: und das ist in unserm schaustücke noch umso deutlicher, da sichtbar nach der ältesten einfachheit die wir hier

---

[1]) gerade dieser begriff der *tage* ist hier der älteste und einfachste, aber auch später noch sich vielfach erhaltende, vgl. darüber weiter das III. s. 55 der 2ten ausg. beim B. Ijob bemerkte und das *ahar* (*tag*) im Dhûrtasamâgama ed. Lassen p. 87, *hjas* (*gestern*) von den dingen des vorigen Actes im Mâlavika p. 44, 7—11; auch die Spanischen *jornados* in Lessing's WW. XXV. s. 75.

vor uns haben jener begriff von wechselnden *tagen* oder vom fortschritte der handlung nach tagen noch sehr stark festgehalten wurde. Ist also die seele der gesammten handlung die dafs die jungfrau ihrer treuen liebe wegen viele tage lang in die härtesten kämpfe fallen soll, und dazu kämpfe welche sogar eines königes willen eine grenze sezen sollen: so lag es nahe sie an jedem der vier ersten tage so schwer leiden und kämpfen zu lassen dafs sie am ende entweder durch die mühe der abwehr aller angriffe oder durch unendliche sehnsucht nach dem fernen freunde oder durch beides zusammen völlig erschöpft und wie ohnmächtig niedersinkt und damit der tag sich schliefst. Es ist die (wie es in dem schauspiele selbst heifst) *liebeskrankheit* oder *liebesohnmacht* die sie so überwältigend ergreift: und wie noch jezt im Morgenlande Wahnsinnige als nicht zu berührende gelten welche (wie die Heiden sagen) ein Gott angerührt habe und die so kein mensch anrühren und stören dürfe [1]), ebenso mufs in jener urzeit im volke Israel dieser glaube gewesen seyn dafs man eine von diesem dunkeln schlage niedergeworfene nicht weiter stören dürfe und auch eines königs willen hier eine schranke gesezt sei.

Das einfallen dieses schlages bezeichnet also hier die ersten vier mahle den nothwendigen grofsen stillstand der handlung und die unterbrechung des schweren kampfes der jungfrau wenigstens für den tag; und bei der damals wol noch sehr einfachen bühne war es gewifs passend dafs das ende eines *actes* durch ein so starkes zeichen angedeutet wurde. Scheint das nun etwas einartig zu seyn, so gestaltet es sich doch im einzelnen immer verschieden genug je nach dem verschiedenen wogen des kampfes an jedem [2]). Uebrigens weisen beiläufig auch andere merkmale auf das nahe ende eines der tage hin, wie 2, 17. 4, 6. 7, 13.

---

[1]) vgl. die *Jahrbb. der Bibl. wiss.* VII. s. 149. Dafs man auch in Israel wol meinte ein unglücklicher *den Gottes hand angerührt* habe, verlange schonung von menschen und sogar von feinden, liegt in den worten Ijob 19, 21.

[2]) vergleicht man genau die vier stellen auf welche es hier ankommt, 2, 5—7. 3, 5. 5, 8. 8, 3—4 und nimmt das jeder vorangehende hinzu, so wird man hier überall eine grofse abwechselung finden, aber auch dafs jeder wechsel an seinem orte richtig vorbereitet und wohlbegründet ist. Dies alles ist aber auch deshalb wohl zu beachten damit man nicht übereilt dáran denke die nur scheinbar absichtlosen ungleichheiten aufzuheben und die eine stelle nach der andern zu verändern. Die lesarten sind hier vielmehr alle rich-

Wie aber die handlung durch alle diese 5 tage sich im einzelnen entwickele, wie sie von den gegebenen anfängen und antrieben aus stufenweise bis zu ihrer äufsersten verwickelung und spannung komme um von da aus ebenso stufenweise zu ihrer entsprechenden lösung zu gelangen, das soll hier nicht zum voraus angedeutet werden. Wir werden nachher beim wiedererwecken aller der einzelnen der kleinsten wie der gröfsten theile des lebensspieles selbst klar genug erkennen welche vollkommene gliederung alles in ihm zu dem einzigen ächten ziele aufs festeste zusammenfüge, und wie dieses stück schon das urbild jedes ächten lebenspieles gebe.

3. Was endlich den vortrag des zu redenden im einzelnen betrifft, so versteht sich aus dem ursprunge alles kunstvollen lebensspieles, wie schon I *a* s. 70 gesagt ist, vonselbst dafs in ihm je älter und einfacher es noch ist desto nothwendiger das *liederartige* vorherrscht. Zu einem feste gehören lieder: diese lieder erscheinen also im lebenspiele anfangs nur eigenthümlich ausgebildet und dem besondern zwecke sich anpassend. Freilich können sie stufenweise immer mehr sich verringern und endlich vielleicht gar (wie meist heute) ganz in die gemeine rede übergehen, wenn eben das blofse darstellen zur einzigen hauptsache wird. Allein unser lebensspiel zeigt uns noch eine der ältesten und einfachsten gestaltungen. Obgleich es verhältnifsmäfsig schon die verschiedensten auftritte menschlichen handelns vorführt, auch solche wo die handelnden in keiner ächten stimmung zu singen sind, hält es sich dennoch nach einer doppelten seite hin noch ganz auf der alterthümlichsten höhe. Einmal dárin dafs es durchaus noch die höhere rede ja den ächt dichterischen versbau festhält, die zuhörer also von anfang bis zu ende rein an jene zauberhafte höhere stimmung zu fesseln sucht welche die festfeier fordert. Da entsteht in dem bunten mannichfachen inhalte des in solcher höheren stimmung zu schauenden und zu hörenden selbst schon ein unterschied: das vollkommne lied wie 2, 10—14. 15. 4, 8—5, 1 oder was seinem willen nach wirklich als reizender gesang sich höher heben will wie 4, 1—7. 6, 4—7, 10 stuft sich da selbst schon von allem übrigen ab; und diese unterschiede sind in unserm schauspiele fühlbar genug. Zweitens

---

tig, und dürfen nicht angetastet werden. — Vgl. über diese 5 haupttheile der handlung und ihre äufsere unterscheidung im Alterthume das unten weiter zu sagende.

aber behält es bei allen diesen unterschieden dennoch die ursprüngiiche liederart noch in so weit fest als es im ganzen nur aus einzelnen stücken sich zusammensezt von denen jedes dem vortrage und der gesangsweise nach ein in sich geschlossenes Ganzes bildet. Und dies ist eben hier das eigenthümlichste und denkwürdigste, was man besonders richtig verstehen mufs, da es auf jedem schritte die allernächste gliederung und belebung des ganzen lebenspieles in sich schliefst.

Wir können jedes solcher stücke aus welchen sich das ganze grofse stück zusammensezt, ein *gesangstück* nennen, da auch was im strengeren sinne kein lied ist hier wenigstens noch liederartig zu singen und mit mehr oder minder vollkommnem gesange vorzutragen ist. Der gesang hat schon als die höhere angestrengtere rede seine bestimmten grenzen, seine festen kreise und anhälte: jedes gesangstück hat also vor allem hier nur einen begrenzten umfang, in welchem es sich erheben sich immer lebhafter schwingen und sich zum längeren stillstande wieder herabsenken kann. Dieser umfang ist zwar ziemlich verschieden, auch nach dem inhalte des vorzutragenden selbst, indem der gesang z. b. da wo stimmenwechsel verschiedener singenden eintritt sich leichter dehnen läfst als wo blofs ein einzelner singt: allein er darf weder zu weit noch zu enge seyn. Dann aber mufs jedes gesangstück wesentlich auch von einer gleichen stimmung getragen seyn, sodafs für jedes sogar eine eigne gesangsart (melodie) sich eignen würde: es ist vorwiegend niedergedrückter oder freier, düsterer oder heiterer, unruhiger oder ruhiger, lustiger oder scherzender, gesangreicher selbst oder blofs erzählender. Wo aber ein solches gesangstück zu ende geht, was man eben weil es eine in sich geschlossene einheit gibt leicht erkennen kann, da ist auch selbst innerhalb jedes der 5 oben beschriebenen hauptabschnitte (Acte) ein bemerkbarer abschnitt und etwas längerer stillstand, oder eine unterbrechung und neuer anfang. Bedenkt man nun dafs alles lebensspiel von festliedern ausging, so ist nicht auffallend dafs unser ganzes HL. noch aus solchen gesangstücken sich zusammensezt; und es kommt hinzu dafs die meisten derselben wirklich nur von je einem singenden entweder ganz allein oder mit geringem einfalle anderer stimmen vorzutragen sind. Es folgt aber aus alle dem dafs man das HL. am richtigsten ein *Singspiel* nennt [1]).

[1]) wie schon in der ersten ausgabe dieses werkes I. bemerkt ist.

Es sind nun 13 solcher gesangstücke aus welchen unser singspiel sich zusammensezt [1]). Auf die 5 hauptabschnitte oder *tage* vertheilen sie sich só dafs auf jeden der 2 ersten 2, auf jeden der zwei folgenden 4, auf den lezten 1 kommt: man sieht auch daraus dafs auf die mitte der ganzen handlung sich das stärkste gewicht zusammendrängt.

Jedes dieser gesangstücke zerfällt wieder in entsprechende wenden, ganz wie dies Bd. I *a* weiter beschrieben ist. Alles gliedert sich hier nach den kunstgesezen der zeilen- und liederbildung bis ins kleinste herab: aber da schon jedes gesangstück an seiner stelle aus einer besonderen stimmung fliefst und dann der fortschritt und die entwickelung der gesammten handlung nach ihren grofsen schritten und stufen immer hinzukommt, so gestaltet sich hier alles auf jedem schritte mit malerischer lebendigkeit vollkommen neu. Wir können hier überall nur die ungemeine biegsamkeit zartheit und schöpferische ursprünglichkeit des gesanges und des liederartigen bewundern. Wollen wir aber etwas näher ins einzelne eingehen, so finden wir hier

1) nicht weniger als 8 gesangstücke in deren jedem nur éine stimme laut wird, 3 auf den könig, 5 auf Sulammit fallend. Unter den dreien des königs sind einige feinere, aber keine sehr grofse wechsel: dagegen treten bei den 5 Sulammit's só ungemeine wechsel ein dafs man auch hier auf jedem schritte das schöpferische der heldin spürt. Man hört da zwei gesänge der höchsten erregtheit, unter denen doch das zweite welches gerade auf dem gipfel der ganzen handlung erschallt das erstere wieder unvergleichlich überragt 2, 8—17. 4, 8—5, 1; zwei mehr nur erzählende stücke von welchen sich doch das zweite wieder ganz anders ausgestaltet 3, 1—5. 5, 2—8; und eins welches wie zwischen diesen gegensäzen sich ruhiger und insofern lieblicher gestalten will 7, 11—8, 4.

---

[1]) wie ich schon 1839 in der ersten ausgabe von Bd. I *a* näher zeigte. Zwar nahm auch *Stäudlin* (in Paulus' Memorabilien II. 1792) 13 *Scenen* des HLs an, aber nach einer ganz verkehrten eintheilung. Es ist unbegreiflich wie man neuerdings diese abhandlung Stäudlin's so hoch stellen konnte: sie war 1792 erträglich ja in gewissem sinne löblich, gegen mein werk von 1826 aber vollkommen unbedeutend und das wichtigste noch garnicht ahnend. Ich habe sie erst jezt gelesen: 1825—26 mochte ich sie nicht lesen weil Stäudlin hier in Göttingen damals noch lebte und ich nichts gegen ihn sagen wollte. Aehnlich sprach Dr. Ammon 1790 (was ich erst jezt bemerke) von 5 theilen des HLs, aber auf eine völlig verkehrte weise alles eintheilend.

2) drei wo ein gesang Sulammit's nur wenig von anderen redenden eingefafst wird: auch in ihnen gestaltet sich ihr gesang immer neu und in allen farben wechselnd, 1, 2—8; 5, 9—6, 3; 8, 5—14.

3) ein stück welches den vollkommensten redewechsel wiedergibt und insofern sehr merkwürdig ist 1, 9—2, 7; und ein anderes wo man die mancherlei immer wachsenden reden des volkes hört 3, 6—11.

In diesen 13 gesangstücken liegt nun freilich nur das feste gerippe des ganzen spieles vor: tüchtige schauspieler mufsten es beleben, und vorzüglich mufste das spiel der jungfrau von hoher kunst und geschicklichkeit getragen erscheinen. Dafs das ganze stück nur aus diesen 13 gesangstücken sich zusammensezt und der blofsen worte hier nicht viele sind, das ist ebenfalls noch ein sehr sprechendes merkmal des hohen alters dieses gedichtes, so wie zugleich ein gewichtiger beweis dafür. Wie leicht hätte ein späterer dichter aus diesen wenigen edelsteinen ein grofses weites kunstwerk aufbauen können! Allein dafs die festen grundlagen eines vollkommnen lebensspieles hier schon gegeben sind und auch das am weitesten ausgeführte schauspiel immer auf die hier unzerstörlich gegebene kunst zurückkommen mufs, das ist das gröfste und denkwürdigste was wir hier von seiten der kunstthätigkeit erblicken. Aber auch hinsichtlich der lebendigen zuthaten des schauspielers, seiner mienen und seiner augen, ist es als wollten die edeln aber noch etwas starren züge eines alterthümlichen steinbildes sich hier schon zu beleben anfangen. Wenn der könig 6, 4 der jungfrau wie plötzlich abgerissen zuruft sie möge ihre augen von ihm abwenden weil sie ihn erschreckten, so ist damit ein hinreichender wink gegeben wie diese in dém augenblicke auf der bühne spielen solle und was alles auch noch aufser dem blofsen worte zu der handlung gehöre. Zugleich aber beweist auch nichts deutlicher als ein solcher zug in den worten dafs man die einzelnen stücke unsers gedichtes in keiner weise von einander lostrennen und sie für zusammenhangslose lieder sei es desselben oder gar meherer dichter halten dürfe. Jene worte wie hundert andere in unserm gedichte würden dann da wo sie stehen nicht den geringsten klaren sinn haben [1]).

---

[1]) dafs das HL. éin Ganzes von éinem dichter bilde, mufste ich 1826 noch weitläufiger beweisen (vgl. auch noch später die Tüb. theol. Jahrbb. 1842 s. 543—49), es ist aber heute schon so allgemein anerkannt dafs hier davon nicht weiter geredet wird

4. Im baue der zeilen und der auswahl der wörter geht die kunst des dichtes auch schon an einzelnen stellen in das zierlichere und künstlichere, weil hier doch schon nichtmehr das reine lied erscheint: aber ebenso denkwürdig ist dafs diese immer feiner werdende kunst hier zunächst nur in einigen dazu am geneigtesten liegenden stücken sich zeigt. So ist in der lobesbeschreibung der schönheit 4, 1—4. 5, 10—15. 6, 6 f. 7, 2—6 ein höchst zierlicher bau jeder zeile und jedes einzelnen lobes erkennbar, wie unten im besonderen zu zeigen ist. Man sieht auch hier wie hochausgebildet alle Hebräische dichtung schon in einer verhältnifsmäfsig so frühen zeit war. Auch einige fälle wiziger wortspiele scheinen hier aufzutauchen [1]).

— So in ihrer art schon wunderbar vollendet ist die kunst des stückes. Und doch verschwindet diese zulezt wieder völlig vor der schönheit seines inhaltes und der erhabenheit seiner lehre. Sahen wir oben s. 263 ff. das urbild einer rechten hausfrau wie es ein später dichter für eine zeit wo das häusliche leben des volkes der alten wahren religion immer mehr alles werden mufste entwarf, so empfangen wir hier noch aus der ungebrochensten und schönsten zeit seines öffentlichen lebens die herrlichste dichterische ergänzung dazu. Denn dafs nicht die wollüstigen übergriffe und die schwülstigen reden des königs hier gelobt und empfohlen werden sondern nur Sulammit's jungfräuliches wesen hier ewig aufs neue erglänzen soll, bedarf für alle welche dies lebensspiel verstehen weiter keines beweises.

4. Aelteste geschichte des buches.

Nun sollte sich vonselbst verstehen dafs dies singspiel seinem zwecke entsprechend wirklich einst öffentlich gespielt

---

1) mit dem stabreime, שֶׁכֻּלָּם und שַׁכֻּלָה 4, 4. 6, 6; גַּן und גַּל 4, 12, vielleicht auch מַעְיַן und מַיִם 4, 15 und שֵׁם und שֶׁמֶן vgl. oben s. 287, wenn er im HL. 1, 3 nicht zufällig ist: denn absichtlicher ist er offenbar nur in dem künstlicheren gesange 4, 1—6 und dessen wettstreite 4, 12–15. Was hier mehr als zufall erblicken läfst, ist dafs der gleiche lautfall zugleich mit den anfängen der glieder der rede zusammentrifft, da das blofse וְ *und* hier leicht überhört wird. Nach solchen anfängen hätte sich in der Hebräischen dichtung der stabreim allerdings leicht völlig ausbilden können: allein dies ist eben nicht geschehen.

und vom dichter um dieses zweckes willen auch sofort niedergeschrieben wurde. So gewifs als das hochzeitslied Ψ. 45 ebenfalls im Zehnstämmereiche aber erst über 100 jahre später für eine öffentliche feier diente, ist dieses lustspiel einst wirklich eine öffentliche freude und erheiterung jenes volkes geworden [1]).

Dies stück war auch an sich selbst zu schön und zu herrlich als dafs es in den nächsten jahrhunderten auch unter den sehr veränderten verhältnissen der zeiten und der völker sich so leicht hätte verlieren können. Dafs es aus dem Zehnstämmereiche vielleicht ammeisten erst als dieses zerstört und seine einwohner zerstreut wurden sich weiter ausbreitete und auch in Juda viel gelesen wurde, können wir wenigstens seit dem achten und siebenten jahrh. vor Chr. an einigen spuren sicher genug erkennen [2]).

Indessen mehrten sich die sammlungen der alten lieder und gedichte, welche man allmälig veranstaltete. Man sammelte auch Salômonische lieder, ganz verschieden von den oben s. 2 ff. 55 ff. beschriebenen sammlungen Salômonischer Sprüche; und die sammlungen Salômonischer lieder womit man sich trug, enthielten (wie wir noch zuverlässig genug wissen) eine sehr bedeutende anzahl und daher gewifs auch eine grofse mannichfaltigkeit von liedern und liederartigen gedichten. Denn offenbar stellte man in solchen sammlungen allmälig auch solche lieder und gedichte zusammen welche nicht sowohl von ihm selbst gedichtet waren sondern die sich nur auf den berühmten könig bezogen. In eine solche sammlung mufs nun, wie I*a* s. 236 schon weiter gezeigt ist, auch unser gedicht aufgenommen gewesen seyn, wahrscheinlich schon im 8ten oder 7ten jahrh., da die nachricht von einer solchen grofsen sammlung sich schon 1 Kön. 5, 12 findet. Entweder nun von dem veranstalter dieser sammlung selbst oder von einem welcher das gedicht aus einer solchen sammlung entlehnt wieder besonders verbreitete, stammt gewifs die überschrift wel-

---

1) dafs das HL. auf einer wirklichen bühne gespielt werden sollte, wagte ich in der schrift von 1826 nochnicht fest zu behaupten, behauptete es aber bald darauf stets.

2) diese spuren sind schon gesammelt in der *Geschichte des v. Isr.* III. s. 493 der lezten ausg. Dafs auch Hosea nach einigen redensarten seines buches die sich 14, 6—8 häufen das gedicht viel gelesen habe, ist wol möglich, jedoch würde dies bei ihm als einem bürger des Zehnstämmereiches sich fast vonselbst verstehen; und jedenfalls würden bei ihm worte und bilder unsres dichters nur unwillkürlich nachklingen.

che es alsdann immer behielt. Bedeutet nämlich diese überschrift was sie den worten nach allein bedeuten kann, nämlich *das lied der lieder* d. i. das schönste lied *welches von Salômo ist* oder kürzer nach unserer sprache *das schönste lied Salômo's*, so erhellet von selbst dafs ihm dies lob nur verhältnifsmäfsig gegeben wurde, sofern in der ganzen grofsen sammlung Salômonischer lieder keins zu seyn schien welches an schönheit sich diesem vergleichen könne. Allerdings ist ein solcher ausdruck des besten oder höchsten in seiner art sonst wie in allen sprachen so auch im Hebräischen wohl in der dichterischen oder rednerischen höhe der worte gewöhnlich, nicht aber in der gemeinen rede [1]); und für eine blofse überschrift scheint er zur bezeichnung eines einzelnen stückes zu gesucht. Man könnte daher auch dáran denken ob *das lied der lieder* nicht ein aus lauter liedern zusammengeseztes und sie alle in sich begreifendes gröfseres lied also dasselbe bedeuten könne was unser singspiel durch seine zusammensezung aus den oben erläuterten 13 einzelnen liedern ja wirklich ist [2]). Ein einfacher name wäre jedoch auch dieser nicht: und man kann immer sagen in einer zeit wo seit der Assyrischen vorherrschaft jedermann von einem *könige der könige* sprach, habe man auch wohl das beste oder schönste lied so bezeichnen mögen. Jedenfalls aber zeigt die eigenthümlichkeit des Hebräischen sprachgebrauches dafs der name Salômo hier nicht den blofsen dichter benennen sollte [3]): dann darf aber auch die erste hälfte dieser redensart nicht eine für sich stehende bezeichnung der art des gedichts seyn; und so bringt uns das alles doch wieder dáhin zurück dafs die überschrift *das schönste lied* nicht überhaupt (denn das wäre leicht zu-

---

1) s. die beispiele §. 313 *c* und Qôh. 1, 2. 1 Kön. 8, 27: aus früherer zeit findet sich in gemeiner rede nur der im B. der Ursqq. sehr häufige ausdruck קֹדֶשׁ קדשים, aber allerdings haben die Semitischen sprachen eine besondere neigung für diese redefarbe, vgl. Caussin de Perc. gr. ar. vulg. p. 30 app. Frähn zu Ibn-Fofslan s. 192; auch Cirbied's gr. armen. p. 434.

2) dies wäre wenigstens besser als wenn man um etwa denselben sinn zu schaffen שִׁיר שׁ׳ *kette der lieder* lesen wollte.

3) es dürfte dann vor לִשְׁלֹמֹה nicht אֲשֶׁר stehen, wie alle solche überschriften zeigen. Sollte ferner die erste hälfte blofs die besondere art und kunst bezeichnen, so müfste es ohne den Artikel blofs שִׁיר שִׁירִים heifsen, wie ebenfalls alle überschriften zeigen. Beides also schliefst die möglichkeit aus dafs שִׁיר הַשִּׁירִים wie sonst in den überschriften nur die art des liedes andeuten solle.

viel gesagt) sondern nur *Salômo's* oder das schönste unter den Salômonischen bezeichnen sollte. Dafs aber die überschrift wirklich erst so zwei oder drei jahrhunderte nach Salômo entstand und keineswegs vom dichter oder gar von Salômo selbst abstamme, lehrt in diesem falle sogar schon der Hebräische sprachgebrauch unseres dichters [1]).

Sehr merkwürdig ist aber hier dafs das ganze gedicht sich für uns in einem verhältnifsmäfsig äufserst reinen wortgefüge erhalten hat. Da die sprache hier keineswegs überall so leicht ist und das mifsverständnifs dieses für die Späteren immer schwerer verständlichen buches früh genug anfing, so würde man eher manche verderbte oder doch weniger ursprüngliche lesart erwarten, und sieht sich desto angenehmer getäuscht. Wirklich findet sich abgesehen von der eben erläuterten überschrift kein einziger fremdartiger zusaz in unserm wortgefüge. Nur einigemale ist gewissen merkmalen zufolge ein wort oder ein kleiner saz ausgefallen bei 4, 8. 7, 5. 11. 8, 6, wie unten erläutert ist [2]): aber auch an diesen stellen só dafs ein gewöhnlicher leser kaum etwas davon fühlt. Aber auch die Alten Uebersezer hatten dasselbe im ganzen so wohl erhaltene und gleichmäfsige [3]) wortgefüge vor sich. Wir können aus dieser erscheinung etwas doppeltes schliefsen. Einmal dafs das reizende gedicht von anfang an in einer äufserst saubern ausgabe veröffentlicht wurde: und dies ist nicht auffallend wenn das volk des Zehnstämmereiches damals noch so wie oben gezeigt ist im besten wohlstande lebte. Zweitens dafs es einige jahrhunderte später in einer solchen alten guten ausgabe in das grofse sammelwerk Salômonischer lieder aufgenommen wurde aus welchem es sich für uns erhalten hat. Man kann hinzunehmen dafs es in den späteren zeiten allerdings auch nicht soviel gelesen und gebraucht seyn mag wie das B. der Salômonischen Sprüche,

---

1) da unser dichter niemals אשר sondern beständig ·שׁ gebraucht, und zwar nicht etwa aus dichterischen beweggründen sondern blofs weil er wie oben gesagt der damals im Zehnstämmereiche herrschenden sprache folgte, so hätte er sicher auch in der überschrift nicht אשר gesezt.

2) eine verschiedene lesart wie עלי oder עליו 5, 4 oder wie רהיט und רחיט 1, 14 kommt nicht in betracht.

3) allerdings ist הרחלים 6, 6 nur eine alte erklärung für הקצובות 4, 2: allein die LXX hatten jene lesart nochnicht, sondern an beiden stellen diese.

also auch von der willkür der abschreiber und leser nicht soviel zu leiden hatte wie dieses.

Man kann jedoch annehmen dafs die alte Hebräische abschrift aus welcher die LXX übersezen sogar noch die 5 grundtheile des gedichtes am rande deutlich bezeichnet enthielt. Diese bezeichnung hat sich wenigstens vermittelst der alten Aethiopischen übersezung só erhalten dafs man darin mehr als einen zufall sehen möchte [1]; und einige spuren davon zeigt auch noch der *Cod. Sin.* [2] Sollte aber jene unterscheidung der 5 Acte nicht aus einer alten handschrift sich ganz dem ursprünglichen willen des dichters gemäfs erhalten haben sondern nur auf der annahme eines alten lesers der LXX beruhen, so zeigt sie wenigstens wie verständig diese annahme war und wie nahe die einsicht in die ursprüngliche grofse gliederung unserer spieldichtung jedem etwas schärferen auge von jeher war. Die ebenso wichtige unterscheidung der 13 gesangstücke mufs freilich früh ganz verloren gegangen seyn.

Welche freiheit sich übrigens viele leser und abschreiber dieses buches noch in den ersten christlichen jahrhh. leicht nahmen, zeigt der *Cod. Sin.* auch insofern als er eine bezeichnung des wechsels der redenden stimmen in das wortgefüge einführt, wennauch mit rother tinte. Diese bezeichnung ist freilich nur aus einer allegorischen christlichen erklärung des stückes entlehnt, und trifft den ursprünglichen sinn sehr wenig, ja zerreifst oft das am besten zusammenhangende [3]).

Ob das buch nach der uns erhaltenen ältesten Griechischen übersezung schon von den Alexandrinischen Bukoli-

---

[1]) s. *Dillmann's* catal. codd. man. aeth. Bibl. Bodl. (Oxonii 1848) p. 7 und *d' Abbadie's* catalog. p. 50. 203. Ich hatte schon 1843 in den Tüb. theol. Jahrbb. s. 752 f. ausgesprochen dafs das HL. nicht 4 (wie ich 1826 annahm) sondern 5 Acte habe, und nur aus versehen dort 6, 4 statt 5, 8 gesezt.

[2]) er bezeichnet 1, 1. 15. 3, 6. 6, 4 am rande mit *A. B Γ. Δ.*, und hat offenbar *E* bei 8, 5 ausgelassen ähnlich wie er im B. Qôhélet alle zahlen nach *Δ* ausläfst. Die abtheilung bei 1, 15. 6, 4 weist allerdings auf die willkürliche meinung eines alten lesers hin.

[3]) wie verkehrt alle allégorische und typische erklärung des HLs. sei, habe ich in der schrift von 1826 und dann gelegentlich an vielen andern orten so bestimmt bewiesen dafs ich hier nicht darauf zurückkommen möchte. Vieles ist seitdem besonders an manchen stellen der *Jahrbb. der Bibl. wiss.* darüber gesagt. — Vgl. auch noch die stelle in *Harvay's* ausgabe des Eirénäos II. p. 455.

kern und ähnlichen dichtern benuzt sei, wie man in neueren zeiten vermuthete [2]), ist noch nicht sicher bewiesen. Man hat zwar manche ähnlichkeiten zwischen den Theokritischen gedichten und dem HL. aufgesucht: allein auch die scheinbar bedeutendste betreffend das *rofs* 1, 9 vgl. mit Theokr. 18, 30, zeigt sich bei näherer betrachtung als unähnlich genug und gar nicht nothwendig dem HL. entlehnt. Wirklich gibt es nichts unähnlicheres als die höfische und absichtlich dem sinnlichen schmeichelnde Alexandrinische dichtung mit ihrer blofsen nachahmung des Volksthümlichen und unsre noch ganz volksthümliche dichtung mit ihrer rein sittlichen richtung.

Das schönste lied Salômo's

I. 1.

(Sulammit und die hoffrauen.)

(Sulammit):

a Er küsse mich mit küssen seines mundes!
— denn besser ist als wein dein kosen.
Schön sind zu riechen deine salben,
du Süfser Salbenduft genannt!
drum lieben jungfraun dich.

b Zieh mich dir nach, o lafs uns laufen!
— geführt hat mich in seine gemächer der könig —
wir wollen frohlocken und uns deiner freuen,
wollen dein kosen duftiger finden als wein!
mit recht ja liebt man dich. —

c Schwarz bin ich doch zierlich, ihr töchter Jerusalem's!
wie Qedar's zelte, wie Salômo's zeltvorhänge.

---

1) s. Städlin in Paulus' Memorabilien II. 1792. Der hier sodann folgende aufsaz ist der oben erwähnte Stäudlin's.

Sehet nicht wie ich so schwärzlich bin,
wie mich die sonne hat versengt!
die söhne meiner mutter wollten mir übel,
machten mich zu der weinberge hüterin:
meinen eignen weinberg hab ich nicht gehütet!

d — Verkünde mir, o du den meine seele liebt!
wo weidest du? wo lagerst du am mittag?
damit ich nicht wie eine ganz vergessene — bei deiner
mithirten heerden werde!

(Die hoffrauen):

Bist du so unverständig, schönstes weib!
so zieh hinaus der heerde spuren nach
und weide deine ziegen bei den hirtenhütten!

2.

(Salômo tritt ein).

(Salômo):

a Meinem rosse unter Pharao's gespannen
verglich' ich, meine freundin, dich!
10 Zierlich sind deine wangen mit den ringen,
dein hals mit schmucken schnüren:
Goldene ringe wollen wir dir machen
zugleich mit silbernen küglein!

(Sulammit):

b Solang der könig war an seinem tische,
gab meine narbe ihren duft. —

(abgekehrt):

Ein myrrhenbündelchen ist mir mein lieber
das fest an meinem busen ruht;
eine traube von Alhenna mir mein lieber
in ʿAengedi's weingärten.

(Salômo):

c Ja du bist schön o meine freundin, 15
ja schön du deren augen tauben!

(Sulammit, abgekehrt):

Ja du bist schön auch wonnig, o mein lieber!
auch unser bette grünet;
unsrer häuser balken sind die cedern,
unsre fächerdecke sind cypressen;
ich eine herbstzeitlose der ebene, 2, 1
eine lilie der thäler.

(Salômo):

d Wie eine lilie zwischen den dornen
ist meine freundin unter den töchtern.

(Sulammit, abgekehrt):

Wie ein apfel unter des waldes bäumen,
so ist mein lieber unter den söhnen:
in seinem schatten safs ich übergerne
mit seiner frucht die meinem gaumen süfs;
er führte in die weingelände mich
mit seinem liebesbanner über mir. —

e — Stärkt mich mit rosinenkuchen, 5
labet mich mit äpfeln!
denn ich bin liebeskrank.
Seine linke unter meinem haupte,
und seine rechte umarme mich! —

Ich beschwöre euch, töchter Jerusalem's!
bei den gazellen oder — bei den hindinnen der flur,
dafs ihr nicht regt —
nicht aufregt —
die liebe bis sie will!

II. 3.

(Sulammit und die hoffrauen).

(Sulammit):

a Horch mein lieber! sieh da kommt er,
springend über die berge, hüpfend über die hügel.
Es gleicht mein lieber der gazelle — oder dem füllen der hindinnen;
sieh da steht er hinter unserm gemäuer,
blickend durch die fenster, aufschimmernd durch die gitter! —
10 Es versezte mein lieber und sagte mir:

a „Auf du, meine freundin,
meine Schöne! und komm her!
„Denn sieh der winter ist vergangen,
der regen ist vorüber, ist dahin;
„Die blumen blickten auf im lande,
des gesanges zeit ist herangerückt,
und der turtel stimme erklungen in unserm lande.

b „Die feige röthet schon ihre beeren,
und die blühenden reben duften:
auf du, meine freundin,
meine Schöne! und komm her!
„Du meine taube in den felsenspalten, im schirme der stufenwand,
lafs mich dein antliz schauen, deine stimme hören!
denn süfs ist deine stimme, und lieblich dein antliz."

15 *c* „„Fanget uns die füchse,
die kleinen füchse, die zerstörer der weinberge,
da unsre weinberge blühen!""

— Mein lieber ist mein, und ich bin sein,
er der in den lilien weidet. —
Ehe der tag noch kühlet — und die schatten fliehen,

wende dich her und gleiche, mein lieber!
der gazelle oder dem füllen der hindinnen
über die berge der trennung!

4.

a Auf meinem lager in den nächten — suchte ich den meine seele liebt: 3, 1
ich suchte ihn und ich fand ihn nicht.
„Aufstehen will doch und durchkreisen die stadt, die märkte und die gassen;
will suchen den meine seele liebt!“
ich suchte ihn — und ich fand ihn nicht.

b Fanden mich die wächter welche die stadt durchkreisen:
„den meine seele liebt sahet ihr?“
Kaum dafs ich sie vorüberging, so fand ich den meine seele liebt:
„ich hab ihn gefafst und will ihn nicht lassen,
bis dafs ich ihn bringe in meiner mutter haus, und in meiner Alten gemach.“

c — Ich beschwöre euch, töchter Jerusalems! 5
bei den gazellen — oder bei den hindinnen der flur,
dafs ihr nicht regt,
nicht aufregt
die liebe bis sie will!

III. 5.

(Bürger Jerusalem's).

(Eine stimme):

a Was ist da das heraufwallt aus der wüste — rauchsäulen gleich,
umduftet von myrrhe und weihrauch — von allem würzestaub des krämers?

(Eine andere):

b Da ist Salômo seine sänfte! —
Funfzig helden rings um sie — von den helden Israel's;
sie alle schwerterhaltend, kriegserfahren:
jeder sein schwert an seiner hüfte — ob der gefahr in den nächten.

(Eine dritte):

c Ein prachtbett machte sich könig Salômo — von holz des Libanon;
10 seine säulen macht er silbern, seinen lehnstuhl golden, seinen siz von purpur,
seine mitte ausgeziert mit einer liebe — von Jerusalem's töchtern.
— Heraus und schaut, ihr töchter Ssion's, auf den könig Salômo!
auf den kranz womit ihn seine mutter bekränzte
am tage seiner hochzeit — und am tage seiner herzensfreude!

6.

(Salômo Sulammit und die hoffrauen in der burg).

(Salômo):

4, 1 *a* Ja du bist schön, o meine freundin!
ja schön du deren augen tauben — hinter deinen locken hervor!
du deren haar wie eine ziegenheerde — die vom Gileadberge her glänzt;
deren zähne wie die heerde der wollgeschorenen — die aus der wäsche gekommen,
die alle zwillingsmütter, und unter denen keine kinderlos;

b deren lippen wie der purpurfaden, und deren sprachzeug so lieblich,

deren wange wie die granatenscheibe — hinter deinen locken hervor;
deren hals wie ein Davîd'sthurm, erbaut für heeresschaaren,
woran die tausend schilde hangen, alle die köcher der helden;
deren brüste wie zwei junge zwillingsgazellen — die unter lilien weiden! 5

c — Ehe noch der tag kühlet — und die schatten fliehen,
begeb ich mich zum myrrhenberge — und zur weihrauchshöhe:
o du ganz schöne, meine freundin,
und du ganz fleckenlose!

(er geht ab).

7.

(Sulammit und die hoffrauen).

(Sulammit):

(Sieh da mein lieber, sieh da kommt er,
horch wie er mir sagt seine worte):

a „Mit mir vom Libanon, braut! — mit mir vom Libanon sollst du kommen,
sollst entkommen des Amana haupte, dem haupte Senîr's und Hermôn's,
aus der löwen höhlen, aus der parder bergen!
„Herz machst du, meine schwester braut —
herz machst du mir durch eins von deinen augen,
durch éinen stein von deinem hälschen! —

b „Wie schöner ist dein kosen, schwester braut, 10
wie schöner ist dein kosen als der wein,
und deine salben duftender als alle würzen!
„Honigseim träufeln deine lippen, braut!
honig und milch ist unter deiner zunge,
und deiner kleider duft wie Libanon's duft.

c „O verriegelter garten, du schwester braut,
verriegelte welle, versiegelte quelle,
„deren sprößlinge ein park sind von granaten — mit edelsten früchten,
alhennastauden mit narden,
„narde und krokus, kalmus und zimmt — sammt allen weihrauchhölzern,
myrrhen und Aloe sammt köstlichsten würzen,
15 „du quelle der gärten, born lebendigen wassers,
und vom Libanon rieselnder bach!" —

d — Auf auf nordwind, und komme du süd,
durchfächele meinen garten, laß strömen seine würzen!
es komme mein lieber zu seinem garten — und esse seine edelsten früchte!
5, 1 „Ich komme zu meinem garten, ich pflücke meine myrrhe sammt würze,
ich esse meinen honig sammt trauben, ich trinke meinen wein sammt milch.
Esset ihr freunde, trinkt und berauscht euch ihr lieben!" . . . . . .

8.

a Ich schlief und mein herz wachte — da horch klopfte mein lieber:
„öffne mir o schwester braut, meine taube meine reine!
da mein haupt ist voll vom thau, meine locken von nächtlichen tropfen".
„Ausgezogen hab ich mein kleid — wie sollt' ich's wieder anziehn?
gewaschen meine füße — wie sollt' ich sie beschmuzen?"
Mein lieber reichte seine hand durch's fenster,
und mein Inneres tobte mir zu sehr. —

5 *b* Aufstand ich meinem lieben zu öffnen — während meine hände triften von myrrhe,

und meine finger von myrrhe — fliefsend auf des riegels griffe.
Ich öffnete meinem lieben — und mein lieber war verschwunden, war fort!
— meine seele entschwand da er rückwich —
ich suchte ihn und ich fand ihn nicht — ich rief ihn und er antwortete nicht.
Fanden mich die wächter die die stadt durchkreisen — die schlugen und verwundeten mich,
es nahmen meinen schleier mir ab die wächter der mauern.

c — Ich beschwöre euch, töchter Jerusalem's,
wenn ihr meinen lieben findet, was wollt ihr ihm melden? —
Dafs ich bin liebeskrank!

IV. 9.

(Die hoffrauen und Sulammit):

(Die hoffrauen):

a Was ist dein lieber für ein freund, o schönstes weib!
was ist dein lieber für ein freund, dafs du uns so beschwurest?

(Sulammit):

Mein lieber ist strahlend weifs und roth, erglänzend vor hundert und tausend; 10
sein haupt ist lauterstes gold, seine locken weinranken, rabenschwarz;
seine augen wie tauben über wasserbetten, gewaschen in milch ruhend in voller fülle!
seine wangen wie balsambeete, hochsprossend mit würzfeldern;
seine lippen lilien gleich, träufelnd von fliefsender myrrhe.

b Seine hände sind goldene walzen, die eingefafst mit Tarschîshstein;
sein leib ein kunstwerk von elfenbein — bekleidet mit Saphiren;
15 seine schenkel sind marmorsäulen — gegründet auf goldne gestelle;
sein anblick wie der Libanon, ein jüngling gleich den cedern!
sein gaumen süfsigkeit — und er ganz lieblichkeit:
das ist mein lieber und das mein freund,
ihr töchter Jerusalem's!

(Die hoffrauen):

6, 1 *c* Wohin ging dein lieber, o schönstes weib!
wohin wandte sich dein lieber, dafs wir ihn mit dir suchen?

(Sulammit):

Mein lieber zog zu seinem garten hinab, zu den balsambeeten,
in den gärten zu weiden und lilien zu pflücken. —
Ich bin meines lieben und mein lieber ist mein,
er der unter lilien weidet!

10.

(Der könig tritt ein).

(Salômo):

a O meine freundin schön wie Tirfsa, lieblich wie Jerusalem,
furchtbar wie gewappnete schaaren ....
5 (wend deine augen von mir ab, da sie mich schrecken)!
du deren haar wie eine ziegenheerde — die vom Gileadberge her glänzt,
deren zähne wie eine heerde mutterschafe — die aus der wäsche gekommen,
die alle zwillingsmütter — und unter denen keine kinderlos;

deren wange wie eine granatenscheibe — hinter deinen locken hervor!

b Sechzig sind der königinnen,
achzig sind der nebenfrauen
und jungfrauen ohne zahl:
éine nur ist meine taube meine reine,
einzig ist sie ihrer mutter, theuer der die sie gebar;
es sahen töchter sie und priesen sie,
königinnen und nebenfrauen und lobten sie!

c „Wer ist die hier aufblickt wie morgenroth, schön wie der mond, 10
rein wie die sonne, furchtbar wie gewappnete schaaren?"
„„Zum nufsgärtchen stieg ich hinab, zu schauen auf des baches grün,
zu schauen ob schon der weinstock sprofst, ob blühen die granaten.
ich weifs nicht meine lust hat mich gebracht — zu den wagen meines Edelvolkes!""
„Kehr um kehr um o Sulammit! — kehr um kehr um, dafs wir dich anschauen!" 7, 1
„„was wollt ihr schauen an Sulammit?"" „was gleicht dem tanz von Machanáim."

11.

a Wie schön sind deine tritte in den schuhen, du Edeltochter!
du deren hüftewölbungen wie spangen — von künstlershänden gemacht;
deren schofs wie der runde becher ist — (es fehle nicht der mischwein!),
deren leib ist ein waizenhaufen — umsteckt mit lilien;
deren zwei brüste wie zwei junge zwillingsgazellen;

b deren hals ist wie ein elfenbeinthurm 5
deren augen die teiche in Hesbôn sind — am thore Batrabbim;

deren nase wie der Libanonsthurm — der hin nach Damaskus schaut;
deren haupt da oben dem Karmel gleicht — und deren wallendes haar dem purpur,
(— ein könig gefesselt in flechten!):

wie schön bist du, wie lieblich,
o liebe, in der wonne!

c Diese deine gestalt gleicht der palme — und deine brüste den trauben:
ich denke besteig' ich den palmbaum — und erfasse ich seine reiser,
dafs deine brüste wie die weintrauben seien — deiner nase duft wie der äpfel,
10 und dein gaumen wie der süfseste wein — der liebenden gerade hinunter schlüpft
und der schlafenden lippen benezt!

12.

(Sulammit):

a Ich bin meines lieben und mein lieber ist mein,
und zu mir steht seine sehnsucht!
Wohlan mein lieber lafs uns gehen auf's feld, weilen unter Kyprosstauden,
lafs uns früh zu den weinbergen gehen, sehen ob schon der weinstock sprofst,
ob schon die weinblüthe sich entfaltet, schon die granaten blühen:
dort will ich dir mein kosen weihen!

b Die liebesäpfel duften schon, und über unsern thüren ist allerlei obst,
neues so wie altes — dir von mir aufgespart. —
8, 1 O wärst du mir wie ein bruder, der meiner mutter brust gesogen,
dafs ich dich draufsen fände dich küfste! doch würde man mich nicht verachten;

dafs ich dich leitete dich brächte in mein mutterhaus,
du mich lehrtest,
ich dich vom würzwein tränkte, von meinem granatenmoste!

c — Seine linke unter mein haupt,
und seine rechte umfasse mich!
Ich beschwör' euch, töchter Jerusalem's,
o reget nicht,
o regt nicht auf
die liebe bis sie will!

V. 13.

(**Hirten. Sulammit. Ihr freund**).

(Hirten):

a Wer ist die hier heraufkommt aus der trift, 5
auf ihren lieben sich stüzend?

(Sulammmit zu ihrem Geliebten):

...... Unter dem apfelbaum weckte ich dich auf:
dort gebar dich deine mutter, dort gebar sie dich mit schmerzen.

b Leg wie den siegelring mich an dein herz, wie den siegelring an deinen arm!
denn gewaltig wie der Tod ist liebe, unbesiegbar wie die Hölle feuerliebe,
ihre funken feuerfunken, ihre glut ist Gottes glut.
Viele wasser können die liebe nicht löschen, und ströme überschwemmen sie nicht:
gäb' einer all sein hausvermögen um die liebe —
nur verachten würde man ihn!

(zu allen):

c „Eine kleine schwester haben wir, noch ohne brüste:

was machen wir mit unsrer schwester — am tage
wo man um sie freit?"
„Ist sie eine mauer, so bauen wir silberne zinnen auf ihr;
ist sie eine thür, so schliefsen wir sie mit ceder-
brettern ein!"
10 Ich bin eine mauer, meine brüste wie die thürme:
da ward ich vor ihm wie eine die da frieden findet!

d Einen weinberg hatte Salômo in Baal-hamôn:
er gab den weinberg hütern aus,
dafs jeder tausend gulden brächte für seine frucht.
Mein weinberg, meiner, steht in meiner hand:
die tausend habe du Salômo,
und zweihundert die so hüten seine frucht!

(Der Geliebte):

e O du einwohnerin der gärten,
die genossen warten deiner stimme:
lafs mich sie hören!

(Sulammit):

Quer um, mein lieber, und werde du gleich
der gazelle oder dem füllen der hindinnen
— auf den balsambergen!

Erklärung des sinnes.

Erster tag.

1. — 1, 2—8.

1. 1, 2—4. Sulammit ist wie wir sie hier sehen und hören, schon seit einiger zeit in Salômo's hofburg unter den frauen gewesen; sie hat auch schon genug gesehen wie üppig das leben da ist, wie der wein da fliefst, die salben duften, die gesänge rauschen; auch weifs sie wozu sie in die hofburg

gebracht ist. Aber ihr geist ist fortwährend nur bei ihrem abwesenden freunde, ihre sehnsucht ihn zu sehen ist desto stärker erregt je weiter und je gezwungener sie sich von ihm getrennt fühlt, und so ist das erste wort welches wir hier von ihr hören der seufzer *Er küsse mich mit küssen seines mundes!* Aber so ins laute reden gekommen, fügt sie schon lebendiger ihn selbst anredend und am besten fühlend wie wenig ihr der wein und die salbendüfte am hofe gefallen hinzu *denn besser ist als wein dein kosen!* und weiter *Schön sind zu riechen deine salben, du Süfser Salbenduft genannt!* was braucht sie hier einen andern namen für ihn als diesen? ist er doch für sie weiter nichts als ein einziger süfser salbenduft, ein myrrhenstraufs an ihrem busen wie sie noch an diesem tage weiterhin v. 13 ihn nennt. Und hinzusezen kann sie begründend *drum lieben dich jungfrauen,* ich und alle andern so gut wie ich: alsob sie irgend etwas zurückhielte hier nicht blofs so nackt ihre eigne liebe zu ihm auszusprechen.

2. Aber nach kurzem schweigen ist schon im nächsten augenblicke die sehnsucht zu mächtig geworden, und alle scheu abwerfend ruft sie plözlich laut *Zieh mich dir nach, o lafs uns laufen* fort von diesem orte wohin, wie sie dann kurz zwischenbemerkt, der könig sie hat kommen lassen; und weiter fügt sie nun wie zur erklärung und wie im unwillkürlichen gegensaze zu den gesängen und gelagen am hofe hinzu *wir wollen frohlocken und uns deiner freuen, wollen dein kosen duftiger finden als wein:* und es ist auch hier wie v. 13 alsob irgendetwas sie zurückhielte sich hier ganz allein zu nennen, alsob ihr geliebter nicht auch für jede andre ebenso herrlich sei, sodafs sie auch hier wie dort v. 3 mit einem grunde für alles das schliefst: *mit recht liebt man dich.* Wird doch die liebe erst dádurch die ächte dafs der einzelne den gegenstand seiner liebe mit allen theilen möchte.

3. 1, 5 f. So hatte wol selten oder nie eine jungfrau an diesem orte geredet: es läfst sich denken wie die umstehenden frauen aufmerksam werden, wie sie die jungfrau verwundert anblicken. Sie merkt das, und meint bald ächt weiblich sie die glänzendweifsen Schönen wollten sich über sie die schwarzbraune ländliche jungfrau lustig machen. So wendet sie sich an sie, bittet sie in ruhe zu lassen, und erklärt ihnen zuvorkommend sie sei wol schwarz aber hoffentlich auch zierlich und nicht so gänzlich unwürdig, schwarz wie die mit schwarzen ziegenhaargeflechten bedeckten zelte der Qedar

d. i. Araber [1]), zierlich wie die mit den schönsten zeltvorhängen geschmückten königszelte welche sie nach 6, 12 noch vor einiger zeit selbst in der nähe ihrer ländlichen wohnung gesehen hatte [2]); das schwarzbraune gesicht habe sie nur durch sonnenbrand bekommen, weil sie von übelwollenden stiefbrüdern gezwungen die weinberge habe hüten müssen: da habe sie dann *ihren eignen weinberg*, ihr eignes gut, die schönheit nicht gehütet, wie sie launig schliefst. Ein weinberg ist inderthat ein gut: und von welchem eignen gute die jungfrau in diesem zusammenhange rede, ist leicht deutlich; sie hat freilich auch noch andere güter, namentlich ein viel höheres wovon sie unten 8, 12 nach demselben bilde vom weinberge redet: aber welches sie hier meine, erhellet aus ihrer rede klar genug. — So ländlich und so unschuldig ist also Sulammit noch dafs sie noch nicht einmal weifs dafs gerade auch diese seltene schwarzbraune farbe ihres gesichtes vielleicht dazu beigetragen hat die augen des königs auf sie zu lenken. Aber wir kennen nun schon die jungfrau einem grofsen theile nach näher auch nach ihrem früheren leben.

4. 1, 7 f. Allein kaum ist sie durch diese erklärung von der neugierde der hoffrauen etwas befreit, so sinkt sie in ihre sehnsucht den entfernten Geliebten zu sehen wieder allein zurück, und wendet zu ihm allein wieder sinn und wort. Wo mag er jezt in der ferne mit seiner heerde weilen? und ist eben jezt die schwüle des tages, wo mag er lager halten? O möchte der hirt ihr doch das selber sagen, da gewifs niemand sonst es ihr in der umgebung worin sie jezt sich findet melden wird. Wenigstens möchte sie nicht wie eine ganz *vergessene* werden — nicht sowol bei ihm selbst den sie hier allein nicht nennen mag, sondern überhaupt *bei allen den heerden seiner mithirten*. So scheu und züchtig redet und denkt sie.

Aber wenn die hoffrauen schon früher über die seltsame jungfrau staunen mochten, so können sie nach diesen ihren lezten äufserungen ihre lauten worte nicht länger zurückhalten. Sie können ja die wirkliche seltene schönheit dieser jungfrau nicht läugnen: aber dafs dies *schönste weib* wie sie

---

1) nach *Harmar's* beobachtungen über den Orient I. s. 125. *Burckhardt's* notes on Bedouins p. 21. 27. 315. — Sonst vgl. unten bei 5, 10.

2) noch jezt wohnen die Persischen könige jährlich einmahl gerne unter zelten in anmuthigen gegenden, s. *Morier's* zweite reise in Persien s. 223. *Jaubert's* voyage p. 334.

sie gern bei der anrede nennen, so unverständig seyn will aller pracht und herrlichkeit des königlichen hoflebens welches hier auf sie wartet, das leben unter einfachen hirten vorzuziehen und sich dorthin zu sehnen, ist ihnen unbegreiflich; und nicht ohne eine wie sie meinen verdiente zurechtweisung bemerken sie spöttisch, *wenn sie so unverständig sei*, so möge sie doch hingehen und wie eine gemeine ziegenmagd bei den *wohnungen der hirten* auf der weide sich vergnügen! v. 8.

Der bau der wenden ist hier wie er in unruhiger rede zunächst sich bildet: jede der drei ersten zerfällt in 5 zeilen, aber só dafs diese in der dritten zu langen werden. Das zwiegespräch der vierten bewegt sich in 2mal 3 längeren zeilen.

2. — 1, 9—2, 7.

Zu guter zeit tritt Salômo hier ein, und sogleich verstummen vor ihm die verschiedenen stimmen der weiber. Er nun

1. 1, 9—11 beginnt seine schmeichelworte an Sulammit, die er leicht fangen zu können meint. Als eine ungewöhnliche erscheinung mufs sie ihm indefs von anfang an vorgekommen seyn: so schmeichelt er ihr sogleich von anfang an mit dem lobe sie komme ihm ebenso prachtvoll herrlich vor wie *sein rofs unter Pharao's gespannen.* Unter allen den vielen rossen und wagen (oder gespannen) welche Salômo von seinem königlichen schwiegervater in Aegypten begünstigt von dort einführte (vgl. die *Geschichte des v. Isr.* III. s. 355 f. 358), mufs eine ihm besonders liebe kräftig prachtvolle stute gewesen seyn die allgemein als sein lieblingsrofs bekannt war: und indem er die Sulammit mit dieser gleichsezt und damit ein uns heute leicht sonderbar scheinendes bild gebraucht, mufs man bedenken wie neu damals in Israel der gebrauch von rossen war und welches aufsehen besonders der handel Salômo's mit Aegyptischen rossen machte, wobei er das beste für sich selbst auswählte. Er meint also der Sulammit damit schon das schmeichelhafteste gesagt zu haben, fügt jedoch wie auch um ihre lust nach gold und silber zu reizen v. 10 f. hinzu, schön ständen ihren schönen wangen zwar auch die ringe an jedem der beiden nasenflügel befestigt, und ihrem halse die schnüre um ihn, aber *goldene ringe* der art und feine *silberne küglein* die zusammengereihet das halsband bilden sollten ihr jezt am hofe statt jener von gröberen stoffen gemacht werden! — Und gewifs würde

leicht jede andere an Sulammit's stelle solcher schmeichelei und solchen anerbietungen gewichen seyn: nicht aber sie, wie sich

2. 1, 12—2, 4 in dem nun folgenden zwiegespräche zeigt. Dies gespräch gestaltet sich, vom könige erzwungen und fortgeführt, unerwartet so seltsam als möglich: was sich auch schon in der äufsern fassung und haltung der zeilen jedes der redenden verräth. Denn wie der könig in sechszeiligem gesange v. 9—11 angefangen hatte, so antwortet Sulammit zwar dreimal in dem gleichen mafse und spricht so wenn nicht zu wallend und zu unruhig alsob sie sich vor dem könige mäfsigte, doch stets voll und lebendig genug. Der könig wirft nur zweimal v. 15. 2, 2 ein zweizeiliges wort dazwischen, als wollte er zwar in derselben weise fortfahren worin er begonnen, ja als suchte er sein lob und seine schmeichelei in guter weise noch geschickt zu steigern, aber alsob es ihm doch nicht recht gelingen wollte so frei und ungehemmt zu reden als er wünschte. Denn sogleich

das *erste* wort welches sie in dieser lage hervorstöfst v. 12 ist für einen feineren sinn abweisend genug. Sie äufsert *so lange der könig an seiner tafelrunde* also mitten unter dem kreise seiner von ihm zum mahle eingeladenen freunde gewesen sei, habe *ihre narde* wohl *geruch gegeben* oder ihr süfsen duft bereitet, nun aber sei es damit aus, sie fühle sich wie die Inder sagen würden in दु:ख d. i. in schlechter luft und damit überhaupt höchst übel; und da die Narde damals wol erst seit kurzem aus Indien in Palästina eingeführt war, so kann man sehr wol annehmen dies sei ein damals neues und beliebtes sprichwort gewesen. Es ist als spräche sie noch immer in jenem kreise von duftwörtern womit sie v. 3 f. begann: und sollte der könig etwa ihr sprichwort nicht verstehen, so fährt sie fort v. 13 f. mit ähnlichen von duftsachen entlehnten bildern aber nun viel deutlicher zu reden: ein *myrrhenbündelchen* oder riechbüchschen (Jes. 3, 20) *das zwischen ihren brüsten fest ruhe* (denn da wird ein solches büchschen an einem zierlichen faden festgehalten) *sei ihr ihr Lieber*; welche doppelte wonne das! aber als hätte sie damit fast zuviel gesagt, fügt sie hinzu *ein* wohlriechendes *träubchen* der *Kófer* oder Kyprosstaude oder der *Alhenna* (wie die Araber die staude nennen) sei ihr ihr Geliebter *in den weingärten von ʿAen-gedi*, wo er nach dem s. 339 erläuterten wohnte. Ueber die Kyprosstaude und ihre wie trauben zusammenwachsende blüthen s. *Celsii* hierobotanicon I. s. 222. *Oedmann's* vermischte sammlungen der Naturkunde I. c. 7. — Allein was hilft es

zweitens dem könige dafs er nun v. 15 wie nicht beachten wollend was sie ihm abgewandt und auf den fernen Geliebten hindeutend sagte, sich wieder an sie wendet und ihre schönheit lobt, sie jezt nicht blofs wie v. 9 *seine freundin* sondern auch *die* nennend *deren augen tauben* seien oder so anmuthig und munter wie tauben sich bewegend, wie dieser sinn unten 4, 1. 5, 12 nöch deutlicher hervorleuchtet; man mufs aber hinzunehmen dafs die tauben nach alter volksvorstellung ein sinnbild der liebe sind. Sie läfst sich mit solchen neuen schmeichelworten nicht fangen, drehet vielmehr sich sofort fassend die worte wizig auf ihren freund um v. 16 ohne den könig auch jezt eines blickes zu würdigen, und weifs jenes lob sogleich noch zu steigern als sei er nicht blofs schön sondern auch *wonnig*. Und als triebe es sie nun erst recht wennauch nur durch einen wink vom gegentheile auf die goldenen versprechungen des königs in seiner vorigen rede v. 10 f. zu antworten, fährt sie fort auch ihre und ihres Geliebten herrlichkeiten zu loben: ja ihr bett wo sie sich lagern ist zwar nicht der weiche kostbare pfühl des königshauses, aber doch der *grüne* rasen; ihre *balken* und *fächerdecken* (getäfel oben an der decke des zimmers) sind zwar nicht die kunst- und prachtvollen dieses hauses worin sie jezt ist, aber doch die erhabenen ewig grünen *cedern und cypressen;* und ist sie auch nur eine niedrige *blume*, eine herbstzeitlose oder lilie der *ebenen und thäler* und mag weiter nichts seyn, so ist sie doch eine solche blume und weifs wem sie so gelte. — Nun sucht der könig zwar

drittens an die lezten worte anknüpfend und wie im wetteifer mit ihr nun auch seinerseits sie umzudrehen sinnend noch einmal 2, 2 rasch ihr ein ausgesucht zierliches lob vor die füfse zu werfen, sie ebenfalls wie das schöne bild vollkommen billigend *eine Lilie* nennend aber *eine lilie* [1]) *unter den dornen*, und damit sie über alle die andern frauen erhebend. Was kann er noch mehr sagen? mufs er nicht erwarten dafs sie nun wenigstens sich genug geehrt und ausgezeichnet finde? Aber indem sie ringend mit ihm im schweren spiele des lebens wie in dem zierlich leichten des wizigen gedankens auch dieses wort auf ihren Geliebten umbiegt,

---

[1]) über die Lilie als *Rose* s. die *Jahrbb. der Bibl. wiss.* IV. s. 71 vgl. noch B. Henókh 82, 16. 106, 2. 10.

ihn einen liebliche früchte tragenden zierlichen *apfelbaum* unter den wilden waldbäumen nennend, wird sie je dringender der könig wurde nur immer glühender im lobe ihres weit abwesenden freundes, und verliert sich immer tiefer im andenken an ihn und die wonnestunden welche sie mit ihm verlebte. Indem sie an den *schatten* dieses apfelbaumes denken mufs unter dem sie so gerne safs, fällt ihr auch seine *frucht* ein und erinnert sie lebhaft genug an das schon oben von anfang an 1, 2—4 gesagte und tief gewünschte. Aber was wollen alle solche bilder wie die welche sich hier v. 3 eben eindrängten? ist nicht die sache selbst wie sie erlebt wurde ohne alles bild noch unendlich besser? So fällt sie denn plözlich v. 4 in die offenste rede über ihn: er *führte sie*, da er nicht blofs heerden sondern auch wie schon 1, 14 angedeutet, *weingelände* besafs, auch in diese liebliche gegend, *während sein banner über ihr* womit er sie stark und vor jedermann (z. b. vor ihren stiefbrüdern 1, 6) vertheidigte *liebe wär!*

3. 2, 5—7. Da sinkt sie endlich, von schmerz von sehnsucht von überdrufs des königs überwältigt, selbst nieder, nur ihres entfernten freundes eingedenk, vergessend den neben ihr stehenden könig, nur noch einige worte zu sagen fähig ehe die kräfte ihr ganz versagen. Sie fühlt sich krank: es ist (wie die Heiden sagen würden) die heilige liebeskrankheit, wo ein Gott plözlich einen menschen ergriffen und mit überwältigender hand niedergeworfen hat, sodafs auch die menschen in heiliger scheu davor zurückbeben und das furchtbare unglück ehren müssen. In Israel mufs es wenigstens sitte gewesen seyn ein weib in diesem zustande nicht weiter zu stören, ihr vielmehr mit solchen mitteln zu helfen welche dienlich scheinen. Und so ruft Sulammit nur noch um solche hülfe und labung v. 5, sehnt schon halb träumend den entfernten freund herbei v. 6, und sammelt sich noch wie krampfhaft zu einer lezten dringenden bitte an die hoffrauen dáfür zu sorgen dafs man sie in ruhe lasse v. 7. Sie beschwört sie bei den *gazellen* den stolzen gewaltigen auf den bergen 2 Sam. 1, 19 *oder* lieber bei den kleineren *hindinnen des feldes:* diese zierlichen schönen thiere (vgl. Spr. 5, 19 oben s. 90 f.) versinnlichen selbst alles zarte und liebliche, sind also wie die bilder schöner weiber, und gehören ammeisten im munde der weiber dáhin wo wie hier von liebe die rede ist. Eine solche beschwörung kommt allerdings sonst im A. T. nicht vor: sie ist mehr heidnisch und Qorânisch; aber wir sehen hier eben tiefer in die niedere seite der alten

religion Israel's hinein, wie sie bei den weibern leicht sich ausbildete. Und wie sehr gerade Sulammit die bilder von solchen zierlichen thieren liebe, erhellet auch aus 2, 9. 17. 8, 14.

Zweiter tag.

3. — 2, 8—17.

Wir sehen nun an diesem ganzen zweiten tage Sulammit mit den hoffrauen allein, völlig unbelästigt vom könige. Aber ihr geist ist fortwährend allein mit ihrer traurigen zwangslage und ihrem entfernten freunde beschäftigt: ja die liebeskrankheit womit der vorige tag schlofs, ist noch immer wie auf ihrer höhe, wenn sie auchnicht in jedem augenblicke zur völligen bewufstlosigkeit hinführt. Denn es ist doch nur eins der zeichen dieser fortdauernden krankheit ihres geistes dafs sie jezt am mittage oder wenigstens noch lange vor dem abende (vgl. 2, 17) in ihrer aufgeregten längst glühend heifsen einbildung den fernen Geliebten hört und sieht alsob er ganz nahe wäre und noch näher kommen wollte, alsob er sie zu sich holen und befreien wollte. Sie weifs ja dafs er auch früher als sie noch in den weingärten war besonders an schönen tagen z. b. in den ersten milden lüften des frühlings beflügelten schrittes singend zu ihr eilte, durch ihre fenster schauete und sie aus dem zimmer ins freie zu kommen, sie fröhlich zu werden und in seinen gesang einzustimmen einlud; und eben die süfse zurückerinnerung an jene tage mischt sich hier auf das vollkommenste mit den gefühlen der bedrängten gegenwart. Ja die zurückerinnerung an jene schönen tage wird jezt so einzig lebendig dafs sie ihn ganz so herbeifliegen so reden so singen sieht und hört wie er damals kam und redete, und sie alle die worte als würden sie eben gesungen wiederholt welche damals er selbst oder auch sie von ihm aufgemuntert sang. Sie scheint nur darin noch zu leben, ja in dem entzückten schauen und hören und wiederholen jener tage und jener stimmen völlig aufzugehen und alle gegenwart zu vergessen, bis sie am ende doch noch zeitig genug in voller besonnenheit an ihre wirkliche gegenwart sich zurückerinnert und mit dém verborgenen wunsche ihres geistes schliefst welcher allein sie in solche stimmungen versezen konnte und der sich jezt wie von ihr unbeachtet und doch übermächtig zum ersten male bei ihr regt.

1. 2, 8—10 *a*. Abgebrochene hüpfende rede, immer lebendiger werdend, wiewenn einer erwachend und sich aufrichtend etwas unerwartet neues voll verwunderung sieht und hört, bis die gestalt ganz nahe kommt; in einer gewöhnlichen wende von 6 zeilen. — Aber gerade zu anfange ehe sie sich in das so gehörte und geschaute immer tiefer wie verliert, hat sie noch ein helleres bewufstseyn ihrer lage, dasselbe in welches sie am ende v. 17 zurückfällt: sie weifs welche *berge und hügel* sie von dem Geliebten trennen, und so sieht sie ihn jezt wohl noch ganz anders als einst in der wirklichkeit über die berge und hügel *springend* und *hüpfend* heraneilen, den behenden zierlichen thieren ähnlich welche auf ihnen sich bewegen (vgl. 2 Sam. 1, 19) und die sie, wie wir aus 2, 7 wissen, so zärtlich liebt. Aber schon sieht sie ihn in solcher eile ganz nahegekommen, *hinter* ihrem *gemäuer* (dem gemäuer des hauses wo sie mit ihrer mutter wohnte) *stehend*, erst von ferne dann immer näher und strahlender durch die *gitter der fenster* blickend. Aber was er ihr sang, das mufs sie noch ganz besonders wiederholen, und dieser sein gesang wie er sich ihr aufs tiefste eingeprägt hat und wie sie ihn ganz sich in ihn wie verlierend auch selbst anstimmt, bildet

2. 2, 10 *b* — 14 den hauptheil aller ihrer worte an dieser stelle, wie er denn inderthat bei aller einfachheit doch ungemein lieblich ist: hier ist das was die Griechen das Bukolische nennen, in seinen ersten und reinsten anfängen. Rechnet man nun v. 10 *b* und daher auch dessen wiederholung v. 13 *c* als zwei kleinere zeilen wie man dazu berechtigt ist, so besteht der gesang aus 2 wenden zu je 7 zeilen, indem jede wende mit dér anspielung schliefst dafs jezt die liederzeit sei, die erste allgemeiner, die zweite mit der besondern aufmunterung an die Sulammit selbst zu singen; und da darauf das ganze lied hinausgeht, so leuchtet ein dafs gerade diese gliederung die nach seinem sinne richtige ist. Am ende der ersten wende mischt sich in die erwähnung des gesanges auch die des lautes der *turteltaube* v. 12: diese ist keine sängerin und wird hier offenbar zugleich wegen der allgemeinen bedeutung der tauben 1, 15 erwähnt; viele der kleineren vögel sind eben destomehr wie sängerinnen. Wird Sulammit nun v. 14 auch selbst eine *taube* genannt, so ist sie in diesem zusammenhange aller gedanken doch nur eine *in felsenspalten* oder hoch oben *im schirme einer stufenwand* weilende, eine weit über dem Geliebten in schauerlich gefährlichen höhen schwebende, die er schwer erreichen kann;

und wer fühlt nicht dafs damit unwillkürlich wieder ein gedanke an dén ort sich einmischt wo sie jezt von ihrem Geliebten schwer oder nie erreichbar wirklich ist? Vgl. ähnliche bilder wie sie sich unten 4, 8 f. gestalten.

Allein wie sie damals auf seinen wunsch wol in seinen gesang einstimmte, so ist es ihr als müfste sie auch jezt jener zauberstimme erwidern; und so läfst sie sich wirklich von der stimme wie verlocken, und beginnt v. 15 selbst etwa ebenso zu singen wie sie damals sang. Aber schon was sie hier nun wie in jene zeiten ganz versunken zu singen beginnt, ist so seltsam. *Füchse* und die im Hebräischen mit diesen leicht zusammengefafsten in jenen gegenden nur noch häufiger verbreiteten schakale sind die altbekannten verwüster der weinberge (Theokritos' eid. 1, 48 f. 5, 112): und wer seine weinberge lieb hat, der wartet nicht erst mit ihrer verscheuchung bis die reifen weintrauben da sind, sondern sucht auch schon früh genug, schon in der zeit wo wie jezt nach v. 13 die reben blühen, diese wol kleinen verächtlichen aber desto schlimmeren verwüster alles feinen zarten und duftenden gründlich zu vertreiben. So sang denn Sulammit in frühlingszeiten auch wol ihrem freunde und allen seinen genossen lustig zu, sie möchten die füchse *fassen*, was nur ein etwas mehr dichterischer ausdruck für das gemeine *fangen* ist; wie einst auch der recke Simson im grofsen gethan hatte Richt. 15, 4. Sie sang das nicht blofs ihrem einzelnen freunde sondern zugleich dessen genossen zu, die sie ja nach 1, 7 auch sonst gerne mit ihm in solchen gedanken zusammenfafst; und ebenso schliefst sie hier auch alle ihr gleichen jungfrauen ein wie dort 1, 3: ist es doch zulezt die sache aller männer für das zartere geschlecht die rauheren arbeiten des schuzes und der vertheidigung zu übernehmen. Allein wenn sie nun unter den hundert andern zeilen welche sie damals sang gerade diese hier anschlägt, so ist es doch als wirkte dabei auch die einzige lage worin sie sich jezt fühlt unwillkürlich mit ein: sind nicht auch jezt rings um sie genug solcher rohen störer und verwüster? und mufs sie nicht ähnlich auch jezt wünschen dafs diese verscheucht werden? (Vgl. die *Jahrbb. der Bibl. wiss.* I. s. 48.) Und wirklich ist es alsob sie jezt dadurch plözlich aus ihrem halben traume gerüttelt und mit allen ihren gedanken

3. 2, 16 f. um desto wacher auf ihre ganze jezige wirkliche lage zurückgeworfen würde. Wie ins volle wachseyn zurückgerufen ist nun zwar das erste was ihr mit einer noch nie so gefühlten klarheit und wärme entgegentritt die selige

gewifsheit dafs jener fern *unter den* schon 2, 1 f. erwähnten *lilien weidende* wirklich *ihr und sie sein sei* v. 16: am ganzen vorigen tage sprach sie noch nicht so, wird aber in den folgenden auf diese neu gewonnene selige gewifsheit wie sie sich so übergenug in dem kurzen starken worte ausdrückt, wiederholt zurückkommen, immer wie durch eine neue lichte welle dahin getrieben, 6, 3. 7, 14. Aber das zweite ist nun auch sogleich der ebenso neue früher nochnie so ausgesprochene wunsch welcher v. 17 aus allen diesen erregten gedanken allein als das ächte ergebnifs sich hervordrängt, dafs der Geliebte eben jezt noch heute *ehe es abendt* zu ihr herbeieilen möge *über die berge der trennung* welche sie von ihm jezt so weit trennen; und im völlig wachen zustande steht nun am ende als klarer wunsch vor ihr was sie zu anfange v. 8 nur erst wie in halben träumen geschauet hatte.

4. — 3, 1—5.

Und das alles, dieses hocherregte und doch wieder so selige auf und ab gleitende halbe träumen und dieses plözliche volle erwachen daraus mit seinen wunderbar in die welt hinausgestofsenen neuen festen worten sehen und hören die hoffrauen? Ja wohl hören und sehen sie es, staunen und sammeln sich allmälig dichter um die für krank gehaltene und aus der glühendsten erregung aller ihrer sinne kaum erst wieder zu sich selbst gekommene. Aber wenn sie meinten das seien gewifs nur die schauer heifser krankheit ohne sinn und besinnung, so irren sie doch sehr: kaum ist die jungfrau ganz wieder zu sich selbst gekommen, kaum hat sie sich in ruhe etwas gesammelt, so beginnt sie in ganz anderer haltung der rede eine erzählung, nicht eigentlich um den hoffrauen etwas zu erzählen sondern nur wie um im andenken an die lezte vergangenheit sich selbst noch klarer zu werden. Sie war ja am ende des vorigen auftrittes schon ganz wieder zu sich gekommen: aber in allem was sie da am hellen tage meist halb träumend gesprochen hatte, hatte sie nichts klares über ihre nächste vergangenheit denken und sagen können: so denkt sie denn jezt ruhiger an diese zurück, und da kommt ihrer erinnerung etwas entgegen was von dem eben im halbwachen zustande gedachten und gesprochenen sehr verschieden ist und doch wesentlich auf dasselbe ergebnifs zurückführt. Sie erinnert sich nun erst recht lebhaft an wirkliche träume zurück die sie in den bisherigen nächten ihres kummervollen lagers im königshause hatte: die waren ganz an-

ders, und doch wieder ähnlich; aber wir können auch sagen, hätte sie jene glühenden träume in den vorigen nächten nicht gehabt, so würde sie jezt auch am hellen tage nicht solche gesichte gehabt und solche stimmen gehört haben. Denn es war schon damals stets derselbe geist welcher sie trieb, der geist höchster unruhe und qual wegen des ihr geraubten Geliebten, und doch auch wieder fester zuversicht und hoffnung im bewufstseyn ihrer unschuld und ihres rechtes. So träumte sie denn sie müsse mitten in der nacht aufstehen ihn zu suchen; sie träumte sie hätte ihn mitten in allen den ihr unbekannten gassen und pläzen der grofsen stadt herumirrend und alle leute nach ihm fragend (sie konnte in der nacht aber nur den wächtern begegnen) gesucht, aber immer vergebens; sie träumte ihn aber doch zulezt gefunden und nun gedacht zu haben ihn nie wieder verlieren, ihn als ihren offen Verlobten und einzig Gewählten ihrer mutter zuführen zu wollen. O wie war sie da sicher vor unendlicher freude mitten im tiefsten schlafe aufgefahren, ohne den zulezt so überaus süfsen traum auch nur zu vollenden! Das also erzählt sie jezt, und vergegenwärtigt sich zum ersten male auch wachend dafs sie damit doch eigentlich schon mehr geträumt habe als sie eben zuvor im halben träumen begeistert geschauet. Und eben weil das was sie da wiederholt geträumt hatte doch eigentlich noch viel mehr und noch viel seligeres war als was sie eben zuvor wachend sich gewünscht, geräth sie im verlaufe dieser zuerst so ruhig begonnenen erzählung am ende in eine solche neue heifse glut aller ihrer empfindungen dafs sie v. 5 ganz wieder wie am vorigen tage in die volle wuth der krankheit zurückfällt und ohnmächtig werdend kaum noch zum schlusse dieselbe bitte an die hoffrauen wiederholen kann womit sie gestern eingeschlafen war.

Ungemein lebendig und bei aller kürze dennoch durchsichtig klar ist die schilderung der träume v. 1—4: sie gewinnt aber alle diese ihre schönsten farben besonders dádurch dafs die erzählung auf den drei stufen ihrer entwickelung jedesmal sogleich die worte einführt in welche die träumende ausbrach. Dafs sie ihn suchend oft träumte und lange unglücklich, liegt in der wiederholung v. 1. 2. Sie wollte ihn nach dem ersten klaren worte v. 2 *a* endlich selbst in der stadt suchen, wieder lange umsonst. Aber welches zweite wort als sie die wächter anreden konnte v. 3 *b*, und endlich welches dritte als sie ihn wirklich gefunden! v. 4 *b*. *c*! Dafs diese worte v. 4 *b*. *c* blofs die der unendlichen freude waren welche sie beim finden ausstiefs, ist selbstverständlich, weil das gegentheil zu denken albern wäre. Dazu kommt dafs aller guten worte drei sind. Uebrigens aber konnte die erzählung bei dieser anlage dennoch ebenso treffend nur in 2 ganz kurze wenden zerfallen, jede zu 5 zeilen, unter welchen aber einige langzeilen: und eben deren wechsel mit den kurzzeilen ist hier noch so malerisch; wir hören das langgespannte plözliche abgerissene unzusammenhangende des traumes.

Dafs von v. 5 nicht alle die worte vorher aus 2, 5. 6 wiederholt werden, ist zufällig: dem sinne nach gehören sie auch hieher, aber da sie nach dem obigen selbstverständlich sind konnten sie auch ausgelassen werden. — Ebenso kann es nicht auffallen dafs an diesem zweiten tage blofs die jungfrau und die hoffrauen erscheinen und die verhandlung daher umso kürzer wird: jene ist eben noch halbkrank, so dafs sogar die hoffrauen hier ihr nichts sagen können. Aber das ergebnifs der fortentwickelung der handlung ist desto gröfser: es zeigt sich am ende dieser zweiten schicht der ganzen handlung wie Sulammit fortwährend sich in dém was allein hier die hauptsache ist vollkommen treu bleibt. Mag sie wachen oder träumen, die ächte liebe hält sie treu; in alles was sie denkt, schlingt sich beständig nur der éine gedanke dem sie nicht entsagen kann; und sinkt sie im ringenden schwersten kampfe gegen den zwang den man ihr anthun will wiederholt in das träumerisch ohnmächtige wesen des weibes, so zeigt sie dafs sie auch mitten in den träumereien wach genug reden und gesund genug denken kann, ja dafs die spiele des halben oder ganzen träumens zulezt ihre klarheit und festigkeit selbst fördern. Uebrigens kann man sich diesen tag unmittelbar hinter dem vorigen denken, da die nächte wovon sie 3, 1 redet nach dem s. 370 f. bemerkten theilweise schon dem gestrigen tage vorangegangen seyn können.

Vom könige aber spricht sie weder im traume noch im wachen, und sagt über ihn hier weder ein gutes noch ein böses wort. Und anwesend kann man ihn an diesem tage überhaupt nicht denken. Denn nachdem er am ersten tage erfahren was sich dort zeigte, ziemt es sich für ihn in keiner weise etwa noch einmal unter gleichen verhältnissen zu erscheinen, oder gar die halbkranke roh zu stören. Will er seinen zweck verfolgen, so mufs er jezt, zumahl nach dem ergebnisse dieses zweiten tages wovon ihm selbstverständlich berichtet wird, ganz andere mittel ergreifen; und welche er ergreife, zeigt sofort der

Dritte tag.

5. — 3, 6—11.

Die zuschauer werden hier plözlich in einen ganz anderen schauplaz versezt, und hören ganz andere stimmen. Wir sind in den gassen oder vielmehr vor einem der thore Jerusalem's: man sieht einen prachtvollen zug von der wüste her sich gegen die hauptstadt hin bewegen; und es wird sich zeigen dafs dies der hochzeitszug Salômo's ist, auch ahnen wir schon aus allem vorigen mit wem er hochzeit machen will, würde es nicht im verlaufe des schauspieles noch weiter deutlich genug. Der unerwartete widerstand welchen er bei Sulammit fand, mufs ihn bestimmt haben etwas ganz ungewöhnliches zu thun um ihre gunst zu gewinnen. Er beschlofs sie zum range einer vollen königin-gemahlin zu erheben, sich mit aller königlichen pracht ihr zu vermählen, und nichts weder an äufserer ehre und herrlichkeit noch an prachtvollen worten zu sparen um sie sich ganz geneigt zu machen. Auch das ganze land und die hauptstadt soll diese höchste auszeichnung Sulammit's sogleich erfahren: und wie mit allen königlichsten ehren soll sie so überrascht und überschüttet werden dafs sie unmöglich länger widerstehen zu können scheint. Die feierlichkeit der vermählung ist wahrscheinlich diesen morgen früh in Jerìcho oder in Bät-kérem vollbracht, wo Salômo nach geschichtlichen spuren kostbare anlagen hatte (*Geschichte des v. Isr.* III s. 350. 385 der 3ten ausg.): man sieht den zug jezt *durch die trift* (wie man besser sagt als wüste) nach Jerusalem in die burg zurückkehren, und die ganze art wie der dichter diesen wichtigen vorgang in das schauspiel einflicht, kann nicht leicht lebendiger und treffender seyn als wir ihn hier zu schauen empfangen. Einwohner Jerusalem's sehen den unerwarteten zug erst von ferne, und beginnen sich über ihn neugierig zu unterhalten: der eine weifs mehr als der andere: aber während sie unter einander fragen und deuten und erzählen nähert sich der zug immer mehr, bis man vollkommen sieht was er bedeute. So werden denn auch die reden der menschen in derselben abstufung immer länger: doch reichen nach der anlage des dichters auch hier drei stufen hin:

1. v. 6: die blofse erste neugierige frage was der aus der ferne sich heranwälzende zug zu bedeuten habe? ***Rauch-***

säulen gleich sieht man etwas sich heranwälzen, und ahnet freilich sogleich dafs es ein zug von menschen seyn müsse; wenn jedoch jeder grofse zug sich von ferne gesehen so heranzuwälzen scheint (Xenoph. *Kyrop.* 6: 3, 5), so verbreitet dieser doch schon von weitem her einen so überaus starken *duft der verschiedensten wohlgerüche* dafs man leicht weiter annehmen kann es könne kein wilder kriegerischer seyn.

2. Eine andre stimme v. 7 f. erkennt auch schon klar wie wenig dies ein kriegerischer zug sei troz alles ihn vorzüglich bildenden trosses von kriegern. Man erkennt schon *die sänfte* auf welcher sich Salômo auf seinen friedlichen zügen durch das land tragen liefs: und an der bequem gedehnten ausdrucksweise *Salômo seine sänfte* hört man dafs ein mann aus dem volke redet. Unstreitig liefs sich Salômo nach einer sitte welche sich am längsten in Indien erhalten hat, so auf einer königlich geschmückten sänfte durch das land tragen, wenigstens wo er in der nähe Jerusalem's selbst friedlichen geschäften nachging: aber ihn umgab dabei stets, wie das hier so malerisch beschrieben wird, eine kriegerische bedeckung die man schon *ob der nächtlichen gefahren* für nothwendig hielt. Von welcher art diese *helden Israel's* waren und wie bezeichnend bei ihnen die zahl *sechzig* sei, ist in der *Geschichte des v. Isr.* III s. 189 weiter erläutert.

3. Allein je mehr nun der zug ganz nahe kommt, desto besser weifs hier eine dritte stimme v. 9 f. um das was hier neu ist gut bescheid: man sieht aufser jener längst bekannten königlichen sänfte noch etwas ganz neues, ein *prachtbett*, gewifs auch eine art sänfte aber ganz anders gebauet, nicht wie jene offen an den seiten, sondern weil für ein weib bestimmt ganz geschlossen. Die pracht aber mit welcher es gebauet ist, übertrifft alles: von aufsen ist es mit bestem *cedernholze zwischen silbernen säulen* gebaut, der eigentliche *lehnstuhl* inwendig *von gold* und der *siz* über diesem vom besten *purpurzeuge*. Aber diese stimme weifs aufserdem was nicht jeder wissen kann, dafs als der feinste schmuck womit die unsichtbare *mitte* des tragbettes verziert ist *eine liebe* darin ist *von den töchtern Jerusalem's* d. i. irgendeine von den hoffrauen die eben aus besondrer liebe des königs zu ihr zu einer königin-gemalin erhoben wurde; der mann macht also dabei noch den doppelten wiz, dieses neueste glückskind des königs geradezu *eine liebe* zu nennen und sie als das einzige zu bezeichnen womit dieses von aufsen ganz bedeckte prachtstück inwendig geziert sei; und bei solchen veranlas-

sungen läſst man wol solche wize hingehen [1]). Wie ernst aber am ende derselbe ausdruck werde, zeigt die spätere entwickelung 7, 7.

Und schon ist der zug ganz da: man kann in der offenen sänfte schon den könig selbst vorüberziehen sehen und schauen wie er an diesem seinem fröhlichen hochzeitstage den hochzeitlichen kranz trägt womit ihn der sitte gemäſs seine mutter schmückte. So fordert denn dieselbe stimme schlieſslich v. 11 alle *die töchter Ssion's* d. i. nach s. 342 f. die einwohnerinnen der hauptstadt auf ihre neugierde an diesem schauspiele zu befriedigen.

Alles ist hier also hochzeitlich an pracht und schmuck an stimmung und freude; daſs aber auf diesem zuge der könig etwa mit der neuvermählten in éinem fahr- oder tragzeuge erscheinen sollte ist nicht zu erwarten, weil es gegen alle die alten sitten wäre.

6. — 4, 1—7.

Stadt und land sind nun zeugen der höchsten königlichen ehren geworden welche auf Sulammit gehäuft wurden; und wer die so hochbeglückte sei, kann jezt überall leicht bekannt werden. Die beiden vermählten sind in das frauengemach zurückgeführt, wo wir sie schon früher sich begegnen sahen. So erneuert denn jezt der könig noch in einer ganz andern weise seine bewerbung nicht um den besiz, denn dessen meint er jezt schon von rechtswegen sicher zu seyn, sondern um die gunst Sulammit's: als fühlte er daſs zu allen diesen königlichen auszeichnungen die er ihr gespendet doch noch ihre freie gunst hinzukommen müsse. Aber da doch die öffentliche vermählung jezt vollendet ist, so kündigt er ihr in dem nun folgenden liede eigentlich nichts an als daſs er gegen abend zu ihr kommen werde und dann ihrer liebe gewiſs zu seyn hoffe v 6. Die worte des königs sind hier bei weitem nicht mehr so kurz oder so abgerissen und unterbrochen wie am ersten tage: sie gestalten sich hier zu einem vollen liebesliede von nicht weniger als 2 mal 5 zeilen, welche alle nach der ersten sich sogleich zu langzeilen ausdehnen v. 1—5. Allein der hauptgedanke geht dennoch allein auf

[1]) man kann daher wol *amores* bei Lateinischen dichtern vergleichen (Plaut. Poen. 1 : 1, 79. Virg. Ecl. 10, 21 f. Propert. el. 2 : 25, 9. 32, 9): aber alles ist nur an seinem orte treffend, und das vor allem im HL.

jene ankündigung hinaus, mit welcher die ganze rede schliefst v. 6 f.

Man mufs daher bei dem längsten theile dieses gesanges v. 1—5 den faden der rede wohl beachten. Sie beginnt zwar v. 1 mit einem kurzen lobe der schönheit Sulammit's, demselben welchen der könig schon 1, 15 aussprach und womit er auch noch am folgenden tage ziemlich ebenso beginnt 6, 4. Allein die anrede welche v. 1 *b* einfällt, sezt sich dann durch diesen ganzen schmeicheltheil des liedes fort, die aufmerksamkeit der Sulammit beständig auf dás gespannt haltend was am ende zu sagen ist. Denn die schönheit soll hier durch alle ihre einzelnen theile von den *augen* an weiter herab bis zur brust geschildert werden; und sofort im ersten gliede dieser vielgliedrigen schilderung erweitert sich die rede über die augen dáhin dafs hervorgehoben wird wie sie *hinter den locken hervor* leuchtend wie tauben wallen. Eben dies bildet nun zugleich den übergang zu den 7 weiteren gliedern dieser schönheit von dem *haare* an; aber alsob der könig wohl gemerkt hätte wie wenig ihr seine vergleichung mit dem wilden kriegerischen rosse 1, 9 gefallen habe, wählt er wie absichtlich seine meisten vergleichungen jezt aus dem ländlichen leben: und so vergleicht er sogleich — 1) das haar offenbar weil es so dicht und so schwarz und doch schön glänzend ist mit einer *ziegenheerde* welche *vom Gileadberge* im sonnenscheine herabsteigt; denn dafs diese schwarze haare hatten, ergab sich schon aus dem bilde 1, 5. Den schönsten gegensaz zu dieser schwärze bildet aber sofort — 2) die doppelreihe der *zähne:* sie sind so rein und so glänzend weifs wie schafe (oder nach 6, 6 *mutterschafe*) welche nachdem sie *wohl geschoren* sind eben auch noch aus einem bade rein gewaschen leuchtend hervorkamen, und von denen jedes noch dazu als ein rechtes segensschaf *zwillingslämmer* geworfen hat, keins aber kinderlos ist: denn so stehen auch in diesem munde alle die einzelnen zähne in den beiden reihen wie lauter zwillinge einander dicht und lückenlos gegenüber. Die zähne führen — 3) zu den *beiden lippen* des gewöhnlich festgeschlossenen mundes v. 3 *a*: und eben weil sie festgeschlossen fein und nicht überbreit aber dazu schön voll sind, gleichen sie einem feinen dichten rothen *purpurfaden*. Sie erinnern aber — 4) an das *sprachwerkzeug* oder an alles was zum sprechen dient, besonders also die zunge: allein weil man diese nicht ebenso vollkommen sehen kann, wird von jenem nur gerühmt es sei *lieblich*, da die lieblichkeit der rede und des lautes allerdings auch höchst bedeutsam ist und wir aus 2, 13 f. schon wissen als welche süfse sängerin Sulammit gilt. Doch mufs bevor die schilderung in der angefangenen weise fortgeführt wird, — 5) die *wange* nachgeholt werden, nicht sowohl die untere welche den Hebräern mit der kinnlade zusammenfällt (denn über sie ist schon 1, 10 genug geredet), als vielmehr die obere welche ihnen meist mit der dünnige oder dem schlafe zusammenfällt: sie ist so rundlich und so voll zugleich auch so schönfarbig dafs sie v. 3 *b* mit dem äufsern einer *hälfte vom granatapfel* verglichen wird welcher wie *hinter den* schon genannten dichten schwarzen *locken* hervorstrahlt. Aber bei dem nun — 6) folgenden *halse* mag der könig, weil er so besonders prachtvoll hervorragt und ein so stolzes haupt trägt, auch seinerseits das königliche und kriegerische nicht vergessen: er vergleicht ihn einem stolzen *thurme David's*, jedoch wol nicht demselben welcher unten 7, 5 anders und in anderem zusammenhange geschildert wird; es gab ja damals viele solche neugebauete stolze kriegerische thürme in Jerusalem und sonst. Wir brauchen hier aber keineswegs gerade nur an einen schönsten thurm in Jerusalem's mauern selbst zu denken welchen man vor allen andern den Davîd'sthurm genannt hätte: von einem solchen namen wissen wir sonst nichts. Auch wird er hier nur ganz allgemein beschrieben als *für dichte kriegerschaaren erbauet:* denn viele hunderte oder tausende finden in ihm plaz; aber auch als durch seine helden stolz geschmückt mit ihren herausgehängten schön gereiheten glänzenden waffen, *schilden* und *köchern* aller art: sowie Sulammit's hals jezt nach 1, 11 vom königlichen schmucke der glänzendsten geschmeide ganz umhängt prangt. Bekannt ist dafs thürme und mauern oft so geschmückt wurden, vgl. Hez. 27, 10 f. Heeren's hist. schriften II s. 359. Freyt. chrest. p. 131, 11. Das lezte aber in dieser reihe, — 7) die *zwei brüste* v. 5 vergleicht der könig lieber wieder mit *zwei jungen zwillingsgazellen welche in lilien weiden*, da die lilien hier und 7, 3 deutlich vorzüglich das blendend weifse des leibes bezeichnen sollen: und doch meint er damit gewifs doppelt die der jungfrau, wie aus 2, 7. 17 und 2, 1. 16 erhellt, liebsten vorstellungen zu treffen. Ja sichtbar in eben diesem eifer wie in ihre worte und gedanken selbst einzufallen, wählt er jezt

Zum *schlusse* und hauptgedanken v. 6 dieselben worte zur bezeichnung des abends und der ganzen entsprechenden lage mit welchen Sulammit 2, 17 ihren Geliebten herbeigewünscht hatte, bezeichnet jedoch das wohin er sich den abend begeben wolle als *den myrrhenberg und die weihrauchshöhe,* verblümt damit etwa dasselbe doppelte andeutend was von gliedern des leibes nach den genannten noch weiter hier nahe liegt, was er unten 7, 3 in seiner art zu reden etwas näher benennt, und was die keuschere jungfrau in ihrer eigenthümlichen weise ganz zum ende 8, 14 wenigstens theilweise meint. Doch indem zum lezten schlusse v. 7 auch die anrede, aber schon wie mit ermattendem kurzem worte wiederaufgenommen wird, rundet sich die rede erst vollkommen ab, und das ende ist zum anfange zurückgekehrt. Merkwürdig endet die erste wie die zweite wende hier mit *zwillingen*.

7. — 4, 8. — 5, 1.

Der könig ist wie er eben gesagt fortgegangen, und hat die jungfrau bis zum abende der gesellschaft der hoffrauen überlassen damit diese ihr das etwa noch nöthige mittheilen. Die versuchung der jungfrau ist hier zu ihrem gipfel gekommen: sie hat auf königlichen befehl mit sich machen lassen was sie nicht verhindern konnte, hat die höchsten ehren auszeichnungen und huldigungen hinnehmen müssen welche einer unterthanin des königs gegeben werden können; jezt nur noch éin schritt weiter, nur noch ein warten weniger stunden, so ist der schwer verschlungene knoten gegen ihren willen gelöst und alle ihre bisherige standhafte treue ist vereitelt. Sie scheint wie erstarrt, stillversunken in tiefstes grübeln, unempfindlich für alles was man mit ihr macht. Aber ihr geist ist nur in dém sinne abwesend dafs sie auf diesem gipfel aller ihrer versuchungen nur desto glühender allein ihres fernen Geliebten gedenkt; und wenn sie schon am vorigen tage alles nächste rings um sie herum vergessend sich in wunderbarster tiefer bewegung in eine ganz andere welt versezt fühlte, nur ihren wahren Geliebten zu hören glaubend und sein kommen schauend, so kehrt dieser mitten in der bewufstlosigkeit bewufsteste und mitten im leiden gewaltigste zustand bei ihr jezt wieder, aber jezt auf der denkbar höchsten stufe. Und schon sieht man wie sie sich mitten im halbwachen schlafen erhebt, wie sie den seelenfreund ihr nahe kommen schauet, wie sie seine stimme hört und seine worte an sie in höchster erregung selbst wiederholend singt: sie lebt und athmet nichtmehr für sich, sie denkt sie redet und singt nichtmehr für sich, Er allein lebt in ihr, Er redet und singt aus ihr: sie ist in heftiger verzückung, wer wagt's sie zu stören, sie nicht ausreden und aussingen zu lassen? Hier ist die höhe aller erregtheit und unruhe, hier mitten im leiden der gipfel aller kraft der handlung. Wird sie sich wiederfinden, zum eignen ruhigen selbstbewufstseyn zurückkehren? o lafst sie! der sturm wird sich in diesem bis dahin noch ganz reinen herzen schon wieder legen, und eine neue ruhe und selige klarheit auf diesen strudel aller trübnifs folgen.

Wie dieses stück in der mitte des ganzen schauspieles steht und die wahre höhe desselben darstellt, so leidet es nicht den geringsten zweifel dafs man es nur in dieser weise richtig fafst. Es ist die steigerung des gesanges womit der vorige tag begann 2, 8—17, aus ihm deutlich, und nach ihm leicht zu verstehen. Jezt lautet dieser gesang hinter dem vorigen her freilich sehr abgebrochen und unverständlich wenn man ihn in seinem ganzen richtigen zusammenhange genauer zu verstehen nochnicht angefangen hat. Allein dafs hier nichtmehr der könig rede, zeigt die ganze haltung ja man kann sagen jedes wort dieser zeilen. Man könnte also höchstens sagen im anfange fehle hier das verdeutlichende wort dafs Sulammit in dieser so höchst eigenthümlichen weise rede: wirklich mufs man die möglichkeit offen lassen dafs vor v. 8 einige worte ausgefallen sind, und wie diese dem sinne nach etwa lauten würden habe ich oben durch die einschaltung bemerkt. So ausführlich wie 2, 8—10 brauchten sie hier nicht zu lauten, weil die lage hier nicht so neu ist wie dort. Allein diese ganze sache ist unbedeutend gegen die grofse gewifsheit dafs der neue gesang, dieser gipfel der ganzen handlung, sich hier wesentlich vollständig erhalten hat, wie man noch weiter auch aus seinem besondern inhalte und seiner dichterischen gliederung ersieht.

Denn die worte des Geliebten klingen in Sulammit zwar einem grofsen theile nach offenbar ganz só wieder wie sie solche einst von ihm wirklich gehört hat; und ohne diese feste grundlage würde hier gar kein solches lied entstehen können. Allein unwillkürlich gestalten sie sich in diesem augenblicke doch zugleich nach den gewaltigen eindrücken eben dieses augenblickes und nach der ganz besonderen lage in welcher sich Sulammit jezt befindet. Befreiet durch ihn zu werden aus dieser ihrer verzweifelten lage, seine ankunft zu ihrer rettung zu schauen, das ist ihr glühendster wunsch: und gerade von vorne an ist wie ihre innerste heifse glut die stärkste, so dieser wunsch der drängendste. Aber wird nun einmal so seine stimme in ihr und aus ihr lebendig, so mischen sich auch unaufhaltsam laute und düfte des hochzeitlichen klanges ein von welchen sie noch eben wie mit aller gewalt benebelt wurde; und wie sie nicht anders kann als in hochzeitlichen bildern und träumereien zu schwärmen, so sezen sich ihr die süfsen schmeichellaute des königs in unvergleichlich süfsere und heimischere ihres seelengeliebten um. Immer ruhiger wird ihr Inneres beim lautwerden dieser süfsesten klänge womit sie sich angesprochen fühlt; es wird ihr als würde zur wirklichen hochzeit von ihm aufgefordert: und indem eben das vorgefühl dieses ihres hochzeitlichen begegnens mit dem wahren freunde und seinen genossen sich endlich bis zum höchsten steigert, erwacht sie plözlich aus dieser halbträumerischen verzauberung: denn je gewisser ihr geist durch dies gerade gegenbild aller wirklichkeit dieser selbst wieder ganz nahe gekommen ist, desto ärger mufs wie durch einen ruck alle täuschung plözlich verschwinden. Das ist der gang dieses wunderbarsten gesanges, welcher als das wahre gegenstück des eben gehörten königlichen von der einen seite etwas so kühnes gewaltiges und überflutend strömendes von der andern etwas so unvergleichlich süfses zartes und schmelzendes athmet dafs er auch insofern werth ist hier auf dieser äufsersten höhe zu stehen. Hier ist die ächteste glut und ächteste liebe, hier überströmende fülle und fortreifsende gewalt, hier ebenso grofse keusche zartheit und lieblichkeit. Hier ist das Prophetische dieser ganzen handlung: wie ein prophet ausredet was er von seinem Gotte hört, so hier Sulammit was sie im geiste übermächtig von dém hört und schauet in welchen sie hier ganz aufgegangen ist. Auch der bau des liedes gestaltet sich demgemäfs: es wird das längste der bisherigen lieder, bei aller fülle und unruhe sich in ebenmäfsige wenden só gliedernd dafs es sich in drei wenden zu je 6 zeilen und zwar meist langzeilen ergiefst von denen die lezte sich bis zu 8 dehnt, bis es wie in einer plözlich aufs höchste gesteigerten aber desto rascher sich zum ende herabsenkenden schlufswende wieder von 6 solcher zeilen der höchsten spannung wegen desto abgebrochener verklingt.

1. Und wenn Sulammit auf den unzugänglichsten schauerrichsten höhen der kuppen des *Libanon* und des *Amana Senîr Hermôn* d. i. des Antilibanos und in deren von löwen und pardeln bewohnten wildfinstern höhlen wäre, sie soll daraus entkommen! denn kühn sie daraus zu befreien fühlt ihr Geliebter sich allein durch sie selbst stark genug: das ist der sinn dieser ersten kriegerisch gewaltigen worte v. 8 f., welche dennoch kein krieger und kein könig spricht und die übrigens in den worten 2, 14 *a* schon ein vorspiel hatten.

Wie der Basan *Ψ*. 68, 23 und der Karmel Amos 9, 3, so ist hier noch mehr der Libanon der ort der finstersten höhlen und schauerlichsten höhen: daſs aber die höhen des Antilibanos noch schauerlicher sind, ergibt sich aus der steigenden rede in v. 8 *b*; und doch sind hier, wie *c* zeigt, vorzüglich nur die finsteren höhlen der wilden thiere gemeint. — Indem es aber zum schlusse v. 9 zierlich heiſst *muthig* habe sie ihn gemacht *durch eins von ihren augen*, ja durch *einen* der *ringe* von welchen ihr hälschen prange (und welche sie jezt nach 1, 10 f. mit ganz anderen hat vertauschen müssen), bahnt dies den übergang

2. zu dem lobe ihres leibes v. 10 f.: und wie verschieden ist dies von jenem welches im vorigen königlichen gesange v. 1—5 gespendet wurde! Dort waren es die für das auge reizenden rein sinnlichen vorzüge der einzelnen glieder welche alle bewunderung auf sich zogen, und kaum machten die sprachwerkzeuge wegen ihrer doch auch leicht sehr sinnlich aufgefaſsten lieblichkeit der rede eine ausnahme davon: hier ist einzig das ganze menschlich-geistige gefühl das lebendige und alles das sinnliche nur die unterlage, sodaſs dieses auch selbst kaum näher bezeichnet wird; auch das ansich geringste wie die kleider gibt hier seinen duft; und dazu hält sich die männliche schilderung v. 10 so nahe als möglich an die weibliche 1, 2 f. Uebrigens aber geben die worte v. 11 nur eine steigerung der ersten und einfacheren v. 10, das von lippen und zunge gesagte ist danach zu verstehen; und von den würzigen kräutern und harzigen bäumen des rebenreichen Libanon's redet auch Hosea 14, 7 f. Aber alles das unendliche was hier allerdings wol im einzelnen noch zu sagen wäre, faſst der redende

3. zum schlusse sich wie am stärksten anstrengend in eine einzige lange strömende und wie nicht enden wollende anrufung zusammen v. 12—15, wie um dennoch noch alles zu erschöpfen; und die worte werden immer gedehnter und schmachtender, immer girrender und kreisender, auch immer mehr das unsagbare bloſs andeutender. Allein das wichtigste was sich hier noch vordrängt, ist doch sogleich vorne in die anrede gelegt *o verriegelter garten — verriegelte welle versiegelte quelle* v. 12, worte die sich eben weil sie zulezt alles für den redenden in sich schlieſsen am ende v. 15 ähnlich in gleicher anrede wiederholen. Denn wie ein wohlangelegter garten eine unendliche kaum übersehbare mannichfaltigkeit der duftendsten kräuter und fruchtbarsten bäume in sich schlieſsen kann, vor allem aber auch das erquickend-

ste frischeste wasser, zo schliefst diese Geliebte eben alles das duftendste und erquickendste in sich v. 13 f.; aber wie das reinste kühlendste wasser, wie das vom schneeigen *Libanon lebendig herabrieselnde*, doch wieder in jenen ländern troz seiner einfachheit als das allererquickendste gilt, so ist Sulammit dem redenden nicht blofs *ein garten* sondern auch eine *welle* und *quelle;* ja am ende noch mehr dieses als jenes, als wäre in den gärten selbst die quelle die hauptsache, sodafs die anrede v. 15 auch damit allein schliefst. Und doch ist sie auch, das nicht allein, denn auch der schönste duftendste garten kann durchbrochen und verwüstet, auch der erquickendste quell kann durch frevle hände und füfse getrübt und widerlich werden, sondern das ist erst das herrlichste dafs sie ein *verriegelter* garten und *versiegelter* quell ist, die sich rein und keusch gehalten und ferner so halten will.

Das alles schliefst also mit dieser blofsen langen schmachtenden anrede und anrufung: kein wunsch wird hinzugefügt, kein einlafs begehrt in diesen garten mit seinem brunnen. Aber wiesen nicht schon die lezten worte vorher v. 10 f. auf das küssen hin? und war die sehnsucht nach diesem, an den rechten freund gerichtet, nicht schon am ersten tage 1, 2 das erste wort Sulammit's gewesen? und beweisen nicht auch die oben s. 90 ff. erläuterten worte Spr. 5, 15—20 wie gemein diese bilder allmälig wurden nachdem sie durch so grofse dichter wie dén unsres schauspieles eingeführt waren?

4. Allein ruft diese so zarte keusche stimme in solcher weise zur hochzeit, so kann Sulammit jezt nicht länger widerstehen: nun fällt sie selbst in plözlicher höchster erregung dieser stimme in die rede, ruft den nord- und den südwind zugleich herbei ihren *garten zu durchfächeln* und *dessen würzen rieseln* zu machen: weifs sie doch dafs es *Sein garten* ist! v. 16. Und erwidernd schallt es vom freunde mit vollester stimme zurück er wolle es, während er als bräutigam der sitte gemäfs die mit ihm zur braut kommenden genossen an welche Sulammit schon 1, 7 gedacht hatte zu dem bereitstehenden hochzeitlichen mahle einladet 5, 1; vgl. unten 8, 14.

Aber je lebendiger es so zulezt in der wogenden glut der empfindung sogar zum zwiegespräche zwischen Sulammit und dem nur in der einbildung ihr so nahen fernen freunde gekommen ist, je heimischer sich ihr geist in seinem und ihrem kreise wiedergefunden, und je taumelnder sie der rechten hochzeitlichen freude schon ganz nahe zu seyn meinte, desto rascher und furchtbarer zerreifst die erschütternde bewegung eben dieses nächsten augenblickes das zu lebhaft gewordene bild ihres halbträumerischen zustandes; sie stockt fast mitten im saze, fällt nieder uud möchte vor unendlichem schmerze vergehen. Und freilich konnte ihre einbildung selbst nicht weiter gehen, sodafs der faden auch deshalb so plözlich abbrechen mufste. So mufs man sich die lage am ende dieses gesanges denken, weil alles das im klaren zusammenhange der worte der grofsen handlung liegt.

8. — 5, 2—8.

Da richtet sie sich allmälig wieder auf, erinnert sich der anwesenden aber selbst wie erstarrten hoffrauen, erinnert sich an den traum ihrer lezten nacht, und beginnt ihn zu erzählen da er ihr eben jezt so denkwürdig erscheint. Wie ihr am vorigen tage das ende des wahren traumes nur desto lebendiger ihre wirklichen träume ins gedächtnifs gerufen hatte 3, 1—5, ebenso wirkt jezt die einmal so erregte einbildung nach. Sie hatte auch in der lezten nacht von ihrem fernen freunde geträumt, aber viel trauriger als früher. Wieder war er ihr erschienen, hatte klopfend einlafs begehrt, ihn auch deswegen begehrt weil er in der schwülen nacht so arg durchnäfst und abgemattet sei; sie aber hatte zuerst ihm zu öffnen gezögert, dann da sie ihn nicht ohne tiefste bewegung die hand durchs fenster strecken sehen konnte, sich dennoch ihm zu öffnen entschlossen: aber wiewol sie beim öffnen auf dem ganz mit duftendster myrrhe bestrichenen riegel die frischesten spuren seiner anwesenheit fand [1]), war er doch als sie nun wirklich aufgeriegelt schon wieder entwichen; voll der tiefsten bestürzung darüber hatte sie ihn sogar umsonst zurückzurufen gesucht, ja als sie ihn dann (wie im vorigen traume) auf den gassen der stadt suchte war sie von den wächtern sogar grausam geschlagen und als wäre sie eine gemeine dirne ihres schleiers beraubt; so war dieser so lieblich anfangende traum in seinem ausgange das gerade gegentheil des vorigen gewesen. Kein wunder dies: nur der steigende zwang unter dem sie litt und die angst ihres immer beklommener und verzweifelter werdenden herzens hatte sich in diesem traume wiedergespiegelt.

Die anlage der erzählung dieses traumes ist sehr ähnlich wie bei dem vorigen s. 381 f.: aber da er verwickelter ist

---

[1]) vgl. die ähnlichen stellen in *Munroe's* neuer ausg. des *Lucretius* (Cambr. 1864) zu 4, 1171.

und unseliger endet, ist auch seine darstellung gedehnter, und jede der zwei wenden in welche auch sie zerfällt umfafst nicht weniger als 7 langzeilen, v. 2—4 und 5—7.

Stimmt nun dieser traum so völlig mit dem verzweifelten zustande überein in welchem Sulammit sich jezt wirklich befindet und hilft er das entgegengesezte frohe bild welches zuvor ihr gemüth einen augenblick ganz überwältigt hatte so unbarmherzig zu zerstören: so empfindet sie nun erst die ganze furchtbare last ihrer lage völlig klar, und kann in der entsezlichsten verzweiflung nur noch die hoffrauen *beschwören* wenn sie ihren Geliebten den sie umsonst gesucht habe wirklich fänden, ihm zu sagen dafs sie *liebeskrank* sei v. 8. Das ist das lezte was sie in diesem namenlosen schmerze noch sagen kann, und wieder sinkt sie so ohnmächtig nieder dafs dieser tag welcher mit dem frohesten hochzeitlichen zuge anfing für sie wie für den könig zum schwärzesten ende gekommen ist.

Es ist nämlich so am richtigsten anzunehmen dafs dieser tag mit den worten 5, 8 und den, wie man sich denken mufs, diese begleitenden umständen zu ende gehe. Man braucht nicht einmal anzunehmen dafs die worte 2, 6 f. 8, 3 f. hinter 5, 8 fehlen: möglich wäre es sie hier aus blofsem versehen ausgelassen zu denken; doch war auch schon vor 3, 5 eine ähnliche kleine verkürzung, und die hinweisung auf den neuen ausbruch der schweren krankheit kann hier umso mehr genügen da ein zweites beschwören nach diesem ersten v. 8 übel klingen würde.

Aber übersehen wir nun das ergebnifs dieses dritten tages mit seinen drei so sehr verschiedenen auftritten, so können wir nicht verkennen dafs trozdem dafs Sulammit auch diesen tag in der vollkommensten trostlosigkeit schliefsen mufs, dennoch an seinem ende inderthat schon eine volle möglichkeit für ihr siegen über Salômo sich aufthut, ja dafs die wage gerade auf der äufsersten höhe der ganzen handlung schon für sie zu sinken eine erste neigung verspürt. Wie im schauspiele Ijob gerade auf dem gipfel der höchsten verwickelung und in dem tiefsten leiden des helden v. 19 eine erste wendung zum möglich besseren erfolgt weil der held auch noch im strudel aller kämpfe dem übel der versuchung widersteht, ebenso ist es bei unserer heldin. Sie hat auch den äufsersten verlockungen zur rechten zeit durch die ächte treue als die einzige waffe widerstanden welche ihr der schwachen von allen verlassenen jungfrau zu gebote steht: da mag sie ihre rettung zunächst nur wie im halbwahnsinnigen wachen traume erschauen, und mag ernüchtert wieder in verzweiflung versinken; aber die folgen ihrer bewährten treue beginnen sich zu entwickeln. Des königs absicht ist für diesen abend vereitelt; und die Hoffrauen welche ihre durch nichts zu beugende treue und ihre stets gleiche standhaftigkeit nun alle tage hindurch schaueten, die so eben noch die zeugen der wunderbarsten kämpfe ihres geistes im wachen im halben wachen und im schlafen geworden sind, und die am dritten tage schon weit davon entfernt sind ihren spott vom ersten tage her zu wiederholen, haben vielleicht noch weibliches mitgefühl genug um nicht ferner zu einem werkzeuge ihres elendes zu werden. Eben diefs mufs sich nun, da die hoffrauen an einem solchen königlichen hofe von so grofser wichtigkeit sind, am

Vierten tage

alsbald deutlicher enthüllen. Nicht alsob sie schon jezt dem könige rathen müfsten auf die Sulammit zu verzichten: so weit ist die entwickelung nochnicht gekommen, da das heftige widerstreben der jungfrau am vorigen tage mitten in ihrer höchsten verherrlichung so unerwartet eintritt und sich doch vielleicht noch erwarten läfst sie werde dem königlichen willen gehorchen. Der könig selbst dem gewifs alles was Sulammit gethan und geredet genau gemeldet ist, läfst also die hoffrauen noch ruhig weiter um die widerstrebende ihres amtes warten, hoffend dafs aus ihren verhandlungen mit ihr doch noch ein gutes ende hervorgehen werde. Allein es zeigt sich dafs das ganze bisherige verhalten Sulammit's, ihre mit jedem tage und nun dazu ammeisten gerade an ihrem lezten hohen ehrentage steigende und immer klarer und rücksichtsloser hervorgetretene abneigung gegen den könig, ihr im wachen und träumen stets gleiches denken und reden, ihre immer offeneren aussprüche über ihren einzig treu geliebten, und endlich doch auch nicht wenig ihre leiden und ihre sichtbare qual nicht ohne einflufs auf den geist der hoffrauen geblieben sind. Es kommt hinzu dafs doch auch die wahre religion in deren geheiligten schranken hier alle handelnden noch stehen und stehen wollen und deren geist daher unsichtbar weiter über sie reicht als sie selbst ahnen, die hoffrauen nicht ohne jenes mitleid und jene rücksicht bleiben läfst welche sie erinnert dafs auch der königlichen willkür und lust ihre grenzen gesezt seyn müssen. So eröffnet sich denn zu anfange dieses tages

9. — 5, 9—6, 3.

ein zwiegespräch zwischen ihnen und Sulammit von ganz neuer art. Da jene besonders am lezten tage durch die mannichfaltigen reden dieser zuviel über ihren seelenfreund gehört haben, und sie von ihr zulezt sogar wenn auch nur in ihren kranken träumen und krampfhaften äufserungen heilig beschworen waren ihn zu suchen, so fragen sie

1. v. 9 *wer* er denn eigentlich sei dafs sie seinetwegen eine so auffallende beschwörung an sie gerichtet habe. — Liest man oberflächlich diese worte v. 9, so könnte man zwar vermuthen sie seien nicht erst am folgenden tage sondern sogleich nach Sulammit's beschwörung v. 8 gesprochen. Allein dann müfste man den wahren sinn und die tragweite der worte v. 8 verkennen: was uns nicht einfallen kann. Auch begreift man leicht dafs sowohl Sulammit als die hoffrauen nach den doppelt erschütternden reden jener 4, 8—5, 8 der ruhe und sammlung höchst bedürftig waren, wäre bei jener nicht auch noch die vollständigste ermattung und erkrankung nach den krampfhaften zuständen eingetreten. — Aber so vernimmt man denn von ihr an diesem neuen tage

2. sogleich v. 10—16 die munterste und beredteste ja wahrhaft begeistertste beschreibung ihres Geliebten welche sie irgend geben kann; und zum ersten male scheint alle und jede beklemmung von ihrer brust und jede zurückhaltung von ihrer zunge geschwunden zu seyn; so frei und leicht, so wunderbar gehoben und heiter aufhüpfend wallt das wort auf ihrer zunge, bis sie alles ausgesagt was ihr der geist hier zu sagen gebietet. Fragt sie nicht nach dem namen und stande des Geliebten, oder nach seiner wohnung oder gar nach seinem vermögen und reichthume: nur er selbst ganz wie er ist, steht vor ihrem geiste; ihn nur so wie er vor diesem steht in aller wahrheit zu schildern ist ihr wille; und das thut sie in dieser hochberedten beschreibung von 10 langzeilen, mit einer abschliefsenden doppelzeile v. 16 *b*. Jene 10 langzeilen zerfallen vonselbst in zwei wenden zu je 5, indem die erste und die lezte aller 10 etwas kürzer ist wie es das steigen und fallen des ganzen erfordert.

Denn zunächst v. 10 ist es nur die erscheinung des ganzen mannes welche hervortritt: er ist *glänzend-weifs und roth*, beides nicht getrennt neben einander sondern in einander zerfliefsend (ähnlich wie dort 1, 5), als sagten wir er habe eine glänzende weifsrothe farbe, die farbe der gesundheit und kraft; sodafs sie hinzusezen kann er sei seiner ganzen erscheinung nach *hellglänzend vor zehntausend*. Bezieht sich diese farbe indefs selbstverständlich zunächst vorzüglich nur auf das gesicht, so verweilt Sulammit jezt vorerst nur bei der näheren beschreibung seines hauptes, und rühmt 1) sein *haupt* selbst sei *lauterstes gold*, so weithin strahlend wie dieses, — 2) seine *locken* aber dagegen von der einen seite wie *weinranken* sich kräuselnd nämlich und weitrankend wie diese, von der andern *schwarz wie der rabe* sodafs sich die strahlend weifsrothe farbe des gesichts dagegen desto schöner hebt (vgl. ähnliches hier sogleich v. 12 und oben 4, 1); und beides ist ein lob derselben, wie in Imrialqais' M. v. 35. — Sie rühmt 3) seine *augen* ebenfalls aus einem doppelten grunde, einmal wegen ihrer heiteren beweglichkeit als wären sie *tauben über wasserbetten* hin und her flatternd und sich in diese zu tauchen lustig, wie dies schon in den ähnlichen schilderungen 1, 15. 4, 1 angedeutet war; doch weisen diese wasserbetten zugleich auf die hier verborgenen thränenquellen hin, um so mehr sind die augen zweitens aber auch solche *die sich in milch baden*, die schwarzen augenäpfel nämlich in dem wie milch glänzenden reinen weifsen aber auch schön feuchten nicht trockenen der augen, und *auf füllung sizen* nämlich nicht auf einer eingefallenen niedrig matten trocknen sondern auf einer wie recht gefüllten schwellenden fleischigen umgebung. — Und weiter rühmt sie 4) seine *wangen*, wie sie besonders von unten her betrachtet erscheinen (sie ist ja kleiner als er): und da erscheinen sie wie *balsambeete*, lieblich und rund sich erhebend wie künstliche beete im garten, aber beete die von dem balsam duften der auf ihnen wächst, sodafs sie weiter als solche bezeichnet werden *die würzen grofsziehen*, wobei man vonselbst an die duftigen dichten grofsen backenhaare des mannes denkt. — Auch hier also ist etwas doppeltes zu loben, und ebenso noch zulezt 5) an den *lippen:* sie sind von der einen seite nach dem so beliebten ausdrucke Sulammit's *lilien* ihrer reinen schönen farbe nach, von der andern *träufelnd von flüssiger myrrhe*, von dem duftenden kusse nämlich womit diese erste hälfte der schilderung bedeutsam genug schliefst.

In der zweiten geht die rede zwar zunächst zu den unteren gliedern über: doch da sind es nur noch 3 die sie hervorhebt, und von denen jedes wieder ganz ähnlich nach einer doppelten seite beschrieben wird. Vor allem 1) seine *hände* v. 14 *a*: sie sind *goldene walzen* (Cylinder, wie man solche zu gewissen zwecken viel verfertigte), so voll und rund und zugleich so glänzend; aber dazu noch solche walzen *welche vorne mit Tarshîshsteinen eingefaſst sind*, offenbar einem weiſslichen edelsteine welcher hier das bild der schönen weiſsen nägel der hände gibt. Dann aber wird — 2) sein ganzer *leib* ein *elfenbeinernes kunstwerk* genannt, offenbar weil man schon damals die kunst aus elfenbein ganze gestalten z. b. auch von menschen und thieren herzustellen kannte: dann paſst es gut einen menschlichen leib wenn er ebenso kräftig prall als schön und glänzend ist damit zu vergleichen. Allein weil Sulammit diesen leib doch nur an einzelnen stellen gesehen hat, so sezt sie sofort hinzu dies kunstwerk sei *in Saphire gehüllt*, mit einer dichten reihe von Saphiren bedeckt, den dunkel strahlenden kleidern nämlich. Am leichtesten ist — 3) zu verstehen wie seine *schenkel marmornen säulen* gleichen die *auf goldschimmernde unterlagen gegründet* sind, den schimmernden schönen aber vor allem auch kräftig festen füſsen nämlich, wie dies später Apok. 10, 1 wiederholt wird; noch stärkere bilder s. in Ṭarafa's M. v. 19. — Aber es ist als eilte Sulammit absichtlich so schnell als möglich nach diesen einzelnen umrissen zur schilderung des ganzen zurück. So schlieſst sie *sein anblick*, übersieht man ihn im ganzen, ist als sähe man den erhabenen *Libanon*, er selbst *ein jüngling* so erhaben und herrlich gewachsen *wie die cedern*, vgl. mit den ähnlichen bildern Ψ. 144, 12 aus alter und Ψ. 92, 13 aus späterer zeit; und bezieht man das lezte bild in v. 15 nur auf den schlanken wuchs, so ist es ganz passend: aber wir werden am ende einer ähnlichen schilderung 7, 6 auch einen ganz ähnlichen ausruf sehen. — Und doch treibt sie der geist der schon vollendeten schilderung dieser ganzen erscheinung noch etwas hinzuzufügen was zulezt für sie in ihrer ganzen noch von gestern her fortdauernden hochzeitlichen stimmung sich vonselbst aufdrängt v. 16: *sein gaumen süſsigkeit* beim küssen nämlich, womit sie ja auch die erste hälfte seines ruhmes v. 13 geschlossen hatte (vgl. oben zu 4, 12—5, 1); doch nun auch sogleich wieder zum allgemeinen schlusse zurück *und ganz er köstlichkeit*.

Ja so kann sie siegreich den hoffrauen am ende zurufen *das ist er*, den ihr kennen zu lernen wünschtet! v. 16 *b*.

3. Und sichtbar genug ist der besondere antheil welchen sie an ihr zu nehmen begonnen haben, durch diese von den flügeln der begeisterung getragenen und doch in dem munde einer jungfrau bei aller glut der unverstellsten empfindung und sehnsucht so keusch gehaltenen beschreibung

des Ungekannten nicht wenig gewachsen; sodafs sie nun näher eingehend sogar schon weiter fragen *wo* er denn sei, der ihnen bis jezt noch völlig unenträthselbare, den sie gerne mit ihr aufsuchen würden 6, 1.

Aber da zeigt sich recht wie wenig sie den höchsten wunsch ihrer seele durch ungeeignete mittel zu erreichen willens ist. Wozu würde es am ende nüzen wenn sie die hülfe der hoffrauen auf ungeeignete weise in anspruch nähme, wenn sie den namen jezt ausplauderte und dadurch vielleicht den könig zu mafsnahmen veranlafste die man zu spät bereuen würde? Sie bleibt sich gleich, und antwortet v. 2 weiter nichts als ihr Geliebter sei ferne und sei ein hirt, oder wie sie in ihrer sprache und noch im zuge des geistes der sie jezt ergriffen hat beinahe scherzend sagt *er sei* von dem hohen Jerusalem weit ab *zu seinem garten hinabgestiegen, zu den balsambeeten:* denn jene ganze gegend wo er weilt, gilt ihr ja so im gegensaze zu den öden widerlichen herrlichkeiten in Jerusalem in welche man sie jezt hineinzwingen will, *in den gärten* eben jenen reizenden gegenden *zu weiden und — lilien zu sammeln*, die sie ja wie wir wissen so sehr liebt; auch meint sie zu wissen für wen er sie sammeln werde. — Doch fügt sie zum schlusse v. 3 noch ein kleines wort bei welches ihre reinste und entschlossenste liebe zu ihm mit einer siegesgewifsheit ausspricht welche sogar hinter jenen augenblicken höchster erregtheit am zweiten tage 2, 16 nicht zurückbleibt.

So will sich das zwiegespräch der weiber gar in frieden und in scherz auflösen: da tritt, wie von unbezähmbarer ungeduld getrieben,

10. — 6, 4—7, 1.

der könig selbst ein, um mit aller ihm nur noch irgend möglichen kunst und gewalt den lezten sturm auf sie zu versuchen. Ihm steht jezt, nachdem er alle königlichen ehrenbezeugungen und huldigungen umsonst an ihr verschwendet hat, nur noch (will er nicht blofsen zwang anwenden) éin mittel auf sie einzuwirken zu gebote: das ist die kunst des bezaubernden wortes; und dieses mittel wendet er hier mit einer innigkeit und geschicklichkeit an welche nicht höher seyn kann. Wenn er am vorigen tage 4, 1—7 die schmeichelnden worte des ersten tages 1, 9—2, 2 überbot, so übertrifft er hier wieder jene weit, sucht mit der höchsten kunst alles zusammen was seinem zwecke förderlich seyn kann, und wendet alles mit einer geschicklichkeit an welche noch weiter steigern zu wollen unmöglich wäre. Er hat sich offenbar nach allen verhältnissen des früheren lebens Sulammit's so weit es ihm möglich genau erkundigt, alle ihre reden und worte die er nicht selbst gehört sich berichten lassen, und beginnt nun hier im weiten überblicke über alles was hieher gezogen werden kann und in dem gewähltesten ganz allein für Sulammit berechneten ausdrucke eine rede worin er mit jener halb gespensterhaften des unbekannten Geliebten 4, 8—15 wie die volle sonne mit dem bleichen monde wetteifern möchte. Kann die vollstrahlende sonne nicht jene bleichen nachtschatten verscheuchen, der gegenwärtige mit allem glanze seiner erscheinung und allem zauber seines schmeichelnden wortes nicht jenes neckende gespenst eines unbekannten fernen machtlosen Jemand, der gipfel aller saubern kunst und zierlich feinen rede nicht jene einfache niedrige hirtendichtung? Dies soll sich zeigen! Der könig will sich wenigstens in seinem vorhaben so wenig schrecken lassen daſs er nach 6, 5 sogar die harten strengen blicke welche ihm Sulammit jezt zum ersten male und gleich von vorne an zuwirft nicht achten mag.

Und wirklich ist der hier folgende gesang vollkommen ein wettgesang mit jenem 4, 8—15. Er besteht ebenso in drei längeren wenden: wenn aber jede wende dort 6 langzeilen und nur die lezte 8 hatte, so hat hier jede 7 zeilen mit dér schöneren abwechselung daſs nur die erste und die lezte langzeilen hat, wie in einem andern beispiele königlichen gesanges I *a* s. 161 ff. Denn der höchste sinn und die davon abhangende kunstvolle anlage dieses gesanges ist die daſs der könig der jungfrau zu gemüthe führen will wie er doch aus reiner liebe zu ihr sie allen seinen zahlreichsten und mannichfaltigsten andern weibern vorziehe, aber nicht gegen sondern nach dem willen und sinne dieser selbst: kann etwas tieferen eindruck machen als dies geständniſs dieses allgemeine lob und diese so begründete liebe? und was scheint hier ungefährlicher und leichter als auf die bitte dieses liebenden einzugehen? — So enthält denn

1. die ganze erste wende v. 4—7 nichts als eine einzige lange anrede an Sulammit mit dem wiederholten hohen lobe ihrer vollendeten schönheit: diese langgedehnte anrede welche hier sogleich zu anfange jene anrede und anrufung womit der zu übertreffende gesang 4, 12—15 schloſs niedersingen soll, wird durch nichts unterbrochen als durch die sofort nach den beiden ersten langzeilen v. 5 *a* sich eindrängende

bitte an Sulammit ihre harten zürnenden blicke abzuwenden, da der könig sich durch sie wie erschreckt fühle: und es ist alsob durch diese unterbrechung die zweite hälfte der 2ten langzeile ausgefallen wäre. Uebrigens beginnt diese rede zwar v. 4 mit einigen höchst königlich klingenden neuen seltsam hohen vergleichungen. Sulammit kommt dem sänger als ebenso *schön* vor *wie Tirſsa*, als *lieblich wie Jerusalem*: über den geschichtlichen sinn dieser worte s. oben s. 339; aber es ist zu beachten daſs nicht jener hirte und sonst jeder einfachere sinn sondern nur der könig so hohe bilder gebraucht. Und weiter kommt sie ihm nach einem ähnlichen kriegerisch-königlichen ausdrucke gar *furchtbar wie gewappnete schaaren* vor, als flöſse ihr ganzer anblick schon scheu und ehrfurcht ein, und wohl ist's als käme dieses bild dem redner erst in diesem augenblicke überraschend zu, da er sie selbst jezt so sieht wie er sie nicht zu sehen gehofft hatte, wie er ihr denn in der einschaltung v. 5 *a* deutlicher zu verstehen gibt. Allein sonst erschallt das lob welches der könig hier singt fast nur wie eine wörtliche wiederholung des in seinem vorigen gesange gesagten 4, 1—5: sie ist nur um einige glieder verkürzt, weil das maſs nicht mehr faſst [1]). Und unwillkürlich offenbart sich so daſs doch die überverfeinerte hofdichtung welche mehr auf die gesuchtesten bilder und überraschendsten redensarten als sonst auf wichtigeres sieht, sich selbst überlebt und sich selbst nur nachahmen kann. — Aber alle diese worte sind ja auch nur wie eine einleitung um

2. v. 8 f. zu der doppelten groſsen hauptsache zu kommen welche hier hervorgehoben und in ihrer ganzen hohen ja wie der sänger meint entscheidenden bedeutung berührt werden soll. Diese ist einmal daſs alle die weiber am königlichen hofe, so zahlreich und so verschieden sie sonst ihrer stellung nach seyn mögen, dem könige doch nichts sind gegen die *eine* die er hier preist und umwirbt, die er hier sogar eben so wohl wie jene unbekannte stimme 2, 14. 5, 2 *seine taube* und *seine reine* nennt als legte er auf die unbefleckte reine liebe ein ebenso groſses gewicht wie jener mann, und von welcher er noch dazu besonders rühmt wie einzig *theuer sie ihrer mutter* sei (1, 6); denn von ihrem verhält-

[1]) daſs die LXX die langzeile 4, 3 *a* über die *lippen* unrichtig hier vor v. 7 einschalten, ergibt sich eben aus den maſsen der wenden des gesanges am deutlichsten, so daſs es weiter keiner anderen gründe dagegen bedarf. Daſs die wiederholung hier nicht ganz wörtlich seyn soll ist einleuchtend.

nisse zur mutter hat er schon gehört, sich gewifs auch vorgenommen diese später an den königlichen hof zu ziehen. Uebrigens soll die v. 8 angegebene zahl der weiber offenbar die höchste seyn: als ein zeugnifs aus diesem alten gedichte ist sie geschichtlich denkwürdig; und wie sie mit anderen nachrichten zu vereinigen sei, ist schon in der *Geschichte des v. Israel* III. s. 398 f. weiter erörtert. — Zweitens aber kommt das ebenso wichtige hinzu dafs der könig rühmen kann wie die hoffrauen selbst sofort vom ersten augenblicke an so wunderbar in dem lobe der einzigen vorzüge Sulammit's einig waren und sie ihm empfahlen. Es ist eben dies erste wie durch ein göttliches geschick herbeigeführte zusammentreffen des königs mit ihr und dieser eindruck den sie sofort auf die versammelten hoffrauen machte, worauf der könig jezt das schwerste gewicht legen möchte, das Sulammit selbst vielleicht schon vergessen hat, das er aber aus allen diesen gründen für wichtig genug hält

3. in der lezten wende v. 10—7, 1 seiner vollen bedeutung nach vorgeführt zu werden. Und wirklich ist es alsob das ganze erste feuer womit der könig sie erblickte sich in ihm hier wieder entzündete: so lebendig gestaltet sich die erzählung. Und man kann die dichterische kunst die erzählung des ganzen vielverschlungenen ereignisses so bestimmt und so lebendig innerhalb der knappen grenzen einer wende zu erschöpfen wirklich nicht genug bewundern. Das nächste und wirksamste mittel dazu ist die bezeichnendsten worte der dabei thätigen menschen kurz aber lichtvoll zusammenhangend anzuführen und das ganze ereignifs so in seinen eigensten gedanken und reden wiederzugeben. Hier genügten solche worte theils der hoffrauen theils Sulammit's, wie sie damals laut geworden waren als Salômo eine seiner glänzenden weiteren lustfahrten mit den hoffrauen in jene gegend unternommen hatte wo Sulammit wohnte. Und da der redner die vorige wende mit dem hinweise auf deren erstes begegnen mit jenen schlofs, so kann er diese sofort mit dén worten hoher bewunderung beginnen welche sie ausstiefsen Sulammit einsam im garten umgehen sehend „*wer ist die welche hier* auf die ganz nahe hinweisend *aufblickt wie das morgenroth*, oder vielmehr noch herrlicher *schön wie der hellblonde* mond aber auch *rein* lauter strahlend *wie die heifse* sonne, ja *furchtbar wie gewappnete schaaren* dafs jedermann wie scheu vor ihrer herrlichkeit zurückbeben mufs. Man sieht dafs sie immer näher immer voller immer mehr in ihrer unvergleichlichen schönheit erkannt wird: so malerisch

sind diese wenigen worte gerade in dieser folge, und das lezte dieser worte über sie klingt gar wie wenn auch Salômo sie schon damals beim ersten anblicke ebenso gesehen und erkannt hätte wie er sie hier v. 4 angeredet hatte. Nun aber ist es gegen die gute sitte dafs eine jungfrau einzeln so in das freie feld gehe, wie Sulammit damals wie selbstvergessen in der ersten frühlingslust in den an ihrem hause liegenden *nufsgarten* gegangen ja vor vergnügen getanzt hatte und nun von einem in die nähe gekommenen zuge überrascht und tanzend gesehen war; sobald sie sich also überrascht ja auch schon angerufen sah, hatte sie sich entschuldigend erwidert sie sei blofs zufällig hieher gekommen und *unversehends* durch ihre *lust* sich im freien zu ergehen *unter die wagen ihres Edelvolkes gerathen* v. 11 f.; denn so nannten leute ihres standes und ihrer gegend damals gewifs allgemein den hohen adel oder die hofleute des eignen landes und königreiches. Nun hatte sie sich zwar rasch umgewendet ihr haus aufzusuchen: allein man *rief sie* ebenso eilig *zurück*, weil man ihre schönheit und vorzüglich auch ihren schönen tanz schon zu allgemein zu bewundern angefangen hatte, man wollte sie gerne noch weiter sehen; wie sie also fragte *was wollt ihr schauen an* der einfachen ländlichen *Sulamüerin?* hatte man ihr erwidert *was dem tanze Machanáim's gleicht*, deinen tanz der ebenso schön ist wie der schönste den man bisjezt kennt. Wir wissen noch dafs Machanáim eine altheilige stadt war (*Geschichte des v. Israel* I. s. 436 f. vgl. II. s. 419): solche hatten ihre jährlichen feste mit tänzen (vgl. die *Alterthümer* s. 378 der 3ten ausg.); und die in dieser übliche tanzweise mufs damals als die schönste in ihrer art landeskundig gewesen seyn. Was dann weiter geschehen sei, erzählt der könig hier nicht: die wende hat ihr mafs, der gesang mufs hier geschlossen werden. Aber wir können uns alles übrige vonselbst leicht denken: was hier zu sagen war, ist genug angedeutet. Sonst vgl. über v. 1 das in der beurtheilung von Renan's werke über das HL. bemerkte in den *Gött. Gel. Anz.* 1860 s. 1517 ff.

Der gesang ist hier zu ende: rede und handlung stocken einen augenblick. Die jungfrau ist dem winke des königs den er ihr bald nach dem anfange des gesanges v. 5 gab, gehorsam gewesen: sie hat ihre augen von ihm abgewandt, und hat ihn so ruhig seinen gesang vollenden lassen. Sie schweigt auch jezt: und weil sie schweigt, meint der könig weiter hoffen zu können. So stimmt er denn

11. — 7, 2—10.

einen zweiten gesang an, nicht weniger liebesuchend und nicht weniger kunstvoll als den vorigen, und doch wieder von ganz anderer art und kunst. Er beginnt als sollte er nur wie eine fortsezung und vollendung jener bewunderung der schönheit seyn womit der vorige anhub, und wird doch noch etwas ganz anderes. Der könig meint endlich auch das lezte sagen zu müssen, seine rede wird nicht nur schwülstiger sondern auch unruhiger und zudringlicher, das erneuete lob der schönheit läuft in den verblümten und doch hinreichend verständlichen wunsch nach voller lust aus, und die geschmücktesten bilder süfsester worte sollen die lust da reizen wo noch keine ist. Die kunst mufs hier zum reizmittel der sinne, das wort zum stachel der lust werden. Auch die kunst des baues der zeilen und wenden ändert sich danach. Jede der drei wenden besteht nur aus 5 zeilen, von welchen nur die 4 ersten zu langzeilen werden: aber zwischen die 2te und 3te drängt sich plözlich ein heftig bewegter zuruf in einer einzeln bleibenden doppelzeile ein v. 7. Eine solche abgerissene zeile und unruhige unterbrechung des laufes der wenden ist zwar nach I *a* s. 196 im Hebräischen liede nicht unmöglich, aber unter allen gesängen unsres schauspieles ist doch hier das erste beispiel davon, und es bleibt das einzige. — So beginnt dieses lied

1. in seiner ersten wende v. 2—4 zwar sehr treffend só dafs es nach dem längeren stillstande eben da wiederanknüpft wo das vorige stehen blieb, bei dem tanze; sodafs das erste wort hier ein ausruf über die *schönheit der schritte* Sulammit's *in den schuhen* ist; und der könig versäumt nicht sie hier zum anfange als *Edeltochter* anzureden, geschickt ihre eben erst 6, 4 erwähnte damalige rede über das ihr fremde Edelvolk Israel's so umdrehend und ihr andeutend dafs sie ja jezt selbst vollkommen zum hohen adel gehöre und ihm ebenbürtig sei. Allein indem sich nun an diese so hochehrende anrede eine weitere lobpreisung ihrer schönheit anschliefst, so dafs diese durch alle zeilen der zwei ersten wenden fortgesezte anrede erst in jenem sich aufser der reihe eindrängenden ausrufe v. 7 ihr ziel erreicht, findet diese beschreibung der schönheit gelegenheit von den füfsen stufenweise zu den höheren gliedern emporzusteigen. Sonst ist immer das nächste solche beschreibungen von dem haupte zu beginnen 4, 1—5. 5, 11—15, oder gar bei dem haupte stehen zu bleiben 4, 10 f.: hier wird auf den gegebenen anlafs

hin der umgekehrte gang vorgezogen, und die ganze erste wende hebt in ihren 5 zeilen gar 5 schönheiten an diesen untern gliedern bis zu den brüsten hervor. Auf die füfse folgen — 2) die *wölbungen der hüfte:* sie sind *wie spangen von künstlers händen verfertigt* so glänzend rundlich und prall wie fein künstlerisch verfertigte goldene spangen vgl. 5, 14. Wenn aber weiter — 3) der *nabel* mit dem *becherschlauche der ründung* verglichen wird *dem es nicht am mischweine fehlen möge!*, so wird damit nach einer gewifs volksthümlichen vorstellung vom nabel als dem geschlossenen ende eines unten anfangenden und unten offenen runden *becher*schlauches der mit mischwein zu füllen sei schon das äufserste mit verblümtem wize gesagt was sich sagen läfst. Nun erst folgt — 4) der *leib:* er ist ein *weizenhaufen umsteckt mit lilien* unstreitig mit anspielung auf ein erntefest wo etwa dér haufen waizenkörner welcher als opfergabe einem heiligthume bestimmt war mit blumen umkränzt wurde; aber so weifsröthlich wie waizen, so weich wie der haufen und so mit weifsem kostbaren gewande umgeben ist dieser leib. Die beschreibung ist so vom anfange dieser wende an ganz neu geworden, wiederholt aber zulezt — 5) bei den *brüsten* v. 4 nur das schon 4, 5 gesagte, und auch die lezte hälfte dort *die unter lilien weiden* würde hier im zusammenhange mit dem vorigen einen so verständlichen treffenden sinn geben dafs sie hier sehr wohl ihren plaz hätte: allein wegen des baues der wenden fehlen sie absichtlich. — Aber die rede springt

2. v. 5 f. mit dem anfange der neuen wende wo ebenfalls 5 glieder dieser schönheit auszuzeichnen sind 1) zum *halse* über: er wird mit einem zierlich aus *elfenbein* gemachten *thurme* verglichen, wie er als von künstlern nach den ähnlichen beispielen v. 2 *b* und 5, 14 verfertigt zu denken ist. Allein bedenkt man dafs nach dem durchgängigen kunstgeseze dieser dichtung jede langzeile aus zwei hälften bestehen mufs und jede beschreibung eines gliedes in ihr demgemäfs ebenfalls in ihre zwei hälften zerfällt, so liegt die höchste wahrscheinlichkeit vor dafs hier einige worte ausgefallen sind wodurch sich das bild erst vollkommen abschlofs; und nach 4, 4 würde man in dieser hälfte die bezeichnung des glänzenden schmuckes erwarten welcher rings den thurm wie den hals ziert. Am haupte selbst aber wozu das lob nun aufsteigt, erscheinen wie leicht überall in solchen fällen — 2) zuerst die *augen:* sie sind *die teiche in Hesbôn am thore Batrabbim* so klaren wassers und so schön einander gegenüber liegend, denn die feuchte wässrigkeit als ein vorzug der

augen wird auch 5, 12 gelobt. Jene zwei teiche in Hesbôn müssen wegen ihres schönen klaren sich stets gleich bleibenden wassers und wegen ihrer lage sehr berühmt gewesen seyn: weil aber eine stadt leicht mehere haben kann, so werden sie hier noch näher bezeichnet als *am thore Batrabbim* gelegen, und man kann sich sehr wohl denken dafs das thor seinen namen etwa von einem nächsten dorfe hatte; dafs der zusaz sonst noch einen verblümmten sinn geben solle, ist hier eben so wenig wie bei dem folgenden bilde vom Libanonsthurme nachzuweisen. Man hat nun heute (s. *Seetzen's* reisen I. s. 407. IV. s. 221) auch einen alten teich in den trümmern der bergstadt Hesbôn wiedergefunden, ob aber dieselben teiche die hier gemeint sind, ist troz der neulichen versicherung in *Tristram's* trav. in Pal. p. 540 noch nicht gewifs. Nun erst folgt — 3) die *nase:* sie ist *wie der Libanon's thurm der gerade nach Damasq schauet*, so kühn und hoch ragend am hohen schönen haupte und wie jedem widerwärtigen troz bietend, wieder ein ächt königliches bild gleich den obigen 6, 4. 4, 4. Dieser thurm war gewifs von Davîd zum truze gegen das unterworfene Damasq gebauet und verschieden von dem 4, 4 gemeinten auch ganz anders beschriebenen: allein ob man seine lage heute sicher wiederfinden wird, ist noch ungewifs. — Das 4) *haupt* selbst wie es *da oben* mit dieser nase als thurme sizt, könnte nun mit dem eben genannten Libanon verglichen werden, wird jedoch der abwechselung wegen dem lieblichen *Karmel* gleichgestellt eben weil dieser überall auch im gegensaze zu jenem als das liebliche gebirge erscheint; aber — 5) das *herabwallende haar* dieses hauptes gleicht an weicher glätte und leuchtender farbe dem kostbaren *purpur*, wobei von jeder besonderen farbe abgesehen wird.

Die beiden lezten glieder sind im bemerkbaren abstande gegen die früheren kurz in éine langzeile zusammengedrängt: denn geschlossen soll die wende in ihrer lezten kurzzeile mit dem ausrufe werden welcher in immer mehr unruhiger wogender rede wie das ergebnifs dieser ganzen langen beschreibung beider wenden zusammenfafst *ein könig in flechten* den eben genannten locken *gefesselt!* welche erscheinung! hier ist ein anderer als jener einfache jüngling am ende jener lobpreisung 5, 15: und dieser könig so gefesselt! — Aber dennoch hat dieser ausruf sich nur wie ganz unversehends eingedrängt: und nun erst folgt v. 7 in dem schmachtend bewundernden ausrufe über diese schönheit und lieblichkeit das ziel worauf die lange anrede und beschreibung der beiden nun ganz geschlossenen wenden hinsteuerte. Sulammit wird schon ganz kurz mit der *Liebe* selbst (vgl. 3, 10) zusammengestellt und so angeredet, aber der redende vergifst nicht hier am ende als das schwergewicht *die lust* hervorzuheben und auf sie die ganze rede hinzudrängen. — Und von dieser lust und wie er sie sich denke und sich wünsche, entwirft er endlich

3. in der ganzen lezten wende v. 8—10 ein von hohen süfsen bildern geschwängertes und selbst wie berauschendes bild, welches in seiner art nicht kunstvoller und zierlicher aber auch nicht üppiger seyn kann. Diese ganze erscheinung wie sie ihm gegenüber steht und wie er sie nun gepriesen hat, scheint ihm an *wuchs* wie eine schöne hohe *palme* mit ihren herabwallenden schwanken reisern (gliedern, auch brüsten): jene möchte er besteigen, diese erfassen und an ihnen wie an weintrauben sich laben, wie würzige äpfel dazu geniefsend den duft ihres athems só dafs der gaumen (im kusse wie 5, 16) wie zum besten weine schlafender Geliebter würde. Jedes wort ist hier zierlich, jedes wohlerwogen, jedes unvergleichlich treffend sogar in seiner stellung und reihe. Alles malerisch und durchsichtig genug, und doch keine zu grelle malerei. — Aehnliche nur gewöhnlich viel unzartere malereien bei Arabischen Persischen und Indischen dichtern hier zu vergleichen hat kaum viel nuzen: das denkwürdige für uns ist nur dafs solche kunstvollste dichtung im volke Israel auch nach dieser seite hin schon so früh ausgebildet war.

12. — 7, 11—8, 4.

Wir sehen, auch diesen zweiten gesang hat Sulammit ebenso wie den ersten ruhig angehört, nachdem sie einmal auf des königs befehl sich äufserlich zu beherrschen angefangen hat. Noch einmal ist ihr wie am vorigen und schon am ersten tage die volle gelegenheit geboten gegen den hirten den könig mit aller seiner pracht und kunst einzutauschen. Allein sie schwankt auch jezt keinen augenblick: und wie wir sie heute schon überhaupt viel selbstbewufster und gefafster gesehen haben als sie die beiden vorigen tage war, so beginnt sie jezt zum ersten male in gegenwart des königs und der hoffrauen einen vollen gesang, einfach und so ruhig als möglich erklärend wie es ihr ums herz sei. Zum könige kein wort; auch an die hoffrauen wendet sie sich hier nicht. Ihre gedanken sind fortwährend nur bei ihrem fernen freunde, ja sie kann wird sie lebhafter erregt nur zu ihm reden, nur in seiner gesellschaft sich heimisch fühlen, oder wo sie sich an ihre wirkliche lage ernster erinnert nur ihn vermissen und ihn herbeiwünschen. Allein in diesem sinne beginnt sie sich offen zu äufsern, und ihr wort wird dem eben gehörten schwülstigen des königs gegenüber sofort wieder zur sprache der anmuthigsten einfalt und kindlichsten aufrichtigkeit. So hält sie sich obwohl sichtbar unter tiefster bewegung dennoch aufrecht in schön ausführlicher ruhiger rede ihre empfindungen zu erklären; ihr gesang wird nicht mehr wie in den beiden lezten tagen zum stürmischen reden rein aus des Geliebten seele und stimme heraus, noch weniger erzählt sie von träumen: es ist der hellklare ruhige ergufs ihrer festen gedanken, und es ist als hätte schon ein strahl der sonnigen gewifsheit ihres nahen sieges sie durchzuckt; so redet und singt sie hier, anders als an den beiden vorigen tagen, anders auch als am ersten. Aber irgendeine äufsere gewifsheit die freiheit wieder zu erlangen hat sie doch nochnicht; und über die höhere zuversicht mit der sie zu reden beginnt, können je länger sie redet und sinnt und je schwerer sie eben dadurch wieder an die wirkliche gegenwart erinnert wird, doch wieder leicht neue wolken heranziehen.

Der gesang gestaltet sich so zunächst zu 2 wenden von je 6 zeilen, die nach den ersten beiden in der ersten wende sich sofort zu vollen langzeilen dehnen.

1. Der erste gedanke welcher allen jenen königlichen worten gegenüber bei ihr laut wird, ist eben der grundlaut welcher nach 2, 16. 6, 3 felsenfest in ihr ruhet, den sie früher immer erst am ende anderer wallender gedanken als ihr endergebnifs aussprach, hier aber sogleich vorne ausspricht *Ich bin meines lieben, und mein lieber ist mein:* aber sie fügt hier mit deutlicherer anspielung auf des königs worte hinzu *und zu mir steht seine sehnsucht!* dessen bin ich gewifs. — Aber nachdem sie einmahl durch diese sicheren kurzen säze die ihr eben im verlaufe aller leiden dieser tage so unaussprechlich klar und sicher geworden sind sich zur rechten zuversicht im weiteren denken und reden erhoben hat, hebt diese goldene zuversicht sie in ihrem geiste sogleich über alle gegenwart und alle gegenwärtigen hinweg: nur zu Ihm mag sie reden; und als wäre sie halb noch hier halb schon wieder mitten in der heimath bei ihm, ruft sie ihm zu *lafs uns hinaus aufs feld gehen, weilen unter den* duftigen *Alhenaisträuchern* welche sie nach 1, 14. 4, 13 ebenso wie die lilen (2, 16. 6, 3) so sehr liebt: hier aber liegen ebenso wie dort 4, 13—16 duftende kräuter ihrem sinne am nächsten.

Und weiter redet sie zu ihm in diese gedanken sich verlierend v. 13 ganz so wie sie nach 2, 12 f. früher ihren Geliebten zu ihr selbst reden gehört hatte, schliefst jedoch rasch diese wende wie sich plözlich zurückerinnernd wo sie wirklich sei: *dort* nicht hier, wo es nicht möglich ist, *will ich mein kosen* oder *meine liebe* wovon eben der könig soviel ihr vorgesungen hatte *dir weihen!*

2. 7, 14—8, 2. Doch sie sammelt sich nach dieser kurzen etwas heftigeren bewegung im anfange der zweiten wende ruhig da fortzufahren wo sie eben zuvor mit ihren gedanken so selig war. Sie ist im geiste wieder allein mit Ihm mitten in ihrer heimath ja bei ihrer mutter hause; und weil sie eben von *liebe* geredet hatte, erinnert sie diese an die in jenen ländern auch in ihrem doppelsinne seit alten zeiten (Gen. 30, 14 f.) längst bekannten *liebesäpfel* (alraune, Mandragora) welche in Galiläa wild wachsen, so dafs sie sagt *die liebesäpfel duften schon*, aber auch im hause ist ähnliches: *über unsern thüren* in einem kleinen stockwerke über der erdflur mit des windes wegen offenem zuge nach vorne *sind allerlei obste, neue wie alte, die ich dir mein lieber!* sorgsam *aufgespart habe*, ganz in jenem doppelsinne welcher 4, 13—16 nur noch stärker hervortrat: wie dort Sulammit nach den hochzeitlich duftenden reden des königs unendlich zarter von einem anderswoher wehenden dufte geredet hatte, so sind auch hier nach des königs reden bei ihr alle gefühle und reden voll duft, aber ganz anderswohin gerichtet und unvergleichlich zarter.

Aber was singt sie? was denkt sie? ist sie denn wirklich schon dort? Nur éin kurzer stillstand mitten in dieser wende, und sie fährt beim näheren andenken an ihre wirkliche lage anders fort. Ist ihr freund ihr jezt völlig unzugänglich, so sollte sie eher wünschen er wäre *ein bruder von ihr*: dann könnte sie doch sogar hier in der stadt ohne den anstand zu verlezen und von den menschen verachtet zu werden auf der gasse ihn suchen (wie sie einst 3, 1—4 im traume that, und beinahe fällt sie in solche träumerei hier schon wieder zurück) und wenn sie ihn fände ihn küssen; ja dann würde sie ihn auch *in ihr mutterhaus* leicht führen, *sich von ihm* wie er es in allem am liebsten hätte *belehren lassen* (vom könige, der es wollte, will sie sich nicht belehren lassen!), und ihn von dem würzigsten weine ja von *selbstgemachtem granatenmoste trinken lassen* können. Mit den lezten worten v. 2 kommt sie also ganz auf die ersten worte dieser wende 7, 14 zurück, und spricht nur noch mehr von dem süfsen dufte und weine wonach sie sich sehnt und, wie sie nach 7, 11 sicher weifs, auch er sich sehnt. Aber wir merken auch wie ihre rede wieder bewegter wird, wie ihre gedanken zwischen der stadt 8, 1 und dem mutterhause v. 2 schon ganz irre werden; und es kann uns nicht verwundern dafs sie von dem gedanken der unbefriedigten sehnsucht nach ihrem Geliebten doch wieder ebenso wie in den vorigen tagen zu gewaltig überwältigt wird, den ruhigen gesang mit mit dieser zweiten wende plözlich abbricht, und

3. 8, 3 f. im zu heifsen andenken an den Fernen ohnmächtig niedersinkend v. 3 nur noch so viel sagt als in solchem falle nothwendig ist v. 4. Hatte doch der könig, obgleich selbst wie am ersten tage wieder bis zum ende zugegen, nur voll starren entsezens den ganzen strom der worte dieser ihm unerklärlichen jungfrau mitangehört; und hatten doch auch die hoffrauen in seiner gegenwart kein weiteres wort der theilnahme zu äufsern gewagt. Dafs auch die zeilen hier ganz andere werden und nur noch 5 kurze die wende füllen, ist selbstverständlich. — So mufs denn erst der

Fünfte tag

die lezte entscheidung bringen: denn dafs eine solche nicht mehr ferne bleiben könne ist so einleuchtend als möglich. Zu schwer ist was sich hier einigen sollte zerrissen, zu empfindlich ist der schmerz des königs ebenso wie der der jungfrau jezt geworden. Aber inderthat ist vielmehr die lösung seit jenem wirbel aller stürme in der hohen mitte der ganzen handlung am dritten tage von stufe zu stufe mächtig fortgeschritten; und sogar die neuen stürme welche sich von beiden seiten am lezten tage erhoben, haben zulezt die luft nur noch weiter reinigen können. Denn entweder mufs der könig nachdem auch dieser lezte kunstvollste und ernstlichste versuch mit güte und liebe seinen zweck zu erreichen vereitelt ist, zur rohen gewalt greifen: aber schon die wahre religion in deren gemeinde Salômo stehen will, mufs ihn vor einem solchen hier doppelten gräuel bewahren; und die hoffrauen, deren keimendes mitgefühl der vorige tag offen legte, werden als die hier vonselbst gegebenen vermittler noch am abende des vorigen tages alles gethan haben um den könig zu einem seiner würdigen entschlusse zu bringen. Sowie sich daher der neue tag vor den augen der zuschauer aufthut, sehen wir in dem einzigen gesange welcher noch folgt, alles wie durch einen zauberschlag plözlich verändert. Wir schlagen die augen auf, und schauen in eine völlig veränderte gegend; hören aber vor allem

1. 8, 5 aus dem munde von solchen die wir für hirten und andere ländliche bewohner halten können die frage aufwerfen: *wer die sei welche hier* schon nahe genug *aus der trift* dem weidelande *heraufkomme*, mit dem arme *gestüzt auf ihren lieben*, ganz wie zwei verlobte arm in arm gehen. — Und alsbald sieht man die beiden ganz nahe gekommen und hört sie mitten im eifrigen muntern gespräche mit einander begriffen. Sie kommen eben an einem apfelbaume vorbei: o wie oft war früher in Sulammit's munde von äpfeln die rede! aber hier kann sie ihren seelengeliebten noch auf etwas besonderes dabei aufmerksam machen: sie hat früher wahrscheinlich von ihrer eignen mutter gehört dafs ihres Geliebten mutter ihn von plözlichen schweren wehen ergriffen unter eben diesem baume geboren habe [1]); aber sie selbst hatte ihn auch einmal als er unter diesem selben baume schlief geweckt: an dieses und dann auch an jenes ihn zu erinnern treibt sie hier die übersprudelnde frohe laune. — Aber sie hat ihm nach solchen scherzen

2. auch ernsteres zu sagen, und beginnt v. 6 f. von einer höheren stimmung ergriffen einen gesang von 6 mit ausnahme der lezten langen zeilen. Sie hat endlich ihren heifsen wunsch erreicht: sie will und sie kann sich ihm hier für das ganze leben verloben, jezt mit noch ganz anderen empfindungen als die sie ohne ihre eigne so eben gewonnene schwere lebenserfahrung gehabt haben würde. Sie hat nun aufs tiefste in sich selbst erfahren was wahre liebe sei: sie ist nichts ohne einen würdigen gegenstand, und nichts ohne die durch nichts zu erschütternde treue; mit diesem doppelten aber etwas von menschlicher willkür unüberwindliches, auch die gewaltigsten hindernisse endlich siegreich überwindendes, ja (da sie etwas geistiges ist) zugleich etwas wahrhaft göttliches, wie eine heilige glut Gottes selbst die tausendfältig im menschen brennt; und wie es sie entheiligen und zerstören zu wollen die höchste sünde ist, so die höchste thorheit sie durch ungeistige mittel z. b. durch die schäze und ehren dieser welt hervorlocken zu wollen. Niemand

---

[1]) etwas ächt ländlich-hirtliches (Bukolisches), vgl. Gen. 35, 16. Donati vit. Virg. c. 1. *Burckhardt's* notes on the Bedouins p. 55.

hat das alles jezt ansich selbst und an einem gröfsten und deutlichsten beispiele tiefer erkannt als Sulammit: so weifs sie was sie mit ihrer liebe und damit mit sich selbst ihrem Geliebten gibt, und kann ihn unter den beflügelten worten ihrer eigensten und tiefsten erkenntnifs desto ernster auffordern und bitten sie *wie den siegelring* (welchen der mann immer bei sich trug aber auf das sorgfältigste bewahren mufste) *an sein herz und an seinen arm zu legen*, ein bild welches umso näher lag da er gewöhnlich an einem faden um den hals im busen getragen wurde [1]). Er galt daher auch, wenn der mann dennoch ihn hinzugeben ausnahmsweise sich bewogen fand, als das beste pfand Gen. 38, 18; und sie als sein theuerstes kleinod zu bewahren bittet eben hier den künftigen gatten das ächte weib.

Hier hat sich der ausdruck des reinen gedankens und der wahrheit welche unserm schauspiele zu grunde liegt frei zu seiner reinsten höhe und klarheit gesteigert; und es ist billig die heldin aus deren munde er am rechten orte unhemmbar hervordringt. Die strömenden worte gestalten sich daher hier auch zu 2 versen von welchen jeder 3 doppelzeilen hat, nur dafs die lezte kürzer bleibt. Aber hier ist auch der rechte ort wo während dieses ganzen lustspieles zum ersten und zum einzigen mahle der name Gottes zu nennen ist, und hier mit só vollem rechte dafs die wirkung desto gröfser ist. — Während dessen sind die beiden der wohnung wohin sie gehen wollen (nach v. 13 wahrscheinlich der des bräutigams) immer näher gekommen, aber auch die volksmenge rings um sie hat sich immer mehr angesammelt. Die jungfrau ist die heldin des tages: von ihr erwartet man weitere aufklärung: und sie ist ja troz des ernstes womit sie eben redete in der heitersten stimmung. So wendet sie sich denn

3. zu der versammelten menge und stimmt v. 8 f. ein lied an welches sich ebenfalls in 6 langzeilen vollendet aber anfangs sehr seltsam klingt. Sie hat etwas zu erzählen: und der gröfste theil davon läfst sich ähnlich wie in dem falle 6, 10—7, 1 am leichtesten durch die reden der menschen darstellen welche bei dem ereignisse thätig waren. Wir hören ältere brüder von einer nochnicht mannbaren schwester

---

[1]) geht man vom siegelringe wie er am finger getragen wurde aus, so gestaltet sich der ausdruck etwas anders Jer. 22, 24. Für die einfachere lage und ältere zeit pafst der ausdruck im HL. am besten, und aus diesem ist er wörtlich schon wiederholt Hag. 2, 23.

reden. Sie scheinen vielleicht durch üble beispiele in benachbarten häusern dazu veranlafst, wegen der zukunft ihrer jungen schwester besorgt, und der eine frägt was man mit ihr anfangen solle wenn man *um sie freien werde*. Diese schwester hatte also keinen vater mehr: und in diesem falle liegt es den älteren brüdern ob die sorge für die jüngere schwester zu übernehmen, vorzüglich in allen dingen welche über das einzelne haus hinausreichen. Da erwidert der andre bruder gewifs vor den ohren der kleinen schwester die das hören und sich merken soll: *sei sie eine mauer*, so wollten sie *silberne zinnen ihr aufbauen*, wie man auf der mauer einer stadt die sich gegen den verwüstenden feind undurchdringlich und unbesiegbar bewiesen hat wol zum ehrenvollen andenken die köstlichsten siegesdenkmale aufbaut; *sei sie* aber *eine thür* das gegentheil der mauer weil sie alles durchläfst, so wollten sie *sie mit einem cedernbrette einschliefsen* wie man einen ort der sich nicht öffnen sollte und sich doch geöffnet hat mit brettern verrammelt, wo möglich vom festesten holze, wie das cedernholz ist, was aber doch immer übel aussieht. Das ist kurze spruch- und räthselsprache, die aber in ihrer anwendung auf eine jungfrau deutlich genug seyn kann. Eine jungfrau die ihre keuschheit troz aller angriffe auf sie siegreich behauptet, mufs wie eine solche mauer hoch geehrt geziert und belohnt werden; die unkeusche nur desto mehr zurückgehalten und gestraft werden. So dachten und so beschlossen also damals die gestrengen brüder als die schwester noch klein war: komme die zeit wo man um sie freien werde, so wollten sie von denen die wahl des gatten abhängt ihr wenn sie ihre keuschheit vollkommen bewährt habe den ehrenvollsten und besten mann der selbst eine zierde auch sein weib ziert, im gegentheile ihr den härtesten und schlechtesten geben der auch sein weib nur einsperren kann. Nun diese kleine schwester steht jezt grofsgeworden hier: sie hat sich früh jenes strenge wort gemerkt, aber sie kann nun laut jubelnd vor jedermann mit fortgesezter blumensprache ausrufen *sie sei eine mauer* und das weichste und schwächste an ihr die vorstehenden *brüste* seien gerade wie die uneinnehmbarsten und unbesieglichsten theile dieser mauer *die thürme;* aber nun kann sie zum schlusse auf das eben erlebte zurückblickend hinzusezen *da* als sich dies bewährte *ward ich vor ihm wie eine den frieden findende* stadt, es deuchte ihm gut mich mit weiteren angriffen zu verschonen und in frieden ziehen zu lassen.

4. *Vor ihm* sagte sie eben? vor wem? kann und soll

dér welcher hier der hohe stolze machtvollste und kunstreichste könig durch ein einzelnes schwaches ländliches weib besiegt wurde, etwa wegen seiner macht und seiner reichthümer geschont werden? O nein, am rechten orte mufs auch der mächtigste der gegenstand des offensten gerechten tadels und spottes werden; ist doch der lachende hohn und scherz über ihn die leichteste strafe für seine verkehrtheit. Schon am ende jener hochernsten rede v. 7 hatte Sulammit damit geschlossen dafs man den welcher sogar auch mit aller seiner reichsten habe liebe erkaufen zu können sich einbilde, *nur verachten* könne: wen sie damit im besondern meine, sagt sie nun hier, und das ernste wort geht in das heitere spiel des hohnes über. Sie beginnt deshalb noch einmal eine erzählung v. 11 f., auch noch in 6 zeilen, aber kürzer und hüpfender. *Salômo* welcher ja überhaupt seines reichthums wegen so berühmt blieb *hatte* unter anderem *einen weinberg in Báal-hamôn* wahrscheinlich einem städtchen welches man im Griechischen zeitalter weicher *Belamón* nannte und das nicht weit von Sulammit's gegend liegt (s. die *Geschichte des v. Isr.* III. s. 351 f. der lezten ausg.): dieser weinberg war sehr ausgedehnt, so *gab er ihn* denn meheren *hütern* geschickten aufsehern in pacht unter dér bedingung dafs *jeder* ihm jährlich 1000 *gulden für seine frucht* d. i. den ertrag des weinbergs *zahlen sollte,* welche pacht dabei so berechnet war dafs der pächter für die mühe seiner arbeit wenigstens noch 200 *gulden* von dem vollertrage für sich einnehmen konnte. Man sieht hieraus und aus Jes. 7, 23 wie geschickt man damals schon in voranschlägen und verpachtungen war; dafs aber die pächter sich im allgemeinen dabei gut standen, wird hier genug angedeutet. Nun mag Sulammit gegen Salômo und sogar gegen solche durch den handel mit ihm lebende pächter arm genug seyn: aber auch *sie hat einen weinberg* d. i. ein köstliches gut, das ist (etwas anders als 1, 6) dás gut wovon heute in allen ihren worten allein die rede ist, ihre keuschheit und unschuld; dies gut *ist vor mir,* steht sicher und fest in ihrer hand dafs sie darüber auch frei verfügen kann wie sie will; und in der unendlichen wonne dieses ihr unentreifsbare gut zu besizen kann sie alle reichthümer des königs und seiner pächter verachten, wie sie hier siegreich ausruft. — Beiläufig kann man hieraus auch folgern dafs Sulammit, als der könig sie freizugeben beschlofs und ihr vielleicht wie dort der alte könig der Sarah Gen. 20, 14—16 viel geld zur entschädigung anbot, gar nichts der art angenommen hatte.

5. Der ernst ist schon immermehr in scherz und frohe laune übergegangen, ja Sulammit hat mit jenen worten über die brüder v. 8 f. schon angedeutet dafs sie auch ohne ihre einst gegen sie nur zu strengen brüder sich den besten gemahl verdient habe, und durch die lezten worte v. 12 dafs sie ihn auch frei zu wählen willens sei. Dafs wufste der bräutigam hier längst, und schon sehen wir ihn v. 13 auch mit dem besondern kreise *der genossen* um sie versammelt. Diese genossen sind der jungfrau bekannt 1, 7. 2, 15. 5, 1: aber hier sind sie nun wirklich so gekommen wie sie einst nur im halben traume sie mitkommen geschauet hatte 5, 1, als freunde und führer des bräutigams zur ehe, wie es die sitte forderte. So tritt denn der bräutigam selbst aus ihrer mitte hervor v. 13, redet *die bewohnerin der gärten* an (denn die Paläste zu bewohnen verschmähete sie, die gärten aber kennen wir schon aus 4, 12—5, 1. 6, 2), und bittet sie um einen besondern gesang für ihn selbst, auf welchen die genossen mit ihm zu hören gespannt seien. Aber sie singt ihm jezt v. 14 im überschusse aller frohen laune und zum gipfel alles lustigen scherzes nichts zu als er möge *querum machen*, seine genossen verlassen und ihr nicht gegenüber stehen bleiben, sondern an ihre seite eilen, und ganz so wie sie dies 2, 9. 4, 16 in ihren leiden vorausgeschauet und eifrig ersehnt hatte, *einer* raschen schönen *gezelle oder hindinn gleich über die balsamberge kommen*, berge die nicht mehr wie dort 2, 17 ferne berge der trennung sind, sondern ganz nahe und lieblichst duftende, damit auch darin das gegentheil von dém geschehe was der könig 4, 6 für sich gewünscht hatte. Vgl. die *Jahrbb. der Bibl. wiss.* VIII. s. 171 f. — Und weder der bräutigam noch die übrigen hörer dieses gesanges werden so dumm gewesen seyn seinen sinn nicht zu begreifen.

Das spiel ist hier vollkommen zu ende, und auch noch dieser lezte tag war voll der lebendigsten und wechselreichsten handlung. Aber schon hört der rasche tanz der zeilen mit diesen beiden lezten zeilen und besonders dem lezten sehr vernehmlich auf; und alles kommt hier zur ruhe.

Sprachliche bemerkungen.

Die ersten worte 1, 2 könnte man zwar nach *LB.* §. 294 *c* só verstehen *es küsse mich einer von seines mundes küssen*: und dies könnte sogar hier zu anfange der rede und der keimenden sehnsucht bescheidener und insofern passender zur stelle scheinen; auch kann man nicht sagen ein saz wie *es küsse mich ein kufs von seinem munde!* sei unverständlich, da er eben soviel sinn hat wie wenn man sagt *es schlage mich ein schlag von seiner liebe!* Einfacher und insofern für eine Sulammit treffender ist es jedoch wenn sogleich ihr erstes wort lautet *er küsse mich*: dann drängt sich das מִן nur um den begriff des unbestimmteren zu ergänzen und daher hier um feiner und bescheidener zu reden ein, und der sinn der feineren rede kehrt auch so wieder. Ich habe dies längst auch in bezug auf diese stelle *LB*. §. 282 *e* bemerkt; derselbe fall ist bei *Ψ*. 28, 7 im vorigen theile I *b* s. 207 angemerkt. Im Hebräischen scheint diese feinheit der sprache mehr nur dichterisch ausgebildet zu seyn: im Arabischen sagt man auch in gemeiner rede z. b. كتب له من الشعر *er schrieb ihm verse* wie Franz. *des vers*.

Wie die rede 1, 3 vom küssen zum riechen übergehe, von dem nächsten zu dem etwas entfernteren, ist zwar leicht deutlich, und eben deshalb stellt sie *zu riechen* voran: allein dafs Sulammit von dem namen des Geliebten redet, würde hier wenig am plaze seyn, wenn es für sich allein stände; es wäre dann höchstens durch ein wortspiel zwischen שֶׁמֶן und שֵׁם herbeigeführt, wie sich dieses allerdings Qôh. 7, 1 findet, im munde der Sulammit aber ansich höchst frostig klänge. Allein der zusammenhang im grofsen stellt sich sofort her wenn man bei dem zweiten gliede von 1, 3 bedenkt dafs dieses glied ebenso wie die lezten worte v. 15 eine blofse anrede gibt, hier jedoch nach der bekannten weise *ein mann . . . Ijob sein name*, nur dafs dieser bezügliche saz hier in die anrede tritt. Wer ist ihr Geliebter? sie mag ihn nicht näher bezeichnen noch nennen; aber wenn er auch kein könig ist, für sie ist und heifst er *o Süfser Salbenduft!* Wörtlich zwar *als öl wirst du ausgegossen*: aber es ist eben nach §. 274 *a* der vorzug des Hebräischen dafs es noch immer eigennamen so lebendigen neuen sinnes und doch kürzester fassung bilden kann. Und bei genauerer ansicht läfst sich das תּוּרַק auch nur so im saze leicht verstehen; während der sinn im ganzen ist *dessen* salben müfsten doch am besten duften welcher selbst nichts als ein einziger grofser Süfser Salbenduft zu nennen sei. — Aber sie spielt auch nach v. 4 in dem נַזְכִּירָה auf den im ursinne der sprachen liegenden zusammenhang zwischen dem *duften* oder riechen und dem *sich erinnern* und *benennen*, vgl. zu Hos. 14, 7. 8. Möglich ist indeſs daſs ihr Geliebter etwa מִשְׁמָן hieſs.

Daſs 1, 6 שָׁזַף nur mundartig von שָׁדַף Gen. 41, 23 verschieden sei, lehrt der zusammenhang. — Daſs *die söhne der mutter* nach dem sinne und den sitten des alten volkes nur stiefbrüder seyn können, versteht sich vonselbst, vgl. mit *der frau des vaters* d. i. der stiefmutter *Loqmân* fab. 15.

Das עֹטְיָה 1, 7 ist zwar ein nicht weiter vorkommender ausdruck welcher wie so viele andere zu der eigenthümlichen sprache unsres stückes gehören mag. Allein man kann schon nach dem ganzen zusammenhange in welchem es hier steht nicht zweifeln daſs es etwa soviel als *eine ganz vergessene* bedeuten muſs: und dasselbe ergibt sich aus seiner wurzel. Der begriff des vergessens geht in den sprachen am ursprünglichsten von denen des verkleistert verdunkelt und schwach werdens aus: das gewöhnliche Aeth. wort für *vergessen* ረስዐ entspricht dem רֶשַׁע welches im Hebr. den *schuldigen* als einen befleckten bezeichnet, und dieses ist wahrscheinlich zu נָשָׁה نَسِيَ bloſs erweicht; λήθω ist ursprünglich eins mit λανθάνω, und غَهِبَ und غَبِنَ mit غاب verwandt; der ursinn der w. עטה führt auf dasselbe. Bedenkt man nun daſs im Syrischen ܥܛܐ neben ܛܥܐ eins der nächsten wörter für *vergessen* ist, so könnte man gar vermuthen hier sei טעיה eben in diesem und keinem andern sinne zu lesen: allein so gewiſs als die bedeutung *irren* für dies טעה oder תעה selbst erst ebenso wie bei ܛܥܐ vom begriffe des vergessens ausgeht, liegt gar keine nothwendigkeit vor die lesart zu ändern. Der bildung nach kann עֹטְיָה sehr wohl etwa unserm *dunkelnd* d. i. dunkel werdend entsprechen.

Ueber סוּסָה und רֶכֶב 1, 9 s. §. 176*b*. Die v. 10 f. genannten schmucksachen gehören zu den vielen unserm stücke völlig eigenthümlichen wörtern, welches umso denkwürdiger ist da sonst die weiblichen schmucksachen Jes. 3, 16—24 so vollständig aufgezählt werden. Das חרוזים ist aus dem häufigen ܚܪܘܙܐ sowie aus خَرَز (Frähn zu Ibn-Fodlân s. 86 ff. Hamâsa s. 408, 8) deutlich: wenn man aber bedenkt daſs die תֹּרִים *ringe* wie sie hier als die beiden *backen* schmückend bezeichnet werden nothwendig die in beiden nasenflügeln angebrachten seyn müssen, so ergibt sich weiter daſs die נְקֻדּוֹת jenen halsschnüren entsprechen müssen und nur deswegen als *kleine durchstochene kügelchen* bezeichnet werden weil es nicht jene von gröberen stoffen gemachten seyn sollen. Daſs nasenringe an einem oder an beiden nasenflügeln in Aegypten und den diesen benachbarten ländern uralt sind, ist bekannt.

Was 1, 12 מֵסַב in diesem zusammenhange sei leuchtet leicht ein: es ist die *tafelrunde* wobei bloſs die zum mahle eingeladenen männer sind, wie die LXX hier ganz richtig *ἀνάκλισις* übersezen. Wirklich bedeutet סַב auch 1 Sam. 16, 10 *runden* d. i. einen kreis um das opfer und die opfermahlzeit schlieſsen; und הֵסֵב *M.* Sanhedrîn 2, 4 steht vom könige der die tägliche groſse mahlzeit hält. Nun kann עַד שֶׁ· *bis daſs . . .* wol bedeuten *ehe es geschieht* wie unten 2, 17. 3, 4 und *M.* Peah. 7, 8: allein hier wo von der vergangenheit in einem zustandsaze geredet wird, ist es nach §. 217 *e* unstreitig *während der könig — war:* das übrige was Sulammit meint, versteht sich in diesem zusammenhange vonselbst.

Die worte *deine augen — tauben* v. 15 könnten allerdings nach §. 296 *b* auch bedeuten *sind taubenaugen*, wenn nicht das ähnliche bild 5, 12 auf einen andern sinn hinführte; vgl. auch *Caura's* Indisches liebeslied v. 8 und Bhartrihari's sprüche 1, 71. — Was hier aber am wichtigsten zu beachten, ist daſs diese worte wenn sie ganz für sich ständen sehr übel in den zusammenhang sich fügen würden: warum sollte bei ihr bloſs dies einzelne schönheitszeichen hervorgehoben werden, wenn die rede eine ruhige beschreibung der schönheit beginnen wollte? Allein wir verstehen nun schon aus v. 3 *b* daſs die worte eine anrede enthalten können: dann entsprechen sie in diesem gliede gut der anrede im vorigen.

1, 17 führt das *K'tîb* רחיטנו mit welchem aber das *Q'rî* רהיטנו wesentlich dasselbe bedeuten muſs, mit der übersezung *φατνώματα* der LXX *laquearia* der Vulg. darauf das wort für einerlei zu halten mit مُخَرَّط wie die künstlich gezierte holzdecke des zimmers heiſsen kann, die felderdecke oder fächerdecke; bei der beschreibung des Tempels findet sich dafür ein noch deutlicherer ausdruck (*Geschichte des v. I.* III. s. 325 der 3ten ausg.). Dann erklärt sich auch am besten wie dies wort nach den vorigen *balken* in der einheit bleiben kann. Eine andere ableitung derselben wurzel s. 7, 6.

2, 1 übersezen die LXX das הַשָּׁרוֹן sehr richtig wenigstens dem allgemeinen sinne nach durch τοῦ πεδίου: an eine bestimmte ebene, sei es die gewöhnlich *Saron* genannte am Mittelländischen meere oder eine andere, ist in diesem zusammenhange der gedanken und des versbaues nicht zu denken. Wo die LXX diesen besondern landstrich verstehen, sezen sie vielmehr Σαρωνᾶς B. Jes. 33, 9. 1 Chr. 27, 29. — Dafs man weder חבצלת noch שׁושׁנה durch *rose* übersezen darf, ist auch aus der geschichte dieser sicher; vgl. die oben s. 375 angeführten stellen.

Die welche bei בֵּית הַיַּיִן 2, 4 mit des Symm. οἰνών und der Vulg. *cella vinaria* an ein wein- oder trink- oder wirthshaus denken wollen, bekümmern sich nicht um den ächten sinn der worte im ganzen zusammenhange der rede und in Sulammit's sinne; und noch abscheulichere erklärungen will ich in dieser neuen ausgabe nicht berühren. Allein wie das Aethiopische in seinem ወይን die ursprüngliche aussprache des wortes im Semitischen am treuesten bewahrt hat, so bedeutet es im ihm auch noch das gewächs selbst, wie sogar *Cato* de re rust. c. 147 vom *vinum pendens* redet; und ዐጸደ ወይን eigentlich *der weinhof* ist ihm sogar der gewöhnliche ausdruck für den weinberg. Das בֵּית aber bezeichnet im Hebräischen und Aramäischen noch sehr oft blofs einen ort worin sich etwas wohlverwahrt findet; und wie ܒܝܬ ܙܝܬܐ den ölgarten bedeutet (Pesch. AG. 1, 12 für ἐλαιών), ebenso konnte einst im Hebräischen wenigstens mundartig unser ausdruck den weinberg oder etwas allgemeiner das weingelände bedeuten. Unser stück hat soviele ihm jezt durchaus eigenthümliche ausdrücke und wörter, dafs wir uns auch an diesem nicht stofsen können. Hier nun steht das weingelände offenbar dem viehheerdenlande 1, 7 gegenüber: und dafs ihr Geliebter auch an dem weinbergslande jener gegend seinen antheil besafs, wissen wir bereits aus 1, 14. Bedenken wir dazu dafs Sulammit auch nach 2, 15. 7, 13 nichts so liebte wie die weinberge, so können wir auch danach über den sinn dieses ausdruckes nicht im zweifel bleiben.

Unter den *äpfeln* 2, 5 ist gewifs irgend ein aus ihnen künstlich bereitetes gericht zu verstehen, ebenso wie im ersten gliede von einem anderen aus trocknen trauben bereiteten die rede ist. — Ueber den sinn von v. 7 ist noch in den *Jahrb. der Bibl. wiss.* VII. s. 149 geredet, wo z. 11 für *wenn* zu lesen ist *woran*.

Wie רִשְׁפֵּה 1, 9 das blicken aus weiterer ferne und gröfserer weite, רְצִין das aus gröfserer nähe und enge andeuten mag, ebenso sind die הֲרַכֵּי gewifs engere *spalten* خَرَق, sodafs wir dafür *gitter* sezen können.

Das wort זְמִיר 2, 12 bedeutet zwar nach I *a* s. 30 f. zunächst nur den kunstvollen mit musik begleiteten menschlichen gesang; das gezwitscher der vögel drückt צִפְצֵף und das damit zusammenhangende צָפַר aus. Allein sofern die hirten sich im frühlinge durch die gesangszeit der vögel auch selbst leicht mehr zu singen reizen lassen konnten, mag es in einem solchen zusammenhange wie hier auch leicht allgemeineren sinn annehmen. — Die Alten verstehen das wort vom *beschneiden* des weinstockes, LXX καιρός τῆς τομῆς, Symm. τῆς κλαδεύσεως, Vulg. *putationis:* das würde aber schon in den zusammenhang nicht passen. Blumen und gesänge gehören hieher; auch was dann im anfange der zweiten wende v. 13 von feige und weinstock gesagt wird, bezieht sich wieder nur auf das schwellen der blüthen und früchte. Das הֶנֵטָה jedoch welches die LXX durch ἐξήνεγκε, Aq. durch προέβαλε, Vulg. durch *extulit* wiedergeben, bezeichnet nach خَنَط (vgl. חִטָּה *waizen* von der röthlichen farbe) wahrscheinlich das sich röthen und reifwerden der unreifen grünen feigen im frühlinge. Das von der rebenblüthe gebrauchte סְמָדַר ist v. 13 nicht so wie v. 15 das reine aussagewort des sazes nach §. 296 *b*, sondern in diesem sazbaue bezüglich zu dem grundworte gesezt und so unserm *blühend* gleichbedeutend.

Das חֲגוּ كَهْف von der w. خَبَّ *reifsen;* und מַדְרֵגָה kann man kaum anders als *stufenwand* übersezen, eine hohe verschieden abgestufte wand des berges. — Wie grundlos das *Q'ri* aus dem ersten מַרְאַיִךְ eine mehrzahl, aus dem zweiten doch hier ganz gleichbedeutenden eine einzahl bilden will, ist *LB.* §. 256 *b* erläutert.

Für בֶּתֶר 2, 17 mit *Theod.* und der *Pesch.* wegen der ähnlichen worte 8, 14 בָּשֶׂם lesen zu wollen, ist sehr willkürlich: wie oben zu 8, 14 schon weiter erörtert ist. Man-

che alte leser wollten darin den namen einer stadt sehen, wie das *Bether* der Vulg. zeigt: sie dachten sich dann wol die auch sonst im 2ten jahrh. nach Chr. so berühmt gewordene stadt (s. die *Geschichte des v. Isr.* VII. s. 374 f.), welche doch auchwenn die schreibart an sie zu denken erlaubte hier gar keine bedeutung haben würde. Eben deshalb mochten andere leser der LXX sich dabei lieber die altheilige stadt Bethel denken, wie der zusaz *ἐπὶ τὰ ὄρη Βαιθήλ* zeigt welcher jezt in den v. 9 eingedrungen ist. Im gewöhnlichen wortgefüge der LXX steht v. 17 vielmehr *ἐπὶ ὄρη κοιλωμάτων* oder nach einigen hdschr. *κυκλωμάτων*, als bedeutete בתר berge *der trennungen* d. i. spaltungen, höhlen oder als müfste man dafür בְּתָר lesen. Wir verstehen aber das seltene wort hier vielmehr in seinem nächsten sinne, welcher zum zusammenhange der rede vortrefflich stimmt.

Wie im HL. soviele seltene worte und wortverbindungen sich finden, so ist auch die sazverbindung 3, 4 *kaum dafs . . . . . bis dafs* durchaus eigenthümlich und offenbar aus der breiteren volkssprache entlehnt. Wie aber das zweite *bis dafs* hier 3, 4 sich bei einer zukünftigen sache das *perf.* unterordnet, so erklärt sich das nur aus §. 355 *b*.

Das מִכֹּל 3, 6 ist nach §. 278 *c* zu verstehen, da es im sazbaue die vorigen beiden nennwörter aus ihrer einzelnheit zusammenfafst.

Ueber die bildung des אַפִּרְיוֹן 3, 9 s. §. 162 *c*: es von *φορεῖον* welches hier die LXX wie aus den lauten gerathen haben oder aus dem Sophokleischen *ἀμφορεῖον* abzuleiten ist schlimmer als scherz; man mufs aber vor allem festhalten dafs es von der מִטָּה v. 7 ganz verschieden seyn soll. Die רְפִידָה v. 10 ist nach dem zusammenhange deutlich das was wir *gelehne* nennen könnten, *ἀνάκλιτον* der LXX, *reclinatorium* der Vulg., nämlich das blofse gestelle des sessels oder des bettes oder seine grundlage worauf erst die purpurdecken als מֶרְכָּב aufgelegt werden. Dafs das ganze aber keine offene oder durchsichtige sänfte seyn soll, ergibt sich theils aus der erwähnung des *Inneren*, theils aus dem in der ganzen schilderung deutlich genug liegenden gegensaze zu der sänfte Salômo's und der sichtbarkeit dieses in ihr.

Für צַמָּה 4, 1. 3. 6, 7 ist nach dem I *b* s. 296 gesagten besser צְמָּה zu lesen. Jene lesart würde den *schleier* in diese stellen bringen: dieser hat aber mitten im zimmer der hoffrauen wo wir bei allen diesen stellen sind gar keinen sinn; er hat nur auf den gassen seinen rechten plaz 5, 7, dort aber heifst er רְדִיד, ein wort welches nach dem §. 144*d* erläuterten übergange solcher wurzeln dem رداء entspricht.

Erklärt man das גָּלַשׁ 4, 2 aus جلس *sizen*, so müfste man annehmen dieses könne auch das *herabsteigen* bedeuten, was schwierig ist. Nach dem zusammenhange der rede würde man das wort eher mit גָּלָה in der bedeutung des *glänzens* zusammenstellen. Ist doch mit diesen wurzeln auch das oben s. 173 erklärte גלע verwandt.

Ueber תַּלְפִּיּוֹת 4, 4 ist mir noch immer das wahrscheinlichste dafs es *gedrängte* kriegs*schauren* bedeutet von einer wurzel die ebenso wie bei v. 1 bemerkt mit لفّ verwandt ist; ableitungen von dieser wurzel bedeuten im Arabischen ganz gewöhnlich solche dichte kriegerhaufen. Dafs aber שֶׁלֶט eine art von *köcher* bedeute, ist hier und B. Jer. 51, 11 schon aus dem zusammenhange zu folgern.

Die bedeutung *schreiten* für שׁוּר سار vgl. אָשֻׁר 4, 8 pafst am besten hieher; und dafs לִבֵּב v. 9 ebenso wie ܠܒܒ Assem. bibl. or. I. p. 21. Barhebr. p. 418 *muthig machen* bedeute, ist unverkennbar. Ueber die Parder am Libanon s. Burckhardt's Syr. s. 497.

Das עֲנָק 5, 9 hat ganz ursprünglich den sinn eines *hals*schmuckes, und hat dann erst in ዐንቍ *geschmeide* eine allgemeinere bedeutung angenommen; das gegentheil ist nicht wol denkbar.

Dafs מֶגֶד 4, 13. 16. 7, 14 ein allgemeinerer ausdruck für unser *obst* sei, folgt aus dem zusaze *alle* 7, 14 vgl. mit dem כֹּל 4, 14. — Ueber יַעַר 5, 1 als eigentlichen *honig* und דבשׁ als künstlichen *traubenhonig* s. die *Geschichte des v. Isr.* III s. 50 der 3ten ausg.: eben deshalb steht jener als der süfsere voran. — Dafs aber דודים 4, 16 hier nichts als *freunde* bedeuten könne, ergibt sich sowol aus dem versbaue als aus der sache selbst; vgl. auch 7, 10.

5, 4 ist die lesart עָלַי für עליו welche sich sogar in den meisten urkunden findet, einzig passend sowohl zu der redensart selbst als zum zusammenhange der gedanken. — Auch das דָּבַר v. 5 als *zurückweichen* ist dem HL. eigenthümlich, erklärt sich aber aus dem allgemeinen Semitischen sprachschaze. Doch ist in diesem falle wol besser בְּדָבְרוֹ zu lesen.

Bei dem מָה 5, 8 könnte man einen augenblick schwanken ob es *was?* oder *nicht* bedeute; 8, 4 wechselt es als das lebhaftere *nicht* mit dem beschwörenden אִם 2, 7. 3, 5, und eben hier ist wieder ein schwur. Allein dafs die hoffrauen dem herzensfreunde *nicht* melden sollen sie sei liebeskrank, würde hier unpassend seyn, da sie sich dann vor ihm ihrer krankheit schämen würde, wozu sie keine ursache hat. Die sache wäre aufserdem viel zu unbedeutend um die hoffrauen damit behelligen zu wollen. Ganz abgesehen davon dafs dann hier kein stillstand der ganzen handlung eintreten könnte.

Das מִן nach מָה 5, 9 dient ganz ähnlich wie im Arabischen (*Gr. ar.* §. 577) nur den begriff des unbestimmten zu mehren, unserm *was für ein* — entsprechend. Dieser gebrauch des מִן ist zwar nach §. 278 *c.* 282 *e* im Hebräischen sonst eben nicht unmöglich, kommt aber so wie hier nur im HL. vor.

Ebenso ist תַּלְתַּלִּים 5, 11 diesem gedichte eigenthümlich als eine härtere aussprache für זַלְזַלִּים Jes. 18, 5 und von der anderen seite verwandt mit סַנְסִנִּים HL. 7, 9, aber auch mit dem kürzeren דַּלָּה HL. 7, 6: in der wurzel liegt der begriff des schwankenden herabhangenden, aber die starken steigerungsstämme geben auch den begriff des rankens; und so bedeutet das wort hier die *weinranken*, wie die LXX ἐλάται übersezen; dafs es nicht wol ein beschreibewort wie das folgende seyn kann, zeigt der zusammenhang der worte im saze. Vgl. das تلتل bei Tabrîzî zur Hamâsa p. 179, 7 v. u. — Bei dem מְלֵאת v. 12 aber mufs man vor allem festhalten dafs es seiner bildung nach nicht die *fülle* im nächsten wortsinne sondern *füllung* d. i. eine künstliche oder wie künstliche füllung z. b. des wassers bezeichnet; nur des kurzen wortes wegen geben wir es durch *volle fülle* wieder.

Für עֲרוּגַת 5, 13 liest man des bildes wegen besser ערוגֹת wie 6, 2: dann kann man mit ihm das מגדלות welches als מִגְדָּלוֹת *thürme* vgl. 8, 10 hier keinen guten sinn gibt, in der aussprache מְגַדְּלוֹת gut verbinden: *balsambeete* die nicht blofs von balsam duften sondern auch *würzfelder hochwachsen lassen*, den duftenden wohlgesalbten backenbart nämlich auf beiden seiten, wie es schon die LXX verstanden. — Dagegen verstehen diese das בָּחוּר v. 15 ganz unpassend als ἐκλεκτός, was in diesem zusammenhange weder in dem kurzen gliede wo es steht noch sonst einen sinn gibt.

Bei den allerdings schwierigen worten 6, 12 f. will ich hier wiederholen dafs ich noch jezt ihre 1826 gegebene erklärung billige. Es ist etwas ungewöhnlich dafs das שׂוּבִי so kurz mit dem gegenstande der bewegung *wohin* gebraucht wird: doch ist es nach §. 281 *d* nicht unmöglich: stände dafür הָבִיא, so wäre es eine gewöhnliche redensart; jenes kann aber wol dasselbe bedeuten. Auch bei dem כִּמְחֹלַת הַמַּחֲ 7, 1 liegt gar keine schwierigkeit vor es als antwort zu der vorigen frage só zu verstehen dafs es bedeutet *das was ist wie —:* der begriff des bezüglichen ergibt sich in solchen fällen nach §. 333 *b* vgl. das hier oben s. 147 erläuterte; und vor כְּ־ steht bekanntlich nicht gerne eine andere Präposition oder ein אֶת. Aber auch sachlich ist keine schwierigkeit sich zu denken dafs Salômo weitere ausflüge z. b. wie hier nach Galiläa hin mit seinem ganzen hofhalte zu wagen unternahm: denn die 3, 7—9 genannten zwei sänften haben einen ganz anderen zweck.

Wie bei 1, 3. 4, 12—15 und an anderen stellen dieser lieder, ist es auch 7, 2—7 von grofser wichtigkeit wohl zu beachten wo blofse anreden sich finden: man kann leicht bemerken dafs dadurch die reden selbst stellenweise erst ihre lebendige ächte farbe empfangen, während die worte sonst höchst unlebendig ja unzierlich und langweilig bleiben würden. — Es ist zeit dafs man auf solche dinge ein gewicht legt, weil man sonst weder die sprache noch die dichtungen des A. Ts. richtig würdigen kann.

Das אַגָּן steht in einem laut- und vielleicht auch ursprungszusammenhange mit dem Griechischen und Lat. *lagena*, scheint aber selbst ursprünglich mit עגל *rund* zu stimmen. Da nun סַהַר vielleicht wie im Aramäischen und Altarabischen den *mond* bezeichnen könnte, so liefse sich auch an *das rund des mondes* denken: aber מזג würde doch nicht die *conjunctio solis* bedeuten können. Die Ven. denkt bei *ῥάντιστρον Ἑκάτης* an eine blume.

Dafs die רְהָטִים 7, 6 etwa soviel als *locken* seyn sollen, lehrt der zusammenhang. Wenn man aber mit den Alten Uebersezern das wort von dem Aramäischen רְהַט = ריץ *laufen* ableitet, so würden die *läufe* doch schwerlich zu jenen hinführen. Ist aber die wurzel dieselbe welche wir 1, 17 bei einer andern ableitung trafen, so kann der begriff des drechselns auf dén der gedrechselten haarflechten führen, sodaſs das wort dem lezten sinne nach dem מַעֲשֶׂה מִקְשֶׁה Jes. 3, 24 entspricht.

Das wort לְדוֹדִי 7, 10 kann hier im zusammenhange der rede nicht *meinem lieben* bedeuten; dazu gebraucht immer nur die jungfrau in der rede von ihrem Geliebten, nie der könig in einem ähnlichen sinne das wort. Man könnte also vermuthen es sei bloſs aus v. 11 f. irrthümlich hieher versezt: allein dann wäre dies glied der rede zu klein und dem folgenden nicht entsprechend. Liest man dagegen dafür לְדוֹדִים welches sich ähnlich schon 5, 1 fand, so ist alles vollkommen zutreffend. Vielleicht aber ist das *-i* hier nur nach der volkssprache aus *-im* §. 177 *a* verkürzt: wenigstens muſs רִמֹּנִי 8, 2 wofür viele hdschrr. ־ִים lesen, nothwendig mehrzahl seyn, schon weil das wort nach 4, 13. 6, 11. 7, 13 gewöhnlich in dieser zahl steht und die einzahl in dem falle 4, 3. 6, 7 nur des dichterisch anschaulichen bildes wegen gebraucht wird.

Hinter dem אני לדודי 7, 11 das ודודי לי einzusezen, räth sowohl der wendenbau als die gleichheit der redensart 2, 16. 6, 2; und auch hier ist immer ein kurzer aber voller vers aus zwei gliedern.

Bei dem כְּפָרִים 7, 12 denken die Alten an das bekannte Aramäische wort für *dörfer*: allein ich wiederhole daſs dies hier völlig undichterisch wäre, auch garnicht in den zusammenhang passen würde. Wir würden hier nach stellen wie 2, 16. 6, 3 welche dem flusse der gedanken nach hier am nächsten liegen, etwa *lilien* erwarten: und offenbar nur weil gerade hieher noch mehr rein duftende gewächse passen, werden dafür Alhennasträucher gesezt.

8, 1 findet sich für כִּי die lesart לְךָ in der Bomberger ausgabe von 1521, welche ich 1825—26 ammeisten gebrauchte: doch gibt jene einen noch besseren sinn. — 8, 6 liest man für שַׁלְהֶבֶתְיָה viel besser שַׁלְהֲבֹת יָה שַׁלְהֲבֹתֶיהָ. Ueber die aussprache *Jah* für *Jahve* s. I *a* s. 253.

Bei dem בְּשָׂמִים 8, 14 ist merkwürdig daſs diese mehrzahl im HL. beständig sich findet und danach für בְּשָׂמִי

5, 1 wahrscheinlich ursprünglich בְּשָׂמַי zu lesen wäre; denn als einzahl erscheint immer בֹּשֶׂם und einmahl Ex. 30, 23 בֶּשֶׂם. Ist dennoch 5, 1 jene aussprache vorgezogen, so dachte die Massôra dabei wohl nur an herstellung eines gleichlautes mit dem folgenden חֲלָבִי. — Dafs das wort aber hier im wirklichen wortspiele auf בֶּתֶר 2, 17 zurückweisen soll, ist umso fühlbarer da ganz ähnliche stabreime sich nach s. 352 auch sonst in dem stücke finden.

Zusäze zu I *a*.

S. 43 kann man zu der *anmerk.* 1) noch hinzufügen dafs auch تاج verwandter bedeutung ist.

Zu s. 72 *anmerk.* Die bemerkungen Casiri's über jene Arabischen handschriften sollen nach neueren erforschungen wenig genau, die handschriften selbst theilweise verloren seyn; vgl. *v. Schack* Poesie und Kunst der Araber in Spanien und Sicilien I. s. 100 f.

Zu s. 199 *f.* vgl. noch das unten bei *Ψ*. 115, 9—11. *Ψ*. 118, 1—4. 10—12. *Ψ*. 136 erwähnte. — Sehr ähnlich ist hier in den alten Syrischen kirchenliedern die ܡܥܢܝܬܐ d. i. der gleichmäfsige wiederhall nach jeder wende in welchen offenbar die gemeinde einstimmen sollte; das wort ist wie تَغْنِيَة von غَنَّى gebildet, und ich redete darüber in den *Gött. Gel. Anz.* 1866 s. 1822 weiter. — Wie nahe ein solcher *nachgesang* nach jeder wende ist in welchen alle einstimmen sollen, zeigt unter den neueren dichtungen besonders die *Sindhî-dichtung* im grofsen mit ihrem *Vâî*, vgl. *Trumpp's* Sindhi-Literature. Leipzig. 1866.

Zu s. 264 *anmerk.* 2). Psalter mit der zahl von 147 und 152 Psalmen s. im Pariser Catalogue des manuscrits Hébreux et Samaritains (1866) *nr.* 113. 114. p. 12.

Zu I *b*.

Zu s. 46. Der volle sinn der worte *Ψ*. 60, 10 im ganzen zusammenhange der rede geht jedoch erst auf wenn man bedenkt dafs nach dem sinne des Orakels dér Gott welcher só über den besiz Palästina's diesseits und jenseits denkt wie v. 8 und só gerüstet ist wie v. 9 beschreibt, nun auch nach dem kriege ruhe haben und sich gleichsam lagern will: so will er sich von Nordost über Moab und Edóm bis Philistäa im tiefen südwest hin bewegen, in Moab wie zur folgenden ruhe ein bad nehmen, auf Edóm seinen schuh werfen und endlich nach Philistäa umbiegend *sich auf es wälzen*, es überfallend niederwerfen wie um auf seinem boden zur ruhe zu kommen und die menschen zum frieden zu zwingen. Die lesart *Ψ*. 108, 10 als die ursprünglichste vorausgesezt, wäre demnach dies רוֹעַ mit روغ = לָרוּץ zu vergleichen. Solche gewaltige aber eben nur gewaltig treffende und dennoch Gottes nicht unwürdige bilder sind in jenen alten zeiten an ihrer rechten stelle, Später aber stiefs man sich an ihnen, und änderte lesart und sinn so ab wie es sich jezt *Ψ*. 60, 10 zeigt. Aber auch die worte 'Amôs 2, 13 sind nicht wesentlich verschieden.

Zu s. 58. Die worte *Ψ*. 18, 11 versteht man ähnlich gerade in diesem zusammenhange nach v. 10 erst am vollkommensten wenn man bedenkt dafs das gewitter auch über die oberfläche der erde rasch dahineilt und jezt sich über das *meer* hin ausbreitet. So geben die worte v. 11 keine blofse wiederholung von v. 10.

Zu s. 80 *z.* 13 *schmücken* füge man hinzu: jene gehören ins freie, diese ins haus.

Zu s. 204 *z.* 8 *v. u.* vgl. jezt hier oben. s. 416.

Zu s. 336. Einen anderen versuch die worte v. 8 herzustellen s. in den *Gött. G. A.* 1863 s. 837.

Zu s. 444. Die worte לְעַם לְצִיִּים v. 14 bedeuten nach §. 293 *a* eigentlich *leuten*, *Unholden* d. i. die Unholde sind: aber weil der begriff eines volkes hier im Deutschen gut pafst, kann man dafür sagen *einem volke von Unholden.*

Zu s. 449 z. 10. Das קִרְסֵם wie *M.* פאה 2, 7.

Zu s. 495. Die worte v. 15 sind schon nachgebildet Qôh. 10, 19.

Noch vor dem fertigen drucke dieses blattes kommt mir Dr. *O. Zöckler's* „Sprüche Salomonis" zu als ein band des Bibelwerkes des Bonner Professors *J. P. Lange.* Da nun dieser junge mann von meinem werke von 1837 nichts zu sagen weifs als dafs es ihm (nämlich weil er das beste davon nicht versteht) an der „nöthigen gründlichkeit" fehle, so habe ich sein eignes näher eingesehen, mufs aber danach sagen dafs er mit der ganzen neuen schule zu der er sich hält auf dem besten wege ist durch den leichtsinn einer unentschuldbarsten anmafsung trägheit und oberflächlichkeit das beste in der Bibel und ihrer richtigen anwendung zu verlieren und die Evangelische kirche um den segen zu betrügen welchen sie von gewissenhaften Geistlichen zu erwarten ein recht hat. Wehe denen welche die faule frömmigkeit in kirche und schule heimisch machen wollen! sie sind vollkommen ebenso verderblich wie die anhänger des Tübing. Baur.

Druckfehler.

I *a* s. 215 z. 33 *Levitischer* für *Lateinischer.*
— s. 232 *anmerk.* z. 2 lies 9 statt 8; dann Ps. 3. 32—37. 89. 143; z. 7 füge hinzu Hab. 3, 3. 9.
— s. 274 z. 1 (275, 32) lies 73 (37. 18. 18).
— s. 278 vl. z. 279 z. 6 lies 48 statt 58.
II s. 6 *anmerk.* z. 2 lies *sind* 18, 17 f. (bei Adjectiven); 16, 33;
— — 27 z. 8 lies 16, 14.
— — 128 z. 20 lies *soviel.*
— — 224 z. 19 lies نثر.

CPSIA information can be obtained
at www.ICGtesting.com
Printed in the USA
BVHW081616220819
556561BV00018B/3903/P